KB196681

Spark!! 과년도
용접산업기사

전문도서의 파수꾼

한 ◆ 진

책 머리에

경제 규모 세계 11위, 세계 최강 조선 강국 대한민국!

이것이 오늘날 우리의 현주소이다. 이렇게 될 수 있는데 일조한 산업 직종을 들라 하면 주저 없이 '용접(鎔接, welding)' 분야를 추천할 수 있다.

왜냐하면 용접은 조선, 기계, 자동차, 전기, 전자 및 건설 등의 산업에서 제품이나 설비의 제조, 조립, 설치, 보수 등에 이르기까지 광범위하게 사용되고 있는 국가 기반산업이기 때문이다.

이처럼 다양한 분야에 응용되고 필요로 하는 용접은 앞으로도 지속적으로 기술 인력의 수요가 요구되고 있다. 국가에서는 다양한 용접기술을 향상시키기 위한 제반 환경조성과 전문화된 기능 인력을 양성하기 위하여 기술에 걸맞은 자격제도를 시행해 오고 있다.

이에 본 교재는 개정된 과목에 맞게 용접산업기사 문제를 정리하고 해설을 달아 자격증을 취득하고자 하는 수험생들에게 최단 시간 내에 원하는 목적을 달성할 수 있도록 발간하게 되었다.

본 교재의 구성과 학습 요령은 다음과 같다.

첫째, 최신 문제부터 수록하여 출제 경향을 알 수 있도록 구성하였기에 앞에서부터 차례로 풀어 나가면 된다. 이 때 주의할 점은 1년 정도의 문제는 해설을 보지 않고 문제를 풀어본 후 본인의 답과 정답을 비교하여 약한 과목 파악을 우선한다.

둘째, 앞서서 풀어본 1년의 문제를 다시 한 번 풀어보면서 본인의 생각과 해설의 일치 여부 및 미쳐 알고 있지 못했던 문제를 점검하고 넘어간다.

셋째, 산업기사 및 기사 등은 과락의 위험이 있으므로 특히 약한 과목은 반복 풀이가 중요하다. 이때 주의할 점은 절대로 해설을 보지 않고 먼저 풀어 본 후 다시 풀어보는 습관을 가져야 된다.

끝으로 본 교재를 통하여 우수한 산업기사가 많이 배출되길 바라고, 이 책 발간을 위하여 많은 자료와 도움을 주신 지인들에게 감사드린다.

저자

요점정리

2013년 시행

차 례

2012년 시행

2011년 시행

2010년 시행

차 례

요점정리

출제기준

직무분야	기계	자격종목	용접산업기사	적용기간	2006.01.01 ~ 2010.12.31
직무내용	주로 제품과정에 필요한 용접을 하여 하나의 제품 또는 구조물을 완성하는 작업을 수행 하며, 용접에 관한 설계와 제도 완성, 이에 따르는 비용계산, 재료 준비 등의 직무 수행				
필기검정 방법	객관식	문제수	60	시험시간	1시간 30분

필기과목명	문제수	주요항목	세부항목	세세항목
용접야금 및 용접설비제도	20	1. 용접부의 야금학적 특징	1. 용접야금기초	1. 금속결정구조 2. 화합물의 반응 3. 평형상태도 4. 금속조직의 종류
			2. 용접부의 야금학적 특징	1. 가스의 용해 2. 탈산, 탈황 및 탈인반응 3. 고온균열의 발생원인과 방지 4. 용접부 조직과 특징 5. 저온균열의 발생원인과 방지 6. 철강 및 비철재료의 열처리 7. 용접부의 열영향 및 기계적 성질
		2. 용접재료선택 및 전후처리	1. 용접재료 선택	1. 용접재료의 분류와 표시 2. 슬래그의 생성반응 3. 용접재료의 관리
			2. 용접 전후처리	1. 예열 2. 후열처리 3. 응력풀림처리
		3. 용접 설비제도	1. 제도 통칙	1. 제도의 개요 2. 문자와 선 3. 도면의 분류 및 도면관리
			2. 제도의 기본	1. 평면도법 2. 투상법 3. 도형의 표시 및 치수 기입 방법 4. 기계재료의 표시법 및 스케치 5. CAD기초

필기검정 방법	객관식	문제수	60	시험시간	1시간
필기과목명	문제수	주요항목	세부항목	세세항목	
			3. 용접제도	1. 용접기호 기재 방법 2. 용접기호 판독 방법 3. 용접부의 시험 기호 4. 용접 구조물의 도면해독 5. 판금, 제관의 용접도면해독	
용접구조설계	20	1. 용접설계 및 시공	1. 용접설계	1. 용접 이음부의 종류 2. 용접 이음부의 강도계산 3. 용접 구조물의 설계	
			2. 용접시공 및 결함	1. 용접시공, 경비 및 용착량 계산 2. 용접준비 3. 본 용접 및 후처리 4. 용접온도분포, 잔류 응력, 변형, 결함 및 그 방지 대책	
		2. 용접성 시험	1. 용접성 시험	1. 비파괴 시험 및 검사 2. 파괴 시험 및 검사	
용접일반 및 안전관리	20	1. 용접, 피복 아크용접 및 가스용 접의 개요 및 원리	1. 용접의 개요 및 원리	1. 용접의 개요 및 원리 2. 용접의 분류 및 용도	
			2. 피복아크 용접 및 가스용접	1. 피복아크용접 설비 및 기구 2. 피복아크용접법 3. 절단 및 가공 4. 가스용접 설비 및 기구 5. 가스용접법	
		2. 기타 용접, 용접의 자동 화 및 안전 관리	1. 기타 용접 및 용접의 자동화	1. 압접, 고밀도에너지용접, 기타용접 2. 특수 용접 3. 납땜 4. 용접의 자동화	
			2. 안전관리	1. 아크, 가스 및 기타 용접의 안전장치 2. 화재, 폭발, 전기, 전격사고의 원인 및 그 방지 대책 3. 용접에 의한 장해 원인과 그 방지 대책	

직무분야	기계	자격종목	용접산업기사	적용기간	2006.01.01 ~ 2010.12.31
직무내용	주로 제품과정에 필요한 용접을 하여 하나의 제품 또는 구조물을 완성하는 작업을 수행 하며, 용접에 관한 설계와 제도 완성, 이에 따르는 비용계산, 재료 준비 등의 직무 수행				
실기시험 방법	작업형			시험시간	2시간 정도
실기과목명	주요항목		세부항목	세세항목	

실기과목명	주요항목	세부항목	세세항목
용접실무	1. 용접 작업	1. 금속의 가공 및 절단	1. 금속의 가공 및 절단
		2. 용접작업	1. 가스 및 피복아크용접 (강판두께 1~9㎜) 2. 특수 및 기타 용접 1) TIG, MIG 및 CO_2용접 등 2) 강(철) 및 비철금속 판두께 1-9㎜
		3. 용접부의 시험, 검사 및 용접자세	1. 용접부의 시험 및 검사 2. 모든 자세에서 용접

용접부의 야금학적 특징

1 금속과 그 합금

(1) 금속의 공통적 성질

① 실온에서 고체이며, 결정체이다.(단 수은 제외)

② 빛을 반사하고 고유의 광택이 있다.

③ 가공이 용이하고, 연·전성이 크다.

④ 열, 전기의 양도체이다.

⑤ 비중이 크고, 경도 및 용융점이 높다.

(2) 합금

① 금속의 성질을 개선하기 위하여 단일 금속에 한가지 이상의 금속이나 비금속 원소를 첨가한 것

② 단일 금속에서 볼 수 없는 특수한 성질을 가지며 원소의 개수에 따라 이원 합금, 삼원 합금이 있다.

③ 종류로는 철 합금, 구리 합금, 경합금, 원자로용 합금, 기타 합금이 있다.

④ **합금의 일반적 성질**

　㉠ 성분을 이루는 금속보다 우수한 성질을 나타내는 경우가 많다.

　㉡ 성분 금속보다 강도 및 경도가 증가한다.

　㉢ 주조성이 좋아진다.

　㉣ 용융점이 낮아진다.

　㉤ 전·연성은 떨어진다.

　㉥ 성분 금속의 비율에 따라 색이 변한다.

2 재료의 성질

① **물리적 성질** : 비중, 열팽창계수, 용융잠열, 열전도율, 전기 전도율 등

② **기계적 성질** : 강도, 경도, 항복점 등

③ **화학적 성질** : 내식성, 내열성, 부식 등

● 비중

크롬(Cr)	7.19
바나듐(V)	6.16
망간(Mn)	7.43
구리(Cu)	8.93
철(Fe)	7.8

● 전기 전도율

① 순서 : Ag 〉Cu 〉Au 〉Al 〉Mg 〉Ni 〉Fe 〉Pb 의 순이다.

② 열 전도율도 전기 전도율과 순서가 비슷하다.

③ 금속 중에서 전기 전도율이 가장 좋은 것은 은이다.

④ 일반적으로 순금속에서 다른 금속 또는 비금속을 첨가하여 합금을 만들면 대개의 경우 전기 전도율은 저하된다.

3 금속 결정

(1) 금속의 결정

① **결정 순서** : 핵 발생 → 결정의 성장 → 결정 경계 형성 → 결정체

② **결정의 크기** : 냉각 속도가 빠르면 핵 발생이 증가하여 결정 입자가 미세해진다.

③ **주상정** : 금속 주형에서 표면의 빠른 냉각으로 중심부를 향하여 방사 상으로 이루어지는 결정

④ **수지상 결정** : 용융 금속이 냉각할 때 금속 각부에 핵이 생겨 나뭇가지와 같은 모양을 이루는 결정

⑤ **편석** : 금속의 처음 응고 부와 나중 응고 부의 농도 차가 있는 것으로 불순물이 주 원인이다.

종 류	특 징	금 속
체심입방격자 (B·C·C)	• 강도가 크고 전·연성은 떨어진다. • 단위격자속 원자 수 2, 배위수는 8	Cr, Mo, W, V, Ta, K, Ba, Na, Nb, Rb, α-Fe, δ-Fe
면심입방격자 (F·C·C)	• 전·연성이 풍부하여 가공성이 우수하다. • 단위격자속 원자 수 4, 배위수는 12	Ag, Al, Au, Cu, Ni, Pb, Ce, Pd, Pt, Rh, Th, Ca, γ-Fe
조밀육방격자 (C·H·P)	• 전·연성 및 가공성 불량하다. • 단위격자속 원자 수 4, 배위수는 12	Ti, Be, Mg, Zn, Zr, Co, La

⑥ **재결정** : 가공에 의해 생긴 응력이 적당한 온도로 가열하면 일정 온도에서 응력이 없는 새로운 결정이 생기는 것

ㄱ 금속의 재결정 온도 : Fe(350~450℃), Cu(150~240℃), Au(200℃), Pb(-3℃), Sn(상온) Al(150℃) 등

ㄴ 풀림 : 재결정 온도 이상으로 가열하여 가공 전의 연화 상태로 만드는 것

ㄷ 재결정 온도 이하에서의 가공을 냉간 가공, 이상에서의 가공을 열간 가공

ㄹ 냉간가공을 하게 되면 인장 강도 및 경도가 증가하며 연신율은 감소하다. 하지만 피로강도는 증가하게 된다.

(2) 금속의 소성 변형

① **슬립** : 금속 결정형이 원자 간격이 가장 작은 방향으로 층상 이동하는 현상

② **트윈(쌍정)** : 변형 전과 변형 후 위치가 어떤 면을 경계로 대칭되는 현상

③ **전위** : 불안정하거나 결함이 있는 곳으로부터 원자 이동이 일어나는 현상

④ **경화**

ㄱ 가공 경화 : 가공에 의해 단단해 지는 성질

ㄴ 시효 경화 : 시간이 지남에 따라 단단해 지는 성질

ㄷ 인공 시효 : 인위적으로 단단하게 만드는 것

⑤ **회복** : 가열로서 원자 운동을 활발하게 해주어 경도를 유지하나 내부 응력을 감소시켜 주는 것

4 금속의 변태

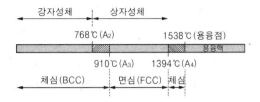

① **동소 변태** : 고체 내에서 원자 배열이 변하는 것

㉠ **순철**의 동소 변태(912℃, 1,400℃)

• A_4 변태(1,400℃) : γ철(F.C.C.) $\Leftrightarrow$ δ철(B.C.C.)

• A_3 변태(912℃) : α철(B.C.C.) $\Leftrightarrow$ γ철(F.C.C.)

㉡ 동소 변태 금속 : Fe(912℃, 1,400℃), Co(477℃), Ti(830℃), Sn(18℃) 등

② **자기 변태** : 원자 배열은 변화가 없고 자성만 변하는 것

㉠ **순철**의 자기변태

• A_2 변태(768℃) : α철(강 자성) $\Leftrightarrow$ α철(상자성) 순수한 시멘타이트는 210℃ 이하에서 강자성체. 그 이상에서는 상자성체

㉡ 자기 변태 금속 : Fe(775℃), Ni(358℃), Co(1,160℃)

5 철의 제조

(1) 철의 제조 과정

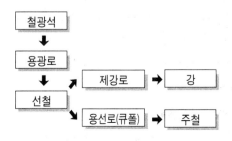

① **철광석** : 40%이상의 철분을 함유한 것

㉠ 철광석의 종류 : 자철광(철분 약 72%), 적철광(약 70%), 갈철광(약 55%), 능철강(약 40%)이 있다.

㉡ 인과 황은 0.1% 이하로 제한한다.

② **용광로** : 철광석을 녹여 선철을 만드는 로이다.

㉠ 1일 생산량을 ton으로 용량을 표시한다.

㉡ 열 및 환원제로 코크스를 사용한다.

㉢ 용제는 석회석과 형석을 사용한다.

㉣ 탈산제는 망간 등을 사용한다.

③ **선철** : 철강의 원료인 철광석을 용광로에서 분리시킨 것

㉠ 90% 정도를 강으로 제조된다.

㉡ 10% 정도가 용선로에서 주철로 제조된다.

④ **용선로(큐폴라)**

㉠ 주철을 제조하기 위한 로이다.

㉡ 매 시간 당 용해 할 수 있는 무게를 ton으로 용량 표시한다.

⑤ **제강로**

㉠ 강을 제조하기 위한 로이다.

㉡ 제강로의 종류 : 평로, 전로, 전기로, 도가니로

⑥ **강괴** : 원형, 4각, 6각 등의 잉곳으로 되어있는 것

강괴의 종류	탈산 여부	특 징
림드강	탈산 및 가스 처리가 불충분	• 수축 공이 없으며 기공과 편석이 많아 질이 떨어진다. • 탄소 함유량은 보통 0.3%이하의 저 탄소강 • 구조용 강재 및 피복 아크 용접용 모재 등으로 사용된다.

강괴의 종류	탈산 여부	특 징
킬드강	철-망간, 철-규소, 알루미늄 등으로 완전히 탈산	• 수축 공이 뚜렷하며, 기공은 없고 편석 또한 극소 • 강으로 재질이 균질하고 기계적 성질이 좋다. • 헤어 크랙이 생기기도 한다. • 탄소 함유량은 0.3%이상이다.
세미 킬드강	중간 정도의 탈산	• 수축 공이 없으며, 기공은 상당히 있으나 편석은 적다. • 탄소 함유량은 0.15~0.3% • 일반 구조용강, 강관

6 철강

(1) 철강의 분류

① **철강의 5대 원소** : C, Si, Mn, P, S

② **순철** : 탄소 0.03%이하를 함유한 철

③ **강**
  ㉠ 아 공석강 : C 0.77% 이하로 페라이트와 펄라이트로 이루어짐
  ㉡ 공석강 : C 0.77%로 펄라이트로 이루어짐
  ㉢ 과 공석강 : 0.77%이상으로 펄라이트와 시멘타이트로 이루어짐

④ **주철** : 탄소 2.0~6.68%를 함유한 철 하지만 보통 4.5%까지의 것을 말함.
  ㉠ 아 공정 주철 : C 1.7~4.3%
  ㉡ 공정 주철 : C 4.3%
  ㉢ 과 공정 주철 : C 4.3%이상

(2) 철강의 성질

① **순철**
  ㉠ 탄소량이 낮아서 기계 재료로서는 부적당하지만 항장력이 낮고 투자율이 높아

서 변압기, 발전기용 철심으로 사용한다.
  ㉡ 단접성 및 용접성은 양호하다
  ㉢ 유동성 및 열처리 성이 불량하다.
  ㉣ 전·연성이 풍부하여 박 철판으로 사용된다.

② **강** : 제강로에서 제조, 담금질이 잘되고 강도, 경도가 크다. 기계 재료로 사용된다.

③ **주강** : 주조한 강을 말하며 주로 산성 평로에서 제조한다. 수축률이 크고 균열이 생기기 쉬운 결점이 있어, 풀림(확산 풀림)을 해야 한다. 또한 기포 발생 방지를 위하여 탈산제를 많이 사용하므로 Mn, Si 등이 잔재한다.

④ **주철** : 큐폴라에서 제조, 담금질이 안됨. 경도는 크나 메지므로 주물 재료로 사용된다.

7 탄소강

① 탄소강의 취성

취성의 종류	현 상	원인
청열 취성	강이 200~300℃로 가열되면 경도, 강도가 최대로 되고, 연신율, 단면 수축률은 줄어들게 되어 메지게 되는 것으로 이때 표면에 청색의 산화 피막이 생성된다.	P
적열 취성	고온 900℃ 이상에서 물체가 빨갛게 되어 메지는 것을 적열 취성이라 한다.	S
상온 취성	충격, 피로 등에 대하여 깨지는 성질로 일명 냉간 취성이라고도 한다.	P

항(S)의 해를 제거하기 위하여 망간(Mn)을 첨가한다.

② 탄소강의 종류

㉠ 저 탄소강 : 탄소량이 0.03%이하의 강으

로 가공성이 우수하고, 단접은 양호하다. 하지만 열처리가 불량하다. 극연강, 연강, 반연강이 있다.

ⓛ 고 탄소강 : 탄소량이 0.03%이상의 강으로 경도가 우수하고, 열처리가 양호하다. 하지만 단접이 불량하다. 반경강, 경강, 최경강이 있다.

ⓒ 기계 구조용 탄소 강재 : 저 탄소강(0.08 ~ 0.23%)구조물, 일반 기계 부품으로 사용한다.

ⓔ 탄소 공구강 : 고 탄소강(0.6 ~ 1.5%), 킬드강으로 제조한다.

ⓜ 주강 : 수축률이 주철의 2배. 융점(1600) 이 높고 강도는 크나 유동성이 작다. 응력, 기포가 발생하여 조직이 억세므로 주조 후 풀림이 필요하다.

ⓗ 쾌삭강 : 강에 S, Zr, Pb, Ce 등을 첨가하여 절삭 성을 향상시킨 강이다.

ⓢ 침탄강 : 표면에 C를 침투시켜 강인성과 내마멸성을 증가시킨 강이다.

③ 강의 조직

ⓖ 페라이트(α, δ) : 일명 지철이라고도 하며 순철에 가까운 조직으로 극히 연하고 상온에서 강자성체인 체심입방격자 조직이다.

ⓛ 펄라이트(α + Fe₃ C) : 726℃에서 오스테나이트가 페라이트와 시멘타이트의 층상의 공석정으로 변태한 것으로 페라이트보다 경도, 강도는 크며 자성이 있다.

ⓒ 시멘타이트(Fe₃ C) : 고온의 강 중에서 생성하는 탄화철을 말하며 경도가 높고 취성이 많으며 상온에서 강자성체이다.

ⓔ 오스테나이트(γ) : α 철에 탄소를 고용한 것으로 탄소가 최대 2.11% 고용된 것으로 723℃에서 안정된 조직이며, 상자성체이다.

ⓜ 레데부라이트 : γ + Fe₃ C

8 탄소강에 함유된 원소의 영향

원소 (성분)	영 향
C	• 인장 강도, 경도 항복점 증가 • 연신율, 충격값, 비중, 열전도 또는 감소
Mn	• 인장 강도, 경도, 인성, 점성 증가 • 연성 감소 • 담금질성 향상 • 황의 해를 제거 • 탈산제 • 결정립의 성장 방해
Si	• 인장 강도, 탄성 한도, 경도 증가 • 주조성(유동성) 증가하지만 단접성은 저하 • 연신율, 충격 값 저하 • 결정립 조대화, 냉간가공성 및 용접성 저하 • 탈산제로 사용
S	• 인성, 변형률, 충격치 저하 • 용접성을 저하 • 적열 취성에 원인이 된다. • 0.25% 정도 첨가하여 피 절삭성 개선
P	• 연신율 감소, 편석 발생 • 결정립을 거칠게 하며 냉간 가공성 저하 • 청열 취성에 원인
H	• 헤어 크랙 및 은점의 원인
Cu	• 부식 저항 증가 • 압연 할 때 균열 발생

9 특수강(합금강)

(1) 특수강의 정의

특수강은 탄소강에 다른 원소를 첨가하여 강의 기계적 성질을 개선한 강을 말하며, 특수한 성질을 부여하기 위하여 사용하는 특수 원소로는 Ni, Mn, W, Cr, Mo, V, Al 등이 있다.

(2) 특수강의 분류

특수강의 분류	종류
구조용 특수강	강인강, 표면 경화용강, 스프링강, 쾌삭강 등
공구용 특수강	합금 공구강, 고속도강, 다이스강 등
특수용도특수강	내식용, 내열용, 베어링강, 불변강 등

10 합금강(특수강) 첨가원소의 영향

첨가원소	영향
Ni	강인성과 내식성 및 내산성 증가, 저온 충격 저항 증가
Cr	적은 양에 의하여 경도와 인장강도가 증가하고, 함유량의 증가에 따라 내식성과 내열성 및 자경성이 커지며, 탄화물을 만들기 쉬워 내마멸성을 증가한다. 내식성 증가
Mo	텅스텐과 거의 흡사하나, 그 효과는 텅스텐의 약 2배이다. 담금질 깊이가 커지고, 크리프 저항과 내식성이 커진다. 뜨임 취성을 방지한다.
Mn	적은 양일 때는 거의 니켈과 같은 작용을 하며, 함유량이 증가하면 내마멸성이 커진다. 황의 해를 방지한다. 고온에서 강도 경도 증가, 탈산제
Si	적은 양은 다소 경도와 인장 강도를 증가시키고 함유량이 많아지면 내식성과 내열성이 증가된다. 전기적 특성을 개선하며 탈산제, 유동성을 증가한다.
W	적은 양일 때에는 크롬과 비슷하며, 탄화물을 만들기 쉽고, 경도와 내마멸성이 커진다. 또한 고온 경도와 고온 강도가 커진다. 뜨임 취성 방지한다.
V	몰리브덴과 비슷한 성질이나, 경화성은 몰리브덴보다 훨씬 더하다. 단독으로는 그렇게 많이 사용하지 않고, 크롬 또는 크롬-텅스텐과 함께 있어야 비로소 그 효력이 나타난다.
Cu	석출 경화를 일으키기 쉽고, 내산화성을 나타낸다.
Co	고온 경도와 고온 인장 강도를 증가시키나 단독으로는 사용하지 않는다.
Ti	규소나 바나듐과 비슷하며, 입자 사이의 부식에 대한 저항을 증가시켜 탄화물을 만들기 쉬우며, 결정입자를 미세화시킨다.

⑪ 구조용 특수강[합금강]

분 류	종 류		특 징
강인강 (인장 강도, 탄성한도, 연율, 충격치 등의 기계적 성질이 우수하고 가공성 및 내식성이 좋다.)	Ni강		• Ni 1.5 ~ 5% • 질량 효과가 적고 자경성을 가진다.
	Cr강		• Cr 1 ~ 2% • 자경성이 있어 경도 증가 • 내마모성 및 내식성 개선
	Mn강	저Mn강	• Mn 1 ~ 2% • 일명 듀콜강 • 조직은 펄라이트 • 용접성 우수 • 내식성 개선 위해 Cu첨가
		고Mn강	• Mn 10 ~ 14% • 하드 필드강, 수인강 • 조직은 오스테나이트 • 경고가 커서 내마모재 • 광산 기계, 칠드 로울러
	Ni - Cr강		• Cr 1% 이하 • 일명 SNC • 뜨임 취성이 있다. • 850℃에서 담금질하고 600℃에서 뜨임하여 솔바이트 조직
	Ni - Cr - Mo강		• Mo 0.15 ~ 0.3첨가로 뜨임 취성 방지 • 가장 우수한 구조용강
	Cr - Mo강		• SNC 대용품
	Cr - Mn - Si강		• 크로만실 • 철도용, 크랭크축 등
	쾌삭강 (피절삭성 향상)	S, Pb	• 강도를 요하지 않는 부분에 사용
	표면 경화용강	침탄강	• Ni, Cr, Mo 첨가

분 류	종 류		특 징
강인강 (인장 강도, 탄성한도, 연율, 충격 치 등의 기 계적 성질 이 우수하 고 가공성 및 내식성 이 좋다.)	질화강	• Al, Cr, Mo, Ti, V 등 첨가	
	스프링 강	Si - Mn, Cr - Mn, Cr - V, SUS	• 자동차, 내식, 내열 스프링

자경성 : Ni, Mn, Cr 등의 합금 원소를 포함한 것은 공기 중에 냉각만 하여도 경화되어 물이나 기름 중에 냉각할 필요가 없다.

⑫ 공구용 특수강[합금강]

(1) 공구용 특수강

① 고온 경도, 내마모성, 강인성이 크며, 열처리가 쉬운강

② 공구용 특수강에 분류

분류	종류 (성분 원소)	특 징
합금 공구강 (STS)	탄소 공구강에 Cr, Ni, W, V, Mo 등을 1 ~ 2종 첨가	• 내마모성 개선 • 담금질 효과 개선 • 결정의 미세화
고속도 강 (SKH)	W 고속도강 W : Cr : V 18 : 4 : 1	• 600℃ 경도 유지 • 표준형 고속도강으로 일명 H.S.S. • 예열 : 800 ~ 900℃ • 1차 경화 1,250 ~ 1,300℃ 담금질 • 2차 경화 550 ~ 580℃에서 뜨임

분류	종류 (성분 원소)	특 징
고속도강 (SKH)	Co 고속도강	• 표준형에 Co 3% • 경도 및 점성 증가
	Mo 고속도강	• Mo 첨가로 뜨임 취성 방지
주조 경질 합금	스텔라이트 Co - Cr - W	• 단조가 곤란하여 주조한 상태로 연삭하여 사용 • 절삭 속도는 고속도강의 2배이나 인성은 떨어짐
소결 경질 합금	초경 합금 WC - Co TiC - Co TaC - Co	• Co 점결제 • 수소 기류 중에서 소결 • 1차 소결 : 800 ~ 1,000℃ • 2차 소결 : 1,400 ~ 1,450℃ • D(다이스), G(주철), S(강절삭용) • 열처리 불필요 • 내마모성 및 고온 경도는 크나 충격에 약하다.
비금속 초경합금	시래믹 Al_2O_3	• 1,600℃에서 소결 • 충격에 대단히 약하다. • 고온 절살, 고속 가공용
시효 경화 합금	Fe - W - Co	• 뜨임 경도가 높고 내열성이 우수 • 고속도강 보다 수명이 길고 석출 경화성이 크다.

13 특수용도 특수강(합금강)

분류	종류(성분 원소)	특징
스테인 레스강 (SUS)	페라이트계 (Cr 13%)	• 강인성 및 내식성이 있다. • 열처리에 의해 경화가 가능하다. • 용접은 가능하다. • 자성체이다.

분류	종류(성분 원소)	특징
스테인 레스강 (SUS)	마텐자이트계	• 13Cr을 담금질하여 얻는다. • 18Cr 보다 강도가 좋다. • 자경성이 있으며 자성체이다. • 용접성이 불량하다.
	오스테나이트계 (Cr(18) - Ni(8))	• 내식, 내산성이 13Cr 보다 우수 • 용접성이 SUS중 가장 우수 • 담금질로 경화되지 않는다. • 비자성체이다.
내열강	Al, Si, Cr을 첨가 산화피막 형성	• 고온에서 성질이 변하지 않는다. • 열에 의한 팽창 및 변형이 적다. • 냉간·열간 가공, 용접이 쉽다. • 탐켄, 해스텔로이, 인코넬, 서미트 등이 있다.
자석강 (SK)	Si강	• 잔류 자기 항장력이 크다.
베어링 강	고탄소 크롬강	• 내구성이 크다 • 담금질 직후 반드시 뜨임 필요
불변강	인바 (Ni 36%)	• 팽창 계수가 적다. • 표준척, 열전쌍, 시계 등에 사용
	엘린바 (Ni(36) - Cr(12))	• 상온에서 탄성률이 변하지 않음 • 시계 스프링, 정밀 계측기 등
불변강	플래티 나이트 (Ni 10 ~ 16%)	• 백금 대용 • 전구, 진공관 유리의 봉입선 등
	퍼멀로이 (Ni 75 ~ 80%)	• 고 투자율 합금 • 해전 전선의 장하 코일용 등
	기타	• 코엘린바, 초인바, 이소에라스틱

14 주철

(1) 주철의 개요

① 주철의 탄소 함유량은 1.7 ~ 6.68%의 강이다.

② 실용적 주철은 2.5 ~ 4.5%의 강이다.

③ 전·연성이 작고 가공이 안 된다.

④ 비중 7.1 ~ 7.3으로 흑연이 많아질 수록 낮아진다.

⑤ 담금질, 뜨임은 안되나 주조 응력의 제거 목적으로 풀림 처리는 가능하다.

⑥ **자연 시효** : 주조 후 장시간 방치하여 주조 응력을 제거하는 것이다.

⑦ **주철의 성장** : 고온에서 장시간 유지 또는 가열 냉각을 반복하면 주철의 부피가 팽창하여 변형 균열이 발생하는 현상

  ㉠ Fe_3 C의 흑연 화에 의한 성장

  ㉡ A_1 변태에 따른 체적의 변화

  ㉢ 페라이트 중의 규소의 산화에 의한 팽창

  ㉣ 불 균일한 가열로 인한 팽창

⑧ **흑연화**

  ㉠ 촉진제 : Si, Ni, Ti, Al

  ㉡ 흑연화 방지제 : Mo, S, Cr, V, Mn

⑨ **전 탄소량** : 유리 탄소와 화합 탄소를 합친 양

⑩ 탄소 함유량이 4.3% 공정 주철 1.7 ~ 4.3% 아공정 주철 4.3%이상 과공정 주철이다.

(2) 주철의 장·단점

장 점	• 용융점이 낮고 유동성(주조성)이 좋다 • 마찰 저항성이 우수하다. • 가격이 저렴하며 절삭 가공이 된다. • 내식성이 있다. • 압축 강도가 크다. (인장 강도의 3 ~ 4배)
단 점	• 인장 강도가 작다. • 충격 값이 작다. • 상온에서 가단성 및 연성이 없다. • 용접이 곤란하다.

(3) 주철의 조직

① 펄라이트와 페라이트가 흑연으로 구성

② **주철 중의 탄소의 형상**

  ㉠ 유리 탄소(흑연) - Si 많고 냉각 속도가 느릴 때 회주철

  ㉡ 화합 탄소(Fe_3 C) - Si 적고 냉각 속도가 빠를 때 백주철

③ **흑연화** : 화합 탄소가 3Fe와 C로 분리되는 것.

④ **흑연화의 영향** : 용융점을 낮게 하고 강도가 작아진다.

⑤ **마우러 조직 선도** : C, Si의 양 냉각 속도에 따른 조직의 변화를 표시한 것.

  ㉠ 백주철 : 펄라이트 + 시멘타이트

  ㉡ 반주철 : 펄라이트 + 시멘타이트 + 흑연

  ㉢ 펄라이트 주철 : 펄라이트 + 흑연

  ㉣ 보통 주철 : 펄라이트 + 페라이트 + 흑연

  ㉤ 극연 주철 : 페라이트 + 흑연

⑥ **스테타이트** : Fe - Fe_3 C - Fe_3 P의 3원 공정 조직 내마모성이 강해지나 오히려 다량일 때는 취약해진다.

(4) 주철의 종류

① **보통 주철(회 주철 GC 1 ~ 3종)**

  ㉠ 인장 강도 10 ~ 20kg/mm²

  ㉡ 조직은 페라이트 + 흑연으로 주물 및 일
  반 기계 부품에 사용

  ㉢ C = 3.2 ~ 3.8% Si = 1.4 ~ 2.5%

② **고급 주철(회 주철 GC : 4 ~ 6)**

  ㉠ 펄라이트 주철을 말한다.

  ㉡ 인장 강도 25kg/mm² 이상

  ㉢ 고강도를 위하여 C, Si량을 작게 한다.

  ㉢ 조직 펄라이트 + 흑연으로 주로 강도를
  요하는 기계 부품에 사용

  ㉢ 종류로는 란쯔, 에멜, 코살리, 파워스키,
  미하나이트 주철이 있다.

③ **특수 주철의 종류**

종류	특 징
미하나이트 주철	• 흑연의 형상을 미세 균일하게 하기 위하여 Si, Si - Ca분말을 첨가하여 흑연의 핵 형성을 촉진한다. • 인장 강도 35 ~ 45kg/mm² • 조직 : 펄라이트 + 흑연(미세) • 담금질이 가능하다. • 고강도 내마멸, 내열성 주철 • 공작 기계 안내면, 내연 기관 실린더 등에 사용
특수 합금 주철	• 특수 원소 첨가하여 강도, 내열성, 내마모성 개선 • 내열 주철(크롬 주철) : Austenite 주철로 비자성 • 내산 주철(규소 주철) : 절삭이 안되므로 연삭 가공에 의하여 사용 • 고Cr주철 : 내식, 내마성 개선

종류	특 징
구상 흑연 주철	• 용융 상태에서 Mg, Ce, Mg - Cu 등을 첨가하여 흑연을 편상에서 구상화로 석출시킨다. • 기계적 성질 인장 강도는 50 ~ 70kg/mm² (주조 상태), 풀림 상태에서는 45 ~ 55kg/mm² 이다. 연신율은 12 ~ 20%정도로 강과 비슷하다. • 조직은 Cementite형(Mg첨가량이 많고, C, Si가 적고 냉각 속도가 빠를 때 Pearlite형(Cementite와 Ferrite의 중간), Ferrite 형(Mg양이 적당, C 및 특히 Si가 많고, 냉각 속도 느릴 때) 만들어진다. • 성장도 적으며, 산화되기 어렵다. • 가열 할 때 발생하는 산화 및 균열 성장이 방지
칠드 주철	• 용융 상태에서 금형에 주입하여 접촉면을 백주철로 만든 것 • 각종의 롤러 기차 바퀴에 사용한다. • Si가 적은 용선에 망간을 첨가하여 금형에 주입
가단 주철	• 백심 가단 주철(WMC) 탈 탄이 주목적 산화철을 가하여 950℃에서 70 ~ 100시간 가열 • 흑심 가단 주철(BMC) Fe₃C의 흑연화가 목적 1단계(850 ~ 950℃풀림)유리 Fe₃C → 흑연화 2단계(680 ~ 730℃풀림)Pearlite중에 Fe₃C → 흑연화 • 고력 펄라이트 가단 주철(PMC) 흑심 가단 주철에 2단계를 생략한 것 • 가단 주철의 탈탄제 : 철광석, 밀 스케일, 헤어 스케일 등의 산화철을 사용

⑮ 일반 열처리

(1) 열처리의 목적

금속을 적당한 온도로 가열 및 냉각시켜 특별한 성질을 부여하는데 있다.

(2) 담금질

① 강을 A_3 변태 및 A_1 선 이상 30~50℃로 가열한 후 수냉 또는 유냉으로 급랭시키는 방법

② 조직

㉠ 마텐자이트(Martensite) : 강을 수냉한 침상 조직으로 강도는 크나 취성이 있다.

㉡ 트루스타이트(Troosite) : 강을 유냉한 조직으로 α - Fe과 Fe_3 C의 혼합 조직

㉢ 솔바이트(Sorbite) : 공냉 또는 유냉 조직으로 α - Fe과 Fe_3 C의 혼합 조직이다. 강도와 탄성을 동시에 요구하는 구조용 재료로 사용한다.

㉣ 오스테나이트(Austenite) : α - Fe과 Fe_3 C의 침상 조직으로 노중 냉각하여 얻는 조직으로 연성이 크고, 상온 가공과 절삭성이 양호하다.

③ **서브제로 처리(심랭 처리)** : 담금질 직후 잔류 오스테나이트를 없애기 위해서 0℃ 이하로 냉각하는 것

④ **질량 효과** : 재료의 크기에 따라 내·외부의 냉각 속도가 틀려져 경도가 차이나는 것을 질량 효과라 한다.

⑤ **각 조직의 경도 순서**

M > T > S > P > A > F

⑥ **냉각 속도에 따른 조직 변화 순서** : M(수냉) > T(유냉) > S(공랭) > P(노냉) 이중 Pearlite는 열처리 조직이 아니다.

⑦ **담금질 액**

㉠ 소금물 : 냉각 속도가 가장 빠름

㉡ 물 : 처음은 경화 능이 크나 온도가 올라갈수록 저하

㉢ 기름 : 처음은 경화 능이 작으나 온도가 올라갈수록 커진다.

(3) 뜨임

① 담금질된 강을 A_1 변태 점 이하로 가열 후 냉각시켜 담금질로 인한 취성을 제거하고 경도를 떨어뜨려 강인성을 증가시키기 위한 열처리이다.

② **뜨임의 종류**

㉠ 저온 뜨임 : 내부 응력만 제거하고 경도 유지 150℃

㉡ 고온 뜨임 : Sorbite 조직으로 만들어 강인성 유지 뜨임 온도는 500~600℃이다.

③ **뜨임 취성** : 뜨임 시효 취성 : 500℃ 정도에서 시간에 경과와 더불어 충격치가 저하되는 현상으로 Mo첨가로 방지 가능

(4) 불림

가공 재료의 잔류 응력을 제거하여 결정 조직을 균일화한다. 공기 중 공랭 하여 미세한 Sorbite 조직을 얻는다.

(5) 풀림

재질의 연화 및 내부 응력 제거를 목적으로 노내에서 서냉한다.

① **풀림의 종류**

㉠ 고온 풀림 : 완전 풀림, 확산 풀림, 항온 풀림

ⓛ 저온 풀림 : 응력 제거 풀림, 재결정 풀림, 구상화 풀림 등

16 기타 열처리

(1) 항온 열처리

① **효과** : 담금질과 뜨임을 같이 하므로 균열 방지 및 변형 감소의 효과

② **방법** : 강을 Ac_1 변태 점 이상으로 가열한 후 변태점 이하의 어느 일정한 온도로 유지된 항온 담금질욕 중에 넣어 일정한 시간 항온 유지 후 냉각하는 열처리이다.

③ **특징** : 계단 열처리 보다 균열 및 변형 감소와 인성이 좋다. 특수강 및 공구강에 좋다.

④ **종류**

ㄱ 오스템퍼 : 베이나이트 담금질로 뜨임이 불필요하다.

ㄴ 마템퍼 : 마텐자이트와 베이나이트의 혼합조직으로 충격치가 높아진다.

ㄷ 마퀜칭 : S곡선의 코 아래에서 항온 열처리 후 뜨임으로 담금 균열과 변형이 적은 조직이 된다.

ㄹ 타임 퀜칭 : 수중 혹은 유중 담금질하여 300 ~ 400℃ 정도 냉각시킨 후 다시 수랭 또는 유냉하는 방법

ㅁ 항온 뜨임 : 뜨임 작업에서 보다 인성이 큰 조직을 얻을 때 사용하는 것으로 고속도강, 다이스강의 뜨임에 사용한다.

ㅂ 항온 풀림 : S곡선의 코 혹은 다소 높은 온도에서 항온 변태 후 공랭 하여 연질

의 펄라이트를 얻는 방법

ㅅ TTT 곡선은 time temperature transformation curve의 약자로 항온 변태 곡선을 의미한다.

(2) 표면 경화법

① **침탄법**

ㄱ 고체 침탄법 : 침탄제인 코크스 분말이나 목탄과 침탄 촉진제(탄산바륨, 적혈염, 소금)를 소재와 함께 900 ~ 950℃로 3 ~ 4시간 가열하여 표면에서 0.5 ~ 2mm의 침탄층을 얻음

ㄴ 액체 침탄법 : 침탄제인 NaCN, KCN에 염화물 NaCl, KCl, $CaCl_2$ 등과 탄화염을 40 ~ 50%첨가하고 600 ~ 900℃에서 용해하여 C와 N가 동시에 소재의 표면에 침투하게 하여 표면을 경화시키는 방법으로 침탄 질화법이라고도 한다.

ㄷ 가스 침탄법 : 메탄 가스, 프로판 가스 등에 탄화 수소계 가스를 이용한 침탄법이다.

② **질화법** : 암모니아(NH_3)가스를 이용하여 520℃에서 50 ~ 100시간 가열하면 Al, Cr, Mo등이 질화되며 질화가 불필요하면 Ni, Sn도금을 한다.

③ **침탄법과 질화법의 비교**

비교 내용	침탄법	질화법
경도	작다.	크다.
열처리	필요	불필요
변형	크다.	적다
수정	가능	불가능
시간	단시간	장시간
침탄층	단단하다.	여리다.

④ **금속 침탄법** : 내식, 내산, 내마멸을 목적으로 금속을 침투시키는 열처리

ㄱ 세라 다이징 : Zn ㄴ 크로마이징 : Cr

ㄷ 칼로라이징 : Al ㄹ 실리코 나이징 : Si

⑤ **화염 경화법** : 산소 - 아세틸렌 화염으로 표면만 가열하여 냉각시켜 경화

⑥ **고주파 경화법** : 고주파 열로 표면을 열처리하는 방법으로 경화 시간이 짧고 탄화물을 고용시키기가 쉽다.

⑦ **기타** : 방전 경화법, 하드 페이싱, 메탈 스프레이, 쇼트 피니싱 등이 있다.

17 구리와 그 합금

(1) 구리의 성질

① 비중은 8.96 용융점 1,083℃이며 변태점이 없다.

② 비 자성체이며 전기와 열의 양도체이다.

③ 경화 정도에 따라 경질(H), 연질(O)로 구분한다.

④ 인장 강도는 가공도 70%에서 최대이며 600 ~ 700℃에서 30분간 풀림 하면 연화된다.

⑤ 황산, 염산에 용해되며 습기 탄산가스 해수에 녹이 생긴다.

⑥ 수소병이라하여 환원 여림에 일종으로 산화 구리를 환원성 분위기에서 가열하면 수소가 동 중에 확산 침투하여 균열이 발생하는 것이다.

(2) 구리 합금

고용체를 형성하여 성질을 개선하며 α 고용체는 연성이 커서 가공이 용이하나, β , δ 고용체는 가공성이 나빠진다.

18 황동 및 청동

종 류		성 분	특 징
연황동		6 : 4 황동 + Pb(1 ~ 1.5%)	• 절삭성 개선(쾌삭 황동) • 강도와 연신율은 감소 • 시계용 치차 등
주석황동	네이벌	6 : 4 황동 + Sn(1%)	• Zn의 산화 및 탈Zn 방지 • 해수에 대한 내식성 개선 • 선박, 냉각용 등에 사용
	에드미럴티	7 : 3 황동 + Sn(1%)	
철황동		6 : 4 황동 + Fe(1% 내외)	• 강도 내식성 개선 • 선박, 광산, 기어, 볼트 등
강력황동		6 : 4 황동 + Mn, Al, Fe, Ni, Sn	• 주조 가공성 향상 • 강도 내식성 개선 • 선박용 프로펠러, 광산 등
양은		7 : 3 황동 + Ni(15 ~ 20%)	• 부식 저항이 크고 주·단조 가능 • 가정 용품, 열전쌍, 스프링 등으로 사용
규소황동		Cu(80 ~ 85%) Zn(10 ~ 16%) Si(4 ~ 5%)	• 일명 실진 • 내식성 주조성 양호 • 선박용
알루미늄황동		Al 소량 첨가	• 내식성이 특히 강해짐 • 알브락, 알루미 브라스 등

(1) 황동(Cu + Zn)

① 가공성, 주조성, 내식성, 기계적 성질이 개선된다.

② Zn의 함유량이 30%에서 연신율 최대이

며, 40%에서는 인장 강도가 최대이다.

③ 자연 균열 : 냉간 가공에 의한 내부 응력이 공기 중에 암모니아 염류로 인하여 입간 부식을 일으켜 균열이 발생하는 현상으로 방지책으로는 도금법, 저온 풀림법이 있다.

④ 탈 아연 현상 : 해수에 침식되어 아연이 용해 부식되는 현상으로 염화 아연이 원인. 방지책으로는 아연 편을 연결한다.

⑤ 경년 변화 : 상온 가공한 황동 스프링이 사용할 때 시간의 경과와 더불어 스프링 특성을 잃는 현상이다.

⑥ 황동의 종류 : 아연 5% 길딩 메탈(화폐, 메달용), 15% 래드 브라스(소켓 체결구용), 20% 톰백(장신구) 등이 있다.

(2) 청동(Cu + Sn)

① 주조성, 강도, 내마멸성이 좋다.

② 주석의 4%에서 연신율 최대, 15%이상에서 강도, 경도 급격히 증대

③ 포금(Cu + Sn(10%) + Zn(2%)) : 청동의 구 명칭. 청동 주물의 대표 내식, 내수압성이 좋다.

(3) 특수 청동

① 인 청동 : 탈산제인 P을 첨가하여 내마멸성 냉간 가공으로 인장 강도 탄성 한계 증가하여 스프링제, 베어링 밸브 시트에 사용

② 베어링용 청동 : Cu + Sn(13 ~ 15%) 외측의 경도가 높은 δ조직으로 이루어짐

③ 납청동 : Pb은 Cu와 합금을 만들지 않고 윤활 작용을 하므로 베어링용으로 적합하다.

④ 켈밋 : Cu + Pb(30 ~ 40%) 열 전도,압축 강도가 크고 마찰 계수가 작다, 고속 고하중용 베어링에 사용한다.

⑤ 알루미늄 청동 : 강도는 Al 10%에서 최대, 가공성은 8%에서 최대, 주조성은 나쁨. 내식, 내열 내마멸성이 크다. 자기 풀림이 발생하여 결정이 커진다.

(4) 기타 구리 합금

① 니켈 구리 합금 : 어드밴스(Ni 44%), 콘스탄탄(Ni 45%), 콜슨 합금, 쿠니알 청동이 있다.

② 호이슬러 합금 : 강자성 합금. Cu - Mn - Al이 주성분

③ 오일레스 베어링 : 다공성의 소결 합금 즉 베어링 합금의 일종으로 무게의 20 ~ 30% 기름을 흡수시켜 흑연 분말 중에서 수소 기류로 소결 시킨다. Cu - Sn - 흑연 분말이 주성분이다.

⑲ 알루미늄의 성질

(1) 알루미늄의 성질

① 비중 2.7 용융점 660℃ 변태점이 없고 열 및 전기의 양도체이다.

② 전·연성이 풍부하며 400 ~ 500℃에서 연신율이 최대이다.

③ 풀림 온도 250 ~ 300℃이며 순수 알루미늄은 유동성이 불량하여 주조가 안 된다.

④ 무기산 염류에 침식되나 대기 중에서는 안정한 산화 피막을 형성한다.

(2) 알루미늄의 특성과 용도

① Cu, Si, Mg 등과 고용체를 만들며 열처리로 석출 경화, 시효 경화 시켜 성질을 개선한다.

② 송전선, 전기 재료, 자동차, 항공기, 폭약 제조 등에 사용한다.

③ 석출 경화 : 알루미늄의 열처리 법으로 급랭으로 얻은 과포화 고용체에서 과 포화된 용해 물을 석출시켜 안정화시킴. 석출 후 시간에 경과에 따라 시효 경화된다.

④ 인공 내식 처리법 : 알루마이트법, 황산법, 크롬산법

⑳ 알루미늄 합금

(1) 주조용 알루미늄 합금

① Al - Cu : 주조성, 절삭성이 개선되지만 고온 메짐, 수축 균열이 있다.

② Al - Si : 실루민으로 대표적인 주조용 알루미늄 합금이다.

③ Al - Cu - Si : 라우탈이라 하며 규소 첨가로 주조성 향상 구리 첨가로 절삭성 향상된다.

④ Al - Cu - Ni - Mg : Y합금 이라 하며 대표적인 내열합금으로 내연 기관에 실린더에 사용한다.

⑤ 다이캐스트용 합금 : 유동성이 좋고 1,000℃ 이하의 저온 용융 합금이며 Al - Cu

계, Al - Si계 합금을 사용하여 금형에 주입시켜 만든다.

⑥ 개질(개량) 처리 방법

㉠ 열처리 효과가 없고 개질 처리(규소의 결정을 미세화)로 성질을 개선한다.

㉡ 개질 처리 방법 : 금속 나트륨 첨가법, 불소 첨가법, 수산화나트륨, 가성소다를 사용하는 방법

(2) 내식용 알루미늄 합금

① 대표적인 것이 하이드로날륨으로 Al - Mg의 합금이다.

② 기타 : 알민(Al - Mn), 알드리(Al - Mg - Si) 등이 있다.

(3) 단련용 알루미늄 합금

① 두랄루민 : 단조용 알루미늄 합금의 대표

㉠ Al - Cu - Mg - Mn이 주성분 Si는 불순물로 함유된다.

㉡ 고온에서 급랭시켜 시효 경화 시켜 강인성을 얻는다.

② 초 두랄루민 : 두랄루민에 Mg은 증가 S는 i감소시킨다.

③ 단련용 Y합금 : Al - Cu - Ni 내열 합금이며 Ni에 영향으로 300 ~ 450℃에서 단조한다.

(4) 내열용 알루미늄 합금

① Y 합금 : Al - Cu(4%) - Ni(2%) - Mg(1.5%) 합금

㉠ 고온 강도가 크다.

㉡ 내연 기관, 실린더 등에 사용

② Lo - Ex : Al - Si - Cu - Mg - Ni 합금

㉠ 내열성이 우수하나 Y합금 보다 열팽창 계수가 작다.

㉡ Na으로 개량 처리 및 피스톤 재료로 사용

㉑ 마그네슘과 그 합금

(1) 마그네슘의 성질 및 용도

① 실용 금속 중에서 가장 가볍다

② 마그네사이트, 소금 앙금, 산화마그네슘으로 얻는다.

③ 비중 1.74 용융점 650℃ 조밀 육방 격자

④ 냉간 가공성이 나쁘므로 300℃ 이상에서 열간 가공

(2) 마그네슘 합금

① **도우 메탈** : Mg - Al 합금(하이드로날륨(Al - Mg)과 비교)

② **일렉트론** : Mg - Al - Zn 합금 내식성과 내열성이 있어 내연 기관의 피스톤의 재료로 사용한다.

㉒ 기타 비철 금속

(1) 니켈

① 비중 8.9, 용융점 1,450℃, 전기 저항이 크다.

② 상온에서 강자성체, 연성이 크며 냉간 및 열간 가공이 쉽다.

③ 내식성과 내열성이 우수하다.

(2) 니켈 합금

① Ni - Cu계 : 콘스탄탄, 어드밴스, 모넬메탈

② Ni - Fe계 : 인바, 엘린바, 플래티나이트

큐프로 니켈	70% Cu, 30% Ni
콘스탄탄	40 ~ 50% Ni
모넬메탈	65 ~ 70% Ni

(3) 아연 합금

① 다이 캐스팅용 합금 : 알루미늄은 가장 중요한 합금 원소이며, 합금의 강도, 경도를 증가함과 동시에 유동성을 개선한다. 주로 4% Al, 0.4% Mg, 1% Cu의 아연 합금이 가장 많이 쓰인다.

② 금형용 아연 합금 : 알루미늄 및 구리 함유량을 증가하여 강도, 경도를크게 한 것으로 대표적인 것으로는 Kirksite 합금(美), Kayem1, Kayem2(英)이 있으며, 4% Al, 3% Cu, 소량의 Mg 그 밖의 원소를 첨가한다.

③ 고망간 - 아연 합금 : 25% Mn, 15% Cu, 소량의 Al을 첨가한 것으로 다이 캐스팅 한 것의 인장 강도는 539MPa, 연신율 2%, 경도(HB)는 150정도로 내마멸성이 요구되는 부품에 사용한다.

④ 가공용 아연 합금 : Zn - Cu, Zn - Cu - Mg, Zn - Cu - Ti 합금 등이 있다. Zn - Cu, Zn - Cu - Mg의 열간 압연 온도는 175 ~ 300℃이며, Zn - Cu - Ti는 150 ~ 300℃이다. 이들 합금의 열간 취성 온도는 300 ~ 420℃이며 Zn - Cu - Ti 합금은 Ti의 첨가에 의하여 내크리프성이 뛰어나다.

(4) 납의 성질

① 납은 비중이 11.36인 회백색 금속으로 용융 온도가 327.4℃로 낮고 연성이 좋아 가공하기 쉬워 오래 전부터 사용되어 왔다.

② 불용해성 피복이 표면에 형성되기 때문에 대기 중에서도 뛰어난 내식성을 가지고 있으므로 광범위하게 사용된다.

③ 납은 자연수와 바닷물에는 거의 부식되지 않으며, 황산에는 내식성이 좋으나 순수한 물에 산소가 용해되어 있는 경우에는 심하게 부식되며, 질산이나 염산에도 부식된다.

④ 알칼리 수용액에 대해서는 철보다 빨리 부식된다.

⑤ 열팽창 계수가 높으며, 방사선의 투과도가 낮다.

⑥ 축전지의 전극, 케이블 피복, 활자 합금, 베어링 합금, 건축용 자재, 땜납, 황산용 용기 등에 사용되며, X선이나 라듐 등의 방사선 물질의 보호재로도 사용된다.

(5) 주석의 특성

① 주석은 비중이 7.3인 용융 온도가 231.9℃인 은색의 유연한 금속이다.

② 13.2℃ 이상에서는 체심 정방격자의 백색 주석(β - Sn)이지만 그 이하에서는 면심 입방격자의 회색 주석(α - Sn)이다. 13.2℃가 변태점이다.

③ 불순물 중에는 납, 비스무트, 안티몬 등은 변태를 지연시키고, 아연 알루미늄, 마그네슘, 망간 등은 변태를 촉진시킨다.

④ 주석은 상온에서 연성이 풍부하므로 소성

가공이 쉽고, 내식성이 우수하고, 피복 가공 처리가 쉬우며, 독성이 없어 강판의 녹 방지를 위하 피복용, 의약품, 식품 등의 포장용 튜브, 장식품에 널리 쓰인다.

⑤ 주석 주조품의 인장 강도는 30MPa 정도로서 고온에서는 온도의 증가에 따라 강도, 경도 및 연신율이 모두 저하한다.

(6) 저 융점 합금

① Sn 보다 융점이 낮은 합금으로 퓨즈 활자 정밀 모형에 사용

② (Bi - Pb - Sn - Cd)으로 구분되며 명칭은 우드 메탈, 뉴턴 합금, 로즈 합금, 리포위쯔가 있다

(7) 주석(Sn)계 화이트 메탈

① 배빗 메탈이라고 하며, 안티몬 및 구리의 함유량이 많아짐에 따라 경도, 인장 강도, 항압력이 증가한다.

② 해로운 불순물로는 철, 아연, 알루미늄, 비소 등이며 고주석 합금에서는 납도 불순물이다.

③ 금과 그 합금

㉠ 금은 아름다운 광택을 가진 면심입방격자로 비중이 19.3이고, 용융 온도는 1,063℃이다.

㉡ 순금은 내식성이 좋으므로 왕수 이외에는 침식되지 않으며, 상온에서는 산화되지 않으나 350℃ 이상에서는 약간 산화된다.

㉢ 금의 순도는 캐럿(carat K)이라는 단위를 사용하며, 24K이 100%의 순금이다.

㉣ 종류로는 Au - Cu계(반지나 장신구), Au

- Ag - Cu계(치과용이나 금침), Au - Ni - Cu - Zn계(은백색으로 화이트 골드라 불리며 치과용이나 장식용에 쓰인다.), Au - Pt계(내식성이 뛰어나 노즐 재료로 사용된다.)

(8) 베어링용 합금의 특성

① 베어링용으로 사용되는 합금에는 화이트 메탈, 구리계 합금, 알루미늄계 합금, 주철, 소결 합금 등이 있다.

② 금속 접촉의 발열로 인한 베어링의 소착에 대한 저항력이 커야 한다.

③ 사용 중에 윤활유가 산화하여 산성이 되고, 또 베어링의 온도가 높아져서 부식률이 높아지기 때문에 내식성이 좋아야 한다.

④ 주석계 화이트 메탈

　㉠ 배빗메탈이라고 하며, 안티몬 및 구리의 함유량이 많아짐에 따라 경도, 인장 강도, 항압력이 증가한다.

　㉡ 해로운 불순물로는 철, 아연, 알루미늄, 비소 등이며 고주석 합금에서는 납도 불순물이다.

② 납계 화이트 메탈

　㉠ 납 - 안티몬 - 주석 합금이 이계에 속한다.

　㉡ 안티몬, 주석의 함유량이 많을수록 항압력이 상승하나, 안티몬 너무 많아서 안티몬 고용체나 β 화합물 상이 많아지면 취약해진다.

　㉢ 이 계에 비소를 넣은 것이 WM10이며, 베어링 특성이 좋으므로 자동차, 디젤 기관 등에 사용된다.

③ 구리계 베어링 합금

　㉠ 켈밋이라고 하는 구리 - 납 합금 이외에 주석 청동, 인 청동, 납 청동이 있다.

　㉡ 구리 - 납계 베어링 합금은 내소착성이 좋고, 항압력도 화이트 메탈보다 크므로 고속 고하중용 베어링으로 적합하다. 자동차, 항공기 등의 주 베어링용으로 이용된다.

　㉢ 주석 청동, 납 청동의 주조 베어링은 저속 고하중용으로 적합하며, 납을 3 ~ 30% 함유한 납 청동도 주조 베어링, 바이메탈 베어링에 이용된다.

④ 알루미늄계 합금

　㉠ 이 합금은 베어링은 내하중성, 내마멸성, 내식성이 우수하지만, 내 소착성이 약하고 열팽창률이 큰 결점이 있어 널리 사용되지 않는다.

　㉡ 독일에서는 5% Al, 1.5% Zn, 0.75% Si, Cu 합금이 자동차 엔진의 주 베어링으로 사용되고 있다.

⑤ 카드뮴계 합금 : 카드뮴은 값이 비싸기 때문에 사용 범위가 제한되어 있지만, 미국에서는 SAE 규격의 합금이 다소 사용되고 있다. 이 합금은 카드뮴에 은, 니켈, 구리 등을 첨가하여 경화시킨 것으로 피로 강도가 화이트 메탈보다 우수하다.

1 용접 준비

(1) 일반 준비

모재 재질 확인, 용접기 및 용접봉 선택, 지그 결정, 용접공 선임 등

① 용접 지그 사용 효과

㉠ 용접을 하기 쉬운 자세를 취할 수 있다. 즉 아래보기 자세로 용접 할 수 있다.

㉡ 제품의 정밀도 향상을 가져 올 수 있다.

㉢ 용접 조립 작업을 단순화 또는 자동화를 할 수 있게 하여 작업 능률이 향상된다.

(2) 용접 이음 준비

① 홈 가공

㉠ 용입이 허용하는 한 홈 각도는 작은 것이 좋다.(일반적으로 피복 아크 용접에서 54 ~ 70°)

㉡ 용접 균열에 관점에서는 루트 간격은 좁을수록 좋으며 루트 반지름은 되도록 크게 한다.

② 조립

㉠ 수축이 큰 맞대기 이음을 먼저 용접하고 다음에 필렛 용접

㉡ 큰 구조물은 구조물에 중앙에서 끝으로 향하여 용접

㉢ 용접선에 대하여 수축력의 화가 영이 되도록 한다.

㉣ 리벳과 같이 쓸 때는 용접을 먼저 한다.

㉤ 용접 불가능한 곳이 없도록 한다.

㉥ 물품의 중심에 대하여 대칭으로 용접 진행

③ 가접

㉠ 홈안에 가접은 피하고 불가피한 경우 본 용접 전에 갈아낸다.

㉡ 응력이 집중하는 곳은 피한다.

㉢ 전류는 본 용접보다 높게 하며, 용접봉의 지름은 가는 것을 사용한다. 또한 너무 짧게 하지 않는다.

㉣ 시·종단에 엔드탭을 설치하기도 한다.

㉤ 가접사도 본 용접사에 비하여 기량이 떨어지면 안 된다.

㉥ **크레이터** : 용접부의 끝 부분을 크레이터라고 하며, 일반적으로 크레이터 처리는 아크 길이를 짧게 하여 운봉을 정지시켜서 크레이터를 채운 다음 용접봉을 **빠른** 속도로 들어 아크를 끊는다. 이때 크레이터 처리를 잘 못하면 균열, 슬랙 섞임, 등이 일어나거나 파손 될 수 있어 시종단에 엔드탭을 사용한다.

④ 이음부의 청소 : 이음부의 녹, 수분, 스케일, 페인트, 유류, 먼지, 슬랙 등은 기공 및 균열에 원인이 되므로 와이어 브러시, 그라인더, 쇼트 블라스트, 화학 약품 등으로 제거한다.

⑤ 홈의 보수

㉠ 맞대기 용접 : 판 두께 6mm 이하 한쪽 또는 양쪽에 덧살 올림 용접을 하여 깎아 내고 규정 간격으로 홈을 만들어 용접하며, 6 ~ 16mm인 경우는 두께 6mm

정도의 뒤판을 대서 용접하여 용락을 방지한다. 또한 16mm이상에서는 판의 전부 혹은 일부(약300mm)를 대체한다.

ⓛ 필렛 용접 : 용접물의 간격이 1.5mm 이하에서는 규정의 각장으로 용접하며, 1.5~4.5mm인 경우는 그대로 용접해도 좋으나 각장을 증가시킬 수 도 있다. 4.5mm 이상에서는 라이너를 넣거나 또는 부족한 판을 300mm이상 잘라내서 대체한다.

2 예열

(1)예열의 목적

① 용접부와 인접된 모재의 수축응력을 감소하여 균열 발생을 억제한다.

② 냉각속도를 느리게 하여 모재의 취성을 방지한다.

③ 용착금속의 수소 성분이 나갈 수 있는 여유를 주어 비드 밑 균열을 방지한다.

(2)예열의 방법

① 연강의 경우 두께 25mm이상의 경우나 합금 성분을 포함한 합금강 등은 급랭 경화성이 크기 때문에 열 영향부가 경화하여 비드 균열이 생기기 쉽다. 그러므로 50~350℃정도로 홈을 예열하여 준다.

② 기온이 0℃ 이하에서도 저온 균열이 생기기 쉬우므로 홈 양끝 100mm 나비를 40~70℃로 예열한 후 용접한다.

③ 주철은 인성이 거의 없고 경도와 취성이

커서 500~550℃로 예열하여 용접 터짐을 방지한다.

④ 용접 할 때 저 수소계 용접봉을 사용하면 예열 온도를 낮출 수 있다.

⑤ 탄소 당량이 커지거나 판 두께가 두꺼울수록 예열 온도는 높일 필요가 있다.

⑦ **탄소량에 따른 예열 온도**

- 탄소량 0.2% 이하 : 90℃ 이하
- 탄소량 0.2%~0.3% : 90℃~150℃
- 탄소량 0.3%~0.45% : 150℃~260℃
- 탄소량 0.45%~0.83% : 260℃~420℃ 즉 탄소량이 늘어날수록 예열 온도는 높게 한다.

⑥ 주물의 두께 차가 클 경우 냉각 속도가 균일하도록 예열

3 용접 작업

(1) 용접 진행 방향에 따른 분류

① **전진법** : 용접 시작 부분보다 끝나는 부분이 수축 및 잔류 응력이 커서 용접 이음이 짧고, 변형 및 잔류 응력이 그다지 문제가 되지 않을 때 사용

② **후진법** : 용접을 단계적으로 후퇴하면서 전체 길이를 용접하는 방법으로 수축과 잔류 응력을 줄이는 방법

③ **대칭법** : 용접 전 길이에 대하여 중심에서 좌우로 또는 용접물 형상에 따라 좌우 대칭으로 용접하여 변형과 수축 응력을 경감한다.

④ **비석법** : 스킵법이라고도 하며 짧은 용접

길이로 나누어 놓고 간격을 두면서 용접하는
　방법으로 특히 잔류 응력을 적게 할 경우
　사용한다.

⑤ **교호법** : 열 영향을 세밀하게 분포시킬 때
　사용

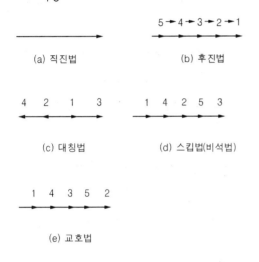

(2) 다층 용접에 따른 분류

① **덧살 올림법(빌드업법)** : 열 영향이 크고
　슬랙 섞임의 우려가 있다. 한냉시, 구속이
　클 때 후판에서 첫층에 균열 발생 우려가
　있다. 하지만 가장 일반적인 방법이다.

② **캐스케이드법** : 한 부분의 몇 층을 용접하
　다가 이것을 다음 부분의 층으로 연속시
　켜 용접하는 방법으로 후진법과 같이 사
　용하며, 용접 결함 발생이 적으나 잘 사
　용되지 않는다.

③ **전진 블록법** : 한 개의 용접봉으로 살을
　붙일만한 길이로 구분해서 홈을 한 부분
　에 여러 층으로 완전히 쌓아 올린 다음,
　다음 부분으로 진행하는 방법으로 첫층에
　균열 발생 우려가 있는 곳에 사용된다.

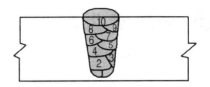

빌드업법

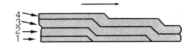

캐스케이드법

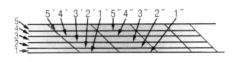

전진 블록법

(3) 용접할 때 온도 분포

① 냉각 속도는 얇은 판보다는 두꺼운 판에
　서 크다.

② 냉각 속도는 맞대기 이음보다는 T형 이음
　의 경우가 크다. 즉 열의 확산 방향이 많
　을수록 크다.

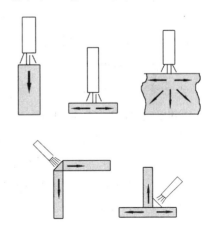

③ 열전도율이 클수록 냉각 속도는 크다.

4 용접 후 처리

(1) 잔류 응력 제거법

① **노내 풀림법** : 유지 온도가 높을수록, 유지 시간이 길수록 효과가 크다. 노내 출입 허용 온도는 300℃를 넘어서는 안 된다. 일반적인 유지 온도는 625 ± 25℃ 이다. 판 두께 25mm 1시간

② **국부 풀림법** : 큰 제품, 현장 구조물 등과 같이 노내 풀림이 곤란할 경우 사용하며 용접선 좌우 양측을 각각 약 250mm 또는 판 두께 12배 이상의 범위를 가열한 후 서냉한다. 하지만 국부 풀림은 온도를 불균일하게 할 뿐 아니라 이를 실시하면 잔류 응력이 발생될 염려가 있으므로 주의하여야 한다. 유도 가열 장치를 사용한다.

③ **기계적 응력 완화법** : 용접부에 하중을 주어 약간의 소성 변형을 주어 응력을 제거한다. 실제 큰 구조물에서는 한정된 조건 하에서만 사용할 수 있다.

④ **저온 응력 완화법** : 용접선 좌우 양측을 정속도로 이동하는 가스 불꽃으로 약 150mm의 나비를 약 150 ~ 200℃로 가열 후 수냉하는 방법으로 용접선 방향의 인장 응력을 완화시키는 방법

⑤ **피닝법** : 끝이 둥근 특수 해머로 용접부를 연속적으로 타격하여, 용접 표면에 소성 변형을 주어 인장 응력을 완화한다. 첫층 용접의 균열 방지 목적으로 700℃ 정도에서 열간 피닝을 한다.

(2) 변형 방지법

① **억제법** : 모재를 가접 또는 구속 지그를 사용하여 변형 억제

② **역 변형법** : 용접 전에 변형의 크기 및 방향을 예측하여 미리 반대로 변형시키는 방법

③ **도열법** : 용접부 주위에 물을 적신 석면, 동판을 대어 열을 흡수시키는 방법

④ **용착법** : 대칭법, 후퇴법, 스킵법 등을 사용한다.

(3) 변형을 적게 하는 방법

① 공급 열량을 가능한 적게 한다.

② 열량을 1개소에 집중 시키지 않는다.

(4) 변형의 교정

① 박판에 대한 점 수축법

> **참고** 점 수축법 시공 조건 : 가열 온도 500 ~ 600℃, 가열 시간은 30초 정도, 가열 부 지름 20 ~ 30mm, 가열 즉시 수냉 한다.

② 형재에 대한 직선 수축법

③ 가열 후 해머질 하는 방법

④ 후판에 대해 가열 후 압력을 가하고 수냉 하는 방법

⑤ 로울러에 거는 법

⑥ 절단하여 정형 후 재 용접하는 방법

⑦ 피닝법

(5) 결함의 보수

① 기공 또는 슬랙 섞임이 있을 때는 그 부분을 깎아 내고 재 용접

② **언더컷** : 가는 용접봉을 사용하여 파인 부분의 용접

③ **오버랩** : 덮인 일부분을 깎아내고 재 용접

④ 균열일 때는 균열 끝에 정지 구멍을 뚫고 균열 부를 깎아 홈을 만들어 재 용접

(6) 보수 용접

① 기계 부품 등의 일부 마멸된 부분을 깎아 내거나 그대로 다시 원래 상태가 되도록 덧붙임 용접을 하는 방법

② 열처리 없이 경도가 높은 것을 만들 수 있는데 ,망간강, 크롬 - 코발트 - 텅스텐 등을 기본으로 하는 합금계 심선이 필요

③ **용사법** : 용융된 금속을 고속 기류에 불어 붙임 이용

(7) 용접 후의 가공

① 용접 후 기계 가공을 하는 경우에 용접부에 잔류 응력이 풀려지는 경우에 변형 우려가 있으므로 잔류 응력 제거

② 굽힘 가공할 것은 균열 발생 우려가 있으므로 노내 풀림 처리할 것

③ 철강 용접의 천이 온도의 최고 가열 온도는 400 ~ 600℃

참고 천이 온도란 재료가 연성 파괴에서 취성 파괴로 변하는 온도 범위

5 용접 변형

① 면내의 수축 변형 : 가로 수축, 세로 수축, 회전 수축

② 면외의 수축 변형 : 굽힘 변형(가로, 세로 방향), 좌굴 변형, 비틀림 변형

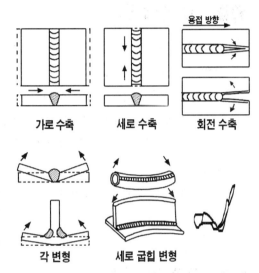

각변형이란 용접에 의해 부재 또는 구조물에 생기는 가로(횡) 방향의 굽힘 변형을 말한다. 맞대기 용접의 경우는 상부쪽의 수축량이 크기 때문에 위쪽으로 오므라들게 되며, 필릿 용접의 경도 수평판의 상부쪽이 오므라드는 것을 말한다.

6 용접 균열

용접을 끝낸 직후의 크레이터 부분의 생기는 크레이터 균열, 외부에서는 볼 수 없는 비드 밑 균열, 열영향부 균열, 비드 표면과 모재와의 경계부에 발생하는 토 균열, 비틀림이 주원이 되어 발생하는 힐 균열, 저온 균열에

서 가장 주의하여야 할 균열인 첫층 용접의 루트 근방에서 발생하는 루트 균열, 모재의 재질 결함으로서의 균열인 래미네이션 균열 등이 있다.

⑦ 고 탄소강

① 탄소 함유량의 증가로 급랭 경화, 균열 발생이 생긴다.

② 균열을 방지하기 위하여 전류를 낮게 하며, 용접 속도를 느리게 하며 용접 후 신속히 풀림 처리를 한다. 또한 예열 및 후열을 한다.

③ 용접봉은 저 수소계를 사용한다.

⑧ 주철의 용접

① 수축이 크고 균열이 발생하기 쉽고 기포 발생이 많으며, 급열 급랭으로 용접부의 백선화로 절삭 가공이 곤란하며 이런 이유로 용접이 곤란하다.

② 예열 및 후열(500 ~ 550℃)을 한다.

③ 붕사 15%, 탄산수소나트륨 70%, 탄산나트륨 15% 알루미늄 분말 소량의 혼합제가 널리 쓰임

④ **주철 용접의 보수 방법**

　㉠ 스터드 법 : 스터드 볼트를 사용한다.

　㉡ 비녀장 법 : 강 봉을 박고 용접하는 방법

　㉢ 버터링 법 : 모재와 융합이 잘되는 용접봉으로 적당히 용착

　㉣ 로킹 법 : 스터드 볼트 대신에 둥근 고랑을 파는 방법

⑤ **주철을 용접할 때 주의 사항**

　㉠ 보수 용접을 행하는 경우는 본 바닥이 나타날 때까지 잘 깎아낸후 용접한다.

　㉡ 파열의 끝에 작은 구멍을 뚫는다.

　㉢ 용접 전류는 필요 이상 높이지 말고, 직선 비드를 사용하며, 깊은 용입을 얻지 않는다.

　㉣ 될 수 있는 대로 가는 지름의 것을 사용한다.

　㉤ 비드 배치는 짧게 여러 번 한다.

　㉥ 피닝 작업을 하여 변형을 줄인다.

　㉦ 가스 용접을 할 때는 중성 불꽃 및 탄화 불꽃을 사용하며, 플럭스를 충분히 사용한다.

　㉧ 두꺼운 판에 경우에는 예열과 후열 후 서냉한다.

⑨ 스테인리스강의 용접

(1) 페라이트계 스테인리스강의 용접

① 모재는 되도록 저탄소가 좋으며, 탄소 0.1%이하의 용접에서 200 ~ 400℃의 예열이 필요하다.

② 용접 직후 풀림하여 인성을 회복한다.

③ 가스 용접을 사용할 경우 중성불꽃을 사용한다.

(2) 오스테나이트(18 - 8) 스테인리스강의 용접시 주의 사항

① 예열을 하지 않는다.

② 층간 온도가 320℃ 이상을 넘어서는 안 된다.

③ 용접봉은 모재와 같은 것을 사용하며, 될 수록 가는 것을 사용한다.

④ 낮은 전류치로 용접하여 용접 입열을 억제한다.

⑤ 짧은 아크 길이를 유지한다.(길면 카바이드 석출)

⑥ 크레이터를 처리한다.

⑩ 구리 및 구리 합금 용접

① 열전도율이 커서 균열 발생이 쉽다.

② 티그용접법, 피복 금속 아크 용접, 가스 용접법, 납땜법 등이 사용된다.

③ 가접은 가능한 한 많이 하여 변형을 방지한다.

④ 열이 급속히 달아나므로 예열이 필요

⑤ 경우에 따라 긴 후판의 세로 이음은 양쪽에서 두명의 용접사가 동시에 작업을 진행

⑥ 용접홈의 각도는 $60 \sim 90°$로 넓게 하고, 경우에 따라 이면의 각도도 넓게 주고 백판을 사용한다.

⑪ 알루미늄 합금 용접

① 열전도가 커서 단시간에 용접 온도를 높이는 데 높은 온도의 열원이 필요하다.

② 팽창 계수가 매우 크다.

③ 가스용접, 불활성 가스 아크 용접, 전기 저항 용접이 쓰임

④ 용접 후 2%의 질산 또는 10%의 더운 황산으로 세척한 후 물로 씻어 냄(또는 찬 물이나 끓인 물을 사용하여 세척한다.)

⑫ 고장력강 용접

① 일반적으로 피복제 계통은 기계적 성질이 우수한 저수소계를 사용한다.

② 결함 발생면에서 아크 길이는 가능한 짧게 위빙 폭은 가능한 작게 하는 것이 좋다.

용접설비 제도

① 도면의 양식과 척도

(1) 도면의 크기와 양식

① 도면은 반드시 일정한 크기로 만든다.

② 제도 용지의 크기 : 'A열' 용지의 사용을 원칙으로 한다.

③ 신문, 교과서, 공책, 미술 용지 등은 B계열 크기만 사용한다.

④ 세로(a)와 가로(b)의 비는 $1 : \sqrt{2}(1.414213)$

⑤ A0 용지의 넓이 : 약 $1m^2$

⑥ 큰 도면을 접을 때는 A4 크기로 접으며, 표제란이 겉으로 나오도록 한다.

⑦

도면의 크기	A0 (전지)	A1(2 절지)	A2(4 절지)	A3(8 절지)	A4 (16 절지)
a × b	841 × 1189	594 × 841	420 × 594	297 × 420	297 × 210
c (최소)	20	20	10	10	10
d (철하지 않을 때)	20	20	10	10	10
d (철할 때)	25	25	25	25	25

(2) 도면의 양식

① 윤곽선 : 도면에 그려야 할 내용의 영역을 명확히 하고, 제도 용지의 가장자리에 생기는 손상으로부터 기재 사항을 보호하기 위해 0.5mm 이상의 실선을 사용한다.

② 중심 마크 : 도면의 사진 촬영 및 복사할 때 편의를 위해 사용, 상하 좌우 중앙의 4개소에 표시한다.

③ 표제란 : 위치는 반드시 도면의 오른쪽 아래에 위치한다. 기재 내용으로는 도면 번호(도번), 도면 이름(도명), 척도, 투상법, 도면 작성일, 제도자 이름 등을 기입한다.

> **참고** 반드시 도면에 윤곽선, 중심 마크, 표제란은 그려 넣어야 한다.

④ 재단 마크 : 복사한 도면을 재단할 때의 편의를 위해 도면의 4 구석에 표시한다.

⑤ 도면의 구역 : 도면에서 특정 부분의 위치를 지시하는데 편리하도록 표시하는 것

⑥ 도면의 비교 눈금 : 도면의 축소나 확대, 복사의 작업과 이들의 복사 도면을 취급할 때의 편의를 위하여 표시하는 것

(3) 부품란

① 부품 번호는 부품에서 지시선을 빼어 그 끝에 원을 그리고 원안에 숫자를 기입한다.

② 숫자는 5~8mm 정도의 크기를 쓰고 숫자를 쓰는 원의 지름은 10~16mm로 한다. 한 도면에서는 같은 크기로 한다.

③ 위치는 오른쪽 위나 오른쪽 아래에 기입한다. 그 크기는 표제란에 따른 크기로 하고 오른쪽 아래에 기입할 때에는 표제란에 붙여서 아래에서 위로 기입하고 품번, 품명, 재료, 개수, 공정, 무게, 비고 등을 기록한다.

2 척도 및 규격

(1) KS의 부문별 기호

분류기호	KS A	KS B	KS C	KS D	KS E	KS F	KS G	KS H
부문	기본	기계	전기	금속	광산	토건	일용품	식료품
분류기호	KS K	KS L	KS M	KS P	KS R	KS V	KS W	KS X
부문	섬유	요업	화학	의료	수송기계	조선	항공	정보산업

(2) 척도

① 척도의 기입은 표제란에 기입하는 것이 원칙이나 표제란이 없는 경우에도 도명이나 품번에 가까운 곳에 기입한다.

② 치수와 비례하지 않을 때 치수 밑에 밑줄을 긋거나 비례가 아님, 또는 NS(not to scale)등의 문자 기입

③ 도면에 기입되는 치수는 축척(줄여 그림)

및 배척(확대하여 그림)을 하였더라고 현척(1:1로 그림)의 치수를 기입하는 것과 같이 각 부분의 실물의 치수를 그대로 기입하고, 표제란에 척도를 기입한다.

④ 2배 크게 그리면 면적은 4배 커지며, 반대로 1:2로 축소하여 그리면 면적은 4배로 줄어든다.

⑤ 1:2 즉 $\frac{1}{2}$로 생각하면 축척, 2:1은 $\frac{2}{1}$로 생각하면 배척이 된다.

3 선의 종류와 용도

(1) 굵기에 따른 선의 종류

① 한국 산업 규격(KS)에서는 8가지로 규정
② 가는 선 : 0.18 ~ 0.35mm
③ 굵은 선 : 가는 선의 2배 정도, 0.35 ~ 1.0mm
④ 아주 굵은 선 : 가는 선의 4배 정도, 0.7 ~ 2.0mm

(2) 용도에 따른 선의 종류

① 실선 : 굵은 실선, 가는 실선
② 파선 : 은선
③ 쇄선 : 일점 쇄선, 이점 쇄선

(3) 선의 종류와 용도

① 외형선은 굵은 실선으로 그린다.
② 치수선, 치수 보조선, 지시선, 회전 단면선, 중심선, 수준면선 등은 가는 실선으로 그린다.

③ 은선(숨은선)은 가는 파선 또는 굵은 파선으로 그린다

④ 중심선, 기준선, 피치선은 가는 1점 쇄선으로 그린다.

⑤ 특수 지정선은 굵은 1점 쇄선으로 그린다.

⑥ 가상선 무게 중심선은 가는 2점 쇄선으로 그린다.

⑦ 파단선은 물체의 일부를 파단한 곳을 표시하는 선으로 불규칙한 파형의 가는 실선 또는 지그재그 선으로 그린다.

⑧ 절단선은 가는 1점 쇄선으로 끝 부분 및 방향이 변하는 부분을 굵게 한 것

⑨ 해칭은 가는 실선으로 규칙적으로 줄을 늘어놓은 것

⑩ 특수한 용도의 선으로는 가는 실선 아주 굵은 실선으로 나눌 수 있다.

(4) 가상선은 가는 이점 쇄선을 사용

① 도시된 물체의 앞면을 표시하는 선

② 인접 부분을 참고로 표시하는 선

③ 가공 전 또는 가공 후의 모양을 표시하는 선

④ 이동하는 부분의 이동 위치를 표시하는 선

⑤ 공구, 지그 등의 위치를 참고로 표시하는 선

⑥ 반복을 표시하는 선 등으로 사용된다.

선의 우선순위 외형선 → 은선 → 절단선 → 중심선 → 무게 중심선의 순서이며 여기서 외형선과 은선은 실제 물체와 관계있어 우선순위에서 앞서는 것이며, 절단선은 절단하는 위치에 따라 외형을 바꿀 수 있기 때문에 그 다음으로 중요하다.

④ 치수 기입

(1) 치수 기입의 원칙

① 도면에는 완성된 물체의 치수 기입한다.

② 길이 단위 : mm, 도면에는 기입하지 않는다.

③ 각도 단위 : 도(°), 분('), 초(")를 사용한다.

④ 치수 숫자는 자릿수를 표시하는 콤마 등을 사용하지 않는다.

⑤ 치수 숫자는 치수선에 대하여 수직 방향은 도면의 우변으로부터, 수평 방향은 하변으로부터 읽도록 기입한다.

⑥ 도면에 길이의 크기와 자세 및 위치를 명확하게 표시한다.

⑦ 가능한 한 주투상도(정면도)에 기입한다.

⑧ 치수의 중복 기입을 피한다.

⑨ 치수는 계산할 필요가 없도록 기입한다.

⑩ 관련되는 치수는 한 곳에 모아서 기입한다.

ㄱ 참고 치수는 치수 수치에 괄호를 붙인다

ㄴ 비례척에 따르지 않을 때의 치수 기입은 치수 숫자 밑에 굵은선을 그어 표시해야 한다. 또는 NS(Not to Scale)로 표기한다.

⑪ 외형치수 전체 길이치수는 반드시 기입한다.

(2) 보조기호는 치수 숫자 앞에 사용하며 다음과 같은 의미가 있다.

① ∅ : 원의 지름 기호를 나타내며 명확히 구분 될 경우는 생략할 수 있다.

② □ : 정사각형 기호로 생략 할 수 있다.

③ R : 반지름 기호

④ 구(S) : 구면 기호로 ∅,R의 기호 앞에 기입한다.

⑤ C : 모따기 기호

⑥ P : 피치 기호

⑦ t : 판의 두께 기호로 치수 숫자 앞에 표시한다.

⑧ ⌧ : 평면기호

⑨ ( ) : 참고 치수 기호

⑩ 변, 현, 호, 각도 치수 기입

| 변 | 현 | 호 | 각도 |

(3) 여러 개의 구멍의 치수의 기입

① 맨 처음 구멍과 두 번째 구멍, 맨 끝 구멍만 그리고, 나머지 구멍은 중심선과 피치선만 그린다.

② 길이가 길 때 : 절단선을 긋고 치수만 기입한다.

③ 12 - 20드릴의 의미는 20mm 드릴 구멍이 12개가 있다는 뜻이다.

④ 같은 간격으로 연속하는 같은 종류의 구멍 표시 방법에서 간격의 수(구멍수 - 1) × 간격의 치수 = 합계 치수

5 정투상법

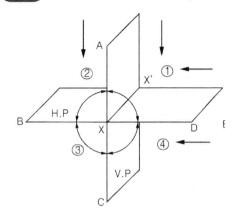

(a) 투상도

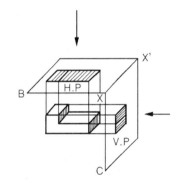

(b) 제3각법

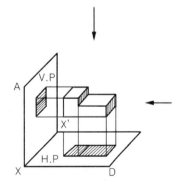

(c) 제1각법

물체의 모양을 가장 잘 나타낼 수 있는 투상면은 정면도이다.

(1) 정투상도

① 3각법

ⓐ 물체를 제3면각 안에 놓고 투상하는 방법이다.

ⓑ 투상방법 : 눈 → 투상면 → 물체

ⓒ 정면도를 기준으로 투상된 모양을 투상한 위치에 배치한다.

ⓓ KS에서는 제 3각법으로 도면 작성하는 것이 원칙이다.

ⓔ 도면의 표제란에 표시 기호로 표현 가능하다.

ⓕ 장점 : 도면을 보고 물체의 이해가 쉽다.

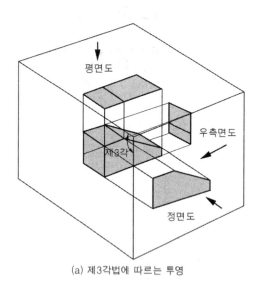

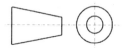

(a) 제3각법에 따르는 투영

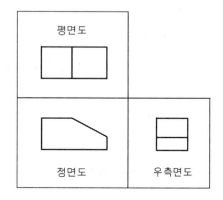

(b) 투영도의 배치

② 1각법

ⓐ 물체를 제1면각 안에 놓고 투상하는 방법

ⓑ 투상방법 : 눈 → 물체 → 투상면

ⓒ 정면도를 기준으로 투상된 모양을 투상한 반대 위치에 배치한다.

ⓓ 정면도 아래 평면도, 정면도 우측에 좌측면도 배치한다.

ⓔ 도면의 표제란에 표시 기호로 표현 가능하다.

ⓕ 단점 : 실물파악이 어려워 특수한 경우에만 사용한다.

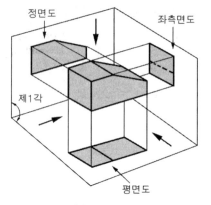

(a) 제1각법에 따르는 투영

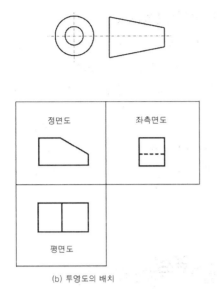

(b) 투영도의 배치

6 정투상도 이외의 투상도

(1) 보조 투상도

물체가 경사면이 있어 투상을 시키면 실제 길이와 모양이 틀려져 경사면에 별도의 투상면을 설정하고 이 면에 투상하면 실제 모양이 그려짐

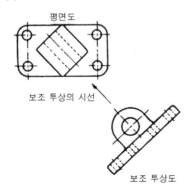

(2) 부분 투상도

물체의 일부 모양만을 도시해도 충분한 경우

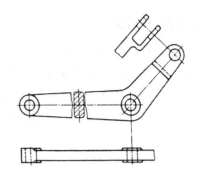

(3) 국부 투상도

대상물의 구멍, 홈 등 한 국부만의 모양을 도시하는 것으로 충분한 경우에는 그 필요 부분만을 국부 투상도로 나타냄

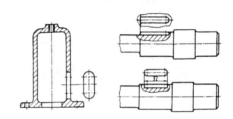

(4) 회전 투상도

투상면이 어느 각도를 가지고 있기 때문에 그 실형을 표시하지 못할 때에는 그 부분을 회전해서 실제 길이를 나타내는 것

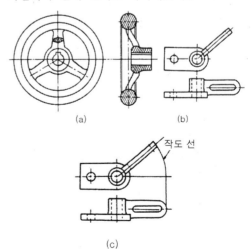

(a)　　　　　(b)

(c)

(5) 요점 투상도

우측면도나 좌측면도에 보이는 부분을 모두 나타내면 오히려 복잡해져서 알아보기 어려울 경우, 왼쪽 부분은 좌측면도에 오른쪽 부분은 우측면도에 그 요점만 투상한다.

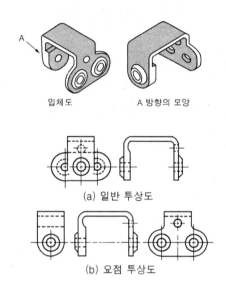

입체도　　　A 방향의 모양

(a) 일반 투상도

(b) 요점 투상도

(6) 복각 투상도

도면에 물체의 앞면과 뒷면을 동시에 표현하는 방법으로 정면도를 중심으로 우측면도를 그릴 때 중심선의 왼쪽 반은 제 1각법으로 오른쪽 반은 제 3각법으로 나타낸다. 또한 정면도를 중심으로 좌측면도를 그릴 때 중심선의 왼쪽 반은 3각법으로 오른쪽 반은 제 1각법으로 그린다.

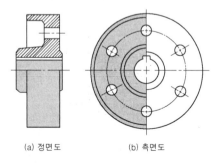

(a) 정면도　　　(b) 측면도

(7) 상세도(확대도)

도면 중에는 그 크기가 너무 작아 치수 기입이 곤란한 경우 그 부분을 적당한 위치에 배척으로 확대하여 상세화 시키는 투상도

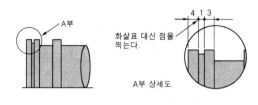

A부 상세도

⑦ 특수 투상도

(1) 등각 투상도

① 물체의 정면, 평면, 측면을 하나의 투상도에서 볼 수 있도록 그린 도법
② 물체의 모양과 특징을 가장 잘 나타냄
③ 물체 3개의 세 모서리는 각각 120°
④ 용도 : 구상도나 설명도 등

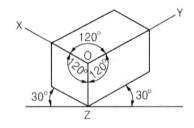

(2) 부등각 투상도

① 3개의 축선이 서로 만나서 이루는 세 각들 중에서 두 각은 같게, 나머지 한 각을 다르게 그린 투상도
② 수평선과 이루는 각은 30°, 60°를 많이 사용
③ 3개의 축선 중 2개의 축선은 같은 척도로,

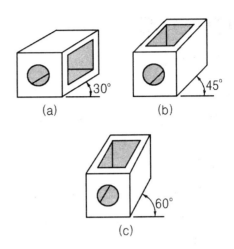

나머지 한 축선은 $\frac{3}{4}$, $\frac{1}{2}$로 줄여서 그린다.

④ 원을 그리기가 어려워 잘 쓰이지 않음

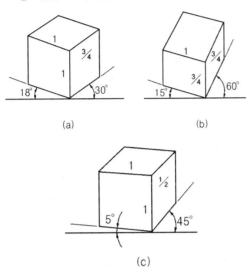

(a)   (b)

(c)

(a)   (b)

(c)

(3) 사 투상도

① 물체를 투상면에 대하여 한쪽으로 경사지게 투상하여 입체로 나타낸 것

② 정면의 도형은 정투상도의 정면도와 거의 같은 형태로 투상되므로 물체의 특징이 잘 나타난다.

③ 물체의 입체를 나타내기 위해 수평선에 대하여 30°, 45°, 60°의 경사각을 주어 그린다.

④ 물체의 경사면 길이는 정면과 다르게 하여 물체가 실감이 나도록 1 : 1, 1 : $\frac{3}{4}$, 1 : $\frac{1}{2}$이 주로 많이 쓰인다.

(4) 투시 투상도

① 물체의 앞 또는 뒤에 화면을 놓고 시점에서 물체를 본 시선이 화면과 만나는 각 점을 연결하여 눈에 비치는 모양과 같게 물체를 그리는 것

② 물체의 멀고 가까운 거리감을 느낄 수 있도록 하나의 시점과 물체의 각 점을 방사선으로 이어서 그리는 도법

③ **용도** : 사진이나 사생도에 속하는 건축, 교량, 조감도, 도록의 도면 작성

④ **종류** : 평행 투시도, 유각 투시도, 경사 투시도

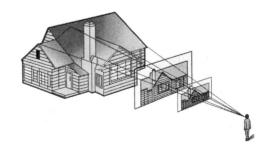

8 단면도

(1) 단면의 표시

① 필요에 따라 해칭 또는 스머징을 한다.

② 해칭은 수평선에 대하여 45° 경사진 가는 실선(0.3mm)으로 등간격의 사선으로 표시한다.

③ 부품도에는 해칭을 생략하지만 조립도에는 부품 관계를 확실히 하기 위하여 해칭을 한다.

④ 비금속 재료의 단면 표시는 재료를 표시할 필요가 있을 때는 기호로 나타낸다.

⑤ 길이 방향으로 단면해도 의미가 없는 거나 이해를 방해하는 부품인 축, 리벳 등은 길이 방향으로 단면을 하지 않는다.

⑥ 얇은 물체인 개스킷, 박판, 형강의 경우는 한줄의 굵은 실선(가는 실선의 4배 정도)으로 단면 도시

(2) 전단면도(온단면도)

① 물체의 중심에서 ½로 절단하여 단면 도시

② 물체 전체를 직선으로 절단하여 앞부분을 잘라내고, 남은 뒷부분을 단면으로 그린 것

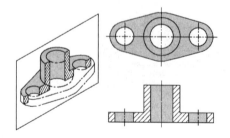

(3) 반단면도(한쪽단면도)

① 물체의 상하 좌우가 대칭인 물체의 ¼을

절단하여 내부와 외형을 동시에 도시

② 단면을 표시하는 해칭은 물체의 왼쪽과 위쪽에 한다.

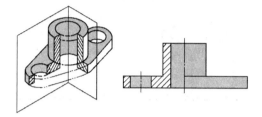

(4) 부분 단면도

① 일부분을 잘라내고 필요한 내부 모양을 그리기 위한 방법으로 파단선을 그어서 단면 부분의 경계를 표시한다.

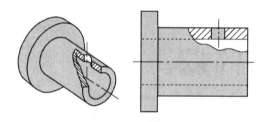

(5) 회전 단면도

① 핸들, 축, 형강 등과 같은 물체의 절단한 단면의 모양을 90°회전하여 내부 또는 외부에 그리는 것

② 내부에 표시할 때는 가는 실선을 사용한다.

③ 외부에 표시할 때는 굵은 실선을 사용한다.

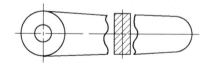

(6) 계단 단면도 그리기

① 복잡한 물체의 투상도 수를 줄일 목적으로 절단면을 여러 개 설치하여 1개의 단

면도로 조합하여 그린 것으로 화살표와
문자 기호를 반드시 표시한다.

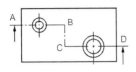
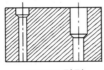

ABCD 단면

⑨ 기타 도형의 표시방법

(1) 대칭 도형의 생략

도형이 대칭 형상을 갖는 경우에는 대칭
중심선 한쪽을 생략하여 그린다.

① 정면도가 단면도로 된 경우에는 정면도에
가까운 곳의 반을 생략하여 그린다.

② 정면도에 외형이 나타나 있을 경우에는
정면도에 가까운 곳의 반을 그린다.

③ 대칭 표시선 : 대칭 중심선의 상하 또는
좌우에 두줄의 짧은 가는 평행선을 그어
생략하는 것을 나타낸다.

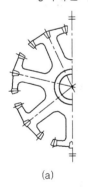

(a)

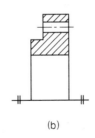

(b)

(2) 중간부의 생략

축, 봉, 관, 테이퍼 축 등의 동일 단면형의
부분이 긴 경우에는 중간 부분을 잘라 단축
시켜 그린다.

① 잘라 버린 끝 부분은 파단선으로 나타낸다.

② 원형일 경우에는 끝 부분을 타원형으로
나타낸다.

③ 해칭을 한 단면에서는 파단선을 생략해도
좋다.

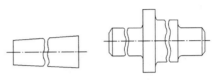

(a) 길이가 긴 테이퍼 축   (b) 길이가 긴 축

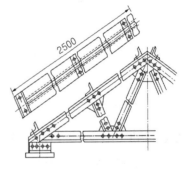

2500

(c) 교량의 트러스

(3) 교차부의 도시

2면의 교차 부분이 라운드를 가질 경우 교
차 부분이 라운드를 가지지 않는 경우의 교
차선 위에 굵은 실선으로 그린다.

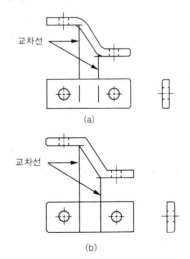

교차선

(a)

교차선

(b)

(4) 연속된 같은 모양의 생략

같은 종류의 리벳 구멍, 볼트 구멍, 등과 같이 같은 모양이 연속되어 있을 경우에는 그 양끝 부분 또는 필요 부분만 그리며 다른 곳은 생략하고 중심선만 그려 그 위치를 표시한다.

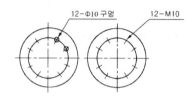

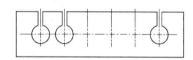

(5) 일부분에 특수한 모양을 갖는 경우

일부분에 특정한 모양을 가진 것은 그 부분이 그림의 위쪽에 나타나도록 그리는 것이 좋다. 보기를 들면 키 홈이 있는 보스 구멍, 홈이 있는 관이나 실린더, 쪼개진 링 등을 도시하는 경우에 해당한다.

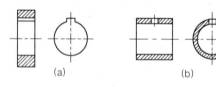

(a)　　　　　　(b)

(c)

(6) 특수한 가공 부분의 표시

특수한 가공을 하는 경우에는 그 범위를 외형선에 평행하게 약간 떼어서 굵은 1점 쇄선으로 나타낼 수 있다.

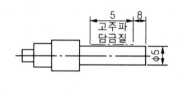

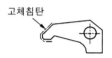

고체침탄

⑩ 평면도법

실을 감고 잡아당기면서 풀어나가면 실의 끝점이 그리는 곡선을 **인벌류트 곡선**이라 하며, 일직선 위를 한 원이 미끄러지지 않고 굴러갈 때 이 원의 중심을 지나는 직선 위의 고정된 점이 굴러가는 원주상에 있을 때의 자취를 **사이클로이드**라 한다.

⑪ 용접부의 표시방법

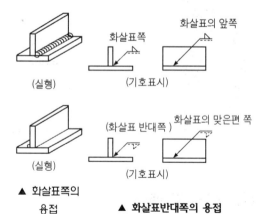

▲ 화살표쪽의 용접　　▲ 화살표반대쪽의 용접

실선에 기호가 붙으면 화살표쪽, 파선에 기

호가 붙으면 화살표 반대쪽 용접을 뜻함

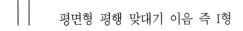　평면형 평행 맞대기 이음 즉 I형

양면 V형

베벨형

부분 용입 한쪽 면 V형

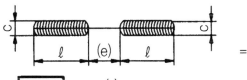

C ⌐‾n×ℓ(e) 그러므로 C는 슬롯의 폭, n은 용접부의 개수, ℓ이 용접부의 길이이다.

	플러그 용접 : 플러그 또는 슬롯 용접	스폿 용접	심 용접
실제모양			
기호모양	⊔	○	⊖

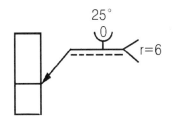

실선에 기호가 붙어 있으므로, 화살표쪽 U

형 맞대기 용접으로 홈각도 25°, 루트 간격 0, 루트 반지름 6mm이다.

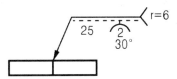

파선에 기호가 붙어 있으므로 화살표 반대쪽 U형 홈각도 30°, 루트 간격 2mm인, 루트 반지름 6mm, 홈 깊이 25mm 용접기호의 표시이다.

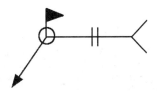

a5는 필릿 용접에서 목 두께가 5mm임을 뜻한다.

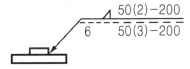

현장 용접의 표시는 깃발 모양이며, 일주(전둘레, 온둘레) 용접의 표시는 ○이다. 현장 용접과 일주 용접의 표시 기호는 화살과 기선이 만나는 꼭지점에 표시한다.

용접 목 길이는 모두 6mm, 화살표 쪽은 용접 길이 50mm, 용접수 2개, 피치 200, 화살표 반대쪽은 용접 길이 50mm, 용접수 3개, 피치 200인 지그재그 필릿 용접이다.

3 ○ 5(20)

용접부의 지름 3mm, 용접수 5, 간격(20)의 표시 예이다.

$$\frac{a}{a} \triangleright \frac{n \times \ell}{n \times \ell} \underset{(e)}{\overset{(e)}{\rceil}}$$

- 목두께가 a인 지그재그 단속필릿 용접이다.
- n은 용접부의 개수를 말한다.
- ℓ 은 용접부의 길이로 크레이터부를 제외한다.
- (e)는 인접한 용접부간의 거리를 표시한다.

12 용접부의 기호

(1) 용접부 보조기호

용접부 및 용접부 표면의 형상	기 호
평면(동일 평면으로 다듬질)	——
볼록(凸)형	⌒
오목(凹)형	⌣
끝단부를 매끄럽게 함	⎜⌣
영구적인 덮개 판을 사용	M
제거 가능한 덮개 판을 사용	MR

㉮ 뒷면 용접공정이 없음 : ∨

㉯ 가장자리 용접 : ‖‖

㉰ 서페이싱 : ⌒⌒

㉱ 서페이싱 이음 : ——

플레어 용접

용접설계 및 시공

① 용접설계

(1) 용접 이음의 종류

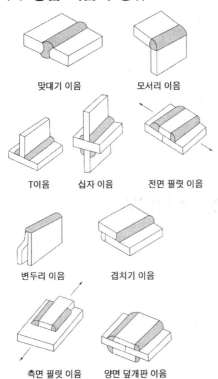

맞대기 이음   모서리 이음

T이음   십자 이음   전면 필릿 이음

변두리 이음   겹치기 이음

측면 필릿 이음   양면 덮개판 이음

(2) 용접 홈 형상의 종류

① **한면 홈 이음** : I형, V형, ✔형(베벨형), U
형, J형

② **양면 홈 이음** : 양면 I형, X형, K형, H형,
양면 J형

③ 판 두께 6mm까지는 I형, 6 ~ 19mm까지
는V형, ✔형(베벨형), J형, 12mm이상은
X형, K형, 양면 J형이 쓰이고 16 ~ 50mm
에는 U형 맞대기 이음이 쓰이며 50mm

이상에서는 H형 맞대기 이음에 쓰인다.

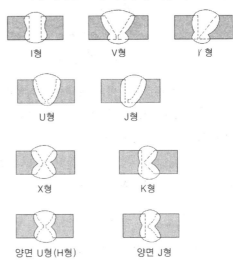

I형   V형   Y형

U형   J형

X형   K형

양면 U형(H형)   양면 J형

(3) 용착부 모양에 따른 분류

① 맞대기 용접
② 필렛 용접
③ 플러그 용접
④ 비드 용접
⑤ 슬로트 용접 등

(4) 용접 홈의 명칭

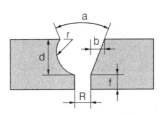

① a : 홈 각도   ② d : 홈 깊이
③ R : 루트 간격   ④ r : 루트 반경
⑤ f : 루트 면   ⑥ b : 베벨각

(5) 필렛 용접의 종류

(a) 전면 필렛 용접 (b) 측면 필렛 용접 (c) 경사 필렛 용접

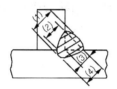

실제 목두께는 (1), 이론 목두께는 (4)이다. 필릿 용접의 치수 이상으로 표면 위에 용착된 금속을 덧붙이라 한다.

측면 필릿 용접 이음에서 필릿 용접의 크기와 h와 이론 목두께 h_t와의 관계식

$h = \dfrac{h_t}{\cos 45°}$ 측면 필릿 용접의 경우

$h = h_t \cdot \cos 45°$ 일반적인 필릿 용접의 경우

(6) 용접 이음의 강도

① 용접 이음의 효율(%)

$$n = \dfrac{(\text{용착금속강도})}{(\text{모재인장강도})} \times 100$$

② 허용 응력 및 안전율

$$\text{안전율} = \dfrac{(\text{인장강도})}{(\text{허용응력})}$$

③ 맞대기 이음에서의 최대 인장 하중과 응력과의 관계

$\sigma = \dfrac{P}{A}$ 에서 $P = A\sigma = h \, l \, \sigma = t \, l \, \sigma$

(P : 용접 이음의 최대 인장 하중, σ : 용착 금속의 인장 강도, A : 단면적, h : 목 두께, t : 판 두께, l : 용접 길이)

(7) 용접 이음의 설계를 할 때 주의점

① 아래 보기 용접을 많이 하도록 한다.

② 용접 작업에 지장을 주지 않도록 간격을 둘 것

③ 필렛 용접은 되도록 피하고 맞대기 용접을 하도록 한다.

④ 판 두께가 다른 재료를 이을 때에는 구배를 두어 갑자기 단면이 변하지 않도록 한다.($\frac{1}{4}$ 이하 테이퍼 가공을 함)

⑤ 맞대기 용접에는 이면 용접을 하여 용입 부족이 없도록 해야한다.

⑥ 용접 이음부가 한곳에 집중되지 않도록 설계할 것

2 용접입열

외부에서 용접 모재에 주어지는 열량으로 일반적으로 모재에 흡수되는 열량은 입열의 75 ~ 85%이다.

• 용접 입열 공식

$$H = \dfrac{60EI}{V} \text{ (J/cm)}$$

(단 H는 입열, E는 전압, I는 전류, V는 속도) 예를 들어 아크전압 35[V], 아크전류 300[A], 속도 30[cm/min]일때 입열은

$$H = \dfrac{60 \times 35 \times 300}{30} = 21,000$$

3 사용율 및 허용사용율

(1) 사용율

$$\text{사용율(\%)} = \dfrac{(\text{아크시간})}{(\text{아크시간} + \text{휴식시간})} \times 100$$

예를 들어 휴식시간 2분 아크발생시간 8분일 때 사용율(%) = $\frac{8}{10} \times 100 = 80\%$

(2) 허용 사용율

허용사용율(%) = $\frac{(정격2차전류)^2}{(실제용접전류)^2} \times 정격사용율$

용접기는 항상 용량에 따른 정해진 사용율을 가지고 있다. 즉 정해진 용량인 정격 2차 전류에 따른 정격 사용율을 가지고 있다. 예를 들어 AW 200이고, 정격 사용율 40%라는 의미는 만일 이 용접기를 사용하여 200A를 사용하여 용접하면 한 시간에 40% 즉 24분만 사용 즉 아크를 발생하고, 나머지 36분은 작업을 하지 않고 용접기를 가동하지 않아야 용접기의 소손을 막을 수 있다는 의미이다.

그러므로 허용 사용율은 다음과 같은 식에 의하여 구할 수 있다.

허용 사용율(%) × (실제 용접 전류)² = 정격 사용율(%) × (정격 2차 전류)²

예를들어 AW400, 정격사용율 40%인 용접기로 실제용접전류 200A로 용접할 때 허용사용율은 다음과 같다.

허용 사용율(%) × (200)² = 40 × (400)² 에서 160% 즉 연속 사용해도 용접기 소손이 없다.

④ 역률과 효율

(1) 역률과 효율(단위에 주의한다.)

- 역률 = $\frac{소비전력(KW)}{전원입력(KVA)} \times 100$

- 효율 = $\frac{아아크출력}{소비전력} \times 100$

- 소비 전력 = 아크 출력 + 내부 손실

- 전원 입력 = 무부하 전압 × 정격 2차 전류
- 아크 출력 = 아크 전압 × 정격 2차 전류

예를들어 무부하전압 80[V], AW200, 내부손실 4[kW], 아크전압 30[V]인 용접기의 역률과 효율을 구하면 다음과 같다.

여기서 아크 출력은 30 × 200 = 6,000 = 6kW

소비전력은 6 + 4 = 10kW

전원 입력은 80 × 200 = 16,000 = 16KVA

그러므로 효율 = $\frac{6}{10} \times 100 = 60\%$,

역률 = $\frac{10}{16} \times 100 = 62.5\%$

(2) 교류 용접기에 콘덴서를 병렬로 설치했을 때의 이점

① 역률이 개선된다.
② 전원 입력이 적게 되어 전기 요금이 적게 된다.
③ 전압 변동률이 적어진다.(무효 전력)
④ 배전선의 재료가 적어진다.(선의 굵기를 줄일 수 있다.)
⑤ 여러 개의 용접기를 접속 할 수 있다.

참고 | 역률이 높으면 좋은 용접기라고 말할 수 도 있고 그렇지 않을 수도 있다. 왜냐하면 일반적으로 역률이 높은 용접기는 소비전력이 높아 효율이 떨어지기 때문에 이 경우는 역률이 낮은 경우가 효율이 더 좋다고 할 수 있다. 하지만 소비전력은 변화 없고 전원 입력을 적게 할 수 있다면 좋은 용접기라 할 수 있다.

⑤ 용접 구조 계산

그림과 같은 용접부에 인장하중이 P = 5,000kgf 작용 할 때 인장응력(kgf/mm²)은?

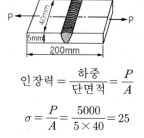

$$인장력 = \frac{하중}{단면적} = \frac{P}{A}$$

$$\sigma = \frac{P}{A} = \frac{5000}{5 \times 40} = 25$$

강판의 두께가 9mm이고 용접 길이가 200mm이며, 최대 인장하중이 72000kgf이 작용하고 있을 때 용접부에 발생하는 인장응력은 약 kgf/mm² 인가?

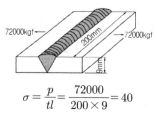

$$\sigma = \frac{p}{tl} = \frac{72000}{200 \times 9} = 40$$

그림과 같은 두께12[mm]의 연강판을 겹치기 용접이음을 하고, 인장하중8000[kgf]를 작용시키고자 할 경우 용접선의 길이 l [mm]는? (단 용접부의 허용 응력은 4.5kgf/mm²)

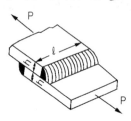

$$허용응력 = \frac{하중}{단면적}$$

여기서 하중은 8000, 응력은 4.5, 단면적은 12 × L

그러므로 용접선의 길이(L)은

$$\frac{0.707 \times 8000}{4.5 \times 12} = 104.74$$

그림과 같은 용접부에 발생하는 인장응력 (σ_t)은 약 몇 kgf/mm² 인가?

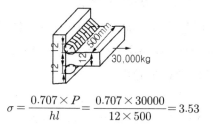

$$\sigma_t = \frac{2500}{10 \times 150} = 1.67$$

참고 용접이음의 강도 계산에는 수직력, 굽힘 모멘트, 비틀림 모멘트 등을 고려한다.

그림과 같은 필릿이음의 용접부 인장응력 (kgf/mm²)은 얼마 정도 인가?

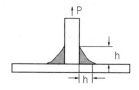

$$\sigma = \frac{0.707 \times P}{hl} = \frac{0.707 \times 30000}{12 \times 500} = 3.53$$

T형 용접이음에서 하중 P = 25kgf, 다리길이 h = 10mm, 용접길이 L = 60mm일 때, 허용 인장응력은 약 몇 kgf/cm² 인가?

$$\sigma = \frac{0.707P}{hl} = \frac{0.707 \times 25}{1 \times 6} = 2.94$$

그림에서 보는 바와 같이 맞대기 이음에서 불완전한 용입일 때, 인장응력(δt)을 구하는 식은?

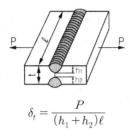

$$\delta_t = \frac{P}{(h_1 + h_2)\ell}$$

그림과 같이 불용착부가 있는 맞대기용접에서 용접부길이 l = 240mm, 용접깊이 h = 5mm, 판두께 t = 15mm, 강재의 인장강도가 50kgf/mm², 용접부의 허용응력이 9.5kgf/mm²일때 하중 P는 몇 kgf까지 사용할 수 있는가?

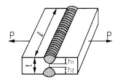

P = σ × L × (h₁ + h₂) = 9.5 × 240 × (5 + 5) = 22,800

강판 두께 9mm, 용접선 유효길이 150mm, 홈의 깊이 h_1, h_2가 각각 3mm인 V형 맞대기 용접을 불완전 용입으로 용접하고, 9000kgf의 하중이 용접선과 직각 방향으로 작용하는 경우 압축 응력은 몇 kgf/mm² 인가

$$\sigma = \frac{p}{((h1+h2) \times l)} = \frac{9000}{((3+3) \times 150)} = 10$$

폭 50mm, 두께 12.7mm인 강판 두장을 38mm만큼 겹쳐서 전주 필릿용접을 하였다. 여기에 외력 P = 9000kgf의 하중을 작용시킬 때 필요한 필릿용접 이음의 치수(목길이)는 몇 cm인가?(단, 용접부의 허용응력은 σ_a =1020kgf/cm² 이다.)

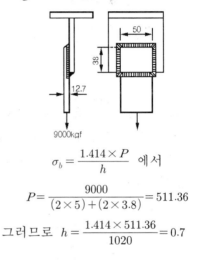

$$\sigma_b = \frac{1.414 \times P}{h} \text{ 에서}$$

$$P = \frac{9000}{(2 \times 5) + (2 \times 3.8)} = 511.36$$

그러므로 $h = \frac{1.414 \times 511.36}{1020} = 0.7$

그림과 같이 폭 60mm, 두께 10mm의 강판을 40mm 만을 겹쳐서 온둘레 필렛용접을 할 때, 여기에 10ton의 하중을 작용시킨다면 필렛용접의 최소용접 다리길이는 약 얼마인가?(단, 용접의 허용응력은 1,020kgf/cm² 으로 한다.)

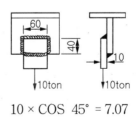

10 × COS 45° = 7.07

완전 용입된 연강판 맞대기 이음부에 굽힘 모멘트 MB-10000kgf·cm가 작용할 때 용접부

에 발생하는 최대 굽힘응력은 약 kgf/cm² 인가?(단, 용접길이 300mm이고, 판두께는 10mm 이다.)

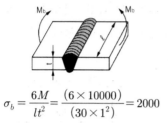

$$\sigma_b = \frac{6M}{lt^2} = \frac{(6 \times 10000)}{(30 \times 1^2)} = 2000$$

V형 맞대기 용접에서 굽힘 모멘트가(Mb)가 10,000kgf·cm 작용하고 있을 때, 최대 굽힘 응력은?(다만, l = 150mm, t = 20mm 이고 완전 용입일 때이다.)

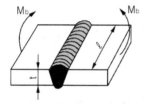

단위에 주의한다. 즉 150mm는 15cm, 20mm는 2cm로 놓고 계산하여야 한다.

$$\sigma_b = \frac{6M}{lt^2} = \frac{(6 \times 10000)}{(15 \times 2^2)} = 1000$$

그림과 같이 완전용입 T형 맞대기용접 이음에 굽힘 모멘트 Mb = 9,000kgf·cm가 작용할 때 최대 굽힘 응력(kgf/cm²)은?(단, L = 400mm, l = 300mm, t = 20mm, P(kgf)는 하중이다.)

$$\sigma_b = \frac{6M}{tl^2} = \frac{(6 \times 9000)}{(2 \times 30^2)} = 30$$

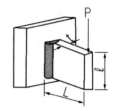

부분적 용입인 양쪽 맞대기 용접이음이 그림과 같이 되어 있을 때 굽힘 모멘트 Mb = 9800 kgf·cm 가 작용한다면 용접부가 받고 있는 최대 굽힘 응력은 약 얼마인가?(단, l = 200mm, t = 30mm, h = 10mm 이다.)

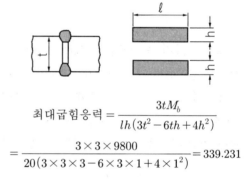

$$최대굽힘응력 = \frac{3tM_b}{lh(3t^2 - 6th + 4h^2)}$$

$$= \frac{3 \times 3 \times 9800}{20(3 \times 3 \times 3 - 6 \times 3 \times 1 + 4 \times 1^2)} = 339.231$$

굽힘 응력을 σ_b와, 굽힘 단면계수를 W_b, 굽힘 모멘트 M_b의 관계는 $\sigma_b = \frac{M_b}{W_b}$로 구할 수 있다.

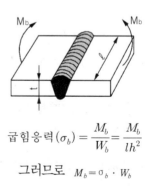

$$굽힘응력(\sigma_b) = \frac{M_b}{W_b} = \frac{M_b}{lh^2}$$

그러므로 $M_b = \sigma_b \cdot W_b$

(6) 기타 용접 계산식

(1) 이음 효율

모재의 인장강도가 50kgf/mm² 이고 용접 시편의 인장강도가 25kgf /mm² 으로 나타났을 때 이음효율은?

$$\eta = \frac{(용착금속강도)}{(모재인장강도)} \times 100 = \frac{25}{50} \times 100 = 50\,[\%]$$

(2) 안전율

연강의 맞대기 용접이음에서 인장강도가 28kgf/mm² 이고, 안전율이 5일 때 이음의 허용응력은 약 몇 kgf/mm² 인가?

$$안전율 = \frac{인장강도}{허용응력} \times 100$$

$$허용응력 = \frac{28}{5} = 5.6$$

(정하중 : 3, 동하중(단진 응력) : 5, 동하중(교번 응력) : 8, 충격 하중 : 12)

(3) 용착 효율

$$\frac{용착금속의\ 중량}{용접봉의\ 사용중량} \times 100$$

(4) 변형율

$$변형률 = \frac{나중길이 - 처음길이}{처음길이} \times 100$$

용접성 시험

1 용접부의 시험 및 검사

(1) 용접부의 검사

① **용접 전의 검사** : 용접 설비, 용접봉, 모재, 용접 준비, 시공 조건, 용접사의 기량 등

② **용접 중의 검사** : 각 층의 융합 상태, 슬랙 섞임, 균열, 비드 겉모양, 크레이터 처리, 변형 상태, 용접봉 건조, 용접 전류, 용접 순서, 운봉법, 용접 자세, 예열 온도, 층간 온도 점검 등

③ **용접 후의 검사** : 후열 처리 방법, 교정 작업의 점검, 변형, 치수 등의 검사

(2) 기계적 시험

① **인장 시험**

　㉠ 항복점 : 하중이 일정한 상태에서 하중의 증가 없이 연신율이 증가되는 점

　㉡ 영률 : 탄성한도 이하에서 응력과 연신율은 비례(후크의 법칙)하는데 응력을 연신율로 나눈 상수

　㉢ 인장강도 : 최대하중/원단면적

　㉣ 연신율 : $\dfrac{늘어난길이}{원래길이} \times 100$

　㉤ 내력 : 주철과 같이 항복점이 없는 재료에서는 0.2%의 영구 변형이 일어날 때의 응력값을 내력으로 표시

인장력은 단위 면적당 작용하는 힘으로 다음과 같은 식으로 구한다.

$$인장력 = \frac{하중}{단면적} = \frac{P}{A}$$

$$안전율 = \frac{용착금속의인장강도}{허용응력}$$

② **굽힘 시험**

굽힘 시험은 모재 및 용접부의 연성, 결함의 유무를 시험하는 방법으로 종류로는 표면 굽힘, 이면 굽힘, 측면 굽힘 시험이 있다. 국가기술자격 검정에서 사용하는 방법이다.

③ **경도 시험**

　㉠ 브리넬 경도는 담금질된 강구를 일정하중으로 시험편의 표면에 압입한 후 이때 생긴 오목자국의 표면적을 측정하여 구한다. 그 공식은

$$H_B = \frac{P}{A} = \frac{2P}{\pi D(D - \sqrt{D^2 - d^2})}$$ 가 된다.

　㉡ 비커스 경도는 꼭지각인 136°인 다이아몬드 4각추의 압자를 일정하중으로 시험편에 압입한 후 생긴 오목자국의 대각선을 측정하여 경도를 산출한다. 그 공식으로는 $1.854 \times \dfrac{P}{d^2}$ 로 구한다.

④ 로크웰 경도 : B스케일(하중이 100kg), C 스케일(꼭지각이 120° 하중은 150kg)이 있다.

⑤ 쇼어 경도 : 추를 일정한 높이에서 낙하시켜 반발한 높이로 측정한다. 완성품의 경우 많이 쓰인다.

$$Hs = \frac{10,000}{65} \times \frac{h}{h_0}$$ (h₀ : 추의 낙하 높이

(25cm), h : 추의 반발 높이)

⑥ **동적 시험**

　㉠ 충격 시험 : (샤르피식, 아이조드식)재료
　　의 인성과 취성을 알아봄

　㉡ 피로 시험 : 반복되어 작용하는 하중(안
　　전 하중) 상태에서의 성질(피로 한도, S -
　　N 곡선)을 알아낸다.

⑦ **크리프 시험** : 재료의 인장 강도보다 적은
　일정한 하중을 가했을 때 시간의 경과와
　더불어 변화하는 현상인 크리프 현상을
　이용하여 변형을 검사하는 방법

(3) 화학적 시험

① **화학 분석**

② **부식 시험** : 습 부식, 고온 부식(건 부식),
　응력 부식 시험→내식성 검사 위해 사용

③ **수소 시험** : 45℃ 글리세린 치환법, 진공
　가열법, 확산성 수소량 측정법, 수은에
　의한 방법

(4) 금속학적 시험

① **파면 시험** : 결정의 조밀, 균열, 슬랙 섞
　임, 기공, 은점 등을 육안으로 관찰

② **매크로 조직 시험** : 용접부 단면을 연삭기
　또는 샌드페이퍼로 연마하여 적당한 매
　크로 에칭을 한 다음 육안이나 저 배율의
　확대경으로 관찰하여 용입의 양부 및 열
　영향부 등을 검사. 철강의 에칭 액으로는
　염산 : 물, 염산 : 황산 : 물, 초산 : 물 등
　이 쓰임. 시험 순서는 시편 채취→마운
　팅→연마→부식→검사

③ **현미경 조직 시험** : 시험편을 충분히 연마
　하여 고배율로 미소 결함을 관찰한다. 부

식액은 다음과 같다.

　㉠ 철강용은 피크로산 알코올 용액 ,초산 알
　　코올 용액

　㉡ 스테인리스강은 왕수알콜 용액

　㉢ 구리 및 합금용은 염화제이철액, 염화암
　　모늄액, 과황산암모늄액

　㉣ 알루미늄 및 그 합금은 플로오르화 수소
　　액, 수산화나트륨

(5) 비파괴 시험

① **외관 검사(VT)** : 비드의 외관, 나비, 높이
　및 용입 불량, 언더컷, 오버랩 등의 외관
　양부를 검사

② **누설 검사(LT)** : 기밀, 수밀, 유밀 및 일정
　한 압력을 요하는 제품에 이용되는 검사
　로 주로 수압, 공기압을 쓰나 때에 따라
　서는 할로겐, 헬륨 가스 및 화학적 지시
　약을 쓰기도 한다.

③ **침투 검사(PT)** : 표면에 미세한 균열, 피
　트 등의 결함에 침투 액을 표면 장력의
　힘으로 침투시켜 세척한 후 현상액을 발
　라 결함을 검출하는 방법으로 형광 침투
　검사와 염료 침투 검사가 있는데 후자가
　주로 현장에서 사용된다.

④ **자기 검사(MT)** : 표면에 가까운 곳의 균
　열, 편석, 기공, 용입 불량 등의 검출에
　사용되나 비 자성체는 사용이 곤란하다.

⑤ **초음파 검사(UT)** : $0.5 \sim 15\text{MHz}$의 초음파
　를 내부에 침투시켜 내부의 결함, 불 균일
　층의 유무를 알아냄. 종류로는 투과법, 공
　진법, 펄스 반사법(가장 일반적)이 있다.
　장점으로는 위험하지 않으며 두께 및 길
　이가 큰 물체에도 사용 가능 하나 결함

위치의 길이는 알 수 없으며 표면의 요철이 심한 것 얇은 것은 검출이 곤란하다.

⑥ **방사선 투과 검사(RT)** : 가장 확실하고 널리 사용됨

　㉠ X선 투과 검사 : 균열, 융합 불량, 기공, 슬랙 섞임 등의 내부 결함 검출에 사용된다. X선 발생 장치로는 관구식과 베타트론 식이 있다. 단점으로는 미소 균열이나 모재면에 평행한 라미네이션 등의 검출은 곤란하다.

　㉡ γ선 투과 검사 : X선으로 투과하기 힘든 후판에 사용한다. γ선원으로는 라듐, 코발트60, 세슘 134가 있다.

⑦ **와류 검사(맴돌이 검사)** : 금속 내에 유기된 와류 전류를 이용한 검사법으로 자기 탐상이 곤란한 비 자성체 검사에 사용된다.

⑧ 음향방출법(AET : acoustic emission test) : 재료의 내부에서 파괴가 발생하여 새로운 파단면이 발생하는 순간에 방출하는 음향파를 말한다.

(6) 기타

① 용접 연성 시험 : 코메렐 시험, 킨젤 시험

② 용접 균열 시험 : 리하이형 구속 균열 시험, CTS 균열 시험, 피스코 균열 시험, T형 필렛 용접 균열 시험

③ 노취 취성 시험 : 킨젤 시험, 충격 시험

(7) 로버트슨 시험

시험편의 노치부를 액체 질소를 채우고 반대쪽에서 가스불꽃으로 가열하여 거의 직선적인 온도 구배를 부여해 놓고 시험편의 양단에 하중을 건채로 노치부에 충격을 가해서 균열을 발생시켜, 시험편에 전파되는 균열이 정지하는 온도의 위치를 구하여 취성 균열의 정지 온도로 정하고 인장응력과 이온도와의 관계를 알아내는 시험

용접, 피복 아크용접 및 가스용접의 개요 및 원리

1 용접의 개요

용접이란 접합하고자 하는 2개 이상의 물체나 재료의 접합 부분을 냉간, 반용융 또는 용융 상태로 하여 직접 접합 시키거나 또는 접합하고자 하는 두 가지 이상의 물체 사이에 용융된 용가재를 첨가하여 간접적으로 접합 시키는 것을 말한다. 이것은 뉴턴의 만유인력의 법칙에 따라 접합 하고자 하는 두 금속간의 간격이 10^{-8}cm(Å)즉 1억분의 1cm정도 접근시키면 인력이 작용되어 결합되는 것이다.

(1) 접합의 종류

① **기계적 접합** : 볼트, 리벳, 나사, 핀 등으로 결합하는 방법

② **야금적 접합** : 고체 상태에 있는 두 개의 금속 재료를 열이나 압력, 또는 열과 압력을 동시에 가해서 서로 접합하는 것으로 용접은 이에 속한다.

(2) 접합 방법에 따른 용접의 3가지 분류

① **융접**(Fusion Welding) : 접합 부분을 용융 또는 반용융 상태로 하고 여기에 용접봉 즉 용가재를 첨가하여 접합하는 방법으로 그 종류는 피복 아크 용접, 가스 용접, 불활성 가스 아크 용접, 서브머지드 용접, 이산화탄소 아크 용접, 일렉트로 슬래그 및 일렉트로 가스 용접 등이 있다.

② **압접** (Pressure Welding) : 접합 부분을 열간 또는 냉간 상태에서 압력을 주어 접합하는 방법으로 그 종류는 전기 저항 용접(점용접, 심 용접, 프로젝션 용접, 업셋 용접, 플래시 용접, 퍼커션 용접), 초음파 용접, 마찰 용접, 유도가열 용접, 가스 압접 등이 있다.

③ **납땜**(Brazing and Soldering) : 모재보다 용융점이 낮은 용가재(용접봉)를 사용하여 모재는 녹이지 않고 용접봉만 녹여 표면장력으로 접합시키는 방법으로 그 종류는 크게 온도 450℃를 기준으로 그 이하에서 용접하는 연납땜과 그 이상에서 용접하는 경납땜이 있다.

(3) 용접의 장단점

① **용접의 장점**
- 작업 공정을 줄일 수 있다.
- 형상의 자유화를 추구 할 수 있다.
- 이음 효율 향상(기밀 수밀 유지)
- 중량 경감, 재료 및 시간의 절약
- 이종 재료의 접합이 가능하다.
- 보수와 수리가 용이하다.(주물의 파손부 등)

② **용접의 단점**
- 품질 검사가 곤란하다.
- 제품의 변형을 가져 올 수 있다.(잔류 응력 및 변형에 민감)
- 유해 광선 및 가스 폭발 위험이 있다.
- 용접사의 기능과 양심에 따라 이음부 강도가 좌우한다.

(4) 용접 작업의 구성요소

① 에너지원(열원) : 전기에너지(피복 아크 용접 등), 화학 반응에너지(가스 용접, 테르밋 용접 등), 기계적 에너지(각종 압접), 전자파 에너지(고주파 용접 등)

② 용접 기구 : 용접에 사용되는 용접기 등

③ 용접 재료 : 모재, 용접봉 등

2 피복 아크 용접의 원리

(+)전극과 (−)전극이 만나면 열과 소리와 빛을 수반하는데 용접은 그 사이의 아크 열을 이용하여 접합하는 것이다.

피복 아크 용접은 피복제를 입힌 용접봉과 모재 사이에서 발생하는 아크열이 5,000℃정도 되는데 이 열을 이용하여 모재의 일부와 용접봉을 녹여서 용접하는 용극식 용접방법으로 전기 용접이라고도 불린다.

아크 현상이란 용접봉과 모재 사이에 전원을 걸고 용접봉 끝을 모재에 살짝 접촉시켰다가 떼면 청백색의 강한 빛을 내며 큰 전류가 흐르는 것으로 아크는 아크 코어, 아크 흐름, 아크 불꽃의 세 부분으로 구성되어 있는데 여기서 아크 코어의 길이를 아크 길이라 하며, 아크 코어를 중심으로 모재가 녹으며 온도가 가장 높은 부분으로 백색을 띠고, 아크 흐름은 아크 코어를 둘러쌓고 있는 담홍색 부분이다. 끝으로 아크 불꽃은 아크 흐름 주위에 흩어진 불꽃을 말한다. 따라서 여기서는 적색이 온도가 가장 낮다.

(1) 피복 아크 용접의 용어 정의

① 아크 : 기체 중에서 일어나는 방전의 일종으로 피복 아크 용접에서의 온도는 5,000 ~ 6,000℃이다.

② 용융지(용융 풀) : 모재가 녹은 쇳물 부분

③ 용적 : 용접봉이 녹아 모재로 이행되는 쇳물 방울

④ 용착 : 용접봉이 녹아 용융지에 들어가는 것

⑤ 용입 : 모재가 녹은 깊이

⑥ 용락 : 모재가 녹아 쇳물이 떨어져 흘러내려 구멍이 나는 것

(2) 용접 회로

용접기 → 전극 케이블 → 홀더 → 용접봉 및 모재 → 접지 케이블 → 용접기

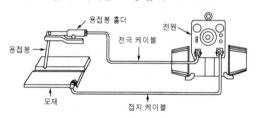

3 피복 아크 용접의 전압 분포

① 아크 전압 (Va) = 음극 전압 강하(Vn) + 양극 전압 강하(Vp) + 아크 기둥 전압 강하)(Vc)

② 양극과 음극 부근에서의 전압강하는 전극 표면이 극히 짧은 길이의 공간에 일어나는 전압강하로 그 값은 전극의 재질에 따라 변한다.

③ 아크 기둥 전압 강하는 플라스마라고도 하며 아크 길이에 비례하여 증가 또는 감소하므로 전극 물질이 일정하다고 가정하면 아크 전압은 아크 길이에 따라 변한다. 즉 아크 길이가 길어지면 아크 전압도 커진다.

④ 아크를 처음 발생할 때 아크 길이는 약간 길게 한다.(3 ~ 4mm)

4 극성

① 극성은 직류(DC)에서만 존재하며 종류는 직류 정극성(DCSP : Direct Current Straight Polarity)과 직류 역극성(DCRP : Direct Current Reverse Polarity)이 있다.

② 일반적으로 양극(+)에서 발열량이 70%이상 나온다.

③ 정극성일 때 모재에 양극(+)을 연결하므로 모재측에서 열 발생이 많아 용입이 깊게 되고, 음극(-)을 연결하는 용접봉은 천천히 녹는다.

④ 역극성일 때 모재에 음극(-)을 연결하므로 모재측의 열량 발생이 적어 용입이 얕고 넓게 된다. 하지만 용접봉은 양극(+)에 연결하므로 빨리 녹게 된다.

⑤ 일반적으로 모재가 용접봉에 비하여 두꺼워 모재측에 양극(+)을 연결하는 것을 정극성이라 한다.

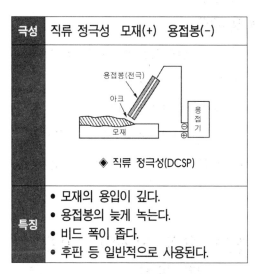

극성	직류 정극성 모재(+) 용접봉(-)
특징	• 모재의 용입이 깊다. • 용접봉의 늦게 녹는다. • 비드 폭이 좁다. • 후판 등 일반적으로 사용된다.

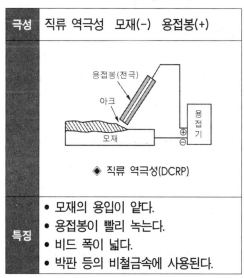

극성	직류 역극성 모재(-) 용접봉(+)
특징	• 모재의 용입이 얕다. • 용접봉이 빨리 녹는다. • 비드 폭이 넓다. • 박판 등의 비철금속에 사용된다.

5 아크 쏠림

아크 쏠림, 아크 블로우, 자기 불림 등은 모두 동일한 말이며 용접 전류에 의한 아크 주위에 발생하는 자장이 용접봉에 대하여 비대칭일 때 일어나는 현상이다.

● **방지책**

① 직류 용접기 대신 교류 용접기를 사용한다.

② 아크 길이를 짧게 유지한다.

③ 접지를 용접부로 멀리한다.

④ 긴 용접선에는 후퇴법을 사용한다.

⑤ 용접부의 시·종단에는 엔드탭을 설치한다.

6 용융 금속의 3가지 이행 형식

(1) 단락형

큰 용적이 용융지에 단락 되어 표면 장력의 작용으로 이행되는 형식으로 맨 용접봉, 박피복 용접봉에서 발생한다.

(2) 글로 뷸러형(핀치 효과형)

비교적 큰 용적이 단락 되지 않고 옮겨가는 형식으로 피복제가 두꺼운 저수소계 용접봉 등에서 발생한다.

(3) 스프레이형(분무상 이행형)

미세한 용적이 스프레이와 같이 날려 이행되는 형식으로 고산화티탄계, 일미나이트계 등에서 발생한다.

(4) 용융 속도

용접봉의 용융 속도는 단위 시간당 소비되는 용접봉의 길이 또는 무게로 나타낸다.

용융 속도 = 아크 전류 × 용접봉 쪽 전압강하로 표현되며, 용접봉 재질이 일정하다면 용융 속도는 아크 전압 및 심선의 지름과 관계없이 용접 전류에만 비례한다.

7 직류 용접기

(1) 종류

① **발전기형(엔진 구동식,모터 구동식)** : 전기가 없는 곳에서 사용 가능하다. 또한 정류기형에 비해 우수한 직류를 얻을 수 있는 장점이 있다.

② **정류기형** : 실리콘, 셀렌(특히 먼지에 주의),게르마늄 등을 이용하여 정류하여 직류를 얻는다.

③ **전지식** : 활용성이 매우 적음

(2) 직류와 교류에 비교

직류는 시간에 관계없이 방향과 크기가 일정한 전기에너지를 공급하므로 안정된 전기를 얻을 수 있다는 장점이 있다. 또한 교류에 비해 전격에 위험이 적다. 하지만 가격이 고가이며, 관리가 복잡하며, 우수한 피복제가 많이 생산되어 근래에는 교류가 많이 쓰이고 있다.

비 교	직 류	교 류
아크 안정	안정	불안정
극성 변화	가능	불가능
아크 쏠림	쏠림	쏠림 방지
무부하 전압	40 ~ 60V	70 ~ 80V
전격 위험	적다	크다
비 피복봉	사용 가능	사용 불가
구 조	복잡	간단
고 장	많다	적다
역 률	우수	떨어짐
소 음	발전기형은 크다	대체적으로 적음
가 격	고가	저가
용 도	박판	후판

8 교류 아크 용접기

(1) 종류

① **탭 전환형** : 미세한 전류 조정이 불가능하다. 주로 소형에 쓰이고 있으며 전격에 위험이 있다.

② **가동 코일형** : 1차 코일의 거리 조정으로 전류를 조절한다. 하지만 가격이 고가여서 현재는 거의 사용되지 않는다.

③ **가동 철심형** : 우리 나라에서 가장 많이 사용되는 용접기다. 미세한 전류 조정이 가능하다.

④ **가포화 리액터형** : 가변 저항의 변화로 용접 전류 조정. 원격 조정이 가능한 용접기다.

(2) 특징

① 전원의 무부하 전압이 항상 재 점호 전압보다 높아야 아크가 안정된다.

② 용접기의 용량은 AW(Arc Welder)로 나타내며 이는 정격 2차 전류를 의미한다. (예 AW200 정격 2차 전류가 200A임을 의미)

③ 정격 2차 전류의 조정 범위는 20 ~ 110% 이다.

(3) 교류 용접기를 취급할 때 주의 사항

① 정격 사용율 이상으로 사용할 때 과열되어 소손이 생김

② 가동 부분, 냉각 팬을 점검하고 주유할 것

③ 탭 전환은 아크 발생 중지 후 행할 것

④ 2차측 단자의 한쪽과 용접기 케이스는 반드시 접지 할 것

⑤ 습한 장소, 직사광선이 드는 곳에서 용접기를 설치하지 말 것

(4) 교류 아크 용접기 부속 장치

① **전격 방지기** : 감전의 위험으로부터 작업자를 보호하기 위하여 2차 무부하 전압을 25V로 유지하는 장치

② **고주파 발생 장치** : 아크의 안정을 확보하기 위하여 상용 주파수의 아크 전류 외에, 고전압(2,000 ~ 3,000V)의 고주파 전류(300 ~ 1,000Kc)를 중첩시키는 방식

③ **핫 스타트 장치** : 처음 모재에 접촉한 순간의 0.2 ~ 0.25초 정도의 순간적인 대전류를 흘려서 아크의 초기 안정을 도모하는 장치로 일명 아크 부스터라 한다.

④ **원격 제어 장치** : 용접기에서 멀리 떨어진 장소에서 전류와 전압을 조절할 수 있는 장치

9 용접기의 특성

① 부 특성(부저항 특성) : 전류가 작은 범위에서 전류가 증가하면 아크 저항이 작아져 아크 전압이 낮아지는 특성으로 부저항 특성 또는 부특성이라고 한다. 이 법칙은 일반 전기 회로에서 적용되는 옴의 법칙(Ohm's law)과는 다르다.

② 수하 특성 : 부하 전류가 증가하면 단자 전압이 저하하는 특성을 수하 특성(垂下特性)이라 한다.

$V = E - IR$(V : 단자 전압, E : 전원 전압)

③ 정전류 특성 : 아크 길이가 크게 변하여도 전류 값은 거의 변하지 않는 특성으로 수하 특성 중에서도 전원 특성 곡선에 있어서 작동점 부근의 경사가 상당히 급한 것을 정전류 특성이라 한다.

> **참고** 이상은 수동 용접에 필요한 특성이다.

④ 상승 특성 : 큰 전류에서 아크 길이가 일정할 때 아크 증가와 더불어 전압이 약간씩 증가하는 특성이다. 이 상승 특성은 반자동 및 자동 용접에서 아크의 안정을 도모하기 위하여 사용되는 특성이다.

⑤ 정전압 특성(자기 제어 특성) : 수하 특성과는 반대의 성질을 갖는 것으로 부하 전류가 변해도 단자 전압이 거의 변하지 않는 것으로 CP(Constant Potential)특성이라고도 한다. 주로 반자동 및 자동 용접에 필요한 특성이다. 또한 아크 길이가 길어지면 부하 전압은 일정하지만 전류가 낮아져 정상보다 늦게 녹아 정상적인 아크 길이를 맞추고 반대로 아크 길이가 짧아지면 부하 전압은 일정하지만 전류가 높아져 와이어의 녹는 속도를 빨리하여 스스로 아크 길이를 맞추는 것을 자기 제어 특성이라 한다.

⑩ 용접 작업용 기구 및 보호구

홀더(A형 안전 A500인 경우 500A), 케이블, 접지 클램프, 장갑, 앞치마 발 커버, 보안경 등이 있다.

(1) 용접용 케이블

케이블의 2차측은 유연성이 요구되므로 캡타이어 전선을 사용한다. 또한 크기의 단위도 1개의 선은 의미가 없으므로 단면적을 사용한다. 하지만 1차측은 고정된 선으로 유동성이 없어야 하므로 단선으로 지름을 사용하여 그 크기를 표시한다.

	200A	300A	400A
1차측 지름(mm)	5.5	8	14
2차측 단면적(mm²)	38	50	60

(2) 차광 유리

아크 불빛은 적외선과 자외선을 포함하고 있어 눈을 보호하기 위하여 빛을 차단하는 차광 유리를 사용하여야 한다.

차광도 번호	용접 전류(A)	용접봉 지름(mm)
8	45 ~ 75	1.2 ~ .0
9	75 ~ 130	1.6 ~ 2.6
10	100 ~ 200	2.6 ~ 3.2
11	150 ~ 250	3.2 ~ 4.0
12	200 ~ 300	4.8 ~ 6.4
13	300 ~ 400	4.4 ~ 9.0
14	400 이상	9.0 ~ 9.6

(3) 퓨즈

$$퓨즈의용량 = \frac{1차입력(KVA)}{전원전압(200V)}$$

퓨즈는 규정 값보다 크거나 구리선 철선 등을 퓨즈 대용으로 사용해서는 안 된다.

⑪ 피복 아크 용접봉의 피복제

용접봉, 용가재, 전극봉 등은 모두 동일한 말이며, 심선의 재료는 저 탄소 림드강으로 황, 인등의 불순물의 양을 제한하여 제조한다. 용접봉은 심선은 규격화 되어 있으며, 일반적으로 심선 지름의 굵기의 허용오차는 ±0.05mm이고, 길이의 허용 오차는 ±3mm이다. 일반적으로 3.2mm의 경우 길이는 350mm ± 3mm이다. 용접봉을 홀더에 끼우는 용접봉의 노출부의 길이는 25 ± 5mm이고, 700 및 900일 때는 30 ± 5mm이다.

(1) 용착 금속의 보호 형식

① **슬랙 생성식(무기물형)** : 슬랙으로 산화, 질화 방지 및 탈산 작용

② **가스 발생식** : 대표적으로 셀롤로오스가 있으며 전 자세 용접이 용이하다.

③ **반가스 발생식** : 슬랙 생성식과 가스 발생식의 혼합

(2) 피복제의 작용

① 아크 안정
② 산·질화 방지
③ 용적을 미세화 하여 용착 효율 향상
④ 서냉으로 취성 방지
⑤ 용착 금속의 탈산 정련 작용
⑥ 합금 원소 첨가
⑦ 슬랙의 박리성 증대
⑧ 유동성 증가
⑨ 전기 절연 작용 등이 있다.

(3) 피복제의 종류

① 가스 발생제 : 용융 금속을 대기로부터 보호하기 위하여 중성 또는 환원성 가스를 발생하여 용융 금속의 산화 및 질화를 방지한다. 가스 발생제로는 녹말, 톱밥, 석회석, 셀롤로오스, 탄산바륨 등이 있다.

② 슬랙 생성제 : 용융점이 낮은 가벼운 슬랙을 만들어 용융 금속의 표면을 덮어서 산화나 질화를 방지하고 용착 금속의 냉각 속도를 느리게 한다. 슬랙 생성제로는 석회석, 형석, 탄산나트륨, 일미 나이트, 산화철, 산화티탄, 이산화망간, 규사 등이 있다.

③ 아크 안정제 : 이온화하기 쉬운 물질을 만들어 재점호 전압을 낮추어 아크를 안정시킨다. 아크 안정제로는 규산나트륨, 규산칼륨, 산화티탄, 석회석 등이 있다.

④ 탈산제 : 용융 금속 중의 산화물을 탈산 정련하는 작용을 한다. 탈산제로는 페로실리콘, 페로망간, 페로티탄, 알루미늄 등이 있다.

⑤ 고착제 : 심선에 피복제를 달라붙게 하는 역할을 한다. 고착제로는 규산나트륨, 규산칼륨, 아교, 소맥분, 해초 등이 있다.

⑥ 합금 첨가제 : 용접 금속의 여러 가지 성질을 개선하기 위하여 피복제에 첨가한다. 합금 첨가제로는 크롬, 니켈, 실리콘, 망간, 몰리브덴, 구리 등이 있다.

⑫ 용접봉의 규격

(1) 용접봉의 기호

용접 자세(F : 아래보기 자세, V : 수직 자세, H : 수평 자세 또는 수평 필릿 용접 O : 위보기 자세) 아울러 위보기 자세 및 수직 자세는 원칙적으로 심선의 지름 5.0mm를 초과하는 것에는 적용하지 않으며, E4324, E4326 및 E4327의 용접 자세는 주로 수평 필릿 용접으로 한다.

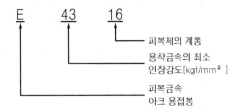

```
E    43    16
                  피복제의 계통
                  용착금속의 최소
                  인장강도[kgf/mm²]
                  피복금속
                  아크 용접봉
```

(2) 종류

E4301(알루미 나이트계), E4303(라임 티탄계), E4311(고 셀로오스계), E4313(고 산화 티탄계), E4316(저 수소계), E4324(철분 산화 티탄계), E4327(철분 산화철계), E4326(철분 저 수소계)등

① **기계적 성질** : E4316 〉 E4301 〉 E4313
② **작업성** : E4313 〉 E4301 〉 E4316

(3) 고 장력강용 피복 아크 용접봉

항복점 32kg/mm², 인장 강도 50kg/mm² 이상의 강으로 연강의 강도를 높이기 위해 Ni, Cr, Mn, Si, Cu, Ti, V, Mo, B 등을 첨가한 저 합금강 용접봉으로 연강 용접봉에 비해 판 두께를 얇게 할 수 있어 구조물의 자중을 줄일 수 있으며, 기초공사가 간단해지고, 재료의 취급이 용이해진다.

(4) 용접봉의 선택과 보관

편심율은 3%이내에 용접봉을 선택하며, 용접 자세 및 장소, 모재의 재질, 이음의 모양 등을 고려하여 선택하며 보관 시는 특히 습기에 주의해야 된다.

⑬ 용접봉의 종류

(1) 일미나이트계(E4301)

① 일미나이트(TiO_2 · FeO)를 약 30% 이상 포함
② 작업성 및 용접성이 우수하며 가격이 저렴
③ 25mm 이상 후판 용접도 가능
④ 일반구조물의 중요 강도 부재, 조선, 철도, 차량, 각종 압력 용기 등에 사용
⑤ 수직·위보기 자세에서 작업성이 우수하며 전 자세 용접이 가능하다.

(2) 라임티탄계(E4303)

① 산화 티탄(TiO_2) 약 30% 이상과 석회석($CaCO_3$)이 주성분
② 피복제의 계통으로는 산화티탄과 염기성 산화물이 다량으로 함유된 슬랙 생성식
③ 작업성은 고산화 티탄계, 기계적 성질은 일미나이트계와 비슷하다.
④ 비드가 아름다워 선박의 내부 구조물, 기계, 차량, 일반 구조물 등 사용되며, 사용 전류는 고산화 티탄계 용접봉보다 약간 높은 전류를 사용

(3) E4311(고셀룰로오스계)

① 셀룰로오스를 20 ~ 30% 정도 포함한 용접봉

② 피복량이 얇고, 슬랙이 적어 수직 상·하진 및 위보기 용접에서 우수한 작업성

③ 아크는 스프레이 형상으로 용입이 크고 비교적 빠른 용융 속도를 낼 수 있으나 슬랙이 적으므로 비드 표면이 거칠고 스패터가 많은 결점이 있다.

(4) 고산화티탄계(E4313)

① 고산화티탄계는 TiO_2 을 약 35%정도 함유

② 아크는 안정되며 스패터가 적고 슬랙의 박리성도 대단히 좋아 비드의 겉모양이 고우며 재 아크 발생이 잘 되어 작업성이 우수.

③ 용도로는 일반 경 구조물, 경자동차 박 강판 표면 용접에 적합

(5) 저수소계(E4316)

① 석회석($CaCO_3$)이나 형석(CaF_2)을 주성분으로 용착 금속 중의 수소량이 다른 용접봉에 비해서 $\frac{1}{10}$ 정도로 현저하게 적은 우수한 특성이 있다.

② 피복제는 습기를 흡수하기 쉽기 때문에 사용하기 전에 300 ~ 350℃ 정도로 1 ~ 2시간 정도 건조시켜 사용한다.

③ 기계적 성질은 다른 연강봉보다 우수하기 때문에 중요 강도 부재, 고압 용기, 후판 중 구조물, 탄소 당량이 높은 기계 구조용 강, 균열의 감수성이 좋고 구속도가 큰 구조물, 유황 함유량이 높은 강 등의

용접에 결함 없이 양호한 용접부가 얻어진다.

⑭ 피복 아크 용접 작업

(1) 용접 전류

일반적으로 심선의 단면적 $1mm^2$ 에 대하여 10 ~ 11A정도로 한다.

(2) 아크 길이

아크 길이는 3mm정도이며 지름이 2.6mm 이하의 용접봉은 심선의 지름과 거의 같은 것이 좋다. 또한 아크 길이가 길어지면 전압에 비례하여 증가하며 발열량도 증대된다.

(3) 용접 속도

모재에 대한 용접선 방향의 아크 속도 또는 운봉 속도를 말한다.

① 용접 속도에 영향을 주는 요소
   ㉠ 용접봉의 종류 및 전류값
   ㉡ 이음 모양
   ㉢ 모재의 재질
   ㉣ 위빙의 유무

② 아크 전압 및 전류와 용접 속도와의 관계
   ㉠ 전압 및 전류가 일정할 때 속도가 증가되면 비드의 나비는 감소하며 용입 또한 감소
   ㉡ 실제 작업에서는 비드의 겉모양을 손상시키지 않는 범위 내에서는 약간 빠른 편이 좋다.

(4) 용접봉의 각도

① **진행각** : 용접봉과 용접선이 이루는 각도로 용접봉과 수직선 사이의 각도로 표시

② **작업각** : 용접봉과 이음 방향에 나란하게 세워진 수직 평면과의 각도로 표시

(5) 아크 발생 및 중단

① 아크 발생 방법으로는 찍는 법(tapping method)과 긁는 법(scratch method)이 있다.

② 초보자는 후자를 사용한다.

③ 아크를 처음 발생할 때 아크 길이는 약간 길게 한다.(3 ~ 4mm)

④ 아크의 중단 시는 아크 길이를 짧게 하여 크레이터를 채운 후 재빨리 든다.

(6) 용접자세

① 아래보기 자세(Flat position : F) : 용접하려는 재료를 수평으로 놓고 용접봉을 아래로 향하여 용접하는 자세

② 수직 자세(Vertical position : V) : 모재가 수평면과 90°또는 45°이상의 경사를 가지며, 용접방향은 수직 또는 수직면에 대하여 45°이하의 경사를 가지고 상하로 용접하는 자세

③ 수평 자세(Horizontal position : H) : 모재가 수평면과 90°또는 45°이상의 경사를 가지며 용접선이 수평이 되게 하는 용접 자세

④ 위보기 자세(OverHead position : O) : 모재가 눈 위로 올려 있는 수평면의 아래쪽에서 용접봉을 위로 향하여 용접 하는 자세

⑤ 전 자세(All Position : AP) : 위 자세의 2가지 이상을 조합하여 용접하거나 4가지 전부를 쓰인다.

15 용접 결함

① 치수상 결함 : 변형, 치수 및 형상 불량

② 구조상 결함 : 언더컷, 오버랩, 융합불량, 기공, 용입 불량, 균열 등

③ 성질상 결함 : 기계적, 화학적 성질 불량

(1) 균열의 종류

① 비드 밑 균열은 용접 비드 바로 아래에 용접선 아주 가까이 거의 이와 평행되게 모재 열영향부에 생기는 균열로 고탄소강이나 저합금강과 같은 담금질에 의한 경화성이 강한 재료를 용접했을 때 생기는 균열

② 토 균열은 맞대기 용접 및 필릿 용접 의 어느 경우나 비드 표면과 모재와의 경계부에 생기는 균열로 예열을 하거나 강도가 낮은 용접봉을 사용하면 효과적이다.

③ 설퍼 균열은 강중에 황이 층상으로 존재하는 고온 균열을 말한다.

④ 루트 균열은 저온 균열로 그 원인은 수소 취화에 있다.

결함의 종류	원 인
언더컷 (파이는 것)	전류가 너무 높다, 아크 길이가 너무 길 때, 용접 속도가 너무 빠를 때, 부적당한 용접봉 사용할 때

결함의 종류	원 인
언더컷 (파이는 것)	전류가 너무 높다, 아크 길이가 너무 길 때, 용접 속도가 너무 빠를 때, 부적당한 용접봉 사용할 때
오버랩 (덮이는 것)	전류가 너무 낮을 때, 용접 속도가 너무 느릴 때, 운봉 방법이 부적당할 때
용입 불량	홈 각도가 좁다, 용접 속도가 너무 빠르다, 용접 전류가 낮을 때
균열	이음의 강성이 너무 크다, 황, 수소 등이 많을 때, 고 탄소강을 용접할 때, 이음 각도가 너무 좁다, 용접 속도와 냉각 속도가 빠를 때
기공	수소, 황 및 일산화탄소 과잉, 용접부에 급속한 응고, 모재에 붙어있는 기름, 페인트, 녹 등이 있을 때, 아크 길이, 용접 속도, 전류가 과대할 때
슬랙 혼입	슬랙 제거 불완전, 운봉 속도 및 전류가 적을 때
핏트	습기, 기름, 녹 등이 있을 때, 후판 또는 급냉될 때, 황, 탄소, 망간 등이 많을 때
스팩터	전류가 높을 때, 용접봉이 습기를 가지고 있을 때, 아크 길이가 길 때, 아크 블로우가 클 때
선상 조직	급냉될 때, 모재 재질이 불량할 때

16 가스 이론

(1) 연소의 3대 요소

점화원, 가연물, 산소 공급원이다. 즉 불이 붙을 수 있는 불씨인 점화원, 불이 붙는 물질이 가연물, 타는 것을 도와주는 산소가 필요하다.

(2) 연소의 종류

① **전도 연소** : 전도란 물질의 이동 없이 열이 물체의 고온부에서 저온부로 이동하는 현상이다. 일반적으로 전도라 하면 물체 내에서 열이나 전기가 이동하는 현상을 통칭. 열전도도가 낮을수록 인화가 용이한 물질

② **대류 연소** : 대류란 유체의 실질적인 흐름에 의해 열이 전달되는 현상이다. 유체 내부의 어느 부분의 온도가 높다면 이 부분의 유체는 열에 의해 팽창되어 밀도가 낮아지므로 가벼워져 상승하게 되고 주위의 낮은 온도의 유체가 그 구역으로 흘러 들어오는 순환의 과정이 연속

③ **복사 연소** : 모든 물체는 그 물체의 온도 때문에 열에너지를 파장의 형태로 계속적으로 방사하며, 화염의 접촉 없이 연소가 확산되는 현상은 복사열에 의한 것으로 볼 수 있다. 인접물의 화재로부터 발생한 화염에서 발생한 화염의 복사열에 의해 착화되어 화재가 확산되는 현상이 복사열에 의한 화재확산의 전형적인 현상

④ **전염 연소** : 화염이 물체에 접촉하여 연소가 확산되는 현상으로 화염의 온도가 높을수록 잘 이루어짐

⑤ **비화 연소** : 불티가 바람에 날리거나 튀어서 멀리 떨어진 곳에 있는 가연물에 착화되는 현상이 비화에 의한 연소의 확대

(3) 연소 방법의 종류

① 표면연소 : 공기와 접촉하고 있는 고체 또는 액체 표면에서만 연소가 일어나는 경

우로서 목탄, 코크스, 숯, 금속분, 나트륨 등의 연소가 있다.

② 분해연소 : 고체 또는 액체가 열분해하여 발생한 가연성 기체가 공기 중에서 연소하는 경우로서 섬유, 석탄, 플라스틱, 목재 등의 연소가 있다.

③ 증발연소 : 다수의 액체 연료와 어느 종류의 고체연료(고형파라핀 등)는 연소에 앞서 액체로부터 기체로의 증발이 일어나 증기가 기체연료와 같은 화염을 전부 연소한다. 즉 액체 또는 고체의 증발에 의해 생긴 증기가 공기 중에서 연소하는 경우로서 알코올, 에테르 등의 가연성 액체, 유황, 고체알코올, 양초 및 나프탈렌 등의 가연성 고체의 연소가 여기에 속한다.

④ 자기연소 : 가연물과 산화제가 혼합되어 있는 물질의 연소와 분자 내의 니트로기($-NO_2$)와 같이 쉽게 산소를 유리할 수 있는 기(基)를 가지고 있는 화합물의 연소현상으로, 흑색화약, 백색화약, NA - FO 폭약 등이며 후자의 경우가 TNT, 니트로셀룰로우스, 피크르산 등 제5류위험물 중 여기에 속하는 것이 많다.

폭발은 크게 물리적 폭발과 화학적 폭발로 나눌 수 있는 데 전자는 진공용기의 압과, 과열액체의 급격한 비등에 의한 증기폭발, 용기의 과압과 과충진 등에 의한 용기파열 등을 들 수 있으며, 물질의 용해열, 수화열도 물리적 폭발요인이 된다. 후자는 화학반응에 의하여 단시간에 급격한 압력상승을 수반할 때 폭발이 이루어지고, 이러한 화학반응으로는 산화·분해·중합반응 등이 있으며, 폭발시에

많은 양의 열이 발생한다. 이러한 열을 이용하여 용접을 한다.

① **인화점** : 외부의 직접적인 점화원에 의하여 불이 붙을 수 있는 최저온도

② **발화점** : 외부의 직접적인 점화원 없이도 스스로 가열된 열이 쌓여서 발화되는 최저온도

③ **연소점** : 연소상태가 중단되지 않고 계속 유지될 수 있는 최저 온도

④ **착화점** : 가연물이 점화원 없이 외부의 간접적인 열에 의해 연소가 일어나는 최저온도로 외부의 온도, 압력 등의 물리적인 조건에 의해 변화

⑰ 가스용접의 개요

(1) 가스 용접의 원리

가연성 가스(아세틸렌, 석탄 가스, 수소 가스, LPG 등)와 지연성 가스(산소)의 혼합으로 가스가 연소할 때 발생하는 열(약 3,000℃)정도를 이용하여 모재를 용융 시키면서 용접봉을 공급하여 접합하는 방법이다. 피복 아크 용접과 같은 융접의 일종이다.

(2) 가스 용접의 장·단점

① **장점**
  ㉠ 전기가 필요 없다.
  ㉡ 용접기의 운반이 비교적 자유롭다.
  ㉢ 용접 장치의 설비비가 전기 용접에 비하여 싸다.

ⓐ 불꽃을 조절하여 용접부의 가열 범위를 조정하기 쉽다.

ⓐ 박판 용접에 적당하다.

ⓑ 용접되는 금속의 응용 범위가 넓다.

ⓒ 유해 광선의 발생이 적다.

ⓓ 용접 기술이 쉬운 편이다.

② 단점

ⓐ 고압가스를 사용하기 때문에 폭발, 화재의 위험이 크다.

ⓑ 열효율이 낮아서 용접 속도가 느리다.

ⓒ 아크 용접에 비해 불꽃의 온도가 낮다.

ⓓ 금속이 탄화 및 산화될 우려가 많다.

ⓔ 열의 집중성이 나빠 효율적인 용접이 어렵다.

ⓕ 일반적으로 신뢰성이 적다.

ⓖ 용접부의 기계적 강도가 떨어진다.

ⓗ 가열 범위가 넓어 용접 응력이 크고, 가열 시간 또한 오래 걸린다.

⑱ 가스용접용 가스

(1) 지연성 가스

① 자신은 타지 않으면서 다른 물질의 연소를 돕는 것이 지연성 가스이다. 대표적으로 O_2 가 있다.

② 분자량이 16으로 공기 중에 21%가 존재한다.

③ 무색, 무취 무미의 기체로 1l의 중량은 0℃ 1기압에서 1.429g이다. 또한 비중은 1.105로 공기보다 무겁다.

④ 용융점은 -219℃, 비등점은 -183℃이다.

⑤ -119℃에서 50기압으로 압축하면 담황색의 액체가 된다.

⑥ 금, 백금 등을 제외한 다른 금속과 화합하여 산화물을 만든다.

⑦ 산소의 제조 방법

㉠ 화학 약품에 의한 방법

㉡ 물의 전기 분해에 의한 방법

㉢ 공기 중에서 산소를 채취하는 방법

(2) 가연성 가스

① 가연성 가스의 조건

㉠ 불꽃 온도가 높을 것

㉡ 연소 속도가 빠를 것

㉢ 발열량이 클 것

㉣ 용융 금속과 화학 반응을 일으키지 않을 것

가스 용접에 사용되는 가연성 가스는 주로 아세틸렌(C_2H_2)가 많이 사용되며, 용도에 따라 수소(H_2), 알칼계열의 가스 즉 CnH_{2n+2} 가스가 사용되는데 CH_4 메탄, C_2H_6 에탄, C_3H_8 프로판, C_4H_{10} 부탄 등이 사용된다.

가스의 종류	비중	산소와 혼합시 불꽃 최고 온도(℃)	발열량 (kcal/m³)	공기 중 기체 함유량
아세틸렌	0.906	3,430	12,753.7	2.5 ~ 80
수소	0.070	2,900	2,446.4	4 ~ 74
프로판	1.522	2,820	20,550.1	2.4 ~ 9.5
메탄	0.555	2,700	8,132.8	5 ~ 15

② 아세틸렌(C_2H_2)

㉠ 비중은 0.906으로 공기보다 가볍고, 가연성 가스로 가장 많이 사용한다.

ⓛ 카바이드(CaC_2)에 물을 작용시켜 제조한다.
($CaC_2 + 2H_2O \rightarrow C_2H_2 \uparrow + Ca(OH)_2 +$ 31,872(kcal))

ⓒ 순수한 것은 무색, 무취의 기체이다. 하지만 인화수소, 유화수소, 암모니아와 같은 불순물 혼합할 때 악취가 난다.

아세틸렌 가스 중의 불순물

종 류	인화 수소 (PH3), (%)	황화 수소 (H2S), (%)
1 급	0.06이하	0.20이하
2 급	0.10이하	0.20이하

ⓔ 15℃ 1기압에서 1l의 무게는 1.176g이다.

ⓜ 여러 가지 액체에 잘 용해되며 물에는 같은 양, 석유에는 2배, 벤젠에는 4배, 알코올에서는 6배, 아세톤에는 25배 용해되며, 그 용해량은 압력에 따라 증가한다. 단 소금물에는 용해되지 않는다.

ⓗ 대기압에서 -82℃이면 액화하고, -85℃이면 고체로 된다.

ⓢ 산소와 혼합하였을 때 3000~3430℃의 고온을 낸다.

③ 수소(H_2)

㉠ 무색, 무미, 무취로 불꽃은 육안으로 확인이 곤란하다.

㉡ 납땜이나 수중 절단용으로 사용한다.

㉢ 가장 가볍고(0℃ 1기압에서 1l의 무게는 0.0899g), 확산 속도가 빠르다.

㉣ 폭발성이 강한 가연성 가스이다.

㉤ 고온, 고압에서는 취성이 생길 수 있다.

㉥ 제조법으로는 물의 전기 분해 및 코크스의 가스화법으로 제조한다.

④ 액화 석유 가스(L. P. G)

㉠ 석유계 탄화 수소계 혼합물(C_3H_8)로 화염 분위기가 산화되기 때문에 용접용으로는 부적합하여 절단용으로 주로 사용된다.

㉡ 상온에서는 무색, 투명하고, 약간의 냄새가 있다.

㉢ 비중이 1.522로 공기보다 무겁다.

㉣ 프로판(C_3H_8), 부탄(C_4H_{10})이 주성분이며, 이와 같은 가스를 알칸(CnH_{2n+2} : CH_4, C_2H_6, C_3H_8, C_4H_{10}, C_5H_{12} ......)계열의 가스라고도 한다.

㉤ 발열량은 높으나 열의 집중성이 아세틸렌 보다 떨어진다.

⑤ 도시 가스

㉠ 납땜의 열원으로 주로 사용한다.

㉡ 수소, 메탄, 일산화탄소, 질소 등을 포함하고 있다.

⑥ 천연 가스

㉠ 유전 습지대 등에서 분출한다.

㉡ 주성분은 메탄(CH_4)이다.

19 아세틸렌 발생기

(1) 카바이드(CaC_2)

① 산화 칼슘(생석회)에 코크스를 가하여 만든다.

② 비중이 2.2이다.

③ 무색이나 제조 과정에서 불순물 함유로 회 흑색을 띤다.

④ 물과 반응하여 아세틸렌을 만든다.

⑤ 카바이드 1kg를 물과 작용할 때 475kal의 열 및 348l에 아세틸렌이 발생한다.

(2) 카바이드를 취급 할 때 주의 사항

① 발생기 밖에서 물이나 습기에 노출되어서는 안 된다.

② 저장하는 통 가까이 빛이나 인화 가능한 어떤 것도 엄금

③ 카바이드를 옮길 때는 모넬 메탈이나 목재 공구를 사용할 것

④ 아세틸렌의 제조 방법

　㉠ 투입식(물 속에 카바이드를 투입하여 가스 발생)

- 발생 가스 온도가 낮다.
- 불순물 발생이 적다.
- 대량 생산에 적당하다.
- 청소 및 취급이 용이하다.
- 물의 사용량이 많다.
- 설치 면적이 많이 든다.
- 카바이드 덩어리의 크기가 일정해야 한다.

　㉡ 주수식(카바이드에 소량에 물을 공급하여 가스 발생)

- 물의 소비가 적다.
- 취급이 간단하고 안전도가 높다.
- 반응열이 높고 불순물이 많다.
- 청소가 불편하다.
- 지연 가스 발생의 우려가 있다.

　㉢ 침지식(카바이드를 기종의 주머니에 넣고 필요할 때만 물에 접촉하여 가스 발생)

- 구조가 간단하다.
- 취급이 용이하다.
- 이동용에 적합하다.
- 지연 가스 발생이 쉽다.
- 온도 상승이 크다.
- 불순 가스 발생이 많고 폭발 위험이 많다.

⑤ 취급상 주의 사항

　㉠ 빙결되었을 때 온수나 증기를 사용하여 녹인다.

　㉡ 충격, 타격, 진동이 없어야 한다.

　㉢ 화기가 가까이 있으면 안 된다.

　㉣ 발생기 물의 온도는 60℃ 이하로 한다.

　㉤ 카바이드의 교환은 옥외에서 작업하며, 검사는 비눗물을 사용하여 검사한다.

　㉥ 발생기의 운반 및 보관 사용하지 않을 때 기종 내의 가스 및 카바이드를 제거한다.

⑥ **압력에 따라 분류** : 저압식(0.07kg/cm² 이하), 중압식(0.07 ~ 1.3), 고압식(1.3이상)으로 분류된다.

⑳ 아세틸렌의 폭발성

변 수	조 건
온도	• 406 ~ 408℃ : 자연 발화 • 505 ~ 515℃ : 폭발 위험 • 780℃ : 자연 폭발
압력	• 1.3기압 이하에서 사용 • 1.5기압 : 충격 가열 등의 자극으로 폭발 • 2기압 : 자연 폭발
외력	• 압력이 주어진 아세틸렌가스에 충격, 마찰, 진동 등에 의하여 폭발의 위험성이 있다.
혼합 가스	• 공기 또는 산소가 혼합한 경우 불꽃 또는 불티 등으로 착화, 폭발의 위험성이 있다.(아세틸렌 15%, 산소 85%에서 가장 위험하다) • 인화 수소를 포함한 경우 : 0.02% 이상 폭발성, 0.06% 이상 자연 폭발
화합물 영향	• 구리, 구리합금(구리 62% 이상), 은, 수은, 습기, 녹, 암모니아
건조 상태	• 120℃에서 맹렬한 폭발성

21 용해 아세틸렌

(1) 용해 아세틸렌 용기

① 내용적 15 l, 30 l, 40 l, 50 l 의 4종이 있다. 가장 일반적인 것이 30 l 이다.

② 15℃ 15기압으로 충전한다. 그러므로 아세톤에 아세틸렌이 25배 녹으므로 25 × 15 = 375(l)가 용해된다.

③ 폭발 방지를 위해 105℃ ± 5℃ 에서 녹는 퓨즈가 2개 있다.

④ 규조토, 목탄, 석면의 다공성 물질에 아세톤이 흡수되어 있다.(다공도는 75%이상, 92%미만)

⑤ 용기의 색은 황색으로 되어있다.

⑥ 용기의 나사 방향은 왼나사로 되어 있다.

⑦ 내압 시험 압력은 최고 충전 압력에 3배

> 용기 안의 아세틸렌 양
> C = 905(A - B)(C : 아세틸렌가스 양
> A : 병 전체의 무게 B : 빈 병의 무게)

(2) 용해 아세틸렌 취급시 유의사항

① 저장실에는 착화에 위험이 없어야 한다.

② 용기는 반드시 세워서 취급하여야 한다.

③ 용기의 온도를 40℃ 이하로 유지하며 이동시에는 반드시 캡을 씌워야 한다.

④ 동결 부분은 35℃ 이하의 온수로 녹이며, 누설 검사는 비눗물을 사용한다.

(3) 호스(도관)

① 도관의 색은 적색을 사용한다.

② 10kg/cm² 의 내압 시험에 합격하여야 한다.

> **참고** 용기색
> ① 아세틸렌 - 황색
> ② 산소 - 녹색(공업용), 백색(의료용)
> ③ 아르곤 - 회색
> ④ 수소 - 주황색
> ⑤ 이산화탄소 - 청색
> ⑥ 질소 - 회색, 의료용(흑색)

22 산소 용기와 호스

(1) 산소 용기

① 최고 충전 압력(FP)은 보통 35℃에서 150kgf/cm² 으로 한다.

② 산소병 또는 봄베(bomb)는 에르하르트법 또는 만네스만법으로 제조하며, 인장강도 57(kgf/cm²)이상, 연신율 18% 이상의 강재가 사용된다.

③ 산소 용기에는 충전 가스의 명칭, 용기 제조 번호, 용기 중량, 내압 시험 압력, 최고 충전 압력 등이 각인 되어 있다.

④ 용기의 내압 시험 압력(TP)은 최고 충전 압력(5P)의 $\frac{5}{3}$ 로 한다.

⑤ 산소 용기는 보통 5,000 l, 6,000 l, 7,000 l 의 3종류가 있다. 즉 기압으로 나누어 내용적으로 환산하여 보면, 33.7 l, 40.7 l, 46.7 l 가 있다.

⑥ 용기의 색은 녹색이다.

(2) 산소 용기를 취급할 때 주의 점

① 타격, 충격을 주지 않는다.

② 직사광선, 화기가 있는 고온의 장소를 피한다.

③ 용기 내의 압력이 너무 상승(170kgf/cm²) 되지 않도록 한다.

④ 밸브가 동결되었을 때 더운물, 또는 증기를 사용하여 녹여야 한다.

⑤ 누설 검사는 비눗물을 사용한다.

⑥ 용기 내의 온도는 항상 40℃ 이하로 유지하여야 한다.

⑦ 용기 및 밸브 조정기 등에 기름이 부착되지 않도록 한다.

⑧ 저장실에 가스를 보관시 다른 가연성 가스와 함께 보관하지 않는다.

(3) 용접용 호스

① 사용 압력에 충분히 견딜 것

② 도관의 크기는 6.3mm, 7.9mm, 9.5mm의 3종이 있다.

③ 길이는 5m정도로 한다.

④ 길이는 필요 이상 길게 하지 말 것

⑤ 충격이나 압력을 주지 말 것

⑥ 호스 내부의 청소는 압축 공기를 사용할 것

⑦ 빙결된 호스는 더운물로 사용하여 녹일 것

⑧ 가스 누설 검사는 비눗물로 할 것

⑨ 도관의 색은 녹색 또는 검정색을 사용한다.

⑩ 90kg/cm²의 내압 시험에 합격하여야 한다.

⑪ 호스의 연결은 고압 죔용 밴드를 사용한다.

(4) 용기의 총 가스량 및 사용 시간 계산

① 산소 용기의 총 가스량 = 내용적 × 기압

② 사용할 수 있는 시간 = 산소 용기의 총

가스량 ÷ 시간당 소비량

㉓ 산소 아세틸렌의 불꽃의 종류

(1) 불꽃의 구성

① 백심(불꽃심), 속불꽃, 겉불꽃으로 구성되어 있다.

② 백심(Flame core) : 환원성 백색 불꽃이다.

③ 속불꽃(Inner flame) : 백심부에서 생성된 일산화탄소와 수소가 공기 중의 산소와 결합 연소되어 고열을 발생하는 부분이다. 온도가 가장 강한 부분으로 3200 ~ 3450℃이다.

④ 겉불꽃(Outer flame) : 연소가스가 다시 주위 공기의 산소와 결합하여 완전연소되는 부분이다.

(2) 불꽃의 종류

① 중성 불꽃(neutral flame)

● 산소와 아세틸렌가스의 혼합비가 1 : 1 정도로 이루어질 때 얻어지는 불꽃으로 표준 불꽃이라고도 한다. 백심 불꽃과 아세틸렌 깃이 일치될 때를 중성 불꽃이 된다.

● 이론상 산소와 아세틸렌의 혼합비는 2.5 : 1이나 산소의 1.5는 공기중에서 얻는다.

● 용접 작업에 가장 알맞은 불꽃으로 금속의 용접부에 산화나 탄화의 영향이 가장 적게 미치는 불꽃이다.

● 연강, 반연강, 주철, 구리, 아연, 납, 은, 알루미늄, 니켈, 주강 등에 사용한다.

- 불꽃의 온도는 3,230℃ 정도이다.

② 산성 불꽃(excess oxygen flame)

- 산소 과잉 불꽃 또는 산화불꽃이라고도 한다. 백심이 짧아지고 속불꽃이 없어 바깥 불꽃만으로 되어 있다.

- 산화성 분위기를 만들어 일반적인 금속의 용접에는 사용하지 않는다.

- 용접을 할 때 금속을 산화시키므로 구리, 황동 등의 용접에 사용한다.

- 불꽃의 온도는 3,320~3,430℃ 정도이다.

③ 탄화 불꽃(excess acetylene flame, carbonizing flame)

- 아세틸렌 과잉 불꽃 또는 환원성불꽃이라 한다.

- 속불꽃과 겉불꽃 사이에 연한 백색의 제3의 불꽃 즉 아세틸렌 깃이 있다.

- 아세틸렌 밸브를 열고 점화한 후 산소 밸브를 조금만 열게 되면 다량의 그을음이 발생하며 연소하게 되는 경우이다.

- 이 불꽃은 산소의 량이 부족할 경우에 생기는 것으로 금속의 산화를 방지할 필요가 있는, 스테인리스강, 스텔라이트, 모넬메탈 등의 용접에 사용된다.

- 불꽃의 온도는 3,070~3,150℃ 정도이다.

24 역류, 역화 및 인화

① 산소가 아세틸렌 도관쪽으로 흘러 들어가는 현상이 역류이다.

② 불꽃이 팁 끝에서 순간적으로 폭음을 내며 들어갔다가 꺼지는 현상이 역화이다.

③ 불꽃이 혼합실까지 들어가는 현상이 인화이다.

④ 특히 역류 및 인화가 되었을 때는 위험하다. 역화가 일어날 때는 토치를 식혀 준 뒤 작업을 하여야 한다.

종류	원 인	방 지 법
역류	산소 압력 과다 C_2H_2 공급량 부족	• 팁을 깨끗이 청소한다. • 산소를 차단시킨다. • 아세틸렌을 차단시킨다. • 안전기와 발생기를 차단시킨다.
역화	팁 끝의 과열, 가스 압력 부적당 팁의 조임 불량	• 용접 팁을 물에 잠근다. • 아세틸렌을 차단한다. • 토치의 기능을 점검한다.
인화	가스 압력 부적당 팁 끝이 막임	• 팁을 깨끗이 청소한다. • 가스 유량을 적당하게 조정 • 토치 및 각 기구를 점검한다. • 호스의 비틀림이 없게 한다. • 우선 아세틸렌을 차단 한 후 • 산소를 차단한다.

25 가스 용접용 재료 및 용제

(1) 가스 용접봉

① 연강용, 주철용, 비철 금속 재료용 등이 있다.

② NSR(용접된 그대로), SR(응력 제거 풀림 625±25℃)이 있다.

㉠ G(가스 용접봉) A(용착 금속의 연신율 구분) 43(용착 금속의 최소 인장 강도 (kgf/mm²))

㉡ 지름은 1.0, 1.6, 2.0, 2.6, 3.2, 4.0, 5.0, 6.0이 있으며 길이는 모두 1,000mm이다.

③ 용접봉을 선택할 경우는 다음의 조건에 맞는 재료를 선택하여야 한다.

- 모재와 같은 재질이어야 하며 충분한 강도를 줄 수 있을 것
- 용융 온도가 모재와 같고, 기계적 성질에 나쁜 영향을 주지 말 것.
- 용접봉의 재질 중에 불순물을 포함하고 있지 않을 것

④ 가스 용접봉 중에 포함된 성분

- 탄소(C) : 강의 강도를 증가시키나 연신율, 연성 등을 저하시킨다.
- 규소(Si) : 강도를 저하시키나, 기공(blow hole)을 줄일 수 있다.
- 인(P) : 강에 취성을 주며 가연성을 떨어뜨린다.
- 황(S) : 용접부에 저항력을 감소시키며 기공이 발생할 우려가 있다.

⑤ 용접봉 지름과 판 두께와의 관계 : $D = \frac{T}{2} + 1$ (D : 지름, T : 판 두께)

(2) 용제

① 모재 표면의 불순물과 산화물의 제거로 양호한 용접이 되도록 도와준다.

② 용접 중에 생기는 산화물과 유해물을 용융시켜 슬랙으로 만들거나, 산화물의 용융 온도를 낮게 하기 위해서 용제를 사용한다.

③ 용제는 분말이나 액체로 된 것이 있으며, 분말로 된 것은 물이나 알코올에 개어서 사용한다.

④ **종류** : 연강은 경우 때에 따라 충분한 용제 작용을 돕기 위해 규산나트륨, 붕사,

붕산을 사용할 때가 있다.

용접 금속	용제의 종류
연강	사용하지 않는다.
고탄소강, 주철, 특수강	탄산수소나트륨, 탄산나트륨, 황혈염, 붕사, 붕산 등이 있다.
구리, 구리합금	붕사, 붕산, 플루오르 나트륨, 규산 나트륨, 인 산화물 등이 있다.
알루미늄	염화 나트륨, 염화 칼륨, 염화 리튬, 플루오르화 칼륨, 황산 칼륨 등이 있다.

26 가스 용접 토치 및 팁

(1) 구조

밸브, 혼합실, 팁으로 이루어져 있다.

(2) 분류

① **압력에 따른 분류** : 압력에 따라 토치는 저압식(0.07kg/cm² 이하), 중압식(0.07~1.3kg/cm²), 고압식(1.3이상kg/cm²)으로 분류된다.

② **크기에 따른 분류** : 소·중·대형으로 분류되며 각각의 크기는 300~350mm, 400~450mm, 500mm이상이다.

(3) 팁의 종류

팁의 종류	특 징	크 기
A형(불변압식) 독일형	니들 밸브가 없다.	용접할 수 있는 강판의 두께
B형(가변압식) 프랑스형	니들 밸브가 있어 불꽃 조절 용이하다.	1시간당 소비되는 아세틸렌 소비량

① 독일식은 1번 : 두께 1mm, 2번 : 두께

2mm로 표시

② 프랑스식은 100번 : 아세틸렌가스 소비량 100 *l*

③ 독일식 1번은 프랑스식 100번과 같다고 생각하면 된다.

④ KS 규격 A형은 A1, A2, A3 B형은 B0, B1, B2

(4) 토치의 구비 조건 및 취급 요령

① 안정성이 높을 것

② 역화가 없을 것

③ 기름 또는 그리스를 토치에 바르지 말 것

④ 팁의 청소는 팁 클리너를 사용할 것

⑤ 팁을 교환 시는 밸브를 반드시 잠글 것

팁의 구멍이 스패터, 그을음 등으로 막혀 가스 분출이 원활하지 못할 경우 팁 클리너를 사용하여 구멍을 뚫은 후 작업을 하여야 한다. 이때 주의할 점은 팁의 구멍이 늘어나는 것을 방지하기 위하여 구멍보다 약간 지름이 작은 팁 클리너를 사용하여야 한다.

27 가스 용접 부속 장치

(1) 안전기

① 가스의 역류, 역화로 인한 위험을 방지 할 수 있는 구조로 되어 있을 것

② 빙결이 되었을 때는 온수나 증기를 사용 하여 녹일 것

③ 유효 수주는 25mm이상을 유지 할 것

④ 종류는 수봉식과 스프링식이 있다.

(2) 청정기

카바이드에 발생한 아세틸렌가스에 불순물로 인한 용착 금속의 성질의 악화 및 기기의 부식, 불꽃 온도 저하, 역류, 역화, 폭발 위험이 있으므로 불순물을 제거해야 한다.

① 물리적 방법(수세법, 여과법)

② 화학적 방법(헤라톨, 카다리졸, 아카린, 플랑크린)

③ 청정색의 변색 황갈색 → 청색, 회색

(3) 압력 조정기

① 비눗물로 점검

② 작동 순서 : 부르동 관 → 켈리브레이팅 링크 → 섹터 기어 → 피니언 → 눈금판

③ 종류
  ㉠ 프랑스식(스템형) : 매우 예민한 작동
  ㉡ 독일식 (노즐형) : 고장이 적음

28 산소 - 아세틸렌 용접 작업

(1) 전진법(좌진법)

① 용접봉이 토치 보다 앞서 나가는 것을 생각하면 된다.

② 오른쪽 → 왼쪽으로 진행한다.

(2) 후진법(우진법)

① 용접봉이 토치 뒤에 있는 것을 생각하면 된다.

② 왼쪽 → 오른쪽으로 진행한다.

(3) 전진법과 후진법에 비교

비교 내용	후진법	전진법
열 이용율	좋다	나쁘다
용접 속도	빠르다	느리다
홈 각도	60°	80°
변형	적다	크다
산화성	적다	크다
비드 모양	나쁘다	좋다
용도	후판	박판

전진법은 비드 모양만 좋고 모든 것은 후진법에 비해 나쁘다고 생각하면 된다.

㉙ 납땜법

(1) 납땜의 원리

접합하고자하는 금속을 용융 시키지 않고 이들 두 금속의 사이에 용융점이 낮은 금속을 첨가하여 접합하는 방법이다. 용점이 450℃이하를 연납땜, 450℃이상을 경납땜이라 부른다.

(2) 땜납의 구비 조건

① 모재 보다 용융점이 낮을 것

② 표면 장력이 작아 모재 표면에 잘 퍼질 것

③ 유동성이 좋아 틈이 잘 메워질 수 있을 것

④ 모재와 친화력이 있어야 된다.

(3) 납땜의 종류

① **연납땜** : 450℃ 이하인 용가재를 사용하여 납땜

② **경납땜** : 450℃ 이상인 용가재를 사용하여 납땜

(4) 연납

① **주석 - 납**

㉠ 대표적 연납이다.

㉡ 흡착 작용은 주석의 함유량이 많아지면 커진다.

② **카드뮴 - 아연납**

㉠ 모재에 가공 경화를 주지 않고 이음 강도가 요구 될 때 쓰인다.

㉡ 카드뮴(40%), 아연(60%)은 알루미늄의 저항 납땜에 사용된다.

③ **저 융점 납땜**

㉠ 주석 - 납 합금에 비스무트를 첨가한 것이 사용된다.

㉡ 100℃ 이하의 용융점을 가진 납땜을 의미한다.

(5) 경납

① 은납

● 은, 구리, 아연을 주성분으로 경우에 따라 카드뮴, 니켈, 주석 등을 첨가하여 만든다.

● 융점이 비교적 낮고 유동성이 좋다.

● 인장 강도, 전·연성이 우수하고 색깔이 은백색으로 미려

● 철강, 스테인리스강, 구리 및 구리합금 등에 쓰인다.

● 가격이 고가라는 단점이 있다.

② 구리납

● 구리 85%이상에 납을 말한다.

● 철강, 니켈 및 구리 - 니켈 합금의 쓰인다.

③ 황동납
- 구리와 아연을 주성분으로 한 납이다.
- 아연의 증가에 따라 인장 강도가 증가한다.
- 철강 및 구리 및 구리합금용이다.
- 과열로 인한 아연의 증발로 다공성의 이음이 되기 쉽다.

④ 인동납
- 구리를 주성분으로 소량에 은, 인을 포함한다.
- 유동성이 좋고 전기 전도도 및 기계적 성질이 좋다.
- 황을 함유한 고온 가스 중에서 사용은 피한다.

⑤ 알루미늄 납
- 알루미늄에 구리, 규소, 아연을 첨가한 납이다.
- 작업성이 떨어진다.

⑥ 양은납
- 구리(47%) - 아연(11%) - 니켈(42%)의 합금이다.
- 니켈의 함유량이 늘어나면 융점이 높아지고 색이 변한다.
- 융점이 높고 강인하여 철강, 동, 황동 모넬메탈 등에 사용

(6) 용제

① 용제의 구비 조건
⊙ 산화 피막 및 불순물을 제거할 수 있을 것
⊙ 모재와 친화력이 좋고 유동성이 우수할 것
⊙ 슬랙 제거가 용이하고, 인체에 무해할 것
⊙ 부식 작용이 적을 것
⊙ 용제의 유효 온도 범위와 납땜 온도가 일치할 것

② 용제의 종류
⊙ 연납용 용제
- 부식성 용제인 염화아연, 염화암모늄, 염산 등
- 비부식성 용제로는 송진, 수지, 올리브유 등

⊙ 경납용 용제는 붕사, 붕산, 염화리튬, 빙정석, 산화제1동이 사용된다.
- 가스 경납땜 : 가스의 약간의 환원성 토치 불을 이용하여 접합하는 방법
- 노내 경납땜
  - 전열 또는 가스 화염을 사용하여 접합하는 방법
  - 조건의 제어가 정확하고 한 번에 많은 물품의 접합이 가능

⊙ 저항 경납땜
- 전류를 흘려 저항 발열을 이용하여 접합하는 방법
- 짧은 시간에 이음이 가능하나, 물품의 크기에 제한을 받는다.

⊙ 유도 가열 경납땜
- 고주파 유도전류를 사용하여 접합하는 방법
- 자성 유도 전류, 비 자성은 과 전류에 의한 가열을 이용
- 짧은 시간에 이음이 가능하나 변형이 있을 수 있다.
- 고 융점의 납은 사용하기 곤란하고 물품의 형상 제한이 있다.

⊙ 담금 경납땜
- 미리 가열한 염욕에 침적하거나 용제가 들어 있는 용융납 액 중에 담그어 가열한다.
- 통조림통 등의 납땜에 이용되고 대량생산에 적합하나 납의 소비가 많은 결점이 있다.

① 불활성 가스 아크 용접 (TIG)

(1) 불활성 가스 텅스텐 아크 용접 (TIG 용접, GTAW)

① 장점
  - ㉠ 용접된 부분이 더 강해진다.
  - ㉡ 연성 내부식성이 증가한다.
  - ㉢ 플럭스가 불필요하며 비철 금속 용접이 용이하다.
  - ㉣ 보호 가스가 투명하여 용접 사가 용접 상황을 볼 수 있다.
  - ㉤ 용접 스팩터를 최소한으로 하여 전 자세 용접이 가능하다.
  - ㉥ 용접부 변형이 적다.

② 단점
  - ㉠ 소모성 용접을 쓰는 용접 방법보다 용접 속도가 느리다.
  - ㉡ 텅스텐 전극이 오염될 경우 용접 부가 단단하고 취성을 가질 수 있다.
  - ㉢ 용가재의 끝 부분이 공기에 노출되면 용접부의 금속이 오염된다.
  - ㉣ 가격이 고가 : 텡스텐 전극이 가격 상승을 초래, 용접기 가격도 고가이다.
  - ㉤ 후판에는 사용할 수 없다.(3mm 이하에 박판에 사용된다. 주로 0.4 ~ 0.8mm에 쓰임)

③ 특징
  - ㉠ 전극이 녹지 않는 비 용극식, 비소모식이다.
  - ㉡ 헬륨 - 아크 용접, 아르곤 용접
  - ㉢ 용접 전원으로는 직류, 교류가 모두 쓰인다.
  - ㉣ 직류 정극성(폭이 좁고 깊은 용입을 얻음)→ 높은 전류, 용접봉은 정극성 일 때는 끝을 뾰족하게 가공, 용입이 깊고, 비드 폭은 좁아지며, 용접 속도를 빠르다.
  - ㉤ 직류 역극성(폭이 넓고 얇은 용입을 얻음)→ 청정 작용이 있다. 특수한 경우 Al, Mg 등의 박판 용접에만 쓰이고 있다. 용입이 얕고, 비드 폭은 넓어진다. 정극성 보다 4배정도 사이즈가 큰 용접봉 사용

> **참고** 청정 작용이란 아르곤 가스의 이온이 모재 표면 산화 막에 충돌하여 산화 막을 파괴 제거하는 작용

  - ㉥ 교류를 사용할 때는 아크가 불안정하므로 고주파 약 전류를 이용함. 용입과 비드 폭은 정극성과 역극성의 중간, 약간에 청정 작용도 있다.
  - ㉦ 전극봉은 전자 방사 능력이 좋고, 낮은 전류에서도 아크 발생이 쉽고 오손 또한 적은 토륨 1 ~ 2%를 포함한 텅스텐 전극봉을 사용한다.

종 류	색구분	용 도
순 텅스텐	초록	낮은 전류를 사용하는 용접에 사용, 가격은 저가
1% 토륨	노랑	전류 전도성이 우수하며, 순 텅스텐 보다 가격은 다소 고가이나 수명이 길다.
2% 토륨	빨강	박판 정밀 용접에 사용한다.
지르코니아	갈색	교류 용접에 주로 사용한다.

ⓞ 토치는 공랭식과 수랭식이 있다.

ⓩ 실드 가스는 주로 Ar이 사용되고 있으며, He도 쓰기도 한다.

비교내용	아르곤	헬륨
아크 전압	낮다.	높다.
아크 발생	쉽다.	어렵다.
아크 안정	우수	불량
청정 작용	우수(DCRP와 AC)	거의 없다.
용입(모재 두께)	얕다(박판)	깊다(후판)
열 영향부	넓다.	좁다.
가스 소모량	적다.	많다.
사용 용접법	수동 용접	자동 용접

ⓩ 용융점이 낮은 금속 즉 납, 주석 또는 주석의 합금 등의 용접에는 이용되지 않는다.

② 불활성 가스 아크 용접 (MIG)

(1) 불활성 가스 금속 아크 용접(GMAW)

① 장점

ⓐ 용접기 조작이 간단하여 손쉽게 용접할 수 있다.

ⓑ 용접 속도가 빠르다.

ⓒ 슬랙이 없고 스팩터가 최소로 되기 때문에 용접 후 처리가 불필요하다.

ⓓ 용착 효율이 좋다.(수동 피복 아크 용접 60% MIG는 95%)

ⓔ 전 자세 용접이 가능하며, 용입이 크며, 전류 밀도도 높다.

② 단점

ⓐ 장비가 고가이고, 이동해서 사용하기 곤란하다.

ⓑ 토치가 용접 부에 접근하기 곤란한 경우 용접하기 어렵다.

ⓒ 슬랙이 없기 때문에 취성이 발생할 우려가 있다.

ⓓ 옥외에서 사용하기 힘들다.

③ 특징

ⓐ 전극이 녹는 용극식, 소모식이다.

ⓑ 에어코우메틱, 시그마, 필터 아크, 아르고노오트 용접법

ⓒ 전류 밀도가 티그 용접의 2배, 일반 용접의 4~6배로 매우 크고 용적 이행은 스프레이형이다.

ⓓ 전 자세 용접이 가능하고 판 두께가 3~4mm 이상의 Al·Cu합금, 스테인리스강, 연강 용접에 이용된다.

ⓔ 아크 길이는 6~8mm를 사용하며 전진법을 주로 사용한다.

ⓕ He가스는 Ar가스를 사용할 때보다 용입 및 속도를 증가시킬 수 있다.

ⓖ 전원은 정전압 특성을 가진 직류 역극성이 주로 사용된다.

ⓗ 토치 공랭식(200A이하), 수랭식이 있다.

ⓘ 실드 가스의 종류

(2) 미그 용접에서 와이어를 공급하는 방식

① 미는 방식(Push) : 반자동 용접 장치에 주로 사용

② 당기는 방식(Pull) : 전자동 용접 장치에 주로 사용

③ 밀고 당기는 방식(Push-Pull)이 있다.

종 류	용 도 및 특 징
Ar	전류 밀도가 크고, 청정 능력이 좋다.
He	용입이 비교적 얕고, 비드 폭이 넓어진다. Al, Mg같은 비철금속에 이용
Ar+He(25%)	용입이 깊고, 아크 안정성이 우수하다. 후판에 사용되며, 모재 두께가 두꺼울수록 헬륨의 함량을 증가시키면 된다.
Ar+CO_2	아크가 안정되고, 용융 금속의 이행을 빨리 촉진시켜 스패터를 줄일 수 있다. 연강, 저 합금강, 스테인리스강의 용접에 이용된다.
Ar+He(90%)+CO_2	단락형 이행으로 주로 오스테나이트계 스테인레스강 용접에 사용된다.
Ar+O_2(1~5%)	언더컷을 방지 할 수 있고, 스테인리스강 용접에 주로 사용된다.

③ 서브머지드 아크 용접 (잠호 용접)

(1) 방법

① 용제 속에서 아크를 발생시켜 용접

② 상품명으로는 유니언 멜트 용접, 링컨 용접법이라고도 한다.

③ 전원으로는 직류(400A이하에 역극성을 사용하여 박판에 사용), 교류(설비비가 싸고 쏠림이 없다)가 모두 쓰인다.

(2) 특징

① 장점

　㉠ 용접 속도가 수동 용접에 비해 10~20배, 용입은 2~3배 정도가 커서 능률적이다.

　㉡ 용접 홈의 크기가 작아도 되며 용접 재료의 소비 및 용접 변형이 적다.

　㉢ 용접 조건만 일정하다면 용접공의 기술 차이에 의한 품질의 격차가 거의 없어 이음의 신뢰도를 높일 수 있다.

　㉣ 한 번 용접으로 75mm까지 가능하다.

② 단점

　㉠ 설비비가 고가이며 와이어 및 용제의 선정이 어렵다.

　㉡ 아래 보기 수평 필렛 자세에 한정한다.

　㉢ 홈의 정밀도가 높아야 한다.(루트 간격 0.8mm이하, 홈 각도 오차 ±5°, 루트 오차 ±1mm)

　㉣ 용접부가 보이지 않아 용접부를 확인 할 수 없다.

　㉤ 시공 조건을 잘못 잡으면 제품의 불량률이 커진다.

　㉥ 입열 량이 커서 용접 금속의 결정립의 조대화로 충격 값이 커진다.

③ 종류

　㉠ 용접기 용량에 따른 분류 : 전류에 따라 4000A(M형), 2000A(UE형,USW형), 1200A(DS형, SW형), 900A(UMW형, FSW형)로 나눈다.

　㉡ 전극의 종류에 따른 분류

종 류	전극 배치	특 징	용 도
텐덤식	2개의 전극을 독립 전원에 접속한다.	비드 폭이 좁고 용입이 깊다. 용접 속도가 빠르다.	파이프라인에 용접에 사용
횡 직렬식	2개의 용접봉 중심이 한곳에 만나도록 배치	아크 복사열에 의해 용접. 용입이 매우 얕다. 자기 불림이 생길 수가 있다.	육성 용접에 주로 사용한다.
횡 병렬식	2개 이상의 용접봉을 나란히 옆으로 배열	용입은 중간 정도이며 비드 폭이 넓어진다.	

④ 용제의 종류

  ㉠ 서브머지드 용접의 용제 조건

  - 적당한 용융 온도 및 점성을 가져 양호한 비드를 얻을 수 있을 것
  - 용착 금속에 적당한 합금원소의 첨가할 수 있고 탈산, 탈황 등의 정련작용으로 양호한 용착금속을 얻을 수 있을 것
  - 적당한 입도를 가져 아크의 보호성이 좋을 것
  - 용접 후 슬랙의 박리성이 좋을 것

  참고 | 용제의 역할은 아크 안정, 절연 작용, 용접부의 오염 방지, 합금 원소 첨가, 급랭 방지, 탈산 정련 작용 등

  ㉡ 서브머지드 용접의 용제의 종류

  - 소결형 용제는 용융형 용제보다 용입이 얕고(용융형에 70~80%) 비드폭이 넓어지므로 소결형 용제를 사용할 때는 가능한 홈을 깊게하고 전류를 높이며

전압을 낮게한다. 소결형 용제는 용융형 용제에 비하여 겉보기 비중이 매우 작아 살포량을 용융형 보다 20~50% 높게 해야 한다.

- 용제의 살포 량이 너무 많으면 가스가 밖으로 배출되지 못해 기공 발생 우려가 있고 너무 적으면 아크가 노출되어 용접부를 보호 할 수 없어 비드가 거칠고 기공이 생길 수 있다.

- 용융형 용제
  - 외관은 유리 형상의 형태
  - 흡습성이 적어 보관이 편리하다.
  - 화학 성분에 따라 미국 LINDE사의 상표이 G20, G50, G80 등으로 표시
  - 용제에 합금 첨가제가 거의 들어가 있지 않아 용접 후 원하는 기계적 성질에 따라 적당한 와이어를 선정하여야 한다.
  - 입자는 입도로 표시(20 × 200, 20 × D : 20메시(mesh)에서 200메시까지, 20메시 미분까지 포함)
  - 입자가 가늘수록 고 전류를 사용하며, 용입이 얕고 비드 폭이 넓은 평활한 비드를 얻을 수 있다.
  - 전류가 낮을 때는 굵은 입자를, 전류가 높을 때는 가는 입자를 사용한다.

- 소결형 용제
  - 착색이 가능하여 식별이 가능하나 흡습성이 강해 장기 보관시 변질 우려가 있다.
  - 기계적 강도를 요구하는 곳에 합금제 첨가가 쉬워 사용되나 비드 외관은 용융형에 비해 거칠다.
  - 용융형에 비해 비교적 넓은 재질에 응용 사용되고 있다.

- 용융형에 비해 슬랙 박리성이 좋고 미분 발생이 거의 없다.
- 다층 용접에는 적합하지 못하다.
- 혼성형 용제 : 용융형 + 소결형

⑤ **와이어의 종류**

ㄱ 1.2 ~ 12.7mm가 있으며 보통은 2.4 ~ 7.9mm가 사용된다.

ㄴ 12.5kg(S), 25kg(M), 75kg(L), 100kg(XL)이 있다.

ㄷ 표면은 녹 방지 또는 전기적 접촉을 원활하게 하기 위해 구리 도금을 한다.

ㄹ 망간에 양에 따라 L 저 망간(0.6%이하), M 중 망간(1.25% 이하), H 고 망간(2.25%이하), K는 탈산

ㅁ 저 합금강 및 고 장력강에 기계적 성질을 개선하기 위해 Ni, Cr, Mo등을 첨가

(3) 용접 방법

① **전진법** : 용입 감소, 비드 폭이 증가, 비드 면이 편평

② **후진법** : 용입 증가, 비드 폭이 좁고, 비드 면이 높아짐

③ 플럭스에 두께는 양을 서서히 증가하면서 불빛이 새어 나오지 않도록 한다.

④ 비드 폭은 아크 전압에 정 비례한다.

⑤ 용입은 전류에 정비례하고 비드 폭과는 별로 관계없다.

⑥ 용입은 용접봉 사이즈에 반비례한다.

⑦ 용입은 용접 속도에 반비례한다.

④ 이산화탄소 아크 용접

(1) 원리

불활성 가스 금속 아크 용접과 원리가 같으며, 불활성 가스 대신 탄산가스를 사용한 용극식 용접법이다. 일반적으로 플럭스 코어드가 많이 사용된다.

(2) 특징

① **장점**

ㄱ 가는 와이어로 고속 용접이 가능하며 수동 용접에 비해 용접 비용이 저렴하다.

ㄴ 가시 아크이므로 시공이 편리하고, 스팩터가 적어 아크가 안정하다.

ㄷ 전 자세 용접이 가능하고 조작이 간단하다.

ㄹ 잠호 용접에 비해 모재 표면에 녹과 거칠기에 둔감하다.

ㅁ 미그 용접에 비해 용착 금속의 기공 발생이 적다.

ㅂ 용접 전류의 밀도가 크므로 용입이 깊고, 용접 속도를 매우 빠르게 할 수 있다.

ㅅ 산화 및 질화가 되지 않는 양호한 용착 금속을 얻을 수 있다.

ㅇ 보호 가스가 저렴한 탄산가스라서 용접 경비가 적게 든다.

ㅈ 강도와 연신성이 우수하다.

(3) 종류

① **용극식**

ㄱ 솔리드 와이어 이산화탄소법

ㄴ 솔리드 와이어 혼합 가스법

- $CO_2 + O_2$ 법,
- $CO_2 + Ar$법,

- CO_2 - Ar - O_2 법
  - © 용제가 들어 있는 와이어 CO_2 법
    - 아아고스 아크법(컴파운드 와이어),
    - 퓨즈 아크법
    - 유니언 아크법(자성용)
    - 버나드 아크 용접(NCG법)이 있다.

② **비 용극식**
  - ㉠ 탄소 아크법,
  - © 텅스텐 아크법

(4) 전원

정전압 특성이나 상승 특성을 이용한 직류 또는 교류를 사용한다.

(5) 와이어

0.9~2.4mm까지 있으나 주로 1.2~1.6mm 가 주로 쓰임, 녹 방지를 위하여 구리 도금이 되어 있다. 크기는 10kg와 20kg가 있다.

(6) 용도

철도, 차량, 건축, 조선, 전기 기계, 토목 기계 등

(7) CO_2 농도에 따른 인체의 영향

3~4% 두통, 15%이상 위험, 30%이상 치명 적이다.

5 년 실드 아크 용접

(1) 원리

옥외에서 사용 가능하도록 플럭스가 첨가 된 복합 와이어를 사용하여 용접을 진행

(2) 특징

① **장점**
  - ㉠ 보호 가스나 용제가 불필요하다.
  - © 바람이 있는 옥외에서도 사용 가능하다.
  - © 전원으로는 교류 및 직류를 모두 사용할 수 있다.
  - ㉣ 전 자세 용접이 가능하다.
  - ㉤ 용접 비드가 아름답고 슬랙의 박리 성이 우수하다.
  - ㉥ 용접 장치가 간단하고 운반이 편리하다.
  - ㉦ 아크를 중단하지 않고 연속 용접을 할 수 있다.

② **단점**
  - ㉠ 용착 금속에 기계적 성질이 다소 떨어진 다.
  - © 와이어 가격이 고가이다.
  - © 아크 빛이 강하며, 보호 가스 발생이 많 아 용접선이 잘 안 보인다.

6 플라즈마 아크 용접

(1) 플라즈마 아크 용접의 특징

① 장점
  - 아크 형태가 원통이고 지향성이 좋아 아 크 길이가 변해도 용접부는 거의 영향을 받지 않는다.
  - 용입이 깊고 비드 폭이 좁으며 용접 속도 가 빠르다.
  - 다음 용접으로는 V형 등으로 용접할 것 도 I형으로 용접이 가능하며, 1층 용접으 로 완성 가능

- 전극봉이 토치 내의 노즐 안쪽에 들어가 있으므로 모재에 부딪칠 염려가 없으므로 용접부에 텅스텐 오염의 염려가 없다.
- 용접부의 기계적 성질이 우수하다.
- 작업이 쉽다.(박판, 덧붙이, 납땜에도 이용되며 수동 용접도 쉽게 설계)

② 단점
- 설비비가 고가
- 용접속도가 빨라 가스의 보호가 불충분하다.
- 무부하 전압이 높다.
- 모재 표면을 깨끗이 하지 않으면 플라즈마 아크 상태가 변하여 용접부에 품질이 저하됨

③ 사용 가스 및 전원
- 사용 가스로는 Ar, H_2 를 사용하며 모재에 따라 N 또는 공기도 사용
- 전원은 직류가 사용

④ 용도 : 탄소강, 스테인리스강, 티탄, 니켈합금, 구리 등에 적합

⑤ 플라즈마 아크 용접(이행형) : 텅스텐 전극에 (-)극, 모재에 (+)극을 연결하는 직류 정극성의 특성을 가지며, 모재가 전기회로의 일부이므로 반드시 전기 전도성을 가져야 하며 깊은 용입을 얻을 수 있다.

⑥ 플라즈마 제트 용접(비이행형) : 모재 대신에 수축 노즐에 (+)극을 연결하여 이행형에 비하여 열효율이 낮고 수축노즐이 과열될 우려가 있으나, 비전도체인 경우에도 적용이 가능하기 때문에 비금속의 용접이나 절단에 이용된다.

⑦ 중간형 = (이행형) + (비이행형)

7 일렉트로 슬랙 용접

(1) 원리

서브머지드 아크 용접에서와 같이 처음에는 플럭스 안에서 모재와 용접봉 사이에 아크가 발생하여 플럭스가 녹아서 액상의 슬랙이 되면 전류를 통하기 쉬운 도체의 성질을 갖게 되면서 아크는 꺼지고 와이어와 용융 슬랙 사이에 흐르는 전류의 저항 발열을 이용하는 자동 용접법

(2) 특징

① 전기 저항 열을 이용하여 용접 (주울의 법칙 적용)$Q = 0.24I^2 RT$

② 두꺼운 판의 용접으로 적합하다.(단층으로 용접이 가능)

③ 매우 능률적이고 변형이 적다.

④ 홈모양은 I형이기 때문에 홈가공이 간단하다.

⑤ 변형이 적고, 능률적이고 경제적이다.

⑥ 아크가 보이지 않고 아크 불꽃이 없다.

⑦ 기계적 성질이 나쁘다.

⑧ 노치 취성이 크다.(냉각 속도가 늦기 때문에)

⑨ 가격이 고가이다.

⑩ 용접 시간에 비하여 준비 시간이 길다.

⑪ 용도로는 보일러 드럼, 압력 용기의 수직 또는 원주이음, 대형 부품 로울 등에 후판 용접에 쓰인다.

8 일렉트로 가스 용접

(1) 원리

일렉트로 슬랙 용접과 같이 수직 자동 용접이나 플럭스를 사용하지 않고 실드 가스(탄산가스)를 사용하며, 용접봉과 모재 사이에 발생한 아크열에 의하여 모재를 용융 용접하는 방법

(2) 특징

① 일렉트로 슬랙 용접보다는 두께가 얇은 중후판(40~50mm)에 적당하다.

② 용접 속도가 빠르고 용접 홈은 가스 절단 그대로 사용

③ 용접 후 수축, 변형, 비틀림 등의 결함이 없다.

④ 용접 금속의 인성은 떨어진다.

⑤ 용접 속도는 자동으로 조절된다.

⑥ 스패터 및 가스의 발생이 많고 용접 작업을 할 때 바람에 영향을 많이 받는다.

9 전자 빔 용접

(1) 원리

고 진공 중에서 전자를 전자 코일로서 적당한 크기로 만들어 양극 전압에 의해 가속시켜 접합부에 충돌시켜 그 열로 용접하는 방법이다.

(2) 특징

① 용접부가 좁고 용입이 깊다.

② 얇은 판에서 두꺼운 판까지 광범위한 용접이 가능하다.(정밀 제품에 자동화에 좋다.)

③ 고 용융점 재료 또는 열전도율이 다른 이종 금속과의 용접이 용이하다.

④ 용접부가 대기의 유해한 원소와 차단되어 양호한 용접부를 얻을 수 있다.

⑤ 고속 용접이 가능하므로 열 영향부가 적고, 완성 치수에 정밀도가 높다.

⑥ 고 진공형, 저 진공형, 대기압형이 있다.

⑦ 저전압 대 전류형, 고 전압 소 전류형이 있다.

⑧ 피 용접물의 크기에 제한을 받으며 장치가 고가이다.

⑨ 용접부의 경화 현상이 일어나기 쉽다.

⑩ 배기 장치 및 X선 방호가 필요하다.

10 테르밋 용접

(1) 원리

테르밋 반응에 의한 화학 반응열을 이용하여 용접한다.

(2) 특징

① 테르밋제는 산화철 분말(FeO, Fe_2O_3, Fe_3O_4)약 3~4, 알루미늄 분말을 1로 혼합한다.(2,800℃의 열이 발생)

② 점화제로는 과산화 바륨, 마그네슘이 있다.

③ 용융 테르밋 용접과 가압 테르밋 용접이 있다.

④ 작업이 간단하고 기술습득이 용이하다.

⑤ 전력이 불필요하다.

⑥ 용접 시간이 짧고 용접후의 변형도 적다.

⑦ 용도로는 철도레일, 덧붙이 용접, 큰 단면의 주조, 단조품의 용접

⑪ 원자 수소 용접

(1) 원리

수소 가스 분위기 중에서 2개의 텅스텐 용접봉 사이에 아크를 발생시키면 수소 분자는 아크의 고열을 흡수하여 원자 상태 수소로 열해리 되며, 다시 모재 표면에서 냉각되어 분자 상태로 결합될 때 방출되는 열(3,000 ~ 4,000℃)을 이용하여 용접하는 방법

(2) 특징

① 용접부의 산화나 질화가 없으므로 특수 금속 용접이 용이하다.

② 연성이 좋고 표면이 깨끗한 용접부를 얻는다.

③ 발열량이 많아 용접 속도가 빠르고 변형이 적다.

④ 기술적이 어려움이 있다.

⑤ 비용의 과다 등으로 차차 응용 범위가 줄어들고 있다.

⑥ 특수 금속 (스테인리스강, 크롬, 니켈, 몰리브덴)에 이용

⑦ 고속도강, 바이트 등 절삭공구의 제조에 사용

⑫ 아크 점 용접법

(1) 원리

아크의 높은 열과 집중성을 이용하여 접합부의 한쪽에서 0.5 ~ 5초 정도 아크를 발생시켜 융합하는 방법

(2) 특징

① 1 ~ 3mm 정도 윗판과 3.2 ~ 6mm정도 아래 판에 맞추어서 용접

② 극히 얇은 판을 사용할 때는 용락을 방지하기 위하여 구리 받침쇠를 사용하여 용락 방지

③ 종류로는 불활성 가스 텅스텐 아크 점 용접법(비용극식)과, 용극식(불활성 가스 금속 아크 용접법, 이산화탄소 아크 용접, 피복 아크 용접)이 있다.

⑬ 초음파 용접

초음파 용접의 원리는 초음파(18kHz이상)를 진동 에너지로 변환하여 접합 재료에 전달, 가압(압축 공기 이용) 및 마찰에 의한 열로 접합하는 방법(압접임을 기억할 것)으로 이종 재료나 판재 두께가 0.01 ~ 2mm, 플라스틱류는 1 ~ 5mm정도로 주로 얇은 판 용접에 이용된다. 특징은 다음과 같다.

① 냉간 압접에 비해 주어지는 압력이 작아 변형이 작다.

② 압연한 그대로의 용접이 된다.

③ 이종 금속의 용접도 가능하다.

④ 극히 얇은 판, 즉 필름도 쉽게 용접한다.

⑤ 판의 두께에 따라 용접 강도가 현저히 달라진다.

⑥ 용접 장치로는 초음파 발진기, 진동자, 진동 전달 기구, 압접팁으로 구성된다.

⑦ 접합 재료의 종류 및 판의 두께에 따라 접합 조건이 달라지나 접합부의 외부 변형을 적게 한다는 의미에서 가급적 단시간으로 한다.

14 가스 압접

(1) 원리

접합부를 가스 불꽃으로 재결정 온도 이상 가열하고 축 방향으로 가압하여 접합하는 방법이다.

(2) 특징

① 이음부에 탈탄층이 전혀 없다.

② 전력 및 용접봉 용제가 필요 없다.

③ 장치가 간단하고 설비비 및 보수비가 싸다.

④ 작업이 거의 기계적이다.

⑤ 종류로는 밀착 맞대기 방법, 개방 맞대기 방법이 있다.

15 마찰 용접

(1) 원리

접합하고자 하는 재료를 접촉시키고 하나는 고정시키며 다른 하나를 가압, 회전하여 발생되는 마찰열로 적당한 온도가 되었을 때 접합

(2) 특징

① 컨벤셔널형과 플라이 휘일형이 있다.

② 자동화가 용이하며 숙련이 필요 없다.

③ 접합 재료의 단면은 원형으로 제한한다.

④ 상대 운동을 필요로 하는 것은 곤란하다.

16 단락 이행 용접(short arc welding)

(1) 원리

불활성 가스 금속 아크 용접과 비슷하나 1초 동안 100회 이상 단락 하여 아크 발생 시간이 짧고 모재의 열 입력도 적어진다.

(2) 특징

① 가는 솔리드 와이어를 이용한다.

② 스프레이형이다.

③ 0.8mm 정도 박판 용접에 이용된다.

④ 와이어 종류는 0.76mm, 0.89mm, 1.14mm 정도로 규소 - 망간계

17 플라스틱 용접

(1) 원리

용접 방법으로는 열기구 용접, 마찰 용접, 열풍 용접, 고주파 용접 등을 이용할 수 있으나 열풍 용접이 주로 사용되고 있다.

(2) 특징

① 전기 절연성이 좋다.

② 가볍고 비 강도가 크다.

③ 열가소성만 용접이 가능하다.

18 스텃 용접

(1) 원리

스터드 용접은 크게 저항 용접에 의한 것, 충격 용접에 의한 것, 아크 용접에 의한 것으로 구분 되며, 아크 용접은 모재와 스터드 사이에 아크를 발생 시켜 용접한다.

(2) 특징

① 자동 아크 용접이다.

② 볼트, 환봉, 핀 등을 용접한다.

③ 0.1~2초 정도의 아크가 발생한다.

④ 셀렌 정류기의 직류 용접기를 사용한다. 교류도 사용 가능하다.

⑤ 짧은 시간에 용접되므로 변형이 극히 적다.

⑥ 철강재 이외에 비철 금속에도 쓸 수 있다.

19 레이저 빔 용접

(1) 원리

유도 방사에 의한 빛의 증폭이란 뜻으로, 레이저에서 얻어진 접속성이 강한 단색 광선으로 강렬한 에너지를 가지고 있으며, 이때의 광선 출력을 이용하여 접합

(2) 특징

① 용접 장치는 고체 금속형, 가스 방전형,

반도체형이 있다.

② 아르곤, 질소, 헬륨으로 냉각하여 레이저 효율을 높임

③ 원격 조작이 가능하고 육안으로 확인하면서 용접이 가능

④ 에너지 밀도가 크고, 고 융점을 가진 금속에 이용

⑤ 정밀 용접도 가능하다.

⑥ 불량 도체 및 접근하기 곤란한 물체도 용접이 가능하다.

20 고주파 용접

고주파 전류를 도체의 표면에 집중적으로 흐르는 성질인 표피 효과와 전류 방향이 반대인 경우는 서로 근접해서 생기는 성질인 근접 효과를 이용하여 용접부를 가열 용접하는 방법

21 전기 저항 용접의 개요

용접물에 전류가 흐를 때 발생되는 저항열로 접합부가 가열되었을 때 가압하여 접합하는 용접이다.

(1) 저항 용접의 3대 요소

① **용접 전류** : 저전압 대전류 방식으로 전압은 1~10V정도이지만 전류는 수만 또는 수십만 암페어이다.

② **통전 시간** : 열전도가 큰 것은 대전류를 사용하여 통전 시간을 짧게하고 연강 등은 대전류를 사용하지 않고 통전 시간을

길게 한다.

③ **가압력** : 모재와 모재, 전극과 모재 사이에 접촉 저항은 전극의 가압력이 클수록 작아진다.

(2) 이음 형상에 따라 분류

① **겹치기 저항 용접** : 점 용접, 프로젝션 용접, 시임 용접

② **맞대기 저항 용접** : 플래시 용접, 업셋 용접, 퍼커션 용접

(3) 특징

① 용접 사의 기능에 무관하다.

② 용접 시간이 짧고 대량 생산에 적합하다.

③ 용접부가 깨끗하다.

④ 산화 작용 및 용접 변형이 적다.

⑤ 가압 효과로 조직이 치밀하다.

⑥ 설비가 복잡하고 가격이 비싸다.

⑦ 후열 처리가 필요하다.

㉒ 전기 저항 용접(겹치기 용접)

(1) 점 용접

① 열 영향부가 좁으며 돌기가 없다.

② 박판 용접 및 대량 생산에 적합하다.

③ 바둑알 모양처럼 생긴 것을 너깃이라 한다.

④ 용융점이 높은 재료, 열전도가 큰 재료 및 전기적 저항이 작은 재료는 용접이 곤란하다.

⑤ 구멍을 가공할 필요가 없고 숙련을 요하

지 않는다.

⑥ 과정 : 접촉 저항에 의한 온도 상승→접촉부의 변화, 변형 및 저항 감소→용융→용접부의 가압력에 의해서 용접부 생성

⑦ 종류로는 단 극식, 직렬식, 다 전극식, 맥동, 인터랙 점 용접이 있다.

⑧ 전극의 종류로는 R형, P형, F형, C형, E형이 있다.

(2) 시임 용접

① 점 용접에 비해 가압력은 1.2~1.6배, 용접 전류는 1.5~2.0배 증가

② 단속 통전법, 연속 통전법, 맥동 통전법 등이 있다.

③ 이음 형상에 따라 원주시임, 세로 시임이 있다.

④ 용접 방법에 따라 매시 시임, 포일 시임, 맞대기 시임, 로울러 시임이 있다.

⑤ 기·수·유밀성을 요하는 0.2~4mm 정도 얇은 판에 이용

(3) 돌기 용접(프로젝션 용접)

① 접합 재의 한쪽에 돌기를 만들어 압접 하는 방법이다.

② 이종 금속 판 두께가 다른 것의 용접이 가능하다.

③ 전극의 소모가 적다.(수명이 길다. 작업 능률이 높다)

④ 용접 설비비가 비싸다.

⑤ 돌기의 정밀도가 높아야 한다.

⑥ 용접기 설비가 비싸다.

⑦ 돌기를 내는 쪽은 두꺼운 판, 열전도와 용

융점이 높은 쪽에 만든다.

⑧ 돌기 지름은(판 두께 × 2 + 0.7), 높이(판 두께 × 0.4 + 0.25)로 구한다.

㉓ 전기 저항 용접(맞대기 용접)

(1) 업셋 용접

① 용접 모재를 맞대어 가압하고 전류를 통하면 접촉 저항으로 발열되어 일정한 온도에 달했을 때 축 방향으로 강한 압력을 가해 접합한다.

② 불꽃의 비산이 없다.

③ 플래시 용접에 비해 열 영향부가 커진다.

④ 비대칭 단면적이 큰 것, 박판 등의 용접은 곤란하다.

⑤ 용접부의 접합 강도는 우수하다.

⑥ 용접부의 산화물이나 개재물이 밀려나와 건전한 접합이 이루어진다.

(2) 플래시 용접

① 용접물에 간격을 두어 설치하고 전류를 통하여 발열 및 불꽃 비산을 지속시켜 접합 면이 골고루 가열되었을 때 가압하여 접합한다.

② 예열 → 플래시 → 업셋 순으로 진행된다.

③ 열 영향부 및 가열 범위가 좁다.

④ 이음의 신뢰도가 높고 강도가 좋다.

⑤ 용접 시간, 소비 전력이 적다.

⑥ 용접면에 산화물의 개입이 적다.

⑦ 종류가 다른 재료의 용접이 가능하다.

⑧ 강재, 니켈, 니켈 합금 등에 적합하다.

(3) 충격 용접(퍼커션 용접)

축전기에 축전된 전기 에너지를 짧은 시간(1,000분의 1초 이내)에 방출시켜 금속 용접면에 매우 짧은 시간에 방전시켜 이때 발생된 열로 가압하여 접합한다.

㉔ 절단

(1) 가스 절단

① 주로 강 또는 저 합금강의 절단에 널리 이용됨

② 산소 - 아세틸렌 불꽃으로 약 $850 \sim 900℃$ 정도로 예열하고, 고압의 산소를 분출시켜 철의 연소 및 산화로 절단한다.

③ 주철, 비철금속, 스테인리스강과 같은 고 합금강은 절단이 곤란한다.

④ 절단에 영향을 주는 요소
  ㉠ 팁의 모양 및 크기
  ㉡ 산소의 순도와 압력
  ㉢ 절단 속도
  ㉣ 예열 불꽃의 세기
  ㉤ 팁의 거리 및 각도
  ㉥ 사용 가스
  ㉦ 절단재의 재질 및 두께 및 표면 상태

⑤ 합금 원소가 절단에 미치는 영향
  ㉠ 탄소(0.25% 이하의 강은 절단이 가능하나 4% 이상의 것은 분말 절단을 해야한다.)
  ㉡ 고 규소, 고 망간 등은 절단이 곤란하다.

하지만 망간의 경우는 예열을 하면 절단
이 가능하다.

ⓒ 탄소량이 적은 니켈강은 절단이 용이하다.

ⓔ 크롬 5% 이하는 절단이 용이하지만 10%
이상은 분말 절단을 한다.

ⓜ 순수한 몰리브덴은 절단이 곤란하다.

ⓑ 텅스텐은 20% 이상은 절단이 곤란하다.

ⓢ 구리 2%까지는 영향을 받지 않는다.

ⓞ 알루미늄 10% 이상은 절단이 곤란하다.

⑥ **산소 절단법**

ㄱ 산소와 아세틸렌의 혼합비는 1.4 ~ 1.7 :
1 때 불꽃의 온도가 가장 높음

ㄴ 절단 속도는 산소의 순도 및 압력, 팁의
모양, 모재의 온도 등에 따라 영향을 받
으며, 고속 분출을 얻기 위해서는 다이버
전트 노즐을 사용한다.

ㄷ 드랙의 길이는 판 두께의 $\frac{1}{5}$ 즉 20%정도
가 좋다.

ㄹ 팁 끝과 강판의 거리는 1.5 ~ 2mm 정도
로 한다.

ㅁ 사용 가스의 비교

아세틸렌	프로판
혼합비 1 : 1 점화 및 불꽃 조절이 쉽다. 예열 시간이 짧다. 표면의 녹 및 이물질 등 에 영향을 덜 받는다. 박판의 경우 절단 속도 가 빠르다.	혼합비 1 : 4.5 절단면이 곱고 슬랙이 잘 떨어진다. 중첩 절단 및 후판에서 속도가 빠르다. 분출 공이 크고 많다. 산소 소비량이 많아 전 체적인 경비는 비슷하다.

(2) 아크 절단

① 전극과 모재 사이에 아크를 발생시켜 그
열로 모재를 용융 절단

② 압축 공기, 산소 기류와 함께 쓰면 능률적임

③ 정밀도는 가스 절단보다 떨어지나 가스
절단이 곤란한 재료에 사용이 가능하다.

(3) 분말 절단

① 철분 및 플럭스 분말을 자동적으로 산소
에 혼입 공급하여 산화열 혹은 용제 작용
을 이용하여 절단하는 방법으로 2종류가
있다.

② 철분 절단은 크롬 철, 스테인리스강, 주
철, 구리, 청동에 이용된다. 오스테나이
트계는 사용하지 않는다.

③ 분말 절단은 크롬 철, 스테인리스강이 쓰
인다.

④ 철, 비철 금속 및 콘크리트 절단에도 쓰인다.

(4) 기타 가스 절단의 종류

① **수중 절단**

ㄱ 주로 침몰선의 해체, 교량 건설 등에 사
용된다.

ㄴ 예열용 가스로는 아세틸렌(폭발에 위험),
수소(수심에 관계없이 사용 가능 하나
예열 온도가 낮다), 프로판 가스(LPG),
벤젠이 사용된다.

ㄷ 예열 불꽃은 육지 보다 크게 절단 속도
는 느리게 함

② **산소 창 절단**

ㄱ 토치 대신 내경이 3.2 ~ 6mm, 길이 1.5
~ 3m의 강관을 통하여 절단 산소를 내

보내고 이 강관의 연소하는 발생 열에 의해 절단

ⓛ 아세틸렌가스가 필요 없으며 강괴 후판의 절단 및 암석의 천공 등에 쓰인다.

③ 가스 가우징

ⓐ 용접 뒷면 따내기, 금속 표면의 홈 가공을 하기 위하여 깊은 홈을 파내는 가공법으로 홈의 폭과 깊이의 비는 1 : 1 ~ 1 : 3 정도

ⓑ 가스 용접에 절단용 장치를 이용할 수 있다. 단지 팁은 비교적 저압으로서 대용량의 산소를 방출할 수 있도록 슬로 다이버전트로 팁을 사용한다.

④ 스카핑

ⓐ 강재 표면의 탈탄 층 또는 홈을 제거하기 위해 사용

ⓑ 가우징과 달리 표면을 얕고 넓게 깎는 것이다.

(5) 가스 절단 장치

① 가스 용접과 모든 장치가 똑같다.

② **팁의 모양**

ⓐ 동심형(프랑스식)

ⓑ 이심형(독일식)

③ 자동 절단기가 있어 곧고 긴 직선 절단 등에 사용된다.

④ 형 절단기는 트레이스 형식에 따라 수동식, 기계식, 전 자석식, 광 전관식을 사용하고 있다.

25 아크 절단의 일반적인 특징

① 온도가 높다.

② 산소 절단보다 비용이 크게 저렴하다.

③ 절단면이 곱지 못하다.

④ 용도 : 주철, 망간강, 비철 금속 등에 적용할 수 있다.

(1) 탄소 아크 절단

① 탄소(많이 사용하나 소모성이 크다.), 흑연(전기적 저항이 적고 높은 사용 전류에 적합) 전극봉과 금속 사이에 아크를 발생하여 절단한다.

② 사용 전원은 직류 정극성이 바람직 하지만 때로는 교류도 사용 가능하다.

(2) 금속 아크 절단

① 보통은 용접봉에 값이 비싸 잘 쓰이지 않고 있으나, 토치나 탄소 용접봉이 없을 때 쓰인다. 탄소 전극봉 대신에 특수 피복제를 입힌 전극봉을 써서 절단한다.

② 사용 전원은 직류 정극성이 바람직 하지만 교류도 사용 가능하다.

(3) 산소 아크 절단

① 사용 전원은 직류 정극성이 널리 쓰임, 때로는 교류도 사용

② 중공의 피복 강 전극으로 아크를 발생(예열원)시키고 그 중심부에서 산소를 분출시켜 절단하는 방법으로 절단 속도가 크다. 하지만 절단면이 고르지 못한 단점도 있다.

(4) 플라즈마 제트 절단(PAW)

① 무부하 전압이 높은 직류 정극성 이용한다.

② 플라즈마 10,000℃ 이상을 이용하여 절단

③ 아르곤 + 수소(질소 + 수소)가스 이용하여 아르곤만 사용할 때 보다 속도를 증가시킬 수 있다.

④ 특수 금속, 비금속, 내화물도 절단이 가능하다.

⑤ 절단면에 슬래그 부착되지 않고 열 영향부가 적어 변형이 거의 없다.

(5) 티그 및 미그 절단

① 티그 절단은 열적 핀치 효과에 의한 플라즈마로 절단하는 방법으로 전원으로는 직류 정극성이 사용됨. 주로 알루미늄, 구리 및 구리합금, 스테인리스강과 같은 금속 재료에 절단에만 사용하며 사용 가스로는 아르곤과 수소 혼합 가스가 사용된다.

② 미그 절단은 금속 전극에 대 전류를 흘려 절단, 전원으로는 직류 역극성이 사용됨. 보호 가스는 산소를 혼합한 아르곤 가스를 쓰며 효과적이다. 알루미늄과 같이 산화에 강한 금속 절단에 사용된다.

(6) 아크 에어 가우징

① 산소 아크 절단에 압축 공기를 병용하여 결함을 제거(흑연으로 된 탄소봉에 구리 도금을 한 전극 사용)

② 균열의 발견이 특히 쉽고 소음이 없다.

③ 가스 가우징에 작업 능률이 2 ~ 3배로 높아 경제적이다.

④ 사용 압력이 6 - 7kg/cm² 으로 철, 비철금속이 모두 절단된다.

⑤ 직류 역극성이 사용된다.(전압 35 - 45V, 전류 200 - 500A)

26 안전 관리

(1) 안전 표식의 색채

① 적색 : 방화 금지, 고도의 위험

② 황적 : 위험, 항해, 항공의 보안 시설

③ 노랑 : 충돌, 추락, 전도 등의 주의

④ 녹색 : 안전 지도, 피난, 위생 및 구호 표시, 진행

⑤ 청색 : 주의 수리 중 , 송전 중 표시

⑥ 진한 보라색 : 방사능 위험 표시

⑦ 백색 : 통로, 정돈

⑧ 검정 : 위험표지의 문자, 유도 표지의 화살표

(2) 화재의 종류

① **포말 소화기** : 보통 화재, 기름 화재에는 적합하나 전기 화재는 부적합하다.

② **분말 소화기** : 기름 화재에 적합하며 기타 화재에는 양호하다.

③ CO_2 소화기 : 전기 화재에 적합하며 기타 화재에는 양호하다.

등급별 소화 방법

분류	A급 화재	B급 화재	C급 화재	D급 화재
명칭	보통 화재	기름 화재	전기 화재	금속 화재
가연물	목재, 종이, 섬유	유류, 가스	전기	Mg, Al 분말
주된 소화 효과	냉각	질식	냉각, 질식	질식
적용 소화기	물, 분말	포말, 분말, CO_2	분말, CO_2	모래, 질식

(3) 화상의 종류

① 1도 화상은 피부의 표피층에만 화상이 국한된 것으로 단순히 피부의 색깔이 햇볕에 탔을 때와 같이 붉어지는 경우

② 2도 화상은 피부의 진피층까지 화상이 있는 것을 말하며 물집이 생기고 흉터는 아직 생기는 않은 정도

③ 3도 화상은 표피, 진피뿐만 아니라 피하조직 층까지 피부 전 층에 화상을 받은 것을 말하며, 반드시 피부이식수술을 해야 치유 됨

④ 4도 화상은 3도 화상보다 더 심한 경우를 말하며, 화상 입은 부위 조직이 탄화되어 검게 변함

(4) 안전

전압은 전기를 흘려 줄 수 있는 능력이며, 전류는 전기의 흐름, 저항은 전기의 흐름을 방해하는 것으로 인체에 전류가 100[mA]가 흐르면 사망하고, 50[mA]이상이면 사망할 위험에 처한다.

$2o13$

국가기술자격검정 필기시험문제

2013년 산업기사 제1회 필기시험

				수검번호	성 명
자격종목 및 등급(선택분야)	종목코드	시험시간	문제지형별		
용접산업기사	**2026**	**1시간 30분**	**A**		

※ 답안카드 작성시 시험문제지 형별누락, 마킹착오로 인한 불이익은 전적으로 수검자의 귀책사유임을 알려드립니다.

제1과목 : 용접야금 및 용접설비제도

01 적열취성의 원인이 되는 것은?

① 탄소　　　② 수소　　　③ 질소　　　④ 황

☑ 해석　취성이나 메짐은 같은 말이며 황은 고온 취성(적열 취성), 인은 청열 취성(상온 취성, 냉간 취성의 원인이 된다.

종류	현　상	원인
청열취성	강이 200~300℃로 가열되면 경도, 강도가 최대로 되고, 연신율, 단면 수축률은 줄어들게 되어 메지게 되는 것으로 이때 표면에 청색의 산화 피막이 생성된다.	P
적열취성	고온 900℃이상에서 물체가 빨갛게 되어 메지는 것을 적열 취성이라 한다.	S
상온취성	충격, 피로 등에 대하여 깨지는 성질로 일명 냉간 취성이라고도 한다.	P

01. ④

02 용접 중 용융된 강의 탈산, 탈황, 탈인에 관한 설명으로 적합한 것은?

① 용융 슬랙(slag)은 연기도가 높을수록 탈인율이 크다.
② 탈황 반응시 용융 슬랙(slag)은 환원성, 산성과 관계없다.
③ Si, Mn 함유량이 같을 경우 저수소계 용접봉은 티탄계 용접봉보다 산소함류량이 적어진다.
④ 관구이론은 피복아크용접봉의 플럭스(flux)를 사용한 탈산에 관한 이론이다.

☑ 해석　**탈산 반응**
기계적 성질을 개선하기 위하여 용착 금속 중에 탈산 작용은 피복제 속에 있는 Mn, Si, Al 등으로 산소를 제거하는 데 이 중 Al의 탈산력이 가장 우수하다.

02. ③

03 서브머지드 용접에서 소결형 용제의 사용 전 건조온도와 시간은?

① 150~300℃에서 1시간 정도　　② 150~300℃에서 3시간 정도
③ 400~600℃에서 1시간 정도　　④ 400~600℃에서 3시간 정도

03. ①

✔️ 해설 **소결형 용제**
- 착색이 가능하여 식별이 가능하나 흡습성이 강해 장기 보관시 변질의 우려가 있다.
- 기계적 강도를 요구하는 곳에 합금제 첨가가 쉬워 사용되나 비드 외관은 용융형에 비해 거칠다.
- 용융형에 비해 비교적 넓은 재질에 응용 사용되고 있다.
- 용융형에 비해 슬랙 박리성이 좋고 미분 발생이 거의 없다.
- 다층 용접에는 적합하지 못하다.
- 일반적으로 150~~300℃에서 1시간 정도 사용 전 건조한다.

04 철강의 용접부 조직 중 수지상 결정조건으로 되어 있는 부분은?

① 모재   ② 열영향부

③ 용착금속부   ④ 융합부

04.③

✔️ 해설 수지상결정 [樹枝狀結晶, dendrite] : 녹은 금속이 응고될 때 형성되는 나뭇가지 모양의 결정으로 덴드라이트라고도 한다. 용해된 다음 응고된 용접금속부가 수지상 결정조직으로 되어 있다.

수지상 결정

05 금속재료의 일반적인 특징이 아닌 것은?

① 금속결합인 결정체로 되어 있어 소성가공이 유리하다.

② 열과 전기의 양도체이다.

③ 이온화하면 음(−)이온이 된다.

④ 비중이 크고 금속적 광택을 갖는다.

05.③

✔️ 해설 **금속의 공통적 성질**
㉠ 실온에서 고체이며, 결정체이다.(단, 수은제외)
㉡ 빛을 반사하고 고유의 광택이 있다.
㉢ 가공이 용이하고, 연·전성이 크다.
㉣ 열, 전기의 양도체이다.
㉤ 비중이 크고, 경도 및 용융점이 높다.

06 일반적으로 주철의 탄소함량은?

① 0.03% 이하   ② 2.11~6.67%

③ 1.0~1.3%   ④ 0.03~0.08%

06.②

✔️ 해설 **주철의 개요**
① 주철의 탄소 함유량은 2.0 ~ 6.68%의 강이다.
② 실용적 주철은 2.5 ~ 4.5%의 강이다.
③ 철강보다 용융점(1,150 ~ 1,350℃)이 낮아 복잡한 것이라도 주조하기 쉽고 또 값이 싸기 때문에 일반 기계 부품과 몸체 등의 재료로 널리 쓰인다.
④ 전·연성이 작고 가공이 안 된다.
⑤ 비중 7.1 ~ 7.3으로 흑연이 많아질수록 낮아진다.
⑥ 담금질, 뜨임은 안 되나 주조 응력의 제거 목적으로 풀림 처리는 가능하다.
⑦ 자연 시효 : 주조 후 장시간 방치하여 주조 응력을 제거하는 것이다.

07 용접 후 강재를 연화시키기 위하여 기계적, 물리적 특성을 변화시켜 함유가스를 방출시키는 것으로 일정시간 가열 후 노안에서 서냉하는 금속의 열처리 방법은?

① 불림   ② 뜨임   ③ 풀림   ④ 재결정

✔ 해설 풀림 : 재질의 연화 및 응력제거를 목적으로 노내에서 서냉한다.

07.③

08 큰 재료일수록 내·외부 열처리 효과의 차이가 생기는 현상으로 강의 담금질성에 의하여 영향을 받는 현상은?

① 시효경화   ② 노치효과
③ 담금질효과   ④ 질량효과

✔ 해설 재료의 크기에 따라 내·외부의 냉각 속도가 틀려져 경도가 차이나는 것을 질량 효과라 한다. 일반적으로 탄소강은 질량 효과가 크며 니켈, 크롬, 망간, 몰리브덴 등을 함유한 특수강은 임계 냉각 속도가 낮으므로 질량 효과도 작다. 또한 질량 효과가 작다는 것은 열처리가 잘 된다는 것이다.

08.④

09 오스테나이트계 스테인리스강 용접부의 입계부식 균열 저항성을 증가시키는 원소가 아닌 것은?

① Nb   ② C   ③ Ti   ④ Ta

✔ 해설 결정립계 또는 입계근방을 따라 선택적으로 진행하는 부식형태를 입계부식이라고 하며, 스테인레스강을 약 500 ~ 800℃로 가열하거나 이 온도 범위를 서냉하면 결정립계에 크롬 탄화물이 석출하게 됨에 따라 입계부식이 발생한다. 용접 후에 용체화 처리를 하는 것이 중요하다. 또한 티탄, 니오브, 탄달 등을 첨가하기도 한다.

09.②

10 철의 동소 변태에 대한 설명으로 틀린 것은?

① α-철 : 910℃ 이하에서 체심입방격자이다.
② γ-철 : 910~1400℃에서 면심입방격자이다.
③ β-철 : 1400~1500℃에서 조밀육방격자이다.
④ δ-철 : 1400~1538℃에서 체심입방격자이다.

✔ 해설 **금속의 변태**
① 동소 변태 : 고체 내에서 원자 배열이 변하는 것
  ㉠ α - Fe(체심), γ - Fe(면심), δ - Fe(체심)
  ㉡ 동소 변태 금속 : Fe(912℃, 1,400℃), Co(477℃), Ti(830℃), Sn(18℃) 등
② 자기 변태 : 원자 배열은 변화가 없고 자성만 변하는 것(Fe, Ni, Co)
  ㉠ 순수한 시멘 타이트는 210℃이하에서 강자성체. 그 이상에서는 상자성체
  ㉡ 자기 변태 금속 : Fe(768℃), Ni(358℃), Co(1,160℃)

10.③

11 선의 용도 중 가능 실선을 사용하지 않는 것은?

① 숨은선   ② 지시선

③ 치수선   ④ 회전단면선

☑ 해설 **선의 종류와 용도**

① 외형선은 굵은 실선으로 그린다.

② 치수선, 치수 보조선, 지시선, 회전 단면선, 중심선, 수준면선 등은 가는 실선으로 그린다.

③ 은선(숨은선)은 가는 파선 또는 굵은 파선으로 그린다.

④ 중심선, 기준선, 피치선은 가는 1점 쇄선으로 그린다.

⑤ 특수 지정선은 굵은 1점 쇄선으로 그린다.

⑥ 가상선 무게 중심선은 가는 2점 쇄선으로 그린다.

⑦ 파단선은 물체의 일부를 파단한 곳을 표시하는 선으로 불규칙한 파형의 가는 실선 또는 지그재그 선으로 그린다.

⑧ 절단선은 가는 1점 쇄선으로 끝 부분 및 방향이 변하는 부분을 굵은 실선으로 그린다.

⑨ 해칭은 가는 실선으로 규칙적으로 줄을 늘어놓은 것

⑩ 특수한 용도의 선으로는 가는 실선 아주 굵은 실선으로 나눌 수 있다.

11.①

12 전개도를 그리는 기본적인 방법 3가지에 해당하지 않은 것은?

① 평행선 전개법   ② 삼각형 전개법

③ 방사선 전개법   ④ 원통형 전개법

☑ 해설 ① 평행선 전개법 특징 : 물체의 모서리가 직각으로 만나는 물체나 원통형 물체를 전개할 때 사용

② 방사선 전개법 특징 : 각뿔이나 원뿔처럼 꼭짓점을 중심으로 부채꼴 모양으로 전개하는 방법

③ 삼각형 전개법 특징 : 꼭지점이 먼 각뿔이나 원뿔을 전개할 때 입체의 표면을 여러 개의 삼각형으로 나누어 전개하는 방법

12.④

13 도면에서 2종류 이상의 선이 같은 장소에서 중복될 경우 우선되는 선의 순서는?

① 외형선 – 숨은선 – 중심선 – 절단선

② 외형선 – 중심선 – 절단선 – 숨은선

③ 외형선 – 중심선 – 숨은선 – 절단선

④ 외형선 – 숨은선 – 절단선 – 중심선

☑ 해설 선의 우선순위 외형선 → 은선 → 절단선 → 중심선 → 무게 중심선의 순서이며 여기서 외형선과 은선은 실제 물체와 관계가 있어 우선순위에서 앞서는 것이며, 절단선은 절단 위치에 따라 외형을 바꿀 수 있기 때문에 그 다음으로 중요하다.

13.④

14 도면의 분류 중 표현 형식에 따른 설명으로 틀린 것은?

① 선도 : 투시 투상법에 의해서 입체적으로 표현한 그림의 총칭이다.

② 전개도 : 대상물을 구성하는 면을 평면으로 전개한 그림이다.

14.①

③ 외관도 : 대상물의 외형 및 최소한의 필요한 치수를 나타낸 도면이다.

④ 곡면선도 : 선체, 자동차 차체 등의 복잡한 곡면을 여러 개의 선으로 나타낸 도면이다.

✓ 해설 투시 투상법에 의해서 입체적으로 표현한 그림의 총칭은 겨냥도이다.

15 부품의 면이 평면으로 가공되어 있고, 복잡한 윤곽을 갖는 부품인 경우에 그 면에 광명단 등을 발라 스케치 용지에 찍어 그 면의 실형을 얻는 스케치 방법은?

① 프리핸드법   ② 프린트법

③ 본뜨기법   ④ 사진촬영법

15.②

✓ 해설 **스케치 방법**

① 프린트법 : 부품 표면에 광명단 또는 스탬프 잉크를 칠한 후 용지에 찍어 실제 형상으로 모양을 뜨는 방법

② 본뜨기법 : 실제 부품을 용지 위에 올려놓고 본을 뜨는 방법과 부품 표면을 납선으로 본을 떠서 이를 용지에 옮기는 방법

③ 사진 촬영법 : 사진기로 실물을 직접 찍어서 도면을 그리는 방법(크거나 복잡한 경우)

④ 프리핸드법 : 손으로 직접 그리는 방법

16 재료 기호 중 "SM400C"의 재료 명칭은?

① 일반 구조용 압연 강재   ② 용접 구조용 압연 강재

③ 기계 구조용 탄소 강재   ④ 탄소 공구 강재

16.②

✓ 해설 용접 구조용 압연강재 : SM400A · B · C, SM490A · B · C, SM490YA · YB, SM520B · C, SM570, SM490 TMC, SM520 TMC, SM 570 TMC(용접구조용 압연강재(KS D 3515)의 SWS 표기는 한국산업규격의 개정('97.10.22)에 의하여 SM으로 변경되었다. 즉 SM400 A, B, C가 있으며, 400은 인장강도를 의미한다.)

17 KS 용접기호 중 [보기]와 같은 보조기호의 설명으로 옳은 것은?

17.④

① 끝단부를 2번 오목하게 한 필릿 용접

② K형 맞대기 용접 끝단부를 2번 오목하게 함

③ K형 맞대기 용접 끝단부를 매끄럽게 함

④ 매끄럽게 처리한 필릿 용접

✓ 해설 끝단부를 매끄럽게 하라는 보조기호이며 ◁은 필릿 용접의 표시이다.

18 KS규격에 의한 치수 기입의 원칙 설명 중 틀린 것은?

① 치수는 되도록 주 투상도에 집중한다.

② 각 형체의 치수는 하나의 도면에서 한번만 기입한다.

③ 기능 치수는 대응하는 도면에 직접 기입해야 한다.

④ 치수는 되도록 계산으로 구할 수 있도록 기입한다.

✔ 해설 **치수 기입의 원칙**

① 도면에는 완성된 물체의 치수 기입한다.

② 길이 단위 : mm, 도면에는 기입하지 않는다.

③ 각도 단위 : 도(°), 분(′), 초(″)를 사용한다.

④ 치수 숫자는 자릿수를 표시하는 콤마 등을 사용하지 않는다.

⑤ 치수 숫자는 치수선에 대하여 수직 방향은 도면의 우변으로부터, 수평 방향은 하변으로부터 읽도록 기입한다.

⑥ 도면에 길이의 크기와 자세 및 위치를 명확하게 표시한다.

⑦ 가능한 한 주투상도(정면도)에 기입한다.

⑧ 치수의 중복 기입을 피한다.

⑨ 치수는 계산할 필요가 없도록 기입한다.

⑩ 관련되는 치수는 한 곳에 모아서 기입한다.

18.④

19 투상도의 배열에 사용된 제1각법과 제3각법의 대표 기호로 옳은 것은?

① 제1각법 : ◁⊙   제3각법 : ⊙▷

② 제1각법 : ⊙◁   제3각법 : ⊙◁

③ 제1각법 : ◁⊙   제3각법 : ⊙▷

④ 제1각법 : ⊙◁   제3각법 : ◁⊙

✔ 해설 ①, ②, ④, ⑤는 3각법, ③은 1각법

① ◁⊕   ② ⊙◁   ③ ◁⊙

④ ⊕◁   ⑤ ◁ ⊙

19.①

20 다음 [그림]과 같은 형상을 한 용접기호에 대한 설명으로 옳은 것은?

① 플러그 용접기호로 화살표 반대쪽 용접이다.

② 플러그 용접기호로 화살표쪽 용접이다.

③ 스폿 용접기호로 화살표 반대쪽 용접이다.

20.②

④ 스폿 용접기호로 화살표쪽 용접이다.

✔️ 해설 [   ] 플러그 용접을 뜻하는 기호이며 실선에 기호가 있으므로 화살표쪽 용접이다.

제2과목 : 용접구조설계

21 용접부에서 발생하는 저온 균열과 직접적인 관계가 없는 것은?

① 열영향부의 경화현상　　　② 용접잔류 응력의 존재
③ 용착금속에 함유된 수소　　④ 합금의 응고시에 발생하는 편석

21.④

✔️ 해설
- 고온 균열(응고 크랙) : 탄소 함유량이 높거나 모재에 황과 인이 과다 함유되어 있을 때 응고시 미세조직이 조대화 되어 가는 균열로 저탄소강을 사용하거나 황과 인의 함유를 0.02~0.03 이내로 하거나 예열 및 후열 처리를 하여 예방할 수 있다.
- 저온 균열(냉각 크랙) : 수소가 원인으로 조직이 잔류 응력과 슬랙이 혼입되어 있어 균열이 발생하는 것으로 수소 응력 완화나 슬랙 혼입 방지, 잔류 응력 경감, 예열 등을 통해 예방 할 수 있다.

---

22 용접 입열량에 대한 설명으로 옳지 않은 것은?

① 모재에 흡수되는 열량은 보통 용접 입열량의 약 98% 정도이다.
② 용접 전압과 전류의 곱에 비례한다.
③ 용접속도에 반비례한다.
④ 용접부에 외부로부터 가해지는 열량을 말한다.

22.①

✔️ 해설 **용접 입열(Weld heat input)**
외부에서 용접 모재에 주어지는 열량으로 일반적으로 모재에 흡수되는 열량은 입열의 75~ 85%이다. 용접 입열이 충분하지 못하면 용입 불량 등의 용접 결함을 수반할 수 있다.

$$H = \frac{60EI}{V} \quad \text{[Joule/cm]}$$

---

23 필릿 용접에서 목길이가 10mm일 때 이론 목두께는 몇 mm인가?

① 약 5.0　　　　　　② 약 6.1
③ 약 7.1　　　　　　④ 약 8.0

23.③

✔️ 해설 이론 목두께와 실제 목두께는 $h_1 = h \cdot \cos 45°$의 관계가 있다.
10×cos45° (0.707)=7.1

24 용접작업 중 예열에 대한 일반적인 설명으로 틀린 것은?

① 수소의 방출을 용이하게 하여 저온 균열을 방지한다.

② 열영향부와 용착금속의 경화를 방지하고 연성을 증가시킨다.

③ 물건이 작거나 변형이 많은 경우에는 국부 예열을 한다.

④ 국부 예열의 가열 범위는 용접선 양쪽에 50~100mm 정도로 한다.

✔️해설　**예열의 방법**

　　㉠ 연강의 경우 두께 25mm이상의 경우나 합금 성분을 포함한 합금강 등은 급랭 경화성이 크기 때문에 열 영향부가 경화하여 비드 균열이 생기기 쉽다. 그러므로 50~350℃정도로 홈을 예열하여 준다.

　　㉡ 기온이 0℃이하에서도 저온 균열이 생기기 쉬우므로 홈 양끝 100mm 나비를 40~70℃로 예열한 후 용접한다.

　　㉢ 주철은 인성이 거의 없고 경도와 취성이 커서 500~550℃로 예열하여 용접 터짐을 방지한다.

　　㉣ 용접시 저수소계 용접봉을 사용하면 예열 온도를 낮출 수 있다.

　　㉤ 탄소 당량이 커지거나 판 두께가 두꺼울수록 예열 온도는 높일 필요가 있다.

　　㉥ 주물의 두께 차가 클 경우 냉각 속도가 균일하도록 예열

25 용접수축에 의한 굽힘 변형 방지법으로 틀린 것은?

① 개선 각도는 용접에 지장이 없는 범위에서 작게 한다.

② 판 두께가 얇은 경우 첫 패스 측의 개선 깊이를 작게 한다.

③ 후퇴법, 대칭법, 비석법 등을 채택하여 용접한다.

④ 역변형을 주거나 구속 지그로 구속한 후 용접한다.

✔️해설　**굽힘 변형 방지 방법**

　　① 스트롱 백(strong back)에 의한 구속 방법

　　② 지그(jig)로 정반에 고정하는 주변 고착법 ③ 이음부에 미리 역각도를 주는 방법

26 용접 후 잔류 응력을 완화하는 방법으로 가장 적합한 것은?

① 피닝(peening)　　　　　　② 치핑(chipping)

③ 담금질(quenching)　　　　④ 노멀라이징(normalizing)

✔️해설　**잔류 응력 경감법**

① 노내 풀림법 : 유지 온도가 높을수록, 유지 시간이 길수록 효과가 크다. 노내 출입 허용 온도는 300℃를 넘어서는 안된다. 일반적인 유지 온도는 625 ± 25℃ 이다. 판두께 25mm 1시간

② 국부 풀림법 : 큰 제품, 현장 구조물 등과 같이 노내 풀림이 곤란할 경우 사용하며 용접선 좌우 양측을 각각 약 250mm 또는 판 두께 12배 이상의 범위를 가열한 후 서냉한다. 하지만 국부 풀림은 온도를 불균일하게 할 뿐 아니라 이를 실시하면 잔류 응력이 발생될 염려가 있으므로 주의하여야 한다. 유도가열 장치를 사용한다.

③ 기계적 응력 완화법 : 용접부에 하중을 주어 약간의 소성 변형을 주어 응력을 제거한다. 실제 큰 구조물에서는 한정된 조건하에서만 사용할 수 있다.

④ 저온 응력 완화법 : 용접선 좌우 양측을 정속도로 이동하는 가스 불꽃으로 약 150mm의 나비를 약 150~200℃로 가열 후 수냉하는 방법으로 용접선 방향의 인장 응력을 완화시키는 방법

⑤ 피닝법 : 끝이 둥근 특수 해머로 용접부를 연속적으로 타격하며 용접 표면에 소성 변형을 주어 인장 응력을 완화한다. 첫층 용접의 균열 방지 목적으로 700℃정도에서 열간 피닝을 한다.

24.③

25.②

26.①

27 중판 이상 두꺼운 판의 용접을 위한 홈 설계시 고려사항으로 틀린 것은?

① 적당한 루트 간격과 루트 면을 만들어 준다.
② 홈의 단면적은 가능한 한 작게 한다.
③ 루트 반지름은 가능한 한 작게 한다.
④ 최조 10° 정도 전후 · 좌우로 용접봉을 움직일 수 있는 홈 각도를 만든다.

✔️ 해설 용접 홈의 각도가 좁을 때는 루트 간격을 넓혀야 충분한 용입을 얻을 수 있다. 반면에 루트 간격이 좁을 때는 홈 각도를 크게 하여야 한다. 용접 홈의 설계 요령은 홈의 단면적은 가능한 작게 하고, 홈각도 또한 용입이 허용하는 한 작게 한다. 루트 반지름은 가능한 크게 하며, 적당한 루트 간격과 루트면을 만들어 준다.

27.③

28 응력 제거 풀림의 효과가 아닌 것은?

① 충격 저항의 감소
② 용착금속 중 수소 제거에 의한 연성의 증대
③ 응력 부식에 대한 저항력 증대
④ 크리프 강도의 향상

✔️ 해설 응력 제거 효과로는 충격 저항의 증가, 연성의 증대, 응력부식에 대한 저항력 증대 및 크리프 강도 향상이 있다.

28.①

29 강판의 맞대기 용접이음에서 가장 두꺼운 판에 사용할 수 있으며 양면 용접에 의해 충분한 용입을 얻으려고 할 때 사용하는 홈의 종류는?

① V형   ② U형   ③ I형   ④ H형

✔️ 해설 판 두께 6mm까지는 I형, 6 ~ 19mm까지V형, ✓형(베벨형), J형, 12mm이상은 X형, K형, 양면 J형이 쓰이고 16 ~ 50mm에는 U형 맞대기 이음이 쓰이며 50mm이상에서는 H형 맞대기 이음에 쓰인다.

29.④

30 용접이음에서 피로 강도에 영향을 미치는 인자가 아닌 것은?

① 용접기 종류   ② 이음 형상
③ 용접 결함   ④ 하중 상태

✔️ 해설 피로 강도를 개선하는 방법은 비드 접촉각을 작게 하거나 토우부를 연마하여 평활하게 한다. 용접기의 종류와 피로강도의 관련성은 적다.

30.①

31 용접부에서 하중을 걸어 소성변형을 시킨 후 하중을 제거하면 잔류응력이 감소되는 현상을 이용한 응력제거 방법은?

① 기계적 응력 완화법   ② 저온 응력 완화법
③ 응력 제거 풀림법   ④ 국부 응력 제거법

31.①

32 용접에 사용되고 있는 여러 가지 이음 중에서 다음 [그림]과 같은 용접 이음은?

① 변두리 이음   ② 모서리 이음
③ 겹치기 이음   ④ 맞대기 이음

32.①

✔ 해설

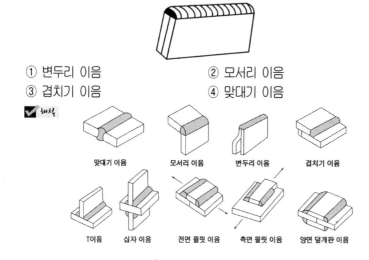

맞대기 이음   모서리 이음   변두리 이음   겹치기 이음

T이음   십자 이음   전면 필릿 이음   측면 필릿 이음   양면 덮개판 이음

33 용접 구조 설계상 주의 사항으로 틀린 것은?

33.①

① 용접 부위는 단면 형상의 급격한 변화 및 노치가 있는 부위로 한다.
② 용접 치수는 강도상 필요한 치수 이상으로 크게 하지 않는다.
③ 용접에 의한 변형 및 잔류응력을 경감시킬 수 있도록 한다.
④ 용접 이음을 감소시키기 위하여 압연 형재, 주단조품, 파이프 등을 적절히 이용한다.

✔ 해설   용접 구조물을 설계할 경우 실제로 가해지는 하중을 계산하고 용접 이음의 형상과 치수를 안전상 허용될 수 있는 응력 범위를 결정하여야 한다. 일반적으로 재질 및 모양이 불균일하고 강도상 신뢰성이 적거나, 큰 동하중 및 충격하중이 작용될 염려가 있을 때, 응력 집중이 있을 때, 피로 파괴의 염려가 있을 대 안전율을 고려하여야 한다.

34 판 두께가 같은 구조물을 용접할 경우 수축변형에 영향을 미치는 용접 시공조건을 틀린 것은?

34.②

① 루트 간격이 클수록 수축이 크다.
② 피닝을 할수록 수축이 크다.
③ 위빙을 하는 것이 수축이 작다.
④ 구속력이 크면 수축이 작다.

✔ 해설   용접열에 의한 수축 변형이 크므로 열과 관련된 것을 찾으면 된다. 또한 판 두께 및 이음 형상에 따라서도 수축변형은 달라질 수 있다. 즉 판 두께가 두꺼울수록 냉각속도는 빠르며, 이음의 형상이 대칭적인 것이 수축 변형이 적다.

35 맞대기 용접부에 3960N의 힘이 작용할 때 이음부에 발생하는 인장 응력은 약 몇 N/㎟인가?(단, 판 두께는 6㎜, 용접선의 길이는 220㎜로 한다.)

① 2   ② 3   ③ 4   ④ 5

35.②

✅ 해석 $\sigma = \dfrac{p}{tl} = \dfrac{3960}{220 \times 6} = 3$

36 엔드 탭(end tab)에 대한 설명으로 틀린 것은?

① 모재를 구속시키는 역할도 한다.
② 모재와 다른 재질을 사용해야 한다.
③ 용접이 불량하게 되는 것을 방지한다.
④ 피복아크 용접시 엔드 탭의 길이는 약 30㎜ 정도로 한다.

36.②

✅ 해석 엔드탭이란 용접선의 시작부와 끝 부분에 설치하는 보조판으로 모재와 같은 재질 및 홈의 형상도 같아야 한다. 즉 시작 및 끝(크레이터)부분의 충분한 용입을 얻어 결함을 방지하기 위하여 설치한다.

37 용접부의 잔류 응력의 경감과 변형 방지를 동시에 충족시키는데 가장 적합한 용착법은?

① 도열법   ② 비석법   ③ 전진법   ④ 구속법

37.②

✅ 해석 **용착순서**
① 전진법 : 용접 시작 부분보다 끝나는 부분이 수축 및 잔류 응력이 커서 용접 이음이 짧고, 변형 및 잔류 응력이 그다지 문제가 되지 않을 때 사용
② 후진법 : 용접을 단계적으로 후퇴하면서 전체 길이를 용접하는 방법으로 수축과 잔류 응력을 줄이는 방법
③ 대칭법 : 용접 전 길이에 대하여 중심에서 좌우로 또는 용접물 형상에 따라 좌우 대칭으로 용접하여 변형과 수축 응력을 경감한다.
④ 비석법 : 스킵법이라고도 하며 짧은 용접 길이로 나누어 놓고 간격을 두면서 용접하는 방법으로 특히 잔류 응력을 적게 할 경우 사용한다.
⑤ 교호법 : 열 영향을 세밀하게 분포시킬 때 사용

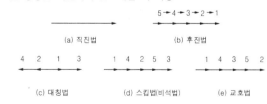

(a) 직진법   (b) 후진법

(c) 대칭법   (d) 스킵법(비석법)   (e) 교호법

38 약 2.5g의 강구를 25cm 높이에서 낙하시켰을 때 20cm 튀어 올랐다면 쇼어경도(HS) 값은 약 얼마인가?(단, 계측통은 목측형(C형)이다.)

① 112.4   ② 192.3   ③ 123.1   ④ 154.1

38.③

✅ 해석 $Hs = \dfrac{10000}{65} \times \dfrac{h}{h_0} = \dfrac{10000}{65} \times \dfrac{20}{25} = 123.1$

39 다음 [그림]과 같은 다층 용접법은?

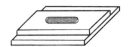

5	5′	5″	5‴	5″″
4	4′	4″	4‴	4″″
3	3′	3″	3‴	3″″
2	2′	2″	2‴	2″″
1	1′	1″	1‴	1″″

① 전진 블록법　　　　② 케스케이드법
③ 덧살 올림법　　　　④ 교호법

✔ 해설　전진 블록법 : 한 개의 용접봉으로 살을 붙일만한 길이로 구분해서 홈을 한
부분에 여러 층으로 완전히 쌓아 올린 다음, 다음 부분으로 진행하는 방법으
로 첫 층에 균열 발생 우려가 있는 곳에 사용된다.

40 다음 [그림]과 같은 홈 용접은?

① 플러그 용접　　　　② 슬롯 용접
③ 플레어 용접　　　　④ 필릿 용접

✔ 해설

　　(a) 플러그 용접　　　(b) 슬롯 용접　　　(c) 비드 용접

제3과목 용접일반 및 안전관리

41 일반적으로 용접의 단점이 아닌 것은?

① 품질 검사가 곤란하다.　　② 응력 집중에 민감하다.
③ 변형과 수축이 생긴다.　　④ 보수와 수리가 용이하다.

✔ 해설　용접의 장·단점
① 장점
　㉠ 작업 공정을 줄일 수 있다.
　㉡ 형상의 자유화를 추구 할 수 있다.
　㉢ 이음 효율을 향상(기밀 수밀 유지)시킬 수 있다.
　㉣ 중량 경감, 재료 및 시간이 절약된다.
　㉤ 이종 재료의 접합이 가능하다.
　㉥ 보수와 수리가 용이하다.(주물의 파손부 등)
② 단점
　㉠ 품질 검사가 곤란하다.
　㉡ 제품의 변형을 가져 올 수 있다(잔류 응력 및 변형에 민감).
　㉢ 유해 광선 및 가스 폭발 위험이 있다.
　㉣ 용접사의 기능과 양심에 따라 이음부 강도가 좌우한다.

39.①

40.②

41.④

42 서브머지드 아크 용접에 대한 설명으로 틀린 것은?

① 용접 전류를 증가시키면 용입이 증가한다.
② 용접 전압이 증가하면 비드 폭과 넓어진다.
③ 용접 속도가 증가하면 비드 폭과 용입이 감소한다.
④ 용접 와이어 지름이 증가하면 용입이 깊어진다.

✔ 해석 전류는 용입과 관계있고, 전압은 비드폭과 관계있다. 아울러 용접 속도가 증가하면 비드 폭과 용입이 감소하며, 와이어 지름이 증가하면 전류밀도가 낮아져 용입이 적어진다.

42.④

43 MIG용접 제어장치에서 용접 후에도 가스가 계속 흘러나와 크레이터 부위의 산화를 방지하는 제어 기능은?

① 가스 지연 유출 시간(post flow time)
② 버언 백 시간(burn back time)
③ 크레이터 충전 시간(crate fill time)
④ 예비 가스 유출 시간(preflow time)

✔ 해석 불활성가스 금속 아크용접에서 용접 후에도 가스가 계속 흘러나와 크레이터 부위의 산화를 방지하기 위해 설정하는 시간을 가스 지연 유출시간이라 한다.

43.①

44 300A 이상의 아크용접 및 절단시 착용하는 차광 유리의 차광도 번호로 가장 적합한 것은?

① 1~2   ② 5~6   ③ 9~10   ④ 13~14

✔ 해석

차광도 번호	용접 전류(A)	용접봉 지름(mm)
8	45~75	1.2~2.0
9	75~130	1.6~2.6
10	100~200	2.6~3.2
11	150~250	3.2~4.0
12	200~300	4.8~6.4
13	300~400	4.4~9.0
14	400 이상	9.0~9.6

44.④

45 교류 아크 용접기 중 전기적 전류 조정으로 소음이 없고 기계적 수명이 길며 원격제어가 가능한 용접기는?

① 가동 철심형   ② 가동 코일형
③ 탭 전환형   ④ 가포화 리액터형

✔ 해석 가포화 리액터형 : 가변 저항의 변화로 용접 전류를 조정한다. 전기적 전류 조정으로 소음이 없고 원격 제어가 가능하다.

45.④

46 아크 용접기의 구비조건이 아닌 것은?

① 구조 및 취급이 간단해야 한다.

② 가격이 저렴하고 유지비가 적게 들어야 한다.

③ 효율이 낮아야 한다.

④ 사용 중 용접기의 온도 상승이 작아야 한다.

☑ 해석 역률이 높으면 좋은 용접기라고 말할 수 도 있고 그렇지 않을 수도 있다. 왜냐하면 일반적으로 역률이 높은 용접기는 소비전력이 높아 효율이 떨어지기 때문에 이 경우는 역률이 낮은 경우가 효율이 더 좋다고 할 수 있다. 하지만 소비전력은 변화 없고 전원 입력을 적게 할 수 있다면 좋은 용접기라 할 수 있다.

46.③

47 고진공 중에서 높은 전압에 의한 열원을 이용하여 행하는 용접법은?

① 초음파 용접법 ② 고주파 용접법

③ 전자 빔 용접법 ④ 심 용접법

☑ 해석 전자 빔 용접은 고 진공 중에서 전자를 전자 코일로서 적당한 크기로 만들어 양극 전압에 의해 가속시켜 접합부에 충돌시켜 그 열로 용접하는 방법이다.

• 전자빔 용접의 특징

① 용접부가 좁고 용입이 깊다.

② 얇은 판에서 두꺼운 판까지 광범위한 용접이 가능하다.(정밀제품에 자동화에 좋다.)

③ 고 용융점 재료 또는 열전도율이 다른 이종 금속과의 용접이 용이하다.

④ 용접부가 대기의 유해한 원소와 차단되어 양호한 용접부를 얻을 수 있다.

⑤ 고속 용접이 가능하므로 열 영향부가 적고, 완성치수에 정밀도가 높다.

⑥ 고 진공형, 저 진공형, 대기압형이 있다.

⑦ 저전압 대 전류형, 고 전압 소 전류형이 있다.

⑧ 피 용접물의 크기에 제한을 받으며 장치가 고가이다.

⑨ 용접부의 경화 현상이 일어나기 쉽다.

⑩ 배기 장치 및 X선 방호가 필요하다.

47.③

48 아크 용접 작업 중의 전격에 관련된 설명으로 옳지 않은 것은?

① 습기 찬 작업복, 장갑 등을 착용하지 않는다.

② 오랜 시간 작업을 중단할 때에는 용접기의 스위치를 끄도록 한다.

③ 전격 받은 사람을 발견하였을 때에는 즉시 손으로 잡아당긴다.

④ 용접 홀더를 맨손으로 취급하지 않는다.

☑ 해석 전격은 전기적인 충격 즉 감전에 의한 사고를 말한다. 전격 받은 사람을 발견하였을 경우에는 즉시 전원을 내린 후 작업자를 보호조치하여야 한다.

48.③

49 연강용 피복 아크 용접봉 중 저수소계(E4316)에 대한 설명으로 틀린 것은?

① 석회석($CaCO_3$)이나 형석(CaF_2)을 주성분으로 하고 있다.

② 용착 금속 중의 수소 함유량이 다른 용접봉에 비해 1/10 정도로 적다.

49.④

③ 용접 시점에서 기공이 생기기 쉬우므로 백 스탭(back step)법을 선택하면 해결할 수도 있다.

④ 작업성이 우수하고 아크가 안정하며 용접속도가 빠르다.

☑ 해석 **저수소계(E4316)**

① 석회석($CaCO_3$)이나 형석(CaF_2)을 주성분으로 용착 금속 중의 수소량이 다른 용접봉에 비해서 1/10정도로 현저하게 적은 우수한 특성이 있다.

② 피복제는 습기를 흡수하기 쉽기 때문에 사용하기 전에 300 ~ 350℃ 정도로 1 ~ 2시간 정도 건조시켜 사용한다.

③ 기계적 성질은 다른 연강봉보다 우수하기 때문에 중요 강도 부재, 고압 용기, 후판 중 구조물, 탄소 당량이 높은 기계 구조용 강, 균열의 감수성이 좋고 구속도가 큰 구조물, 유황 함유량이 높은 강 등의 용접에 결함 없이 양호한 용접부가 얻어진다.

50 탱크 등 밀폐 용기 속에서 용접 작업을 할 때 주의사항으로 적합하지 않은 것은?

① 환기에 주의한다.

② 감시원을 배치하여 사고의 발생에 대처한다.

③ 유해가스 및 폭발가스의 발생을 확인한다.

④ 위험하므로 혼자서 용접하도록 한다.

☑ 해석 탱크 등 밀폐된 공간에서 작업을 할 경우에는 2인 이상의 조를 편성하여 작업을 하여야 한다.

50.④

51 전자 빔 용접의 일반적인 특징 설명으로 틀린 것은?

① 불순가스에 의한 오염이 적다.

② 용접 입열이 적으므로 용접 변형이 적다.

③ 텅스텐, 몰리브덴 등 고융점 재료의 용접이 가능하다.

④ 에너지 밀도가 낮아 용융부나 열영향부가 넓다.

☑ 해석 47번 해설참고

51.④

52 저수소계 용접봉의 피복제에 30~50% 정도의 철분을 첨가한 것으로서 용착 속도가 크고 작업 능률이 좋은 용접봉은?

① E4313   ② E4324   ③ E4326   ④ E4327

☑ 해석 E4326은 철분저수소계이다.

52.③

53 아크 용접기의 특성에서 부하 전류(아크 전류)가 증가하면 단자 전압이 저하하는 특성을 무엇이라 하는가?

① 수하 특성   ② 정전압 특성

③ 정전기 특성   ④ 상승 특성

53.①

☑ **해설** **수동 용접기에 필요한 특성**
① 부 특성(부저항 특성) : 전류가 작은 범위에서 전류가 증가하면 아크 저항이 작아져 아크 전압이 낮아지는 특성으로 부저항 특성 또는 부특성이라고 한다. 이 법칙은 일반 전기 회로에서 적용되는 옴의 법칙(Ohm's law)과는 다르다.
② 수하 특성(垂下 特性) : 부하 전류가 증가하면 단자 전압이 저하하는 특성을 수하 특성(垂下 特性)이라 한다.
V = E − IR(V : 단자 전압, E : 전원 전압)
③ 정전류 특성 : 아크 길이가 크게 변하여도 전류 값은 거의 변하지 않는 특성으로 수하 특성 중에서도 전원 특성 곡선에 있어서 작동점 부근의 경사가 상당히 급한 것을 정전류 특성이라 한다.

54 그림은 피복 아크 용접봉에서 피복제의 편심 상태를 나타낸 단면도이다. D´=3.5mm, D=3mm 일 때 편심률은 약 몇 % 인가?

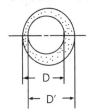

① 14% ② 17% ③ 18% ④ 20%

☑ **해설** 편심율 = $\dfrac{D'-D}{D} \times 100$ 에서 16.6즉 17%가 된다.

54.②

55 정격 2차 전류가 300A, 정격 사용률 50%인 용접기를 사용하여 100A의 전류로 용접을 할 때 허용 사용률은?

① 250% ② 350% ③ 450% ④ 500%

☑ **해설** 허용사용율(%) × (실제용접전류)² = 정격사용율(%) × (정격2차전류)²

허용사용율 (%) = $\dfrac{(정격2차전류)^2}{(실제용접전류)^2}$ × 정격사용율

허용사용율 × (100)² = 50 × (300)²
허용사용율 (%) = 450%

55.③

56 MIG용접의 스프레이 용적이행에 대한 설명이 아닌 것은?

① 고전압 고전류에서 얻어진다.
② 경합금 용접에서 주로 나타난다.
③ 용착속도가 빠르고 능률적이다.
④ 와이어보다 큰 용적으로 용융 이행한다.

☑ **해설** 스프레이형(분무상 이행형) : 가스 폭발의 힘과 아크 힘에 의해 용접봉 끝의 용융금속이 아주 미세한 입자로 되어 빠른 속도로 용접부에 이행하는 형식으로 스팩터가 거의 없고 비드 외관이 아름답고, 용입이 깊다. 주로 일미나이트계, 고산화티탄계, 미그 용접시는 아르곤 가스가 80%이상일 때만 일어난다.

56.④

57 경납땜은 용접이 몇 도(℃) 이상인 용가재를 사용하는가?

① 300℃   ② 350℃   ③ 450℃   ④ 120℃

✔ 해석 연납과 경납의 구분 온도는 450℃를 기준으로 그 이상을 경납, 그 이하를 연납이라고 한다.

57.③

58 가스용접으로 알루미늄판을 용접하려 할 때 용제의 혼합물이 아닌 것은?

① 염화나트륨   ② 염화칼륨
③ 황산   ④ 염화리튬

✔ 해석

용접 금속	용 제(flux)
연 강	일반적으로 사용하지 않는다.
반 경 강	중탄산소다 + 탄산소다
주 철	중탄산나트륨 70%, 탄산나트륨 15%, 붕사 15%
구리합금	붕사 75%, 붕산, 플로오르화 나트륨, 염화나트륨 25%
알루미늄	염화칼륨 45%, 염화나트륨 30%, 염화리튬 15% 플루오르화 칼륨 7%, 황산칼륨 3%

58.③

59 용접 자동화에 대한 설명으로 틀린 것은?

① 생산성이 향상된다.
② 외관이 균일하고 양호하다.
③ 용접부의 기계적 성질이 향상된다.
④ 용접봉 손실이 크다.

✔ 해석 자동화의 장점으로는 우선 품질이 균일화되고 불량품이 감소되며, 연속 작업이 가능하며, 사고의 방지가 가능하며, 능률적인 작업을 할 수 있다.

59.④

60 산소병 용기에 표시되어 있는 FP, TP의 의미는?

① FP : 최고 충전압력, TP : 내압 시험압력
② FP : 용기의 중량, TP : 가스 충전시 중량
③ FP : 용기의 사용량, TP : 용기의 내용적
④ FP : 용기의 사용 압력, TP : 잔량

✔ 해석 FP는 최고 충전압력, TP는 내압시험 압력으로 최고충전 압력의 5/3이다.

60.①

국가기술자격검정 필기시험문제

2013년 산업기사 제2회 필기시험

				수검번호	성 명
자격종목 및 등급(선택분야)	종목코드	시험시간	문제지형별		
용접산업기사	2026	1시간 30분	A		

※ 답안카드 작성시 시험문제지 형별누락, 마킹착오로 인한 불이익은 전적으로 수검자의 귀책사유임을 알려드립니다.

제1과목 : 용접야금 및 용접설비제도

01 루트(root) 균열의 직접적인 원인이 되는 원소는?

① 황   ② 인
③ 망간   ④ 수소

✔ 해설 루트 균열은 저온 균열로 그 원인은 수소취화에 있다.

01.④

02 용접금속의 변형시효(strain aging)에 큰 영향을 미치는 것은?

① H_2 ② O_2
③ CO_2 ④ CH_4

✔ 해설 변형 시효란 상온에서 가공한 금속이 그 후의 시효에 의해 경화하는 현상을 말하며 질소가 원인이다. 용접 금속 중에 산소 및 질소는 석출 경화(담금질 시효)의 원인이 된다. 또한 저온 취성에도 많은 영향을 준다.

02.②

03 온도에 따른 탄성률의 변화가 거의 없어 시계나 압력계 등에 널리 이용되고 있는 합금은?

① 플래티나이트   ② 니칼로이
③ 인바   ④ 엘린바

✔ 해설 엘린바
• 인바에 12% Cr을 첨가하여 개량한 것으로 온도 변화에 따른 탄성 계수의 변화가 거의 없으므로 정밀 계측기기, 전자기 장치, 각종 정밀 부품 등에 사용
• 인바와 5% 미만의 코발트를 첨가한 슈퍼 인바는 열팽창 계수가 가장 낮은 합금이다.

03.④

04 용접금속의 가스 흡수에 대한 설명 중 틀린 것은?

① 용융 금속 중의 가스 용해량은 가스압력의 평방근에 반비례한다.
② 용접금속은 고온이므로 극히 단시간 내에 다량의 가스를 흡수한다.
③ 흡수된 가스는 온도 강하에 수반하여 용해도가 감소한다.

04.①

④ 과포화된 가스는 가공, 균열, 취화의 원인이 된다.

✔️ **해설**　용접 금속이 가스는 기공, 균열 등의 원인이 될 수 있으며, 단시간 내에 용접 금속은 다량의 가스를 흡수할 수 있다. 온도 강하에 따라 흡수된 가스의 용해 도는 감소한다.

05 강의 내부에 모재 표면과 평행하게 층상으로 발생하는 균열로서 주로 T 이음, 모서리 이음에 잘 생기는 것은?

① 라멜라티어(lamellatear) 균열

② 크레이터(crater) 균열

③ 설퍼(sulfur) 균열

④ 토우(toe) 균열

✔️ **해설**　라멜라티어 균열이란 압연 강재를 판 두께 방향으로 큰 구속을 주었을 때 발생 하는 것으로 용접 시공 중 또는 사용중에 발생한다.

05.①

06 탄소강의 가공성을 탄소의 함유량에 따라 분류할 때 옳지 않은 것은?

① 내마모성과 경도를 동시에 요구하는 경우 : 0.65~1.2%%C

② 강인성과 내마모성을 동시에 요구하는 경우 : 0.45~0.65%C

③ 가공성과 강인성을 동시에 요구하는 경우 : 0.03~0.05%C

④ 가공성을 요구하는 경우 : 0.05~0.3%C

✔️ **해설**　① 탄소량과 인장강도의 관계
　　㉠ 탄소량에 따른 인장 강도 : 20 + 100 × C(%)(C는 탄소 함유량)
　　㉡ 인장 강도에 따른 경도 : 2.8 × 인장강도
② 탄소강의 종류
　　㉠ 저탄소강 : 탄소량이 0.3%이하의 강으로 가공성이 우수하고, 단접은 양호하다. 하지만 열처리가 불량하다. 극연강, 연강, 반연강이 있다.
　　㉡ 고탄소강 : 탄소량이 0.3%이상의 강으로 경도가 우수하고, 열처리가 양호하다. 하지만 단접이 불량하다. 반경강, 경강, 최경강이 있다.
　　㉢ 기계 구조용 탄소 강재 : 저탄소강(0.08 ~ 0.23%)구조물, 일반 기계 부품으로 사용한다.
　　㉣ 탄소 공구강 : 고탄소강(0.6 ~ 1.5%), 킬드강으로 제조한다.

06.③

07 용착금속부에 응력을 완화할 목적으로 끝이 구면인 특수 해머로서 용 접부를 연속적으로 타격하여 소성변형을 주는 방법은?

① 기계해머법　　　　　② 소결법

③ 피닝법　　　　　　　④ 국부풀림법

✔️ **해설**　피닝법 : 끝이 둥근 특수 해머로 용접부를 연속적으로 타격하며 용접 표면에 소성 변형을 주어 인장 응력을 완화한다. 첫층 용접의 균열 방지 목적으로 700℃정도에서 열간 피닝을 한다.

07.③

08 용접 후 용접강재의 연화와 내부응력 제거를 주목적으로 하는 열처리 방법은?

① 불림(normalizing)　　　② 담금질(quenching)
③ 풀림(annealing)　　　④ 뜨임(tempering)

✔해설 풀림 : 재질의 연화 및 응력제거를 목적으로 노내에서 서냉한다.

09 다음 (　)안에 알맞은 것은?

> 철강은 체심입방격자를 유지하다 910℃~1400℃에서 면심입방격자의 (　)철로 변태한다.

① 알파(α)　　　② 감마(γ)
③ 델타(δ)　　　④ 베타(β)

✔해설 금속의 변태
　① 동소 변태 : 고체 내에서 원자 배열이 변하는 것
　㉠ α – Fe(체심), γ – Fe(면심), δ – Fe(체심)
　㉡ 동소 변태 금속 : Fe(912℃, 1,400℃), Co(477℃), Ti(830℃), Sn(18℃) 등
　② 자기 변태 : 원자 배열은 변화가 없고 자성만 변하는 것(Fe, Ni, Co)

10 체심입방격자를 갖는 금속이 아닌 것은?

① W　　　② Mo　　　③ Al　　　④ V

✔해설 체심입방격자 (B·C·C) : 강도가 크고 전·연성은 떨어진다.Cr, Mo, W, V, Ta, K, Ba, Na, Nb, Rb, α–Fe, δ–Fe
면심입방격자(F·C·C)는 전·연성이 풍부하여 가공성이 우수하다. Ag, Al, Au, Cu, Ni 등이 있다.

11 다음 용접 기호를 설명한 것으로 옳지 않은 것은?

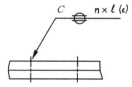

① n : 용접 개수　　　② ℓ : 용접 길이
③ C : 심 용접 길이　　　④ e : 용접단속거리

✔해설 $C \bigoplus n \times \ell \,(e)$에서 C는 폭이 된다.

08.③

09.②

10.③

11.③

12 판금 제관 도면에 대한 설명으로 틀린 것은?

① 주로 정투상도는 1각법에 의하여 도면이 작성되어 있다.

② 도면 내에는 각종 가공 부분 등이 단면도 및 상세도로 표시되어 있다.

③ 중요 부분에는 치수 공차가 주어지며, 평면도, 직각도, 진원도 등이 주로 표시된다.

④ 일반공차는 KS기준을 적용한다.

✅ 해설 주로 정투상도는 3각법에 의하여 도면이 작성되어 있다.

12.①

13 외형도에 있어서 필요로 하는 요소의 일부분만을 오려서 국부적으로 단면도를 표시한 것은?

① 한쪽단면도   ② 온단면도

③ 부분단면도   ④ 회전도시 단면도

✅ 해설 부분 단면도 : 일부분을 잘라내고 필요한 내부 모양을 그리기 위한 방법으로 파단선을 그어서 단면 부분의 경계를 표시한다.

13.③

14 도면의 표제란에 표시하는 내용이 아닌 것은?

① 도명   ② 척도

③ 각법   ④ 부품 재질

✅ 해설 표제란
• 위치 : 도면의 오른쪽 아래에 반드시 위치한다.
• 기재 내용 : 도면 번호(도번), 도면 이름(도명), 척도, 투상법, 도면 작성일, 제도자 이름 등을 기입한다.

14.④

15 다음 [보기]에서 기계용 황동 각봉 재료 표시 방법 중 ㄷ의 의미는?

```
        [보기]    BS   BM   A   D   ㄷ
```

① 강판   ② 채널

③ 각재   ④ 둥근강

✅ 해설 ㄷ은 채널의 형상을 말한다.

15.②

16 KS의 분류와 해당부분의 연결이 틀린 것은?

① KS A - 기본   ② KS B - 기계

③ KS C - 전기   ④ KS D - 건설

✅ 해설 KS D는 금속이며 건설은 KS F이다.

16.④

17 투상도의 명칭에 대한 설명으로 틀린 것은?

① 정면도는 물체를 정면에서 바라본 모양을 도면에 나타낸 것이다.

② 배면도는 물체를 아래에서 바라본 모양을 도면에 나타낸 것이다.

③ 평면도는 물체를 위에서 내려다 본 모양을 도면에 나타낸 것이다.

④ 좌측면도는 물체의 좌측에서 바라본 모양을 도면에 나타낸 것이다.

17.②

✔ 해설

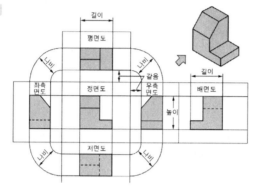

18 도면의 용도에 따른 분류가 아닌 것은?

① 계획도   ② 배치도   ③ 승인도   ④ 주문도

18.②

✔ 해설 도면의 용도(목적)에 따른 종류는 계획도, 주문도, 견적도, 승인도, 제작도, 설명도가 있다.

19 용접부의 기호 도시방법 설명으로 옳지 않은 것은?

① 설명선은 기선, 화살표, 꼬리로 구성되고, 꼬리는 필요가 없으면 생략해도 좋다.

② 화살표는 용접부를 지시하는 것이므로 기선에 대하여 되도록 60°의 직선으로 한다.

③ 기선은 보통 수직선으로 한다.

④ 화살표는 기선의 한 쪽 끝에 연결한다.

19.③

✔ 해설 용접기호는 화살, 기선, 꼬리로 구성되어 있는데 기선은 수평선으로 실선과 파선으로 그린다.

20 굵은 일점쇄선을 사용하는 것은?

① 기계가공 방법을 명시할 때

② 조립도에서 부품번호를 표시할 때

③ 특수한 가공을 하는 부품을 표시할 때

④ 드릴 구멍의 치수를 기입할 때

20.③

✔ 해설 굵은 일점 쇄선은 특수 가공을 하는 부품을 표시할 때 사용한다.

제2과목 : 용접구조설계

21 응력이 "0" 통과하여 같은 양의 다른 부호 사이를 변동하는 반복응력 사이클은?

① 교번응력   ② 양진응력
③ 반복응력   ④ 편진응력

✅ 해설 평균 응력이 "0", 응력비는 −1의 응력 진폭을 갖는 것을 양진응력이라 한다.

22 단면적이 150㎟, 표점거리가 50㎜인 인장시험편에 20kN의 하중이 작용할 때 시험편에 작용하는 인장응력(σ)은?

① 약 133GPa   ② 약 133MPa
③ 약 133kPa   ④ 약 133Pa

✅ 해설 $\sigma = \dfrac{P}{tl}$ 에서 $\dfrac{20000}{150} = 133.3 \text{N/㎟(MPa)}$이 된다.

23 본 용접하기 전에 적당한 예열을 함으로써 얻어지는 효과가 아닌 것은?

① 예열을 하게 되면 기계적 성질이 향상된다.
② 용접부의 냉각속도를 느리게 하면 균열발생이 적게 된다.
③ 용접부 변형과 잔류응력을 경감시킨다.
④ 용접부의 냉각속도가 빨라지고 높은 온도에서 큰 영향을 받는다.

✅ 해설 예열의 목적
  ㉠ 용접부와 인접된 모재의 수축응력을 감소하여 균열 발생을 억제한다.
  ㉡ 냉각속도를 느리게 하여 모재의 취성을 방지한다.
  ㉢ 용착금속의 수소 성분이 나갈 수 있는 여유를 주어 비드 밑 균열을 방지한다.

24 용접이음부의 홈 형상을 선택할 때 고려해야 할 사항이 아닌 것은?

① 완전한 용접부가 얻어질 수 있을 것
② 홈 가공이 쉽고 용접하기가 편할 것
③ 용착 금속의 양이 많을 것
④ 경제적인 시공이 가능할 것

✅ 해설 용착 금속의 양이 많아진다는 것은 그만큼 용접에 의한 열영향도 커지고, 시간 및 경제적으로도 비효율적이다.

21.②
22.②
23.④
24.③

25 용접변형을 최소화하기 위한 대책 중 잘못된 것은?

① 용착금속량을 가능한 작게 할 것

② 용접부의 구속을 작게 하고 용접순서를 일정하게 할 것

③ 포지셔너 지그를 유효하게 활용할 것

④ 예열을 실시하여 구조물 전체의 온도가 균형을 이루도록 할 것

✔️ 해설 이문항의 경우 용접부의 구속을 적게하게 되면 변형은 커질 수 있기 때문에 잘못된 대책으로 정답으로 한 것으로 생각되나 가급적 용접 구속을 적게하고 용접 순서를 일정하게 하여 변형을 줄이는 것은 중요한 대책이 될 수 있다.

25.②

26 강의 청열취성의 온도 범위는?

① 200~300℃   ② 400~600℃

③ 600~700℃   ④ 800~1000℃

✔️ 해설 청열 취성 : 강이 200 ~ 300℃로 가열되면 경도, 강도가 최대로 되고, 연신율, 단면 수축률은 줄어들게 되어 메지게 되는 것으로 이때 표면에 청색의 산화 피막이 생성된다. P이 원인이다.

26.①

27 다음 [그림]에서 실제 목두께는 어느 부분인가?

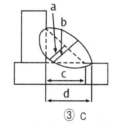

① a   ② b   ③ c   ④ d

✔️ 해설 ① 즉 a는 이론 목두께, ② b는 실제 목두께이다.

27.②

28 용접부의 이음효율을 나타내는 것은?

① 이음 효율 = $\dfrac{\text{용접시험편의 인장강도}}{\text{모재의 굽힘강도}} \times 100(\%)$

② 이음 효율 = $\dfrac{\text{용접시험편의 굽힘강도}}{\text{모재의 인장강도}} \times 100(\%)$

③ 이음 효율 = $\dfrac{\text{모재의 인장강도}}{\text{용접시험편의 인장강도}} \times 100(\%)$

④ 이음 효율 = $\dfrac{\text{용접시험편의 인장강도}}{\text{모재의 인장강도}} \times 100(\%)$

✔️ 해설 $\eta = \dfrac{(\text{용착금속강도})}{(\text{모재인장강도})} \times 100$

28.④

29 다음 용접기호를 설명한 것으로 옳지 않은 것은?

① 용접부의 다듬질 방법은 연삭으로 한다.
② 루트 간격은 2mm로 한다.
③ 개선 각도는 60°로 한다.
④ 용접부의 표면 모양은 평탄하게 한다.

✔ 해설 용접부 다듬질 방법의 연삭은 G로 표시해야 한다.

30 용접부 잔류응력측정 방법 중에서 응력이완법에 대한 설명으로 옳은 것은?

① 초음파 탐상 실험장치로 응력측정을 한다.
② 와류 실험장치로 응력측정을 한다.
③ 만능 인장시험 장치로 응력측정을 한다.
④ 저항선 스트레인 게이지로 응력측정을 한다.

✔ 해설 응력이완법은 용접부를 절삭 또는 천공 등 기계 가공에 의해 응력을 해방하고 이에 생기는 탄성변형을 전기적 또는 기계적 변형도계를 사용하여 측정한다. 즉 저항선 스트레인 게이지로 응력을 측정한다.

31 용접길이 1m 당 종수축은 약 얼마인가?

① 1mm   ② 5mm   ③ 7mm   ④ 10mm

✔ 해설 용접길이 1M당 종수축은 1mm이다.

32 두께의 폭, 길이가 같은 판을 용접시 냉각속도가 가장 빠른 경우는?

① 1개의 평판 위에 비드를 놓는 경우
② T형이음 필릿용접의 경우
③ 맞대기 용접하는 경우
④ 모서리이음 용접의 경우

✔ 해설 냉각속도
① 얇은 판보다는 두꺼운 판에서 크다.
② 맞대기 이음보다는 T형 이음의 경우가 크다. 즉 열의 확산 방향이 많을수록 크다.
③ 열전도율이 클수록 냉각속도는 크다.

33 용접작업 전 홈의 청소 방법이 아닌 것은?

① 와이어브러쉬 작업　　　　② 연삭 작업
③ 숏블라스트 작업　　　　　④ 기름 세척작업

　✔해석　용접 전에 홈을 청소하는 방법은 와이어브러쉬, 그라인더, 숏블라스트 등에 의해 표면의 녹, 산화물 등을 제거한다.

33.④

34 잔류응력 완화법이 아닌 것은?

① 기계적 응력 완화법　　　　② 도열법
③ 저온 응력 완화법　　　　　④ 응력 제거 풀림법

　✔해석　도열법은 변형 방지방법으로 용접부 주위에 물을 적신 석면, 동판을 대어 열을 흡수시키는 방법

34.②

35 용접 잔류응력을 경감하는 방법이 아닌 것은?

① 피이닝을 한다.
② 용착 금속량을 많게 한다.
③ 비석법을 사용한다.
④ 수축량이 큰 이음을 먼저 용접하도록 용접순서를 정한다.

　✔해석　용착 금속량을 많게 하면 오히려 잔류응력이 증대된다.

35.②

36 모재의 두께 및 탄소당량이 같은 재료를 용접할 때 일미 나이트계 용접봉을 사용할 때보다 예열 온도가 낮아도 되는 용접봉은?

① 고산화티탄계　　　　　　② 저수소계
③ 라임티타니아계　　　　　④ 고셀룸로스계

　✔해석　저수소계(E4316)
① 석회석($CaCO_3$)이나 형석(CaF_2)을 주성분으로 용착 금속 중의 수소량이 다른 용접봉에 비해서 1/10정도로 현저하게 적은 우수한 특성이 있다.
② 피복제는 습기를 흡수하기 쉽기 때문에 사용하기 전에 300~350℃ 정도로 1~2시간 정도 건조시켜 사용한다.
③ 기계적 성질은 다른 연강봉보다 우수하기 때문에 중요 강도 부재, 고압 용기, 후판 중 구조물, 탄소 당량이 높은 기계 구조용 강, 균열의 감수성이 좋고 구속도가 큰 구조물, 유황 함유량이 높은 강 등의 용접에 결함 없이 양호한 용접부가 얻어진다.

36.②

37 다음 [그림]과 같은 V형 맞대기 용접에서 굽힘 모멘트(Mb)가 –1000N·m 작용하고 있을 때, 최대 굽힘 응력은 몇 MPa 인가?(단, ℓ = 150 mm, t = 20mm이고 완전 용입이다.)

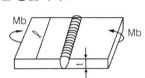

① 10　　　　　② 100　　　　　③ 1000　　　　　④ 10000

✔해석　$\sigma_b = \dfrac{6M}{lt^2} = \dfrac{(6 \times 1000000)}{(150 \times 20^2)} = 100$

38 용착금속 내부에 균열이 발생되었을 때 방사선투과검사 필름에 나타나는 것은?

① 검은 반점　　　　　② 날카로운 검은 선
③ 흰색　　　　　④ 검출이 안 됨

✔해석　균열은 검은 선의 형태로 보인다.

39 용접 변형 방지법 중 용접부의 뒷면에서 물을 뿌려주는 방법은?

① 살수법　　　　　② 수냉 동판 사용법
③ 석면포 사용법　　　　　④ 피닝법

✔해석　용접부 뒷면에 물을 뿌려 변형을 방지하는 방법을 살수법이라 한다.

40 용접선의 방향과 하중 방향이 직교되는 것은?

① 전면 필릿 용접　　　　　② 측면 필릿 용접
③ 경사 필릿 용접　　　　　④ 병용 필릿 용접

✔해석
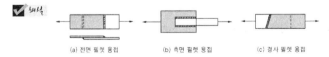

(a) 전면 필렛 용접　　　(b) 측면 필렛 용접　　　(c) 경사 필렛 용접

제3과목 용접일반 및 안전관리

41 MIG용접에 사용하는 실드가스가 아닌 것은?

① 아르곤 – 헬륨　　　　　② 아르곤 – 탄산가스
③ 아르곤 + 수소　　　　　④ 아르곤 + 산소

37.②

38.②

39.①

40.①

41.③

✔해설

종 류	용도 및 특징
아르곤	전류 밀도가 크고, 청정 능력이 좋다.
헬륨	용입이 비교적 얕고, 비드 폭이 넓어진다. Al, Mg 같은 비철 금속에 이용
아르곤 + 헬륨(25%)	용입이 깊고, 아크 안정성이 우수하다. 후판에 사용되며, 모재 두께가 두꺼울수록 헬륨의 함량을 증가 시키면 된다.
아르곤 + 탄산가스	아크가 안정되고, 용융 금속의 이행을 빨리 촉진 시켜 스팩터를 줄일 수 있다. 연강, 저 합금강, 스테인리스강의 용접에 이용된다.
아르곤 + 헬륨(90%) + 탄산가스	단락형 이행으로 주로 오스테나이트계 스테인리스강 용접에 사용된다.
아르곤 + 산소(1 ~ 5%)	언더컷을 방지 할 수 있고, 스테인리스강 용접에 주로 사용된다.

42 아크열을 이용한 용접 방법이 아닌 것은?

① 티그 용접   ② 미그 용접
③ 플라즈마 용접   ④ 마찰 용접

✔해설 마찰 용접은 접합하고자 하는 재료를 접촉시키고 하나는 고정시키며 다른 하나를 가압, 회전하여 발생되는 마찰열로 적당한 온도가 되었을 때 접합한다.

43 피복아크용접봉 중 내균열성이 가장 우수한 것은?

① 일미나이트계   ② 티탄계
③ 고셀룰로스계   ④ 저수소계

✔해설 36 해설 참고

44 용해 아세틸렌을 안전하게 취급하는 방법으로 옳지 않은 것은?

① 아세틸렌병은 반드시 세워서 사용한다.
② 아세틸렌가스의 누설은 점화라이터로 자주 검사해야 한다.
③ 아세틸렌 밸브가 얼었을 때는 35℃ 이하의 온수로 녹여야 한다.
④ 밸브고장으로 아세틸렌 누출시는 통풍이 잘되는 곳으로 병을 옮겨 놓아야 한다.

✔해설 아세틸렌 누설 검사는 비눗물로 체크한다.

42.④

43.④

44.②

45 아세틸렌(C_2H_2)가스 폭발과 관계가 없는 것은?

① 압력   ② 아세톤

③ 온도   ④ 동 또는 동합금

☑ 해설 아세톤은 아세틸렌을 25배 녹인다.

46 산화철 분말과 알루미늄 분말의 혼합제에 점화시켜 화학반응을 이용한 용접법은?

① 스터드 용접   ② 전자 빔 용접

③ 테르밋 용접   ④ 아크 점 용접

☑ 해설 테르밋 용접은 알루미늄 분말과 산화철 분말(FeO, Fe_2O_3, Fe_3O_4)을 1 : 3 ~4로 혼합한 것으로 테르밋 반응(화학 반응), 즉 산화철의 산소를 알루미늄이 빼앗아갈 때 일어나는 반응과 함께 발생된 열(2,800℃)을 이용하여 용접한다. 테르밋 반응을 위해 1,000℃의 고온이 필요하므로 점화제로는 마그네슘과 과산화바륨이 사용되고 있다.

47 산소 – 아세틸렌 불꽃의 구성 중 온도가 가장 높은 것은?

① 백심   ② 속불꽃   ③ 겉불꽃   ④ 불꽃심

☑ 해설 불꽃의 구성

① 백심(불꽃심), 속불꽃, 겉불꽃으로 구성되어 있다.
㉠ 백심(Flame core) : 환원성 백색 불꽃이다.
㉡ 속불꽃(Inner flame) : 백심부에서 생성된 일산화탄소와 수소가 공기 중의 산소와 결합 연소되어 고열을 발생하는 부분이다.
㉢ 겉불꽃(Outer flame) : 연소가스가 다시 주위 공기의 산소와 결합하여 완전연소되는 부분이다.
② 온도가 가장 강한 부분이 속불꽃으로 3,200 ~ 3,450℃이다.

48 아크 용접기로 정격 2차 전류를 사용하여 4분간 아크를 발생시키고 6분을 쉬었다면 용접기의 사용률은 얼마인가?

① 20%   ② 30%   ③ 40%   ④ 60%

☑ 해설 사용율은 전체 사용시간 분에 아크 발생시간이므로 전체사용시간 10분 아크 발생을 한 4분으로 계산하면 40%이다.

49 용접 흄(fume)에 대한 설명 중 옳은 것은?

① 인체에 영향이 없으므로 아무리 마셔도 괜찮다.

② 실내 용접 작업에서는 환기설비가 필요하다.

③ 용접봉의 종류와 무관하며 전혀 위험은 없다.

④ 가제마스크로 충분히 차단할 수 있으므로 인체에 해가 없다.

☑ 해설　용접 흄에는 인체에 해를 줄 수 있는 각종 물질이 있어 실내 용접 작업시에는 환기설비를 필요로 한다.

50 음극과 양극의 두 전극을 접촉시켰다가 떼면 두 전극 사이에 생기는 활 모양의 불꽃방전을 무엇이라 하는가?

① 용착　　　　② 용적　　　　③ 용융지　　　　④ 아크

☑ 해설　아크란 기체 중에 일어나는 방전으로 스파크가 꺼지지 않고 유지되는 것으로 생각하면 된다.

51 스테인리스강의 MIG용접에 대한 종류가 아닌 것은?

① 단락 아크용접　　　　　　② 펄스 아크용접
③ 스트레이 아크용접　　　　④ 탄산가스 아크용접

☑ 해설　탄산가스 아크 용접은 주로 연강 용접에 사용되는 용접방법으로 보호가스를 이 산화탄소를 사용하는 용접방법이다.

52 강의 가스절단(gas cutting)시 화학반응에 의하여 생성되는 산화철의 융점에 관한 설명 중 가장 알맞은 것은?

① 금속산화물의 융점이 모재의 융점보다 높다.
② 금속산화물의 융점이 모재의 융점보다 낮다.
③ 금속산화물의 융점이 모재의 융점이 같다.
④ 금속산화물의 융점이 모재의 융점과 관련이 없다.

☑ 해설　화학반응에 의해 생성되는 산화철의 융점은 모재의 융점보다 낮아야 원활한 절 단이 이루어진다.

53 용접에 사용되는 산소를 산소용기에 충전시키는 경우 가장 적당한 온 도와 압력은?

① 30℃, 18MPa　　　　　② 35℃, 18MPa
③ 30℃, 15MPa　　　　　④ 35℃, 15MPa

☑ 해설　산소 용기의 최고 충전압력은 35℃, 150기압 즉 15MPa로 한다.

54 MIG용접이나 CO_2 아크용접과 같이 반자동 용접에 사용되는 용접기 의 특성은?

① 정전류 특성과 맥동전류 특성　　② 수하특성과 정전류 특성
③ 정전압 특성과 상승 특성　　　　④ 수하특성과 맥동전류 특성

50.④

51.④

52.②

53.④

54.③

✔해석 ① 상승 특성 : 큰 전류에서 아크 길이가 일정할 때 아크 증가와 더불어 전압이 약간씩 증가하는 특성이다. 이 상승 특성은 반자동 및 자동 용접에서 아크의 안정을 도모하기 위하여 사용되는 특성이다.

② 정전압 특성(자기 제어 특성) : 수하 특성과는 반대의 성질을 갖는 것으로 부하 전류가 변해도 단자 전압이 거의 변하지 않는 것으로 CP(Constant Potential)특성이라고도 한다. 주로 반자동 및 자동 용접에 필요한 특성이다. 또한 아크 길이가 길어지면 부하 전압은 일정하지만 전류가 낮아져 정상보다 늦게 녹아 정상적인 아크 길이를 맞추고 반대로 아크 길이가 짧아지면 부하 전압은 일정하지만 전류가 높아져 와이어의 녹는 속도를 빨리하여 스스로 아크 길이를 맞추는 것을 자기 제어 특성이라 한다.

55 2차 무부하전압이 80V, 아크전압 30V, 아크전류 250A, 내부손실 2.5kW라 할 때, 역률은 얼마인가?　　55.①

① 50%　　② 60%　　③ 75%　　④ 80%

✔해석 역률$=\dfrac{소비전력(kW)}{전원입력(KVA)}\times100$

따라서 전원입력은 80×250=20KVA
소비전력은 30×250+2.5KW에서 10KW
따라서 50%가 된다.

56 수소가스 분위기에 있는 2개의 텅스텐 전극봉 사이에서 아크를 발생시키는 용접법은?　　56.②

① 전자 빔 용접　　② 원자수소 용접
③ 스텃 용접　　④ 레이저 용접

✔해석 원자 수소 용접은 수소 가스 분위기 중에서 2개의 텅스텐 용접봉 사이에 아크를 발생시키면 수소 분자는 아크의 고열을 흡수하여 원자 상태 수소로 열해리 되며, 다시 모재 표면에서 냉각되어 분자 상태로 결합될 때 방출되는 열(3,000~4,000℃)을 이용하여 용접하는 방법

57 교류 아크용접기 AW300인 경우 정격 부하전압은?　　57.②

① 30V　　② 35V　　③ 40V　　④ 45V

✔해석 AW 300인 용접기의 정격 부하 전압은 35V이다.

58 서브머지드 아크 용접의 용접헤드에 속하지 않는 것은?　　58.③

① 와이어 송급장치　　② 제어장치
③ 용접 레일　　④ 콘택트 팁

✔해석 서브머지드 아크 용접의 용접 장치의 헤드에는 제어장치, 와이어 송급장치, 콘택트 팁이 있다.

59 CO_2 용접 와이어에 대한 설명 중 옳지 않은 것은?

① 심선은 대체로 모재와 동일한 재질을 많이 사용한다.

② 심선 표면에 구리 등의 도금을 하지 않는다.

③ 융착금속의 균열을 방지하기 위해서 저탄소강을 사용한다.

④ 심선은 전 길이에 걸쳐 균일해야 된다.

☑ 해설 전기적 접촉의 원활과 녹방지를 위해 용접 와이어 표면에 구리 도금을 한다.

59.②

60 압접에 속하는 용접법은?

① 아크용접

② 단접

③ 가스용접

④ 전자빔용접

☑ 해설 아크용접, 가스 용접, 전자 빔 용접은 융접이다. 단접, 마찰용접, 전기저항용접 등이 압접이다.

60.②

국가기술자격검정 필기시험문제

2013년 산업기사 제3회 필기시험

자격종목 및 등급(선택분야)	종목코드	시험시간	문제지형별	수검번호	성 명
용접산업기사	2026	1시간 30분	A		

※ 답안카드 작성시 시험문제지 형별누락, 마킹착오로 인한 불이익은 전적으로 수검자의 귀책사유임을 알려드립니다.

제1과목 : 용접야금 및 용접설비제도

01 용접 시 적열취성의 원인이 되는 원소는?

① 산소　　　② 황　　　③ 인　　　④ 수소

✓해설

종류	현 상	원인
청열취성	강이 200~300℃로 가열되면 경도, 강도가 최대로 되고, 연신율, 단면 수축률은 줄어들게 되어 메지게 되는 것으로 이때 표면에 청색의 산화 피막이 생성된다.	P
적열취성	고온 900℃이상에서 물체가 빨갛게 되어 메지는 것을 적열취성이라 한다.	S
상온취성	충격, 피로 등에 대하여 깨지는 성질로 일명 냉간 취성이라고도 한다.	P

02 탄소강 중에 인(P)의 영향으로 틀린 것은?

① 연신율과 충격값을 증대　　② 강도와 경도를 증대
③ 결정립을 조대화　　　　　④ 상온취성의 원인

✓해설 **인(P)의 영향**
① 연신율 감소, 균열 발생, 충격값 저하 ② 결정립을 거칠게 하며 냉간 가공성 저하
③ 청열 취성에 원인
　　결정입자의 첨가원소로는 Ti, Al, Cr, V등이 있다.

03 금속의 결정계와 결정격자 중 입방정계에 해당하지 않는 결정결자의 종류는?

① 단순입방격자　　　　　② 체심입방격자
③ 조밀입방격자　　　　　④ 면심입방격자

✓해설 입방정계(혹은 등축정계라고도 한다)는 결정학에서 3개의 벡터로 묘사되는 7 결정계 중의 하나로 정육면체 모양이며, 7 결정계 중 가장 많은 대칭성을 가지고 있다. 입방정계에는 단순 입방정계, 체심 입방정계, 면심 입방정계의 3 가지 브라베이 격자가 있다.

01.②

02.①

03.③

04 다음 금속 중 면심입방격자(FCC)에 속하는 것은?   04.①

① 니켈, 알루미늄 　　② 크롬, 구리
③ 텅스텐, 바나듐 　　④ 몰리브덴, 리듐

✔️해설 면심 입방 격자 : 전연성이 우수하여 가공성이 좋다. 종류로는 Ag, Al, Au, Cu, Ni, Pb, Ce, Pd, Pt, Rh, Th, Ca, γ – Fe 등이 있다.

05 냉간가공으로만 경화되고 열처리로는 경화하지 않으며, 비자성이나 냉간가공에서는 약간의 자성을 갖고 있는 강은?   05.③

① 마텐자이트계 스테인리스강
② 페라이트계 스테인리스강
③ 오스테나이트계 스테인리스강
④ PH계 스테인리스강

✔️해설

분류	종류(성분 원소)	특 징
스테인레스강 SUS	페라이트계 (Cr 18%) STS 430	• 강인성 및 내식성이 있다. • 열처리에 의해 경화가 가능하다. • 용접은 가능하다. 자성체이다.
	마텐자이트계 (Cr 13%) STS 410	• 13Cr을 담금질하여 얻는다. • 18Cr 보다 강도가 좋다. • 자경성이 있으며 자성체이다. • 용접성이 불량하다.
	오스테나이트계 (Cr(18)–Ni(8)) STS 304	• 내식, 내산성이 13Cr 보다 우수 • 용접성이 SUS중 가장 우수 • 담금질로 경화되지 않는다. 비자성체

06 용접 결함의 종류 중 구조상 결함에 포함되지 않는 것은?   06.④

① 용접균열 　　② 융합불량
③ 언더컷 　　④ 변형

✔️해설 결함의 분류
㉠ 치수상 결함 : 변형, 치수 및 형상 불량
㉡ 성질상 결함 : 기계적, 화학적 성질 불량
㉢ 구조상 결함 : 언더컷, 오버랩, 기공, 용입 불량 등

07 6.67%의 C와 Fe의 화합물로서 Fe_3C로서 표기되는 것은?   07.③

① 펄라이트 　　② 페라이트
③ 시멘타이트 　　④ 오스테나이트

✔️해설 시멘타이트(Fe_3C) : 철에 탄소가 6.67% 화합된 철의 금속간 화합물로 현미경으로 보면 흰색의 침상으로 나타나는 조직으로, 고온의 강중에서 생성하는 탄화철을 말하며 경도가 높고 취성이 많으며 상온에선 강자성체이다. 또한 1,153℃에서 빠른 속도로 흑연을 분리시키는 특성을 가진다.

08 탄소강의 용접에서 탄소함유량이 많아지면 낮아지는 성질은?

① 인장강도
② 취성
③ 연신율
④ 압축강도

✔️**해설** 탄소함유량이 증가하면 인장강도와 경도 등이 증대되므로 연신율은 줄어든다.

08.③

09 알루미늄판을 가스 용접할 때 사용되는 용제로 적합한 것은?

① 중탄산소다 + 탄산소다
② 염화나트륨, 염화칼륨, 염화리튬
③ 연화칼륨, 탄산소다, 붕사
④ 붕사, 염화리튬

✔️**해설**

용접 금속	용 제(flux)
연 강	일반적으로 사용하지 않는다.
반 경 강	중탄산소다 + 탄산소다
주 철	중탄산나트륨 70%, 탄산나트륨 15%, 붕사 15%
구리합금	붕사 75%, 붕산, 플로오르화 나트륨, 염화나트륨 25%
알루미늄	염화칼륨 45%, 염화나트륨 30%, 염화리튬 15% 플루오르화 칼륨 7%, 황산칼륨 3%

09.②

10 금속의 일반적인 특성 중 틀린 것은?

① 금속 고유의 광택을 가진다.
② 전기 및 열의 양도체이다.
③ 전성 및 연성이 좋다.
④ 액체 상태에서 결정 구조를 가진다.

✔️**해설** 금속의 공통적 성질
㉠ 실온에서 고체이며, 결정체이다.(단, 수은제외)
㉡ 빛을 반사하고 고유의 광택이 있다.
㉢ 가공이 용이하고, 연·전성이 크다.
㉣ 열, 전기의 양도체이다.
㉤ 비중이 크고, 경도 및 용융점이 높다.

10.④

11 도면의 명칭에 관한 용어 중 잘못 설명한 것은?

① 제작도 : 건설 또는 제조에 필요한 모든 정보를 전달하기 위한 도면이다.
② 시공도 : 설계의 의도와 계획을 나타낸 도면이다.
③ 상세도 : 건조물이나 구성재의 일부에 대해서 그 형태, 구조 또는 조립, 결함의 상세함을 나타낸 것이다.
④ 공정도 : 제조공정의 도중 상태, 또는 일련의 공정 전체를 나타낸 것이다.

✔️**해설** 계획도: 설계의 의도와 계획을 나타낸 도면이다.

11.②

12 용접부의 비파괴 시험 보조기호 중 잘못 표기된 것은?

① RT : 방사선투과 시험　　② UT : 초음파탐상 시험

③ MT : 침투탐상 시험　　④ ET : 와류탐상 시험

✔ 해석　MT: 자분 탐상 검사, PT: 침투 탐상 검사

12.③

13 기계재료 표시방법 중 SF340A에서 '340'은 무엇을 표시하는가?

① 평균 탄소 함유량　　② 단조품

③ 최저 인장 강도　　④ 최고 인장 강도

✔ 해석　숫자만 표시되어 있으면 최저 인장 강도를 숫자뒤에 C를 포함하고 있으면 탄소 함유량을 의미한다.

13.③

14 사투상도에 있어서 경사축의 각도로 적합하지 않는 것은?

① 15°　　　② 30°　　　③ 45°　　　④ 60°

✔ 해석　사투상도

① 물체를 투상면에 대하여 한쪽으로 경사지게 투상하여 입체로 나타낸 것

② 정면의 도형은 정투상도의 정면도와 거의 같은 형태로 투상되므로 물체의 특징이 잘 나타난다.

③ 물체의 입체를 나타내기 위해 수평선에 대하여 30°, 45°, 60°의 경사각을 주어 그린다.

④ 물체의 경사면 길이는 정면과 다르게 하여 물체가 실감이 나도록 1:1, 1:$\frac{3}{4}$, 1:$\frac{1}{2}$ 이 주로 많이 쓰인다.

14.①

15 제3각법에 대한 설명으로 틀린 것은?

① 제3상한에 놓고 투상하여 도시하는 것이다.

② 각 방향으로 돌아가며 비춰진 투상도를 얻는 원리이다.

③ 표제란에 제3각법의 그림 기호로 ⊕◁ 과 같이 표시한다.

④ 투상도을 얻는 원리는 눈 → 투상면 → 물체이다.

✔ 해석　3각법

① 물체를 제3면각 안에 놓고 투상하는 방법이다.

② 투상방법 : 눈 → 투상면 → 물체

③ 정면도를 기준으로 투상된 모양을 투상한 위치에 배치한다.

④ KS에서는 제 3각법으로 도면 작성하는 것이 원칙이다.

⑤ 도면의 표제란에 표시 기호로 표현 가능하다. ◎◁

⑥ 장점 : 도면을 보고 물체의 이해가 쉽다.

15.②

16 기계재료의 재질을 표시하는 기호 중 기계 구조용강을 나타내는 기호는?

① Al   ② SM   ③ Bs   ④ Br

✔해설 SM은 기계구조용강재를 의미한다.

17 다음 [그림]에서 2번의 명칭으로 알맞은 것은?

① 용접 토우   ② 용접 덧살
③ 용접 루트   ④ 용접 비드

✔해설 그림에서 2 부분은 용접 비드에 해당된다.

18 다음 치수기입 방법의 일반 형식 중 잘못 표시된 것은?

① 각도 치수 :

② 호의 길이 치수 :

③ 현의 길이 치수 :

④ 변의 길이 치수 :

✔해설

(a) 변의 길이 치수   (b) 현의 길이 치수   (c) 호의 길이 치수   (d) 각도 치수

19 인접부분, 공구, 지그 등의 위치를 참고로 나타내는데 사용하는 선의 명칭은?

① 지시선   ② 외형선   ③ 가상선   ④ 파단선

✔해설 **가상선(이점 쇄선)**
① 도시된 물체의 앞면을 표시하는 선
② 인접 부분을 참고로 표시하는 선
③ 가공 전 또는 가공 후의 모양을 표시하는 선
④ 이동하는 부분의 이동 위치를 표시하는 선
⑤ 공구, 지그 등의 위치를 참고로 표시하는 선
⑥ 반복을 표시하는 선

20 용접 이음을 할 때 주의할 사항으로 틀린 것은?

① 맞대기 용접에서 뒷면에 용입 부족이 없도록 한다.

② 용접선은 가능한 서로 교차하게 한다.

③ 아래보기 자세 용접을 많이 사용하도록 한다.

④ 가능한 용접량이 적은 홈 형상을 선택한다.

✓ **해설** 용접 이음 설계시 가능한 용접선이 서로 교차되지 않도록 한다.

20.②

제2과목 : 용접구조설계

---

21 다음 [그림]과 같이 균열이 발생했을 때 그 양단에 정지구멍을 뚫어 균열진행을 방지하는 것은?

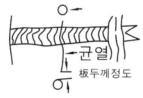

① 브로우 홀 ② 핀 홀

③ 스톱 홀 ④ 웜 홀

✓ **해설** 균열일 때는 균열 끝에 정지 구멍(Stop Hole)을 뚫고 균열부를 깎아 낸 후 홈을 만들어 재 용접

21.③

22 용접이음의 안전율을 나타내는 식은?

① 안전율 = $\dfrac{인장강도}{허용응력}$ ② 안전율 = $\dfrac{허용응력}{인장강도}$

③ 안전율 = $\dfrac{이음효율}{허용응력}$ ④ 안전율 = $\dfrac{허용응력}{이음효율}$

✓ **해설** 안전율 = $\dfrac{인장강도}{허용응력}$

(정하중 : 3, 동하중(단진 응력) : 5, 동하중(교번 응력) : 8, 충격 하중 : 12)

22.①

23 일반적으로 피로 강도는 세로축에 응력(S), 가로축에 파괴까지의 응력 반복 회수(N)를 가진 선도로 표시한다. 이 선도를 무엇이라 부르는가?

① B-S 선도 ② S-S 선도

③ N-N 선도 ④ S-N 선도

✓ **해설** 피로 강도는 응력(S)과 응력 반복횟수(N)인 S-N선도를 사용한다.

23.④

24 다음 중 똑같은 용접조건으로 용접을 실시하였을 때 용접변형이 가장 크게 되는 재료는 어떤 것인가?

① 연강
② 800MPa급 고장력강
③ 9% Ni강
④ 오스테나이트계 스테인리스강

☑ 해설 용접 변형의 가장 큰 원인은 용접 열 영향에 의한 용착 금속의 수축과 팽창으로 발생한다. 따라서 제시된 것 중 수축과 팽창이 가장 큰 오스테나이트계 스테인리스강이 해당된다.

24.④

25 용착 금속의 인장강도를 구하는 식은?

① 인장강도 $= \dfrac{\text{인장하중}}{\text{시험편의 단면적}}$
② 인장강도 $= \dfrac{\text{시험편의 단면적}}{\text{인장하중}}$
③ 인장강도 $= \dfrac{\text{표점거리}}{\text{연신율}}$
④ 인장강도 $= \dfrac{\text{연신율}}{\text{표점거리}}$

☑ 해설 인장강도$(\sigma) = \dfrac{\text{인장하중}(P)}{\text{시험편의 단면적}(A)}$ 이다.

25.①

26 용접금속 근방의 모재에 용접열에 의해 급열, 급랭되는 부위가 발생하는데 이 부위를 무엇이라 하는가?

① 본드(bond)부
② 열영향부
③ 세립부
④ 용착금속부

☑ 해설 용접열영향부(HAZ)는 용융선과 모재사이에 형성되는 영역으로 고상에서 조직 변화가 일어난 부분을 말한다.

26.②

27 용접 이음의 종류 중 겹치기 필릿 이음은?

① ▭
② ▭
③ ▭
④ ▭

☑ 해설

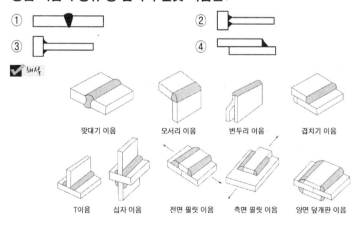

맞대기 이음   모서리 이음   변두리 이음   겹치기 이음

T이음   십자 이음   전면 필릿 이음   측면 필릿 이음   양면 덮개판 이음

27.④

28 아크 용접 중에 아크가 전류 자장의 영향을 받아 용접비드(bead)가 한 쪽 방향으로 쏠리는 현상은?

① 용융 속도(melting rate) ② 자기불림(magnetic blow)
③ 아크부스터(arc booster) ④ 전압강하(cathode drop)

✔️ 해설 **아크 쏠림**

아크 쏠림, 아크 블로우, 자기불림 등은 모두 동일한 말이며 용접전류에 의한 아크 주위에 발생하는 자장이 용접봉에 대하여 비대칭일 때 일어나는 현상이다.
① 직류 용접기 대신 교류 용접기를 사용한다.
② 아크 길이를 짧게 유지한다.
③ 접지를 용접부로 멀리한다.
④ 접지를 양쪽으로 할 것
⑤ 긴 용접선에는 후퇴법을 사용한다.
⑥ 용접부의 시·종단에는 엔드탭을 설치한다.
⑦ 큰 가접부 또는 이미 용접이 끝난 용착부를 향하여 용접할 것

29 용접부를 기계적으로 타격을 주어 잔류 응력을 경감시키는 것은?

① 저온 응력 완화법 ② 취성 경감법
③ 역변형법 ④ 피닝법

✔️ 해설 피닝법 : 끝이 둥근 특수 해머로 용접부를 연속적으로 타격하며 용접 표면에 소성 변형을 주어 인장 응력을 완화한다. 첫층 용접의 균열 방지 목적으로 700℃정도에서 열간 피닝을 한다.

30 용접부 검사에서 파괴 시험에 해당되는 것은?

① 음향 시험 ② 누설 시험
③ 형광 침투 시험 ④ 함유 수소 시험

✔️ 해설 비파괴 검사: 음향 시험, 누설 시험, 형광 침투 시험, 방사선 시험, 초음파 시험 등이 있다.

31 그림과 같이 폭 50mm, 두께 10mm의 강판을 40mm 만을 겹쳐서 전둘레 필릿 용접을 한다. 이 때 100kN의 하중을 작용시킨다면 필릿 용접의 치수는 얼마로 하면 좋은가? (단, 용접 허용응력은 10.2kN/㎠으로 한다.)

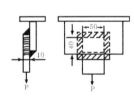

① 약 2mm ② 약 5mm ③ 약 8mm ④ 약 11mm

✔️ 해설 $\sigma_b = \dfrac{1.414 \times F}{h}$ 에서 $F = \dfrac{100}{(2 \times 5) + (2 \times 4)} = 5.55$

$h = \dfrac{1.414 \times 5.55}{10.2} = 0.77$cm 따라서 약 8mm가 된다.

28.②

29.④

30.④

31.③

32 용착 금속부 내부에 발생된 기공결함 검출에 가장 좋은 검사법은?

① 누설 검사

② 방사선 투과 검사

③ 침투 탐상 검사

④ 자분 침투 검사

✔**해설** 방사선 투과 검사(Radiograph Test RT) : 가장 확실하고 널리 사용됨

  ㉠ X선 투과 검사 : 균열, 융합불량, 기공, 슬랙 섞임 등의 내부 결함 검출에 사용된다. X선 발생장치로는 관구식과 베타트론 식이 있다. 단점으로는 미소 균열이나 모재면에 평행한 라미네이션 등의 검출은 곤란하다.

  ㉡ γ선 투과 검사 : X선으로 투과하기 힘든 후판에 사용한다. γ선원으로는 Ra, Co^{60}, Ce^{134}, Th^{170}, Ir^{92} 등이 사용된다.

33 제품 제작을 위한 용접순서로 옳지 않은 것은?

① 수축이 큰 맞대기 이음을 먼저 용접한다.

② 리벳과 용접을 병용할 경우 용접이음을 먼저 한다.

③ 큰 구조물은 끝에서부터 중앙으로 향해 용접한다.

④ 대칭적으로 용접을 한다.

✔**해설** 용접 순서

  ① 용접전 용접이 불가능한 곳이 없도록 충분히 검토한다.

  ② 용접물 중심에 대하여 대칭으로 용접하여 변형이 생기지 않도록 한다.

  ③ 동일 평면내에 많은 이음이 있을 때에는 수축은 가능한 자유단으로 보낸다.

  ④ 수축이 큰 이음을 먼저하고 작은 이음은 나중에 한다.

  ⑤ 중립축에 대하여 모멘트 합이 0이 되도록 한다.

34 용접 이음부 형상의 선택시 고려사항이 아닌 것은?

① 용접하고자 하는 모재의 성질

② 용접부에 요구되는 기계적 성질

③ 용접할 물체의 크기, 형상, 외관

④ 용접 장비 효율과 용가재의 건조

✔**해설** 용접 이음부 형상의 선택시 고려해야할 사항 중 용접 장비 효율과 용접봉의 건조와는 거리가 멀다.

35 용접이음 설계시 일반적인 주의사항 중 틀린 것은?

① 가급적 능률이 좋은 아래보기 용접을 많이 할 수 있도록 설계한다.

② 후판을 용접할 경우는 용입이 깊은 용접법을 이용하여 용착량을 줄인다.

③ 맞대기 용접에는 이면 용접을 할 수 있도록 해서 용입 부족이 없도록 한다.

④ 될 수 있는 대로 용접량이 많은 홈 형상을 선택한다.

✔**해설** 용접 설계는 용접 시공의 중요한 부분으로 적합한 이음 선택과 더불어 용접 방법, 순서, 용접 후의 검사 및 후처리 방법을 결정하는 것이다. 용접 설계자는 용접 재료에 대한 물리적 성질, 용접 구조물의 변형, 열응력에 의한 잔류 응력 발생, 용접 구조물이 받는 하중의 종류, 정확한 용접 비용 산출 및 용접부의 검사법 등을 알고 있어야 된다. 아울러 될 수 있는 대로 용접량이 적은 홈 형상을 선택하여야 잔류응력 등 여러 가지 면에서 중요하다.

36 용접부에 형성된 잔류응력을 제거하기 위한 가장 적합한 열처리 방법은?

① 담금질을 한다.　　　　② 뜨임을 한다.

③ 불림을 한다.　　　　④ 풀림을 한다.

✔️ 해석 풀림

　　재질의 연화 및 응력제거를 목적으로 노내에서 서냉한다.

36.④

37 다음 [그림]과 같이 일시적인 보조판을 붙이든지 변형을 방지할 목적으로 시공되는 용접변형 방지법은?

[그림] 보조판

① 억제법　　② 피닝법　　③ 역변형법　　④ 냉각법

✔️ 해석 그림은 맞대기 용접에서 모재가 변형되지 않도록 일시적인 보조판으로 억제한 것이다.

37.①

38 초음파 경사각 탐상기호는?

① UT−A　　② UT　　③ UT−N　　④ UT−S

✔️ 해석 보조 기호로는 N(수직탐상), A(경사각 탐상), S(한 방향으로부터의 탐상), B(양 방향으로부터의 탐상), W(이중 벽 촬영), D(염색, 비형광 탐상시험), F(형광 탐상 시험), O(전둘레 시험), Cm(요구 품질 등급)

38.①

39 이면 따내기 방법이 아닌 것은?

① 아크 에어 가우징　　　　② 밀링

③ 가스 가우징　　　　④ 산소창 절단

✔️ 해석 밀링은 용접 홈을 가공하기 위한 것이다.

39.④

40 맞대기 용접 시험편의 인장 강도가 650N/㎟ 이고, 모재의 인장 강도가 700N/㎟ 일 경우에 이음 효율은 약 얼마인가?

① 85.9%　　　　② 90.5%

③ 92.9%　　　　④ 98.2%

✔️ 해석 $\eta = \dfrac{(용착금속강도)}{(모재인장강도)} \times 100 = \dfrac{650}{700} \times 100 = 92.85[\%]$

40.③

제 3과목 용접일반 및 안전관리

41 서브머지드 아크 용접의 장점에 속하지 않는 것은?

① 용융속도 및 용착속도가 빠르다.

② 용입이 깊다.

③ 용접 자세에 제약을 받지 않는다.

④ 대 전류 사용이 가능하여 고 능률적이다.

✔ 해설　$\eta = \dfrac{(용착금속강도)}{(모재인장강도)} \times 100 = \dfrac{650}{700} \times 100 = 92.85[\%]$

서브머지드 아크 용접(잠호 용접)은 용제 속에서 아크를 발생시켜 용접하며, 상품명으로는 유니언 멜트 용접, 링컨 용접법이라고도 한다. 용접 자세는 아래보기 및 수평필릿으로 한정한다.

42 1차 입력 전원 전압이 220V인 용접기의 정격용량이 20kVA라면 가장 적합한 퓨즈의 용량은 몇 A인가?

① 50　　　　② 100　　　　③ 150　　　　④ 200

✔ 해설　$퓨즈의용량(A) = \dfrac{1차입력(KVA)}{전원전압(200\,V)} = \dfrac{20000}{220} = 90.9$

43 아크용접 중 방독마스크를 쓰지 않아도 되는 용접재료는?

① 연강　　　　　　　　② 황동

③ 아연도금강판　　　　④ 카드융합금

✔ 해설　연강 용접의 경우 방독 마스크를 쓰지 않아도 되나 황동은 구리와 아연의 합금으로 아연 등이 증발될 수 있어 방독 마스크를 쓰고 작업하여야 한다.

44 알루미늄 용제로 사용되지 않는 것은?

① 붕사　　　　　　　　② 염화나트륨

③ 염화칼륨　　　　　　④ 염화리튬

✔ 해설

용접 금속	용 제(flux)
연　　강	일반적으로 사용하지 않는다.
반 경 강	중탄산소다 + 탄산소다
주　　철	중탄산나트륨 70%, 탄산나트륨 15%, 붕사 15%
구리합금	붕사 75%, 붕산, 플로오르화 나트륨, 염화나트륨 25%
알루미늄	염화칼륨 45%, 염화나트륨 30%, 염화리튬 15% 플루오르화 칼륨 7%, 황산칼륨 3%

41.③

42.②

43.①

44.①

45 가스 용접용으로 사용되는 가스가 갖추어야 할 성질에 해당되지 않는 것은?

① 불꽃의 온도가 높을 것
② 연소속도가 빠를 것
③ 발열량이 적을 것
④ 용융금속과 화학반응을 일으키지 않을 것

✔ 해설 **가연성 가스의 구비조건**
① 불꽃 온도가 높을 것 ② 연소 속도가 빠를 것
③ 발열량이 클 것　　④ 용융 금속과 화학 반응을 일으키지 않을 것

46 텅스텐 전극봉을 사용하는 용접은?

① 산소-아세틸렌 용접　② 피복아크 용접
③ MIG 용접　　　④ TIG 용접

✔ 해설 불활성 가스 아크 용접 중 TIG 용접은 Tungsten inert Gas의 약자로 텅스텐 전극을 사용하는 비용극식 방법이고, MIG용접은 Metal inert Gas의 약자로 금속 전극을 사용하는 용극식 방법이다.

47 용접법의 종류 중 알루미늄 합금재료의 용접이 불가능한 것은?

① 피복 아크용접　② 탄산가스 아크용접
③ 불활성가스 아크용접　④ 산소-아세틸렌 가스용접

✔ 해설 탄산가스 아크 용접은 주로 연강 용접에 주로 사용하며 알루미늄 합금 재료의 용접은 불가능하다.

48 연강용 피복아크 용접봉 E4316의 피복제 계통은?

① 저수소계　② 고산화티탄계
③ 일미나이트계　④ 철분산화철계

✔ 해설 E4316은 저수소계를 의미한다. 고산화티탄계는 E4313, 일미나이트계는 E4301, 철분산화철계는 E4327이다.

49 피복 아크 용접용 기구 중 보호구가 아닌 것은?

① 핸드실드　② 케이블 커넥터
③ 용접헬멧　④ 팔 덮게

✔ 해설 케이블 커넥터는 용접용 케이블을 이어주는 장치로 보호구는 아니다.

45.③
46.④
47.②
48.①
49.②

50 자동 및 반자동 용접이 수동 아크 용접에 비하여 우수한 점이 아닌 것은?

① 와이어 송급 속도가 빠르다.

② 용입이 깊다.

③ 위보기 용접자세에 적합하다.

④ 용착금속의 기계적 성질이 우수하다.

✔ 해설 자동 및 반자동 용접은 주로 아래보기 및 수평 필릿 용접에 많이 사용되며, 수동 용접은 자동화하기 어려운 부분에 사용한다.

50.③

51 용접 작업에서 전격의 방지대책으로 틀린 것은?

① 용접기 내부에 함부로 손을 대지 않는다.

② 홀더나 용접봉은 맨손으로 취급하지 않는다.

③ 보호구는 반드시 착용하지 않아도 된다.

④ 습기찬 작업봉, 장갑 등을 착용하지 않는다.

✔ 해설 전격이란 전기적인 충격의 약어로 즉 감전을 의미하는 것으로 반드시 안전 보호구는 착용하여야 한다.

51.③

52 알루미늄을 TIG 용접할 때 가장 적합한 전류는?

① DCSP   ② DCRP   ③ ACHF   ④ AC

✔ 해설 알루미늄의 티그 용접은 교류고주파가 적합하다. 즉 ACHF이다.

52.③

53 가스절단 진행 중 열량을 보충하는 예열불꽃으로 사용되지 않는 것은?

① 산소–탄산가스 불꽃   ② 산소–아세틸렌 불꽃

③ 산소–LPG 불꽃   ④ 산소–수소 불꽃

✔ 해설 가연성 가스의 종류에는 아세틸렌, LPG, 수소 등이 있으며, 가스 용접 및 절단에 사용하는 불꽃은 지연성 가스인 산소와 가연성 가스의 혼합으로 불꽃을 만들어 낸다. 따라서 탄산가스는 가연성 가스가 아니어서 산소–탄산가스 불꽃은 일어나지 않는다.

53.①

54 탄산가스아크용접이 피복아크용접에 비해 장점이라고 볼 수 없는 것은?

① 전류 밀도가 높으므로 용입이 깊고 용접속도가 빠르다.

② 박판용접은 단락이행 용접법에 의해 가능하다.

③ 슬래그 섞임이 없고 용접 후 처리가 간단하다.

④ 적용 재질은 비철금속 계통에만 가능하다.

✔ 해설 탄산 가스 아크 용접은 주로 연강 등에 철금속의 사용된다.

54.④

55 피복아크용접에서 보통 용접봉의 단면적 1㎟에 대한 전류밀도로 가장 적합한 것은?

① 8~9A
② 10~13A
③ 14~18A
④ 19~23A

☑ 해석 용접 전류
① 일반적으로 심선의 단면적 1mm² 에 대하여 10 ~ 13A정도로 한다.
② 전류가 적정치 보다 높거나 낮으면 결함을 발생할 수 있다.

55.②

56 피복 아크용접의 피복제 중 슬래그(slag) 생성제가 아닌 것은?

① 셀룰로오스
② 산화티탄
③ 이산화망간
④ 산화철

☑ 해석 슬랙 생성제 : 용융점이 낮은 가벼운 슬랙을 만들어 용융 금속의 표면을 덮어서 산화나 질화를 방지하고 용착 금속의 냉각 속도를 느리게 한다. 슬랙 생성제로 는 석회석, 형석, 탄산나트륨, 일미 나이트, 산화철, 산화티탄, 이산화망간, 규 사 등이 있다.

56.①

57 자동가스절단기(산소-프로판)의 사용은 어떤 경우에 가장 유리한가?

① 특수강의 절단
② 형강의 절단
③ 비철금속의 절단
④ 곧고 긴 저탄소강의 절단

☑ 해석 자동 가스 절단기는 주행대차를 이용하여 곧고 긴 직선의 절단에 사용된다.

57.④

58 불활성 가스 금속 아크 용접에서 와이어 송급 방식이 아닌 것은?

① 위빙 방식
② 푸시 방식
③ 풀 방식
④ 푸시-풀 방식

☑ 해석 와이어 송급 방식
• 푸쉬(Push) 방식 : 와이어 스풀 바로 앞에 송급 장치를 부착하여 송급 튜브를 통해 서 와이어가 용접 토치에 송급되도록 하는 방식으로 가벼워 반자동 용접에 적합
• 풀(Pull) 방식 : 송급시 마찰저항을 작게하여 와이어 송급을 원활하게 한 방식으로 직경이 작고 알루미늄과 같은 연한 와이어에 이용된다.
• 푸쉬 – 풀 방식 : 송급 튜브가 길고 연한 재료에 사용이 가능하나. 조작이 불편하다.
• 더블 푸쉬 방식 : 푸쉬식 송급 장치와 용접 토치와의 중간에 하나 더 푸쉬 송급장치 를 부착하여 사용하는 것으로 송급 튜브가 매우 긴 경우에 사용된다.

58.①

59 피복아크 용접작업의 기초적인 용접조건으로 가장 거리가 먼 것은?

① 용접속도
② 아크길이
③ 스틱아웃길이
④ 용접전류

☑ 해석 피복 아크 용접의 기초적인 용접조건으로는 용접 전류, 아크 길이, 용접 속도에 관한 지식이 필요하다.

59.③

60 가스용접 작업시 점화할 때 폭음이 생기는 경우의 직접적인 원인이 아닌 것은?

① 혼합가스의 배출이 불완전했다.
② 산소와 아세틸렌 압력이 부족했다.
③ 팁이 완전히 막혔다.
④ 가스분출 속도가 부족했다.

✔️해설 역화(Back fire) : 팁 끝이 모재에 닿아 순간적으로 팁 끝이 막히거나 팁 끝의 가열 및 조임 불량 및 가스 압력의 부적당할 때 폭음이 나며선 불꽃이 꺼졌다가 다시 나타나는 현상을 말한다. 역화를 방지하려면 팁의 과열을 막고, 토치 기능을 점검한다. 역화가 발생하였을 경우는 우선 아세틸렌을 차단 후 산소를 차단하여야 한다.

60.③

$2o12$

국가기술자격검정 필기시험문제

2012년 산업기사 제1회 필기시험

수검번호	성 명

자격종목 및 등급(선택분야)	종목코드	시험시간	문제지형별
용접산업기사	2026	1시간 30분	A

※ 답안카드 작성시 시험문제지 형별누락, 마킹착오로 인한 불이익은 전적으로 수검자의 귀책사유임을 알려드립니다.

제1과목 : 용접야금 및 용접설비제도

01 스테인리스강 중에서 내식성, 내열성, 용접성이 우수하며 대표적인 조성이 18Cr-8Ni 인 계통은?

① 마텐자이트계   ② 페라이트계
③ 오스테나이트계   ④ 솔바이트계

해설

분류	종류(성분 원소)	특 징
스테인레스강 S U S	페라이트계 (Cr 13%)	• 강인성 및 내식성이 있다. • 열처리에 의해 경화가 가능하다. • 용접은 가능하다. 자성체이다.
	마텐자이트계	• 13Cr을 950~1020℃에서 담금질하여 얻는다. • 18Cr 보다 강도가 좋다. • 자경성이 있으며 자성체이다. • 용접성이 불량하다.
	오스테나이트계 (Cr(18)-Ni(8))	• 내식, 내산성이 13Cr 보다 우수 • 용접성이 SUS중 가장 우수 • 담금질로 경화되지 않는다. 비자성체

02 용접금속의 파단면에 매우 미세한 주상정(   )이 서릿발 모양으로 병립하고, 그 사이에 현미경으로 보이는 정도의 비금속 개재물이나 기공을 포함한 조직이 나타나는 결함은?

① 선상조직   ② 은점
③ 슬랙혼입   ④ 용입불량

해설 선상 조직은 용착금속의 냉각 속도가 빠를 때, 모재 재질이 불량할 때 발생한다.

03 용접부의 노내 응력 제거 방법에서 가열부를 노에 넣을 때 및 꺼낼 때의 노내 온도는 몇 ℃ 이하로 하는가?

① 180℃ ② 200℃ ③ 250℃ ④ 300℃

☑해설 노내 응력 제거 방법에서 가열부를 노에 넣을 때와 꺼낼 때의 온도는 180℃이하로 한다.

03.④

04 Fe-C 평형상태도에서 순철의 용융온도는?

① 약 1530℃ ② 약 1495℃
③ 약 1145℃ ④ 약 723℃

☑해설 철의 용융점은 1536℃이다.

04.①

05 황(S)의 해를 방지할 수 있는 적합한 원소는?

① Mn(망간) ② Si(규소)
③ Al(알루미늄) ④ Mo(몰리브덴)

☑해설 탄소강의 5대 원소는 탄소, 규소, 인, 황, 망간으로 황의 해를 제거하기 위해 망간을 포함한다.

05.①

06 합금공구강 강재 종류의 기호 중 주로 절삭 공구강용에 적용되는 것은?

① STS 11 ② SM 55 ③ SS 330 ④ SC 360

☑해설 합금공구강 중에서 절삭 공구용강용은 스테인리스 절삭공구강인 STS가 사용된다.

06.①

07 용접금속에 수소가 침입하여 발생하는 결함이 아닌 것은?

① 언더비드 크랙 ② 은점
③ 미세균열 ④ 언더컷

☑해설 언더컷은 전류가 높을 때 발생하는 결함이다.

07.④

08 대상 편석인 고스트 선(ghost line)을 형성시키고, 상온취성의 원인이 되는 원소는?

① Mn ② Si ③ S ④ P

☑해설 취성의 원인은 황과 인이 해당되며 황은 고온취성, 인은 상온취성의 원인이 된다.

08.④

09 레데뷰라이트(ledeburite)를 옳게 설명한 것은?

① δ고용체의 석출을 끝내는 고상선
② cementite의 용해 및 응고점
③ γ고용체로부터 α고용체와 cementite가 동시에 석출되는 점
④ γ고용체와 Fe₃C 와의 공정주철

☑ 해설 레데부라이트 : 4.3% 탄소의 용융철이 1,148℃이하로 냉각될 때 2.11% 탄소의 오스테나이트와 6.67% 탄소의 시멘타이트로 정출되어 생긴 공정 주철이며, A1 점 이상에서는 안정적으로 존재하는 조직으로 경도가 크고 메지는 성질을 가진 다.(γ + Fe₃C)

09.④

10 슬립에 의한 변형에서 철(Fe)의 슬립면과 슬립방향이 맞지 않는 것은?

① {110}, ⟨111⟩   ② {112}, ⟨111⟩
③ {123}, ⟨111⟩   ④ {111}, ⟨111⟩

☑ 해설 슬립면이 123일 때 슬립 방향이 111이다.

10.④

11 한국산업표준(KS)의 분류기호와 해당 부문의 연결이 틀린 것은?

① KS K : 섬유   ② KS B : 기계
③ KS E : 광산   ④ KS D : 건설

☑ 해설 A: 기본 B: 기계, C: 전기, D: 금속, E: 광산, F: 건설

11.④

12 다음 용접기호 표시를 올바르게 설명한 것은?

① 지름이 C이고 용접길이 ℓ인 스폿 용접이다.
② 지름이 C고 용접길이 ℓ인 플러그 용접이다.
③ 용접부 너비가 c이고 용접개수 n인 심 용접이다.
④ 용접부 너비가 c이고 용접개수 n인 스폿 용접이다.

☑ 해설 ⊖ 의 표시는 심 용접을 나타내내 용접부의 너비가 C이고 개수가 n, 길이가 L임을 의미한다. 기호로는 다음과 같이 나타낸다.

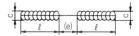

12.③

13 용접 보조기호 중 토우부를 매끄럽게 하는 것을 의미하는 것은?

① ⌒   ② ⌡   ③ MR   ④ M

☑ 해설 ⌡ 기호는 필렛 용접 끝단부를 매끄럽게 다듬질

13.②

14 치수 문자를 표시하는 방법에 대하여 설명한 것 중 틀린 것은?

14.②

① 길이 치수문자는 mm 단위를 기입하고 단위기호를 붙이지 않는다.

② 각도 치수문자는 도(°)의 단위만 기입하고 분(′), 초(″)는 붙이지 않는다.

③ 각도 치수문자를 라디안으로 기입하는 경우 단위 기호 rad 기호를 기입한다.

④ 치수문자의 소수점은 아래쪽의 점으로 하고 약간 크게 찍는다.

✔해설 각도 단위는 도(°), 분(′), 초(″)와 더불어 라디안을 사용한다.

15 도면 크기의 치수가 "841×1189" 인 경우 호칭 방법은?

15.①

① A0   ② A1   ③ A2   ④ A3

✔해설 도면의 크기와 양식

① 도면은 반드시 일정한 크기로 만든다.
② 제도 용지의 크기 : 'A열' 용지의 사용을 원칙으로 한다.
③ 신문, 교과서, 공책, 미술 용지 등은 B계열 크기만 사용한다.
④ 세로(a)와 가로(b)의 비는 1 : $\sqrt{2}$(1.414213)
⑤ A0 용지의 넓이 : 약 1m²
⑥ 큰 도면을 접을 때는 A4 크기로 접으며, 표제란이 겉으로 나오도록 한다.
⑦ A0(1189×841 : 전지), A1(841×594 : 2절지), A2(594×420 : 4절지), A3(420×297 : 8절지), A4(297×210 : 16절지)

16 그림과 같이 대상물의 경사면에 대향하는 위치에 그린 투상도는?

16.②

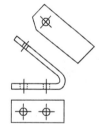

① 회전 투상도

② 보조 투상도

③ 부분 투상도

④ 국부 투상도

✔해설 보조 투상도 : 물체가 경사면이 있어 투상을 시키면 실제 길이와 모양이 틀려져 경사면에 별도의 투상면을 설정하고 이 면에 투상하면 실제 모양이 그려짐

17 다음 그림이 나타내는 용접명칭으로 옳은 것은?

17.①

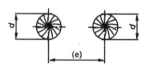

① 플러그 용접   ② 점 용접
③ 심 용접   ④ 단속 필릿 용접

✔해설 플러그 용접으로 $^d\boxed{\quad}n(e)$ 로 나타낸다.

18 도형내의 특정한 부분이 평면이라는 것을 표시할 경우 맞는 기입방법은?

① 가는 2점 쇄선으로 대각선을 기입
② 은선으로 대각선을 기입
③ 가는 실선으로 대각선을 기입
④ 가는 1점 쇄선으로 사각형을 기입

✔ 해설 치수에 사용되는 보조기호는 치수 숫자 앞에 사용하며 다음과 같은 의미가 있다.
① ∅ : 원의 지름 기호를 나타내며 명확히 구분 될 경우는 생략할 수 있다.
② □ : 정사각형 기호로 생략 할 수 있다.
③ R : 반지름 기호
④ 구(S) : 구면 기호로 ∅,R의 기호 앞에 기입한다.
⑤ C : 모따기 기호
⑥ P : 피치 기호
⑦ t : 판의 두께 기호로 치수 숫자 앞에 표시한다.
⑧ ⊠ : 평면기호
⑨ (   ) : 참고 치수 기호

19 전개도를 그리는 방법에 속하지 않는 것은?

① 평행선 전개법   ② 나선형 전개법
③ 방사선 전개법   ④ 삼각형 전개법

✔ 해설 **전개도**
① 입체의 표면을 평면 위에 펼쳐 그린 그림
② 전개도를 다시 접거나 감으면 그 물체의 모양이 됨
③ 용도 : 철판을 굽히거나 접어서 만드는 상자, 철제 책꽂이, 캐비닛, 물통, 쓰레받기, 자동차 부품, 항공기 부품, 덕트 등
④ 전개도의 종류
㉠ 평행선 전개법 특징 : 물체의 모서리가 직각으로 만나는 물체나 원통형 물체를 전개할 때 사용
㉡ 방사선 전개법 특징 : 각뿔이나 원뿔처럼 꼭짓점을 중심으로 부채꼴 모양으로 전개하는 방법
㉢ 삼각형 전개법 특징 : 꼭지점이 먼 각뿔이나 원뿔을 전개할 때 입체의 표면을 여러 개의 삼각형으로 나누어 전개하는 방법

20 물체의 모양을 가장 잘 나타낼 수 있는 것으로 그 물체의 가장 주된 면, 즉 기본이 되는 면의 투상도 명칭은?

① 평면도   ② 좌측면도
③ 우측면도   ④ 정면도

✔ 해설 물체의 모양을 가장 잘 나타낼 수 있는 방향을 정면도로 하여 정투상한다.

18.③

19.②

20.④

제2과목 : 용접구조설계

21 용접변형의 종류 중 박판을 사용하여 용접하는 경우 아래 그림과 같이 생기는 물결 모양의 변형으로 한번 발생하면 교정하기 힘든 변형은?

① 좌굴 변형
② 회전 변형
③ 가로 굽힘 변형
④ 가로 수축

 해설

각 변형   세로 굽힘 변형   좌굴변형

▲ 수축과 변형의 종류

21.①

22 용접이음 설계에서 홈의 특징을 설명한 것으로 틀린 것은?

① I형 홈은 홈 가공이 쉽고 루트 간격을 좁게 하면 용착 금속의 양도 적어져서 경제적인 면에서 우수하다.
② V형 홈은 홈 가공이 비교적 쉽지만 판의 두께가 두꺼워지면 용착 금속량이 증대한다.
③ X형 홈은 양쪽에서의 용접에 의해 완전한 용입을 얻는데 적합한 것이다.
④ U형 홈은 두꺼운 판을 양쪽에서 용접에 의해서 충분한 용입을 얻으려고 할 때 사용한다.

해설 ① 한면 홈이음 : I형, V형, V형(베벨형), U형, J형
② 양면 홈이음 : 양면 I형, X형, K형, H형, 양면 J형

22.④

23 용접부에 균열이 있을 때 보수하려면 균열이 더 이상 진행되지 못하도록 균열 진행 방향의 양단에 구멍을 뚫는다. 이 구멍을 무엇이라 하는가?

① 스톱 홀(stop hole)
② 핀 홀(pin hole)
③ 블로 홀(blow hole)
④ 피트(pit)

해설 균열일 때는 균열 끝에 정지 구멍(stop hole)을 뚫고 균열부를 깎아 낸 후 홈을 만들어 재 용접

23.①

24 용접부 인장시험에서 최초의 길이가 50mm이고, 인장시험편의 파단 후의 거리가 60mm 일 경우에 변형률은?

① 10%　　　② 15%　　　③ 20%　　　④ 25%

✔️해설　$변형률 = \dfrac{늘어난길이}{원래길기} \times 100 = \dfrac{60-50}{50} \times 100 = 20\%$

25 기계나 용접구조물을 설계할 때 각 부분에 발생되는 응력이 어떤 크기 값을 기준으로 하여 그 이내 이면 인정되는 최대 허용치를 표현하는 응력은?

① 사용 응력　　　　② 잔류 응력
③ 허용 응력　　　　④ 극한 강도

✔️해설　허용응력이란 기계나 용접구조물을 설계할 때 각 부분에 발생되는 응력이 어떤 크기 값을 기준으로 하여 그 이내 이면 인정되는 최대 허용치를 표현하는 응력

26 미소한 결함이 있어 응력의 이상 집중에 의하여 성장하거나, 새로운 균열이 발생될 경우 변형 개방에 의한 초음파가 방출하게 되는데 이러한 초음파를 AE 검출기로 탐상함으로서 발생장소와 균열의 성장속도를 감지하는 용접시험 검사법은?

① 누설 탐상검사법　　　② 전자초음파법
③ 진공검사법　　　　　④ 음향방출 탐상검사법

✔️해설　음향 탐상 검사(Acoustic Emission Test, AET) : 고체가 파괴 또는 소성 변형될 때 변형 상태로 축척되어 있던 에너지를 탄성파의 형태로 방출하는 현상을 이용하는 검사법으로 현재 진행 중인 결함의 양상을 파악 평가할 수 있는 검사법이다.

27 겹쳐진 두 부재의 한쪽에 둥근 구멍 대신에 좁고 긴 홈을 만들어 놓고 그 곳을 용접하는 용접법은?

① 겹치기 용접　② 플랜지 용접　③ T형 용접　　④ 슬롯 용접

✔️해설　모재 한쪽에 둥근 구멍을 뚫어 용접하는 플러그 용접, 가늘고 긴 홈을 뚫어 용접하는 슬롯 용접이라고 한다.

28 용접부에 발생한 잔류응력을 완화시키는 방법에 해당되지 않는 것은?

① 기계적 응력 완화법　　② 저온 응력 완화법
③ 피닝법　　　　　　　④ 선상 가열법

✔️해설　**잔류 응력 경감법**
① 노내 풀림법 : 유지 온도가 높을수록, 유지 시간이 길수록 효과가 크다. 노내 출입

24.③
25.③
26.④
27.④
28.④

허용 온도는 300℃를 넘어서는 안된다. 일반적인 유지 온도는 625 ± 25℃ 이다. 판두께 25mm 1시간
② 국부 풀림법 : 큰 제품, 현장 구조물 등과 같이 노내 풀림이 곤란할 경우 사용하며 용접선 좌우 양측을 각각 약 250mm 또는 판 두께 12배 이상의 범위를 가열한 후 서냉한다. 하지만 국부 풀림은 온도를 불균일하게 할 뿐 아니라 이를 실시하면 잔류 응력이 발생될 염려가 있으므로 주의하여야 한다. 유도가열 장치를 사용한다.
③ 기계적 응력 완화법 : 용접부에 하중을 주어 약간의 소성 변형을 주어 응력을 제거한다. 실제 큰 구조물에서는 한정된 조건하에서만 사용할 수 있다.
④ 저온 응력 완화법 : 용접선 좌우 양측을 정속도로 이동하는 가스 불꽃으로 약 150mm의 나비를 약 150 ~ 200℃로 가열 후 수냉하는 방법으로 용접선 방향의 인장 응력을 완화시키는 방법
⑤ 피닝법 : 끝이 둥근 특수 해머로 용접부를 연속적으로 타격하며 용접 표면에 소성 변형을 주어 인장 응력을 완화한다. 첫층 용접의 균열 방지 목적으로 700℃정도에서 열간 피닝을 한다.

29 용접 설계에 있어 일반적인 주의 사항으로 틀린 것은?

① 용접에 적합한 구조의 설계를 할 것
② 반복하중을 받는 이음에서는 특히 이음표면을 볼록하게 할 것
③ 용접이음을 한 곳으로 집중 근접시키지 않도록 할 것
④ 강도가 약한 필릿 용접은 가급적 피할 것

✔ 해설 **용접 이음의 설계시 주의점**
① 아래 보기 용접을 많이 하도록 한다.
② 용접 작업에 지장을 주지 않도록 간격을 둘 것
③ 필릿 용접은 되도록 피하고 맞대기 용접을 하도록 한다.
④ 판 두께가 다른 재료의 이음시 구배를 두어 갑자기 단면이 변하지 않도록 한다.(¼이하 테이퍼 가공을 함)
⑤ 맞대기 용접에는 이면 용접을 하여 용입 부족이 없도록 할 것
⑥ 용접 이음부가 한곳에 집중되지 않도록 설계할 것
⑦ 물품의 중심에 대하여 대칭으로 용접 진행

29.②

30 맞대기 용접 이음에서 모재의 인장강도가 50kgf/mm² 이고 용접 시편의 인장강도가 25kgf /mm² 으로 나타났을 때 이음효율은?

① 40%   ② 50%   ③ 60%   ④ 70%

✔ 해설 $\eta = \dfrac{(\text{용착금속강도})}{(\text{모재인장강도})} \times 100 = \dfrac{25}{50} \times 100 = 50[\%]$

30.②

31 다음 중 용접 균열성 시험이 아닌 것은?

① 리하이 구속 시험   ② 피스코 시험
③ CTS 시험   ④ 코머렐 시험

✔ 해설 용접 균열 시험 : 리하이형 구속 균열 시험, CTS 균열 시험, 피스코 균열 시험, T형 필릿 용접 균열 시험

31.④

32 V형 홈에 비해 홈의 폭이 좁아도 되고 루트 간격을 "0"으로 해도 작업성과 용입이 좋으나 홈 가공이 어려운 단점이 있는 이음 형상은?

① H형 홈　　　　　　　　② X형 홈
③ I형 홈　　　　　　　　④ U형 홈

> ✔해설 판 두께 6mm까지는 I형, 6~19mm까지는V형, V형(베벨형), J형, 12mm이상은 X형, K형, 양면 J형이 쓰이고 16~50mm에는 U형 맞대기 이음이 쓰이며 50mm이상에서는 H형 맞대기 이음에 쓰인다. 제시문은 U형 홈에 대한 설명이다.

33 용접이음의 내식성에 영향을 미치는 인자로서 틀린 것은?

① 이음 형상　　　　　　　② 플럭스(flux)
③ 잔류 응력　　　　　　　④ 인장 강도

> ✔해설 내식성이란 부식에 견디는 성질로 잔류 응력, 플럭스, 이음 형상 등에 영향을 받는다.

34 쇼어 경도(HS) 측정 시 산출 공식으로 맞는 것은?(단, h_0 : 해머의 낙하 높이, h_1 : 해머의 반발높이)

① $HS = \dfrac{10000}{65} \times \dfrac{h_0}{h_1}$　　② $HS = \dfrac{65}{10000} \times \dfrac{h_1}{h_0}$

③ $HS = \dfrac{65}{10000} \times \dfrac{h_0}{h_1}$　　④ $HS = \dfrac{10000}{65} \times \dfrac{h_1}{h_0}$

> ✔해설 쇼어 경도 : 추를 일정한 높이에서 낙하시켜 반발한 높이로 측정한다. 완성품의 경우 많이 쓰인다.
> $$Hs = \frac{10000}{65} \times \frac{h}{h_0}$$
> h : 튀어 오른 높이[mm],　h_0 : 떨어뜨린 높이[mm]

35 용접 구조 설계자가 알아야 할 용접 작업 요령으로 틀린 것은?

① 용접기 및 케이블의 용량을 충분하게 준비한다.
② 용접보조기구 및 장비를 사용하여 작업조건을 좋게 만든다.
③ 용접 진행은 부재의 자유단에서 고정단으로 향하여 용접하게 한다.
④ 열의 분포가 가능한 부재 전체에 일정하게 되도록 한다.

> ✔해설 용접 진행은 고정단에서 자유단으로 향하도록 하여야 응력 집중을 피할 수 있다.

36 노 내 풀림법으로 잔류 응력을 제거하고자 할 때 연강재 용접부 최대 두께가 25mm인 경우 가열 및 냉각속도 R이 만족시켜야 하는 식은?

① R ≤ 500(deg/h) ② R ≤ 200(deg/h)

③ R ≤ 300(deg/h) ④ R ≤ 400(deg/h)

☑ 해설   연강재 용접부 최대 두께가 25mm인 경우 가열 및

$$냉각속도(R) \leq 200 \times \frac{25}{t}(\deg/h)$$

36.②

37 피복 아크용접 결함 중 용입불량의 원인으로 틀린 것은?

① 이음 설계의 불량

② 용접 속도가 너무 빠를 때

③ 용접 전류가 너무 높을 때

④ 용접봉 선택 불량

☑ 해설   일반적으로 용입 불량은 전류가 낮을 때, 홈의 각도가 좁을 때, 속도가 너무 빠를 때 발생하는 결함이다.

37.③

38 설계 단계에서 용접부 변형을 방지하기 위한 방법이 아닌 것은?

① 용접 길이가 감소 될 수 있는 설계를 한다.

② 변형이 적어질 수 있는 이음 부분을 배치한다.

③ 보강재 등 구속이 커지도록 구조설계를 한다.

④ 용착 금속을 증가시킬 수 있는 설계를 한다.

☑ 해설   용접 변형을 방지하기 위해서는 가급적 용착 금속의 양을 줄여 용접 열에 의한 영향을 적게 설계하여야 한다.

38.④

39 다음 그림과 같이 두께(h) = 10mm인 연강판에 길이(ℓ) = 400mm 로 용접하여 1000N의 인장하중(P)를 작용시킬 때 발생하는 인장응력 (σ)은?

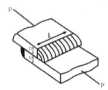

① 약 177MPa ② 약 125MPa

③ 약 177kPa ④ 약 125kPa

☑ 해설 $\sigma = \frac{0.707P}{lh}(h=t)$에서 $\frac{0.707 \times 1000}{10 \times 400} = 0.177 N/mm^2$을 kpa로 환산하면 177kpa이 된다.

39.③

40 용접 시 탄소량이 높아지면 어떤 대책을 세우는 것이 가장 적당한가?

① 지그를 사용한다.   ② 예열 온도를 높인다.

③ 용접기를 바꾼다.   ④ 구속 용접을 한다.

✔ 해석   용접시 탄소량이 높아지면 균열이 발생할 수 있어 예열 온도를 높여 예방한다.

40.②

제 3과목 용접일반 및 안전관리

41 인체에 흐르는 전류의 값에 따라 나타나는 증세 중 근육 운동은 자유로우나 고통을 수반한 쇼크(shock)를 느끼는 전류량은?

① 1mA   ② 5mA   ③ 10mA   ④ 20mA

✔ 해석

인체에 흐르는 전류(mA)	영 향
1	전기의 흐름을 느낄 수 있다.
8	위험을 수반하지 않는다.
8~15	고통을 수반한 흐름을 느낀다.
15~20	근육이 저려서 움직이지 않을 수 있다.
20~25	근육수축과 더불어 호흡이 곤란해질 수 있다.
50~100	순간적으로 사망위험에 처할 수 있다.
100~200	사망한다.
200이상	화상과 더불어 심장이 정지한다.

41.③

42 스터드 용접(stud welding)법의 특징 설명을 틀린 것은?

① 아크열을 이용하여 자동적으로 단시간에 용접부를 가열 용융하여 용접하는 방법으로 용접변경이 극히 적다.

② 탭 작업, 구멍 뚫기 등이 필요 없이 모재에 볼트나 환봉 등을 용접할 수 있다.

③ 용접 후 냉각속도가 비교적 느리므로 용착 금속부 또는 열영향부가 경화되는 경우가 적다.

④ 철강 재료 외에 구리, 황동, 알루미늄, 스테인리스강에도 적용이 가능하다.

✔ 해석   스텃 용접은 크게 저항 용접에 의한 것, 충격 용접에 의한 것, 아크 용접에 의한 것으로 구분되며, 아크 용접은 모재와 스텃 사이에 아크를 발생 시켜 용접한다.

① 자동 아크 용접이다.   ② 볼트, 환봉, 핀 등을 용접한다.

③ 0.1 ~ 2초 정도의 아크가 발생한다.

④ 셀렌 정류기의 직류 용접기를 사용한다. 교류도 사용 가능하다.

⑤ 짧은 시간에 용접되므로 변형이 극히 적다.

⑥ 철강재 이외에 비철 금속에도 쓸 수 있다.

⑦ 아크를 보호하고 집중하기 위하여 도기로 만든 페롤을 사용한다.

42.③

43 납땜부를 용제가 들어 있는 용융땜 조에 침지하여 납땜하는 방법과 이음면에 땜납을 삽입하여 미리 가열된 염욕에 침지하여 가열하는 두 방법이 있는 납땜 법은?

① 가스 납땜　② 담금 납땜　③ 노내 납땜　④ 저항 납땜

☑ 해석　담금 경납땜 : 납을 장입한 이음을 미리 가열한 염욕에 침적하여 가열하거나 용제가 들어 있는 용융납액 중에 담그어 가열하여 납땜하는 방법으로 강재의 황동 납땜에 사용되고 대량생산에 적합하다.

44 아크 용접법과 비교할 때 레이저 하이브리드 용접법의 특징으로 틀린 것은?

① 용접속도가 빠르다.　　② 용입이 깊다.
③ 입열량이 높다.　　④ 강도가 높다.

☑ 해석　레이저 용접은 일반적으로 탄소 가스를 이용하여 대형부품, 소형의 대량생산 제품을 만드는 곳에 주로 사용하고 있다. 레이저 하이브리드 아크 용접은 가격이 저렴한 아크 용접으로 용접속도를 빠르게 용입을 깊게 강도를 높일 수 있는 새로운 방법이다.

45 피복 아크 용접 작업 중 스패터가 발생하는 원인으로 가장 거리가 먼 것은?

① 전류가 너무 높을 때
② 운봉이 불량할 때
③ 건조되지 않은 용접봉을 사용했을 때
④ 아크 길이가 너무 짧을 때

☑ 해석

스패터	· 전류가 높을 때
	· 건조되지 않은 용접봉 사용시
	· 아크 길이가 너무 길 때
	· 봉각도가 부적당 할 때

46 피복 아크 용접에서 자기 쏠림을 방지하는 대책은?

① 접지점은 가능한 한 용접부에 가까이 한다.
② 용접봉 끝을 아크 쏠림 방향으로 기울인다.
③ 직류 용접 대신 교류 용접으로 한다.
④ 긴 아크를 사용한다.

☑ 해석　아크 쏠림, 아크 블로우, 자기불림, 자기쏠림 등은 모두 동일한 말이며 용접 전류에 의한 아크 주위에 발생하는 자장이 용접봉에 대하여 비대칭일 때 일어나는 현상이다.
● 쏠림방지책
① 직류 용접기 대신 교류 용접기를 사용한다.　② 아크 길이를 짧게 유지한다.
③ 접지를 용접부로 멀리한다.　④ 긴 용접선에는 후퇴법을 사용한다.
⑤ 용접부의 시·종단에는 엔드탭을 설치한다.

43. ②

44. ③

45. ④

46. ③

47 실드 가스로서 주로 탄산가스를 사용하여 용융부를 보호하여 탄산가스 분위기 속에서 아크를 발생시켜 그 아크열로 모재를 용융시켜 용접하는 방법은?

① 테르밋 용접　② 실드 용접
③ 전자 빔 용접　④ 일렉트로 가스 아크 용접

✔️해설 일렉트로 가스 용접은 엔클로스 용접이라 하여 보호가스를 이산화탄소를 사용한다.

48 가스도관(호스) 취급에 관한 주의사항 중 틀린 것은?

① 고무호스에 무리한 충격을 주지 말 것
② 호스 이음부에는 조임용 밴드를 사용할 것
③ 한냉 시 호스가 얼면 더운물로 녹일 것
④ 호스의 내부 청소는 고압수소를 사용할 것

✔️해설 호스의 내부 청소는 압축 공기를 사용한다.

49 산소-아세틸렌 불꽃에 대한 설명으로 틀린 것은?

① 불꽃은 불꽃심, 속불꽃, 겉불꽃으로 구성되어 있다.
② 불꽃의 종류는 탄화, 중성, 산화 불꽃으로 나눈다.
③ 용접작업은 백심 불꽃 끝이 용융금속에 닿도록 한다.
④ 구리를 용접할 때 중성 불꽃을 사용한다.

✔️해설 산성 불꽃(excess oxygen flame)
㉠ 산소 과잉 불꽃 또는 산화불꽃이라고도 한다.
㉡ 산화성 분위기를 만들어 일반적인 금속의 용접에는 사용하지 않는다.
㉢ 용접을 할 때 금속을 산화시키므로 구리, 황동 등의 용접에 사용한다.

50 100A 이상 300A 미만의 아크 용접 및 절단에 사용되는 차광유리의 차광도 번호는?

① 4~6　② 7~9　③ 10~12　④ 13~14

✔️해설

차광도 번호	용접 전류(A)	용접봉 지름(mm)
8	45~75	1.2~2.0
9	75~130	1.6~2.6
10	100~200	2.6~3.2
11	150~250	3.2~4.0
12	200~300	4.8~6.4
13	300~400	4.4~9.0
14	400 이상	9.0~9.6

51 테르밋 용접에 관한 설명으로 틀린 것은?

① 테르밋 혼합제는 미세한 알루미늄 분말과 산화철의 혼합물이다.

② 테르밋 반응 시 온도는 약 4000℃ 이다.

③ 테르밋 용접 시 모재가 강일 경우 약 800~900℃로 예열시킨다.

④ 테르밋은 차축, 레일, 선미프레임 등 단면이 큰 부재 용접 시 사용한다.

✔️ 해설 테르밋 용접은 알루미늄 분말과 산화철 분말(FeO, Fe_2O_3, Fe_3O_4)을 1 : 3 ~ 4로 혼합한 것으로 테르밋 반응(화학 반응), 즉 산화철의 산소를 알루미늄이 빼앗아갈 때 일어나는 반응과 함께 발생된 열(2,800℃)을 이용하여 용접한다. 테르밋 반응을 위해 1,000℃의 고온이 필요하므로 점화제로는 마그네슘과 과산화바륨이 사용되고 있다.

51.②

52 탄산가스(CO_2) 아크 용접에 대한 설명 중 틀린 것은?

① 전자세 용접이 가능하다.

② 용착금속의 기계적, 야금적, 성질이 우수하다.

③ 용접전류의 밀도가 낮아 용입이 얕다.

④ 가시(可視)아크이므로, 시공이 편리하다.

✔️ 해설 탄산가스 아크 용접은 불활성 가스 금속 아크 용접과 원리가 같으며, 불활성 가스 대신 탄산가스를 사용한 용극식 용접법이다. 일반적으로 플럭스 코드가 많이 사용되며, 연강 용접에 적합하다.
① 가는 와이어로 고속 용접이 가능하며 수동 용접에 비해 용접 비용이 저렴하다.
② 가시 아크이므로 시공이 편리하고, 스팩터가 적어 아크가 안정하다.
③ 전자세 용접이 가능하고 조작이 간단하다.
④ 잠호 용접에 비해 모재 표면에 녹과 거칠기에 둔감하다.
⑤ 미그 용접에 비해 용착 금속의 기공 발생이 적다.
⑥ 용접 전류의 밀도가 크므로 용입이 깊고, 용접속도를 매우 빠르게 할 수 있다.
⑦ 산화 및 질화가 되지 않은 양호한 용착 금속을 얻을 수 있다.
⑧ 보호가스가 저렴한 탄산가스라서 용접경비가 적게 든다.
⑨ 강도와 연신성이 우수하다.

52.③

53 아크 용접 작업에서 전격의 방지 대책으로 틀린 것은?

① 절연 홀더의 절연 부분이 노출되면 즉시 교체한다.

② 홀더나 용접봉은 절대로 맨손으로 취급하지 않는다.

③ 밀폐된 공간에서는 자동 전격 방지기를 사용하지 않는다.

④ 용접기의 내부에 함부로 손을 대지 않는다.

✔️ 해설 전격(감전)방지 대책
① 절연 홀더 사용　② 전격 방지기 사용
③ 보호구 착용　　④ 용접기 접지
⑤ 손상 케이블 보수　⑥ 작업 중지시는 전원 투입 차단

53.③

54 가스절단에 영향을 미치는 인자 중 절단속도에 대한 설명으로 틀린 것은?

① 절단속도는 모재의 온도가 높을수록 고속절단이 가능하다.
② 절단속도는 절단산소의 압력이 높을수록 정비례하여 증가한다.
③ 예열 불꽃의 세기가 약하면 절단속도가 늦어진다.
④ 절단속도는 산소 소비량이 적을수록 정비례하여 증가한다.

☑ 해설 절단 속도는 산소 압력 즉 소비량에 비례한다. 산소의 순도가 높으면 절단 속도를 빨리할 수 있다. 절단 모재의 온도가 높을수록 고속 절단이 가능, 다이버전트 노즐 등을 사용하면 속도를 증가할 수 있다.

54.④

55 피복 아크 용접봉의 피복제 작용을 설명한 것으로 틀린 것은?

① 아크를 안정시킨다.
② 점성을 가진 무거운 슬래그를 만든다.
③ 용착금속의 탈산정련작용을 한다.
④ 전기절연 작용을 한다.

☑ 해설 피복제의 역할
① 아크 안정
② 산·질화 방지
③ 용적을 미세화 하여 용착 효율 향상
④ 서냉으로 취성 방지
⑤ 용착 금속의 탈산 정련 작용
⑥ 합금 원소 첨가
⑦ 슬랙의 박리성 증대
⑧ 유동성 증가
⑨ 전기 절연 작용 등이 있다.

55.②

56 상하 부재의 접합을 위해 한편의 부재에 구멍을 내어, 이 구멍 부분을 채워 용접하는 것은?

① 플레어 용접
② 플러그 용접
③ 비드 용접
④ 필릿 용접

☑ 해설 접합하고자 하는 모재 한쪽에 둥근 구멍을 뚫어 용접하는 플러그 용접, 가늘고 긴 홈을 뚫어 용접하는 슬롯 용접 등이 있다.

 ▲ 플러그 용접
 ▲ 슬롯 용접

56.②

57 절단하려는 재료에 전기적 접촉을 하지 않으므로 금속 재료뿐만 아니라 비금속의 절단도 가능한 절단법은?

① 플라즈마(plasma) 아크 절단
② 불활성가스 텅스텐(TIG) 아크 절단
③ 산소 아크 절단

57.①

④ 탄소 아크 절단

✔️해설 ① 플라즈마 아크 용접(이행형) : 텅스텐 전극에 (−)극, 모재에 (+)극을 연결
하는 직류 정극성의 특성을 가지며, 모재가 전기회로의 일부이므로 반드시
전기 전도성을 가져야 하며 깊은 용입을 얻을 수 있다.
② 플라즈마 제트 용접(비이행형) : 모재 대신에 수축 노즐에 (+)극을 연결하
여 이행형에 비하여 열효율이 낮고 수축노즐이 과열될 우려가 있으나, 비전
도체인 경우에도 적용이 가능하기 때문에 비금속의 용접이나 절단에 이용된
다.

58 전기저항 용접시 발생되는 발열량 Q를 나타내는 식은?(단, I : 전류
[A], R : 저항[Ω], t : 통전시간[초])

① $Q = 0.24\ I^2 Rt$

② $Q = 0.24\ IR^2 t$

③ $Q = 0.24\ I^2 R^2 t$

④ $Q = 0.24\ IRt$

58.①

✔️해설 줄열은 전류세기의 제곱과 도체 저항 및 전류가 흐르는 시간에 비례한다는
법칙으로 저항 용접에 사용된다. 즉 $Q = 0.24EIt = 0.24I^2\ Rt$

59 이론적으로 순수한 카바이드 5kg에서 발생 할 수 있는 아세틸렌 량은
약 몇 리터 인가?

① 3480L

② 1740L

③ 348L

④ 34.8L

59.②

✔️해설 카바이드 1kg을 물과 작용할 때 이론적으로는 475kcal의 열 및 348 ℓ 에 아세
틸렌이 발생한다. 따라서 5kg일 때 1740L가 된다.

60 가스 실드계의 대표적인 용접봉으로 피복이 얇고, 슬래그가 적으므로
좁은 홈의 용접이나 수직상진 · 하진 및 위보가 용접에서 우수한 작업성
을 가진 용접봉은?

① E4301

② E4311

③ E4313

④ E4316

60.②

✔️해설 E4311(고셀룰로오스계)
① 셀룰로오스를 20 ~ 30% 정도 포함한 용접봉
② 피복량이 얇고, 슬랙이 적어 수직 상 · 하진 및 위보기 용접에서 우수한 작업성
③ 아크는 스프레이 형상으로 용입이 크고 비교적 빠른 용융 속도를 낼 수 있으나
슬랙이 적으므로 비드 표면이 거칠고 스패터가 많은 결점이 있다.

국가기술자격검정 필기시험문제

2012년 산업기사 제2회 필기시험

자격종목 및 등급(선택분야)	종목코드	시험시간	문제지형별	수검번호	성 명
용접산업기사	2026	1시간 30분	A		

※ 답안카드 작성시 시험문제지 형별누락, 마킹착오로 인한 불이익은 전적으로 수검자의 귀책사유임을 알려드립니다.

제1과목 : 용접야금 및 용접설비제도

01 순철은 상온에서 어떤 조직을 갖는가?

① γ-Fe의 오스테나이트　② α-Fe의 페라이트
③ α-FE의 펄라이트　④ γ-Fe의 마텐자이트

　해석 페라이트(α, δ)는 일명 지철이라고도 하며 순철에 가까운 조직으로 극히 연하고 상온에서 강자성체인 체심입방격자 조직으로 변압기 철심 등에 사용된다. 912℃를 기준으로 이하를 α철(체심 입방 격자), 1,400℃까지를 γ철(면심입방 격자), 그 이후는 다시 δ철(체심입방격자)의 동소체를 갖는다.

02 용접 제품의 열처리 선택조건과 가장 관련이 적은 것은?

① 용접부의 치수　② 용접부의 모양
③ 용접부의 재질　④ 가공경화

　해석 가공경화란 가공에 의해 딱딱해 지는 성질을 말한다.

03 2종 이상의 금속원자가 간단한 원자비로 결합되어 본래의 물질과는 전혀 다른 결정격자를 형성할 때 이것을 무엇이라고 하는가?

① 동소변태　② 금속간 화합물
③ 고용체　④ 편석

　해석 금속간 화합물 : 친화력이 큰 성분 금속이 화학적으로 결합되면 각 성분 금속과는 성질이 현저하게 다른 독립된 화합물을 만드는데 이것을 금속간 화합물이라 한다.(Fe_3C, Cu_4Sn, Cu_3Sn $CuAl_2$, Mg_2Si, $MgZn_2$)

04 냉간가공한 강을 저온으로 뜨임하면 질소의 영향으로 경화가 되는 경우를 무엇이라 하는가?

① 질량효과　② 저온경화　③ 자기확산　④ 변형시효

　해석 변형 시효란 상온에서 가공한 금속이 그 후의 시효에 의해 경화하는 현상을 말하며 질소가 원인이다.

01.②

02.④

03.②

04.④

05 피복 아크 용접시 용융금속 중에 침투한 산화물을 제거하는 탈산제로 쓰이지 않는 것은?

① 망간철   ② 규소철   ③ 산화철   ④ 티탄철

☑ 해설 탈산제인 페로실리콘, 페로망간, 페로티탄, 알루미늄 등이 사용된다.

05.③

06 저탄소강 용접금속의 조직에 대한 설명으로 맞는 것은?

① 용접 후 재가열하면 여러 가지 탄화물 또는 α상이 석출하여 용접성질을 저하시킨다.
② 용접금속의 조직은 대부분 페라이트이고 다층용접의 경우는 미세 페라이이트이다.
③ 용접부가 급냉되는 경우는 레데뷰라이트가 생성한 백선조직이 된다.
④ 용접부가 급냉되는 경우는 시멘타이트 조직이 생성된다.

☑ 해설 저탄소강의 용접 금속의 조직은 대부분 페라이트이고 다층용접의 경우는 미세 페라이이트가 된다.

06.②

07 응력제거 풀림의 효과를 나타낸 것 중 틀린 것은?

① 용접 잔류응력의 제거   ② 치수 비틀림 방지
③ 충격 저항 증대   ④ 응력부식에 대한 저항력 감소

☑ 해설 응력제거 풀림을 하게 되면 잔류응력이 제거되어 치수 비틀림 방지, 충격 저항 등이 증대된다.

07.④

08 용접 후 열처리의 목적이 아닌 것은?

① 용접 잔류응력 제거   ② 용접 열영향부 조직 개선
③ 응력부식 균열방지   ④ 아크열량 부족 보충

☑ 해설 용접 후 열처리를 하는 목적은 조직 개선, 잔류 응력 제거, 균열 방지를 목적으로 한다.

08.④

09 탄소강의 A_2, A_3변태점이 모두 옳게 표시된 것은?

① $A_2 = 723℃$, $A_3 = 1400℃$
② $A_2 = 768℃$, $A_3 = 910℃$
③ $A_2 = 723℃$, $A_3 = 910℃$
④ $A_2 = 910℃$, $A_3 = 1400℃$

☑ 해설 A는 프랑스어로 지정된 점을 의미하며 A_2온도는 자기 변태온도로 768℃, A_3는 동소변태 온도로 912℃이다.

09.②

10 다음 중 적열취성을 일으키는 유화물 편석을 제거하기 위한 열처리는?

10.②

① 재결정 풀림   ② 확산 풀림
③ 구상화 풀림   ④ 항온 풀림

✔해설 적열 취성은 황에 의해 나타난 고온 취성으로 확산 풀림으로 제거한다.

11 다음 그림과 같은 원뿔을 단면 M-N으로 경사지게 잘랐을 때 원뿔에 나타난 단면 형태는?

11.②

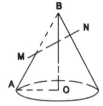

① 원   ② 타원   ③ 포물선   ④ 쌍곡선

✔해설 그림의 원추를 M-N의 단면으로 자르게 되면 타원의 단면 형상을 갖는다.

12 다음 중 치수 보조기호의 설명으로 옳은 것은?

12.②

① SΦ - 원통의 지름   ② C - 45°의 모따기
③ R - 구의 지름   ④ □ - 직사각형의 변

✔해설 치수에 사용되는 보조기호는 치수 숫자 앞에 사용하며 다음과 같은 의미가 있다.
① ∅ : 원의 지름 기호를 나타내며 명확히 구분 될 경우는 생략할 수 있다.
② □ : 정사각형 기호로 생략 할 수 있다.
③ R : 반지름 기호
④ 구(S) : 구면 기호로 ∅,R의 기호 앞에 기입한다.
⑤ C : 모따기 기호   ⑥ P : 피치 기호
⑦ t : 판의 두께 기호로 치수 숫자 앞에 표시한다.
⑧ ⊠ : 평면기호   ⑨ ( ) : 참고 치수 기호

13 다음의 용접 보조 기호 대한 명칭으로 옳은 것은?

13.②

① 볼록 필릿 용접
② 오목 필릿 용접
③ 필릿 용접 끝단부를 매끄럽게 다듬질
④ 한쪽면 V형 맞대기 용접 평면 다듬질

✔해설 그림은 필릿(◺) 용접으로 오목(⌣)하게 용접하는 것을 의미한다.

14 일반적으로 사용되는 용접부의 비파괴 시험의 기본 기호를 나타낸 것으로 잘못 표기한 것은?

① UT : 초음파시험　　　　② PT : 외류 탐상시험

③ RT : 방사선 투과시험　　④ VT : 육안 시험

✔ 해설　PT는 침투탐상검사이다. 와류 탐상 검사는 ECT이다.

14.②

15 용접부 및 용접부 표면의 형상 보조기호 중 영구적인 이면 판재를 사용할 때 기호는?

① ──────　② ⎡M⎤　③ ⎡MR⎤　④ ⎳

✔ 해설　영구적인 덮개 판은 M, 제거 가능한 덮개 판은 MR을 사용한다.

15.②

16 다음 그림은 용접 실제 모양을 표시한 것이다. 기호 표시로 올바른 것은?

16.①

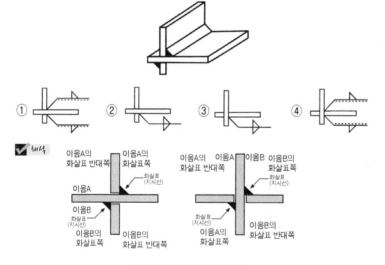

① ② ③ ④

✔ 해설

이음A의 화살표 반대쪽 / 이음A의 화살표쪽 / 화살표 (지시선)
이음A
이음B
화살표 (지시선)
이음B의 화살표쪽 / 이음B의 화살표 반대쪽

이음A의 화살표 반대쪽 / 이음A 화살표쪽 / 이음B / 이음B의 화살표쪽 / 화살표 (지시선)
화살표 (지시선)
이음A의 화살표쪽
이음B의 화살표 반대쪽

▲ +자 이음의 양면 필릿 용접

따라서 ①가 해당된다.

17 다음 용접기호 설명 중 틀린 것은?

① ∨는 V형 맞대기 용접을 의미한다.

② ◣는 필릿 용접을 의미한다.

③ ○는 점 용접을 의미한다.

④ ∧는 플러그 용접을 의미한다.

17.④

✔ 해설

	실제 모양	신 규격
플러그 용접 : 플러그 또는 슬롯 용접		⊓
스폿 용접		◯
심 용접		⊖

18 다음 중 "복사도를 재단할 때의 편의를 위해서 원도(   )에 설정하는 표시"를 뜻하는 용어는?

① 중심마크   ② 비교눈금
③ 재단마크   ④ 대조번호

✔ 해설 **도면의 양식**

① 윤곽선 : 도면에 그려야 할 내용의 영역을 명확히 하고, 제도 용지의 가장자리에 생기는 손상으로부터 기재 사항을 보호하기 위해 0.5mm 이상의 실선을 사용한다.

② 중심 마크 : 도면의 사진 촬영 및 복사할 때 편의를 위해 사용, 상하 좌우 중앙의 4개소에 표시한다.

③ 표제란 : 위치는 반드시 도면의 오른쪽 아래에 위치한다. 기재 내용으로는 도면 번호(도번), 도면 이름(도명), 척도, 투상법, 도면 작성일, 제도자 이름 등을 기입한다.

【참고】 반드시 도면에 윤곽선, 중심 마크, 표제란은 그려 넣어야 한다.

④ 재단 마크 : 복사한 도면을 재단할 때의 편의를 위해 도면의 4 구석에 표시한다.

⑤ 도면의 구역 : 도면에서 특정 부분의 위치를 지시하는데 편리하도록 표시하는 것

⑥ 도면의 비교 눈금 : 도면의 축소나 확대, 복사의 작업과 이들의 복사 도면을 취급할 때의 편의를 위하여 표시하는 것

19 한국산업규격에서 냉간압연 강판 및 강대 종류의 기호 중 "드로잉용"을 나타내는 것은?

① SPCC   ② SPCD   ③ SPCE   ④ SPCF

✔ 해설 냉간압연 강판 및 강대 종류의 기호 중 "드로잉용"은 SPCD로 표시한다.

20 선의 종류에 따른 용도에 의한 명칭으로 틀린 것은?

① 굵은 실선 – 외형선   ② 가는 실선 – 치수선
③ 가는 1점 쇄선 – 기준선   ④ 가는 파선 – 치수 보조선

✔ 해설 **선의 종류와 용도**

① 외형선은 굵은 실선으로 그린다.

② 치수선, 치수 보조선, 지시선, 회전 단면선, 중심선, 수준면선 등은 가는 실선으로

18.③

19.②

20.④

그린다.
③ 은선(숨은선)은 가는 파선 또는 굵은 파선으로 그린다
④ 중심선, 기준선, 피치선은 가는 1점 쇄선으로 그린다.
⑤ 특수 지정선은 굵은 1점 쇄선으로 그린다.
⑥ 가상선 무게 중심선은 가는 2점 쇄선으로 그린다.
⑦ 파단선은 물체의 일부를 파단한 곳을 표시하는 선으로 불규칙한 파형의 가는 실선 또는 지그재그 선으로 그린다.
⑧ 절단선은 가는 1점 쇄선으로 끝 부분 및 방향이 변하는 부분을 굵게 한 것
⑨ 해칭은 가는 실선으로 규칙적으로 줄을 늘어놓은 것
⑩ 특수한 용도의 선으로는 가는 실선 아주 굵은 실선으로 나눌 수 있다.

제2과목 : 용접구조설계

21 필릿 용접부의 내력(단위 길이당 허용력) f = 1700kgf/cm의 작용을 견디어 낼 수 있는 용접치수(다리 길이) h는 약 몇 mm인가?(단, 용접부의 허용응력 σ_2 = 1000kgf/cm²이다.)

① 12　　　　② 17　　　　③ 21　　　　④ 25

21.④

✔ 해설 1700÷1000=1.7cm, 여기에 필릿 용접이므로 0.707을 나누면 24.045가 계산된다.

22 서브머지드 아크용접에서 용접선의 전류에 약 150mm×150mm×판두께 크기의 엔드탭(end tap)을 붙여 용접비드를 이음끝에서 약 100mm정도 연장시켜 용접 완료 후 절단하는 경우가 있다. 그 이유로 가장 적당한 것은?

① 용접 후 모재의 급냉을 방지하기 위하여
② 루트 간격이 너무 클 때 용락을 방지하기 위하여
③ 용접시점 및 종점에서 일어나는 결함을 방지하기 위하여
④ 용접선의 길이가 너무 짧을 때, 용접 시공하기가 어려우므로 원활한 용접을 하기 위하여

22.③

✔ 해설 엔드텝을 설치하는 목적은 용접 시·종단에 결함을 방지하기 위해서이다.

23 용접부를 연속적으로 타격하여 표면층에 소성변형을 주어 잔류응력을 감소시키는 방법은?

① 저온응력 완화법　　　　② 피닝법
③ 변형 교정법　　　　④ 응력 제어 어닐링

23.②

✔ 해설 피닝법 : 끝이 둥근 특수 해머로 용접부를 연속적으로 타격하며 용접 표면에 소성 변형을 주어 인장 응력을 완화한다. 첫층 용접의 균열 방지 목적으로 700℃ 정도에서 열간 피닝을 한다.

24 용접구조물의 재료 절약 설계 요령으로 틀린 것은?

① 가능한 표준 규격의 재료를 이용한다.

② 재료는 쉽게 구입할 수 있는 것으로 한다.

③ 고장이 났을 경우 수리할 때의 편의도 고려한다.

④ 용접할 조각의 수를 가능한 많게 한다.

☑ 해석 용접구조물에서 가급적 용접의 수를 적게 하여야 열영향에 의한 변형 등을 방지할 수 있다.

24.④

25 구조물 용접에서 용접선이 만나는 곳 또는 교차하는 곳에 응력 집중을 방지하기 위해 만들어 주는 부채꼴 오목부를 무엇이라 하는가?

① 스켈럽(scallop)

② 포지셔너(positioner)

③ 매니플레이터(manipulator)

④ 원뿔(cone)

☑ 해석 스켈렙은 구조물 용접에서 용접선이 만나는 곳 또는 교차하는 곳에 응력 집중을 방지하기 위해 만들어 주는 부채꼴 모양의 오목부를 말한다.

25.①

26 탄소함유량이 약 0.25%인 탄소강을 용접할 대 예열온도는 약 몇 ℃정도가 적당한가?

① 90~150℃

② 150~260℃

③ 260~420℃

④ 420~550℃

☑ 해석 탄소량에 따른 예열 온도

① 탄소량 0.2% 이하 : 90℃ 이하

② 탄소량 0.2% ~ 0.3% : 90℃ ~ 150℃

③ 탄소량 0.3% ~ 0.45% : 150℃ ~ 260℃

④ 탄소량 0.45% ~ 0.83% : 260℃ ~ 420℃

즉 탄소량이 늘어날수록 예열 온도는 높게 한다. 아울러 탄소량이 늘어나면 강도 및 경도는 높아지고, 연신율, 인성, 충격치 등은 저하한다.

26.①

27 용착금속의 인장강도가 40kgf/㎟이고 안전율이 5라면 용접이음의 허용응력은 얼마인가?

① 8kgf/㎟

② 20kgf/㎟

③ 40kgf/㎟

④ 200kgf/㎟

☑ 해석 안전율 $= \dfrac{\text{인장강도}}{\text{허용응력}}$ 에서 허용응력은 $\dfrac{40}{5} = 8$

27.①

28 용접이음의 충격강도에서 취성파괴의 일반적인 특징이 아닌 것은?

① 항복점이하의 평균응력에서도 발생한다.

② 온도가 낮을수록 발생하기 쉽다.

28.④

③ 파괴의 기점은 각종 용접결함, 가스절단부 등에서 발생된 예가 많다.

④ 거시적 파면상황은 판 표면에 거의 수평이고 평탄하게 연성이 큰 상태에서 파괴된다.

> ✔ 해설 취성파괴란 재료의 연성이 부족하여 소성변형이 되지 않고 파괴되는 것으로 저온 취성 파괴에 미치는 요인은 온도의 저하, 잔류 응력, 노치 등의 원인이 있다.

29 용접구조의 설계상 주의사항에 대한 설명 중 틀린 것은?

① 용접이음의 집중, 접근 및 교차를 피한다.

② 용접치수는 강도상 필요한 치수이상으로 하지 않는다.

③ 두꺼운 판을 용접할 경우에는 용입이 얕은 용접법을 이용하여 층수를 늘린다.

④ 판면에 직각방향으로 인장하중이 작용할 경우에는 판의 이방성에 주의한다.

> ✔ 해설 ① 수축이 큰 맞대기 이음을 먼저 용접하고 다음에 필렛 용접
> ② 큰 구조물은 구조물에 중앙에서 끝으로 향하여 용접
> ③ 용접선에 대하여 수축력의 화가 영(0)이 되도록 한다.
> ④ 리벳과 같이 쓸 때는 용접을 먼저 한다.
> ⑤ 용접 불가능한 곳이 없도록 한다.
> ⑥ 물품의 중심에 대하여 대칭으로 용접 진행
> ⑦ 가능한 아래보기 용접을 할 수 있도록 한다.
> 용접 층수를 늘리면 용접 금속의 양이 늘어나 용접 열영향부가 커질 수 있다.

29.③

30 그림과 같은 용접이음의 종류는?

① 전면 필릿 용접
② 경사 필릿 용접
③ 양쪽 덮개만 용접
④ 측면 필릿 용접

30.④

> ✔ 해설
>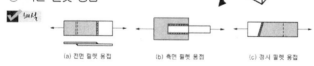
> (a) 전면 필렛 용접   (b) 측면 필렛 용접   (c) 경사 필렛 용접

31 잔류응력이 있는 제품에 하중을 주고 용접부에 약간의 소성변형을 일으킨 다음 하중을 제거하는 잔류응력 제거 법은?

① 저온 응력 완화법
② 기계적 응력 완화법
③ 고온 응력 완화법
④ 피닝법

31.②

> ✔ 해설 기계적 응력 완화법 : 용접부에 하중을 주어 약간의 소성 변형을 주어 응력을 제거한다. 실제 큰 구조물에서는 한정된 조건하에서만 사용 할 수 있다.

32 용접 후 열처리(PWHT) 중 응력제거 열처리의 목적과 가장 관계가 없는 것은?

① 응력부식균열 저항성의 증가   ② 용접변형을 방지
③ 용접열영향부의 연화   ④ 용접부의 잔류응력 완화

☑ 해설 응력 제거 열처리를 하여 응력 부식 균열을 줄이거나 잔류응력을 줄일 수 있다. 하지만 용접 변형을 방지하는 것은 아니다.

32.②

33 방사선 투과 검사에 대한 설명 중 틀린 것은?

① 내부 결함 검출이 용이하다.
② 라미네이션(lamination) 검출도 쉽게 할 수 있다.
③ 미세한 표면 균열은 검출되지 않는다.
④ 현상이나 필름을 판독해야 한다.

☑ 해설 X선 투과 검사 : 균열, 융합불량, 기공, 슬랙 섞임 등의 내부 결함 검출에 사용된다. X선 발생장치로는 관구식과 베타트론 식이 있다. 단점으로는 미소 균열이나 모재면에 평행한 라미네이션 등의 검출은 곤란하다.

33.②

34 용접이음의 부식 중 용접 잔류응력 등 인장응력이 걸리거나 특정의 부식환경으로 될 때 발생하는 부식은?

① 입계부식   ② 틈새부식
③ 접촉부식   ④ 응력부식

☑ 해설 용접 잔류응력 등 인장응력이 걸리거나 특정의 부식 환경으로 발생되는 부식을 응력부식이라 한다.

34.④

35 용접금속의 균열에서 저온균열의 루트크랙은 실험에 의하면 약 ℃이하의 저온에서 일어나는가?

① 200℃이하   ② 400℃이하
③ 600℃이하   ④ 800℃이하

☑ 해설 저온균열의 루트크랙은 약 200℃이하의 저온에서 발생한다.

35.①

36 용접 잔류응력의 완화법인 응력 제거 풀림(annealing)에서 적정온도는 625±25℃(탄소강)를 유지한다. 이 때 유지시간은 판 두께 25mm에 대하여 약 몇 시간이 적당한가?

① 30분   ② 1시간   ③ 2시간 30분   ④ 3시간

☑ 해설 노내 풀림법 : 유지 온도가 높을수록, 유지 시간이 길수록 효과가 크다. 노내 출입 허용 온도는 300℃를 넘어서는 안된다. 일반적인 유지 온도는 625±25℃, 판두께 25mm 1시간이다.

36.②

37 그림과 같은 맞대기 용접 이음 홈의 각 부 명칭을 잘못 설명한 것은?

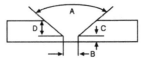

① A – 홈 각도   ② B – 루트간격
③ C – 루트면   ④ D – 홈 길이

 해설

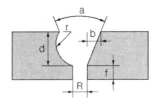

① a : 홈각도   ② d : 홈 깊이
③ R : 루트 간격   ④ r : 루트 반경
⑤ f : 루트 면   ⑥ b : 베벨각

38 용접 제품의 설계자가 알아야 하는 용접 작업 공정의 제반 사항 중 맞지 않는 것은?

① 용접기 및 케이블의 용량은 충분하게 준비한다.
② 홈 용접에서 용접 품질상 첫 패스는 뒷댐판 없이 용접한다.
③ 가능한 높은 전류를 사용하여 짧은 시간에 용착량을 많게 용접한다.
④ 용접 진행은 부재의 자유단으로 향하게 한다.

해설 용락을 방지하거나 용접 품질을 보호하기 위하여 첫 패스는 뒷댐판을 사용하면 좋다.

39 용접성 시험 중 용접부 연성시험에 해당하는 것은?

① 로버트슨 시험   ② 카안 인열 시험
③ 킨젤 시험   ④ 슈나트 시험

해설 용접 연성 시험 : 용접부의 최고 경도 시험, 용접 비드의 굽힘 시험(코메렐 시험), 용접 비드의 노치 굽힘 시험(킨젤 시험), T형 필릿 굽힘 시험

40 용적 40리터의 아세틸렌 용기의 고압력계에서 60기압이 나타났다면 가변압식 300번 팁으로 약 몇 시간을 용접할 수 있는가?

① 4.5시간   ② 8시간
③ 10시간   ④ 20시간

해설 $40 \times 60 = 2400$ $2400 \div 300 = 8$

37.④

38.②

39.③

40.②

제3과목 용접일반 및 안전관리

41 연강용 피복 아크 용접봉 종류 중 특수계에 해당하는 용접봉은?

① E4301   ② E4311
③ E4324   ④ E4340

✔ 해설 E4301: 일미나이트계, E4311: 셀룰로오스계, E4324: 철분산화티탄계, E4340: 특수계

41.④

42 점용접(spot welding)의 3대 요소에 해당되는 것은?

① 가압력, 통전시간, 전류의 세기
② 가압력, 통전시간, 전압의 세기
③ 가압력, 냉각수량, 전류의 세기
④ 가압력, 냉각수량, 전압의 세기

✔ 해설 점용접은 저항용접으로 가압력, 통전시간, 전류의 세기가 3대요소이다.

42.①

43 탄산가스 아크 용접의 특징에 대한 설명으로 틀린 것은?

① 전류밀도가 높아 용입이 깊고 용접속도를 빠르게 할 수 있다.
② 적용 재질이 철 계통으로 한정되어 있다.
③ 가시 아크이므로 시공이 편리하다.
④ 일반적인 바람의 영향을 받지 않으므로 방풍장치가 필요 없다.

✔ 해설 탄산가스 용접으로 실외에서 작업할 경우 반드시 방풍대책을 마련하여야 한다.

43.④

44 연강용 피복 아크 용접봉의 피복제 계통에 속하지 않는 것은?

① 철분산화철계   ② 철분저수소계
③ 저셀룰로오스계   ④ 저수소계

✔ 해설 E4311: 고셀룰로오스계 즉 저셀룰로오스계는 없다.

44.③

45 용접용 케이블 이음에서 케이블을 홀더 끝이나 용접기 단자에 연결하는 데 쓰이는 부품의 명칭은?

① 케이블 티그(tig)   ② 케이블 태그(tag)
③ 케이블 러그(lug)   ④ 케이블 래그(lag)

✔ 해설 케이블 러그란 케이블을 용접기 단자에 연결하기 위하여 쓰이는 부품을 말한다.

45.③

46 가스용접에서 전진법에 비교한 후진법의 설명으로 틀린 것은?

① 열이용률이 좋다.　　　　② 용접속도가 빠르다.

③ 용접 변형이 크다.　　　　④ 후판에 적합하다.

✔해설　후진법이 비드모양만 나쁘고 모든 것이 좋다고 생각하면 된다. 즉 용접 변형도 전진법에 비하여 적다.

46.③

47 연납에 대한 설명 중 틀린 것은?

① 연납은 인장강도 및 경도가 낮고 용융점이 낮으므로 납땜 작업이 쉽다.

② 연납의 흡착작용은 주로 아연의 함량에 의종되며 아연 100%의 것이 가장 좋다.

③ 대표적인 것은 주석 40%, 납 60%의 합금이다.

④ 전기적인 접합이나 기밀, 수밀을 필요로 하는 장소에 사용된다.

✔해설　연납의 흡착작용은 주석의 함유량에 비례한다.

47.②

48 테르밋 용접에서 테르밋제란 무엇과 무엇의 혼합물인가?

① 탄소와 붕사 분말　　　　② 탄소와 규소의 분말

③ 알루미늄과 산화철의 분말　④ 알루미늄과 납의 분말

✔해설　알루미늄 분말과 산화철 분말(FeO, Fe_2O_3, Fe_3O_4)을 1:3~4로 혼합한 것으로 테르밋 반응(화학 반응), 즉 산화철의 산소를 알루미늄이 빼앗아갈 때 일어나는 반응과 함께 발생된 열(2,800℃)을 이용하여 용접한다. 테르밋 반응을 위해 1,000℃의 고온이 필요하므로 점화제로는 마그네슘과 과산화바륨이 사용되고 있다.

48.③

49 피복아크용접에서 피복제의 주된 역할 중 틀린 것은?

① 전기 절연작용을 한다.　　② 탈산 정련작용을 한다.

③ 아크를 안정시킨다.　　　　④ 용착금속의 급냉을 돕는다.

✔해설　① 아크 안정　　② 산·질화 방지
③ 용적을 미세화 하여 용착 효율 향상
④ 서냉으로 취성 방지　⑤ 용착 금속의 탈산 정련 작용
⑥ 합금 원소 첨가　　⑦ 슬랙의 박리성 증대
⑧ 유동성 증가 등　　⑨ 전기 절연 작용

49.④

50 피복 아크 용접봉에서 피복제의 편심률은 몇 %이내이어야 하는가?

① 3%　　　　　　　　② 6%

③ 9%　　　　　　　　④ 12%

✔해설　편심율은 3%이내에 용접봉을 선택하며, 용접 자세 및 장소, 모재의 재질, 이음의 모양 등을 고려하여 선택하며 보관 시는 특히 습기에 주의해야 된다.

50.①

51 직류와 교류 아크 용접기를 비교한 것으로 틀린 것은?

① 아크 안정 : 직류용접기가 교류용접기 보다 우수하다.

② 전격의 위험 : 직류용접기가 교류용접기 보다 많다.

③ 구조 : 직류용접기가 교류용접기 보다 복잡하다.

④ 역률 : 직류용접기가 교류용접기 보다 매우 양호 하다.

51.②

☑ 해설

비 교	직 류	교 류
아 크 안 정	안정	불안정
극 성 변 화	가능	불가능
아 크 쏠 림	쏠림	쏠림 방지
무부하 전압	40 ~ 60V	70 ~ 80V
전 격 위 험	적다	크다
비 피 복 봉	사용 가능	사용 불가
구 조	복잡	간단
고 장	많다	적다
역 률	우수	떨어짐
소 음	발전기형은 크다	대체적으로 적음
가 격	고가	저가
용 도	박판	후판

52 직류 아크 용접기에서 발전형과 비교한 정류기형의 특징 설명으로 틀린 것은?

① 소음이 적다.

② 취급이 간편하고 가격이 저렴하다.

③ 교류를 정류하므로 완전한 직류를 얻는다.

④ 보수 점검이 간단하다.

52.③

☑ 해설 ① 발전기형 : 전동 발전식과 엔진 구동식이 있으며, 전기가 없는 옥외에서 사용 가능하다. 또한 정류기형에 비해 우수한 직류를 얻을 수 있는 장점은 있으나 가격이 고가이며 소음이 나고 보수와 점검이 어렵다.

② 정류기형 : 셀렌, 실리콘, 게르마늄 정류기를 사용하여 교류를 정류하여 직류를 얻는 용접기로 다른 전기기기에 비해 완전한 직류를 얻지 못하며, 셀렌 등을 정류기로 사용하는 용접기는 특히 먼지에 주의해야 한다. 또한 셀렌 정류기는 80℃이상, 실리콘 정류기는 150℃이상이면 폭발할 우려가 있어 팬으로 바람을 불어 열을 빼내어 주어야한다. 아울러 종류로는 가동철심형, 가동코일형, 가포화리액터형이 있는데 가장 널리 사용되는 것은 가포화리액터형이다.

53 아크 용접기의 사용률을 구하는 식으로 옳은 것은?

① 사용율$(\%) = \dfrac{\text{아크시간} + \text{휴식시간}}{\text{아크시간}} \times 100$

53.②

② 사용율(%) = $\dfrac{\text{아크시간}}{\text{아크시간} + \text{휴식시간}} \times 100$

③ 사용율(%) = $\dfrac{\text{휴식시간}}{\text{아크시간}} \times 100$

④ 사용율(%) = $\dfrac{\text{아크시간}}{\text{휴식시간}} \times 100$

✔ 해설 사용율(%) = $\dfrac{(\text{아크시간})}{(\text{아크시간} + \text{휴식시간})} \times 100$

54 MIG 용접시 사용되는 전원은 직류의 무슨 특성을 사용하는가?

① 수하 특성   ② 동전류 특성
③ 정전압 특성   ④ 정극성 특성

✔ 해설 미그 용접은 주로 반자동이나 자동용접으로 사용되므로 정전압 특성이 사용된다.

54.③

55 아크 용접용 로봇(robot)에서 용접작업에 필요한 정보를 사람이 로봇(robot)에게 기억(입력)시키는 장치는?

① 전원장치   ② 조작장치
③ 교시장치   ④ 머니프레이터

✔ 해설 교시장치란 로봇 용접 작업에서 필요한 정보를 사람이 로봇에게 입력하는 것을 말한다.

55.③

56 구리 및 구리합금의 가스용접용 용제에 사용되는 품질은?

① 중탄산소다   ② 염화칼슘
③ 붕사   ④ 황산칼륨

✔ 해설

용접 금속	용 제(flux)
연 강	일반적으로 사용하지 않는다.
반 경 강	중탄산소다 + 탄산소다
주 철	중탄산나트륨 70%, 탄산나트륨 15%, 붕사 15%
구리합금	붕사 75%, 붕산, 플로오르화 나트륨, 염화나트륨 25%
알루미늄	염화칼륨 45%, 염화나트륨 30%, 염화리튬 15% 플루오르화 칼륨 7%, 황산칼륨 3%

56.③

57 TIG, MIG, 탄산가스 아크 용접시 사용하는 차광렌즈 번호로 가장 적당한 것은?

① 12~13   ② 8~9
③ 6~7   ④ 4~5

✔해설 이문항의 경우는 정확한 답이 있을 수 없다. 전류와 전극봉 등에 따라 달라질 수 있다. 일반적으로 학교현장에서는 10~11번을 사용한다.

58 TIG 용접기에서 직류 역극성을 사용하였을 경우 용접 비드의 형상으로 맞는 것은?

① 비드 폭이 넓고 용입이 깊다.
② 비드 폭이 넓고 용입이 얕다.
③ 비드 폭이 좁고 용입이 깊다.
④ 비드 폭이 넓고 용입이 얕다.

✔해설

59 피복 아크 용접에서 아크 길이가 긴 경우 발생하는 용접결함에 해당되지 않는 것은?

① 선상조직   ② 스패터
③ 기공   ④ 언더컷

✔해설 선상 조직은 용접부를 파단시켰을 때 파면에 나타나는 가늘고 긴 방향성을 가진 용접부에 생기는 특이한 조직으로 미세한 주상정 사이에 미세한 기공 또는 비금속 개재물이 있어 결정 사이의 결합력이 약해져서 생긴다. 이때 발생한 기공은 수소가 용해도 변화에 의하여 방출, 흡착함으로써 형성된다.

60 피복 아크 용접시 안전 홀더를 사용하는 이유로 맞는 것은?

① 자외선과 적외선 차단   ② 유해가스 중독 방지
③ 고무장갑 대용   ④ 용접작업 중 전격예방

✔해설 안전홀더는 A형으로 용접봉을 물리는 부분만 절연이 안되어 있고 그 외 부분은 절연되어 작업자를 전격의 위험으로부터 보호한다.

57.①

58.②

59.①

60.④

국가기술자격검정 필기시험문제

2012년 산업기사 제3회 필기시험

자격종목 및 등급(선택분야)	종목코드	시험시간	문제지형별	수검번호	성 명
용접산업기사	2026	1시간 30분	A		

※ 답안카드 작성시 시험문제지 형별누락, 마킹착오로 인한 불이익은 전적으로 수검자의 귀책사
　유임을 알려드립니다.

제1과목 : 용접야금 및 용접설비제도

01 맞대기 용접 이음의 가접 또는 첫 층에서 루트 근방의 열영향부에서 발생하여 점차 비드 속으로 들어가는 균열은?

① 토 균열　　　　　　　　　② 루트 균열
③ 세로 균열　　　　　　　　④ 크레이터 균열

✔️해석 루트 균열은 저온 균열로 그 원인은 수소취화에 있다.

01.②

02 2성분계의 평형상태도에서 액체, 고체 어떤 상태에서도 두 성분이 완전히 융합하는 경우는?

① 공정형　　　　　　　　　② 전율포정형
③ 편정형　　　　　　　　　④ 전율고용형

✔️해석 전율 고용체 : 두 성분이 서로 어떠한 비율인 경우에도 상관없이 이것이 용해하여 하나의 상이 될 때 이들 두 성분은 전율 고용한다고 한다.

02.④

03 용접 결함 중 비드 밑(under bead) 균열의 원인이 되는 원소는?

① 산소　　② 수소　　③ 질소　　④ 탄산가스

✔️해석 비드 밑 균열은 용접 비드 바로 아래에 용접선 아주 가까이 거의 이와 평행되게 모재 열영향부에 생기는 균열로 고탄소강이나 저합금강과 같은 담금질에 의한 경화성이 강한 재료를 용접했을 때 생기는 균열로 수소가 외부로 방출되지 않을 때 생긴다.

03.②

04 일반적으로 고장력강은 인장강도가 몇 N/㎟ 이상일 때를 말하는가?

① 290　　　　　　　　　　② 390
③ 490　　　　　　　　　　④ 690

✔️해석 고장력강 인장강도 50 kg/㎟ 이상으로 환산하면 490N/㎟이 된다.

04.③

05 오스테나이트계 스테인리스강의 용접시 유의사항으로 틀린 것은?

① 예열을 한다.
② 짧은 아크 길이를 유지한다.
③ 아크를 중단하기 전에 크레이터 처리를 한다.
④ 용접 입열을 억제한다.

✔ 해설 오스테나이트(18 - 8) 스테인리스강의 용접시 주의 사항
① 예열을 하지 않는다.
② 층간 온도가 320℃ 이상을 넘어서는 안 된다.
③ 용접봉은 모재와 같은 것을 사용하며, 될수록 가는 것을 사용한다.
④ 낮은 전류치로 용접하여 용접 입열을 억제한다.
⑤ 짧은 아크 길이를 유지한다.(길면 카바이드 석출)
⑥ 크레이터를 처리한다.

05.①

06 응력제거 열처리법 중에서 노내 풀림시 판 두께가 25mm인 일반구조용 압연강재, 용접구조용 압연강재 또는 탄소강의 경우 일반적으로 노내 풀림 온도로 가장 적당한 것은?

① 300 ± 25℃
② 400 ± 25℃
③ 525 ± 25℃
④ 625 ± 25℃

✔ 해설 노내 풀림법 : 유지 온도가 높을수록, 유지 시간이 길수록 효과가 크다. 노내 출입 허용 온도는 300℃를 넘어서는 안된다. 일반적인 유지 온도는 625 ± 25℃, 판두께 25mm 1시간이다.

06.④

07 다음 중 산소에 의해 발생할 수 있는 가장 큰 용접결함은?

① 은점
② 헤어크랙
③ 기공
④ 슬랙

✔ 해설 기공은 공기 구멍으로 용접부의 급속한 응고, 수소 또는 일산화탄소 과잉, 내부에 산소가 있을 때 발생하는 결함이다.

07.③

08 제품이 너무 크거나 노내에 넣을 수 없는 대형 용접 구조물은 노내 풀림을 할 수 없으므로 용접부 주위를 가열하여 잔류 응력을 제거하는 방법은?

① 저온 응력 완화법
② 기계적 응력 완화법
③ 국부 응력 제거법
④ 노내 응력 제거법

✔ 해설 국부 풀림법 : 큰 제품, 현장 구조물 등과 같이 노내 풀림이 곤란할 경우 사용하며 용접선 좌우 양측을 각각 약 250mm 또는 판 두께 12배 이상의 범위를 가열한 후 서냉한다. 하지만 국부 풀림은 온도를 불균일하게 할 뿐 아니라 이를 실시하면 잔류 응력이 발생될 염려가 있으므로 주의하여야 한다. 유도 가열 장치를 사용한다.

08.③

09 주철의 용접시 주의사항으로 틀린 것은?

① 용접 전류는 필요 이상 높이지 말고 지나치게 용입을 깊게 하지 않는다.

② 비드의 배치는 짧게 해서 여러 번의 조작으로 완료 한다.

③ 용접봉은 가급적 지름이 굵은 것을 사용한다.

④ 용접부를 필요 이상 크게 하지 않는다.

해석 주철의 용접시 주의 사항

① 보수 용접을 행하는 경우는 본 바닥이 나타날 때까지 잘 깎아낸 후 용접한다.

② 파열의 끝에 작은 구멍을 뚫는다.

③ 용접 전류는 필요이상 높이지 말고, 직선 비드를 사용하며, 깊은 용입을 얻지 않는다.

④ 될 수 있는 대로 가는 지름의 것을 사용한다.

⑤ 비드 배치는 짧게 여러 번 한다.

⑥ 피닝 작업을 하여 변형을 줄인다.

⑦ 가스 용접을 할 때는 중성불꽃 및 탄화불꽃을 사용하며, 플럭스를 충분히 사용한다.

⑧ 두꺼운 판에 경우에는 예열과 후열 후 서냉한다.

09.③

10 동일 강도의 강에서 노치 인성을 높이기 위한 방법이 아닌 것은?

① 탄소량을 적게 한다.

② 망간을 될수록 적게 한다.

③ 탈산이 잘 되도록 한다.

④ 조직이 치밀하도록 한다.

해석 노치 취성을 줄이려면 노치 인성을 높이고 천이 온도를 낮게 하기 위하여 탄소량이 적고 망간량이 많은 것이 좋다. 아울러 탈산 정력이 잘 된 것일수록 노치 인성이 좋아진다. Al, Ti, V 등의 특수 원소를 첨가하면 탄소와 질소를 안정시켜 시효성을 감소 시켜 노치 인성에 좋은 영향을 준다. 또한 열처리를 통하여 노치 인성을 향상할 수 있다.

10.②

11 용접의 기본기호 중 가장자리 용접을 나타내는 것은?

① ⌒   ② ⋁   ③ ‖‖‖   ④ ═══

해석 ①는 겹침이음 ②는 뒷면 공정이 없는 용접, ③는 가장자리, ④는 서페이싱 용접

11.③

12 건설 또는 제조에 필요한 정보를 전달하기 위한 도면의 제작도가 사용되는데, 이 종류에 해당되는 것으로만 된 것은?

① 계획도, 시공도, 견적도   ② 설명도, 장치도, 공정도

③ 상세도, 승인도, 주문도   ④ 상세도, 시공도, 공정도

해석 제작에 사용하는 도면으로는 상세도, 시공도, 공정도 등이 있다.

12.④

13 용접 도면에서 기호의 설명한 것 중 틀린 것은?

① 화살표는 기준선이 한쪽 끝에 각을 이루며 연결된다.

② 좌우 대칭인 용접부에서는 파선은 필요 없고 생략하는 편이 좋다.

③ 파선은 연속선의 위 또는 아래에 그을 수 있다.

④ 용접부(용접면)가 이음의 화살표 쪽에 있으면 기호는 파선 쪽의 기준선에 표시한다.

 해설

▲ 화살표쪽 또는 앞쪽의 용접

▲ 화살표의 반대쪽 또는 맞은편 쪽의 용접

13.④

14 다음 중 도면용지 A0의 크기로 옳은 것은?

① 841×1189

② 594×841

③ 420×594

④ 297×420

14.①

해설

	크기	절지	가장자리로부터 윤곽선까지의 거리	철할 때 여백
A0	841×1189	전지	20	25
A1	594×841	2절지	20	25
A2	420×594	4절지	10	25
A3	297×420	8절지	10	25
A4	210×297	16절지	10	25

15 용접부 및 용접부 표면의 형상 보조기호 중 제거 가능한 이면 판재를 사용할 때 기호는?

① ⌣   ② ⌢   ③ M   ④ MR

15.④

해설 ①는 끝단부를 매끄럽게 함, ②는 볼록형, ③는 영구적인 덮개 판을 사용, ④는 제거 가능한 덮개판을 사용

16 용접부의 비파괴시험 기호로서 "RT"로 표시하는 비파괴 시험 기호는?

① 초음파 시험　　　　② 자분탐상 시험
③ 침투탐상 시험　　　④ 방사선 투과 시험

✔ 해석 RT(방사선 투과 시험), UT(초음파 탐상 시험), MT(자분 탐상 시험), PT(침투 탐상 시험), ET(와류 탐상 시험) LT(누설 시험), ST(변형도 측정 시험) VT(육안 시험), PRT(내압 시험)이 있다.

16.④

17 그림과 같이 치수를 둘러싸고 있는 사각 틀(□)이 뜻하는 것은?

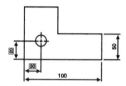

① 정사각형의 한 변의 길이　② 이론적으로 정확한 치수
③ 판 두께의 치수　　　　　　④ 참고치수

✔ 해석 치수에 사용되는 보조기호는 치수 숫자 앞에 사용하며 다음과 같은 의미가 있다.
① ∅ : 원의 지름 기호를 나타내며 명확히 구분 될 경우는 생략할 수 있다.
② □ : 정사각형 기호로 생략 할 수 있다.
③ R : 반지름 기호
④ 구(S) : 구면 기호로 ∅,R의 기호 앞에 기입한다.
⑤ C : 모따기 기호
⑥ P : 피치 기호
⑦ t : 판의 두께 기호로 치수 숫자 앞에 표시한다.
⑧ ⊠ : 평면기호
⑨ ( ) : 참고 치수 기호호이다.

17.②

18 제도에서 사용되는 선의 종류 중 가는 2점 쇄선의 용도를 바르게 나타 낸 것은?

① 물체의 가공 전 또는 가공 후의 모양을 표시하는데 쓰인다.
② 도형의 중심선을 간략하게 나타내는데 쓰인다.
③ 특수한 가공을 하는 부분 등 특별한 요구사항을 적용할 수 있는 범위를 표시하는데 쓰인다.
④ 대상물의 실제 보이는 부분을 나타낸다.

✔ 해석 가상선(이점 쇄선)
① 도시된 물체의 앞면을 표시하는 선
② 인접 부분을 참고로 표시하는 선
③ 가공 전 또는 가공 후의 모양을 표시하는 선
④ 이동하는 부분의 이동 위치를 표시하는 선
⑤ 공구, 지그 등의 위치를 참고로 표시하는 선
⑥ 반복을 표시하는 선

18.①

19 도면을 그리기 위하여 도면에 설정하는 양식에 대하여 설명한 것 중 틀린 것은?

① 윤곽선 : 도면으로 사용된 용지의 안쪽에 그려진 내용을 확실히 구분되도록 하기 위함

② 도면의 구역 : 도면을 축소 또는 확대했을 경우, 그 정도를 알기 위함

③ 표제란 : 도면 관리에 필요한 사항과 도면 내용에 관한 중요한 사항을 정리하여 기입하기 위함

④ 중심 마크 : 완성된 도면을 영구적으로 보관하기 위하여 도면을 마이크로필름을 사용하여 사진 촬영을 하거나 복사하고자 할 때 도면의 위치를 알기 쉽도록 하기 위하여 표시하기 위함

19.②

✔ 해설 도면의 양식

① 윤곽선 : 도면에 그려야 할 내용의 영역을 명확히 하고, 제도 용지의 가장자리에 생기는 손상으로부터 기재 사항을 보호하기 위해 0.5mm 이상의 실선을 사용한다.

② 중심 마크 : 도면의 사진 촬영 및 복사할 때 편의를 위해 사용, 상하 좌우 중앙의 4개소에 표시한다.

③ 표제란 : 위치는 반드시 도면의 오른쪽 아래에 위치한다. 기재 내용으로는 도면 번호(도번), 도면 이름(도명), 척도, 투상법, 도면 작성일, 제도자 이름 등을 기입한다.

| **참고** | 반드시 도면에 윤곽선, 중심 마크, 표제란은 그려 넣어야 한다.

④ 재단 마크 : 복사한 도면을 재단할 때의 편의를 위해 도면의 4 구석에 표시한다.

⑤ 도면의 구역 : 도면에서 특정 부분의 위치를 지시하는데 편리하도록 표시하는 것

⑥ 도면의 비교 눈금 : 도면의 축소나 확대, 복사의 작업과 이들의 복사 도면을 취급할 때의 편의를 위하여 표시하는 것

20 주로 대칭 모양의 물체를 중심선을 기준으로 내부 모양과 외부 모양을 동시에 표시하는 단면도는?

① 회전 단면도 　　② 부분 단면도

③ 한쪽 단면도 　　④ 전단면도

20.③

✔ 해설 반단면도(한쪽단면도)

㉠ 물체의 상하 좌우가 대칭인 물체의 $\frac{1}{4}$ 을 절단하여 내부와 외형을 동시에 도시

㉡ 단면을 표시하는 해칭은 물체의 왼쪽과 위쪽에 한다.

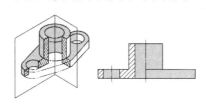

제2과목 : 용접구조설계

21 맞대기 용접 이음에서 이음 효율을 구하는 식은?

① 이음 효율 = $\dfrac{\text{모재의 인장강도}}{\text{용접시험편의 인장강도}} \times 100(\%)$

② 이음 효율 = $\dfrac{\text{용접시험편의 인장강도}}{\text{모재의 인장강도}} \times 100(\%)$

③ 이음 효율 = $\dfrac{\text{허용 응력}}{\text{사용 응력}} \times 100(\%)$

④ 이음 효율 = $\dfrac{\text{사용 응력}}{\text{허용 응력}} \times 100(\%)$

✔**해석** 이음의 강도가 모재 강도의 몇 %인지를 나타내는 수치가 이음 효율이다. 현재 일반적으로 연강용 용접봉의 경우 모재보다 10~20% 정도 높도록 만들어져 있다. $\eta = \dfrac{(\text{용착금속강도})}{(\text{모재인장강도})} \times 100$

21.②

22 용접 이음을 설계할 때 주의사항으로 옳은 것은?

① 용접 길이는 되도록 길게 하고, 용착금속도 많게 한다.
② 용접 이음을 한 군데로 집중시켜 작업의 편리성을 도모한다.
③ 결함이 적게 발생하는 아래보기 자세를 선택한다.
④ 강도가 강한 필릿 용접을 주로 선택한다.

✔**해석** 용접 설계시 유의사항
① 아래 보기 용접을 많이 하도록 한다.
② 용접 작업에 지장을 주지 않도록 간격을 두어야 한다.
③ 필릿 용접은 되도록 피하고 맞대기 용접을 하도록 한다.
④ 판 두께가 다른 재료의 이음시 구배를 두어 갑자기 단면이 변하지 않도록 한다.
  ($\frac{1}{4}$ 이하 테이퍼 가공을 함)
⑤ 맞대기 용접에는 이면 용접을 하여 용입 부족이 없도록 하여야 한다.
⑥ 용접 이음부가 한곳에 집중되지 않도록 설계하여야 한다.
⑦ 용접 선은 될 수 있는 한 교차하지 않도록 하여야 한다.
⑧ 결함이 생기기 쉬운 용접은 피하고 구조상의 노치를 피하여야 한다.
⑨ 용접 길이는 가능한 짧게, 용착량도 가능한 최소로 하여야 한다.

22.③

23 다음 그림과 같은 용접이음 명칭은?

① 겹치기 용접
② T 용접
③ 플레어 용접
④ 플러그 용접

23.③

▲ 플레어 이음

24 응력제거 열처리법 중에서 잘 이용되고 있는 방법으로써 제품 전체를 가열로 안에 넣고 적당한 온도에서 일정시간 유지한 다음 노내에서 서냉 시킴으로써 잔류 응력을 제거하는데 연강류 제품을 노내에서 출입시키는 온도는 몇 도를 넘지 않아야 하는가?

① 100℃   ② 300℃
③ 500℃   ④ 700℃

해설 노내 풀림법 : 유지 온도가 높을수록, 유지 시간이 길수록 효과가 크다. 노내 출입 허용 온도는 300℃를 넘어서는 안된다. 일반적인 유지 온도는 625 ± 25℃, 판두께 25mm 1시간이다.

24.②

25 꼭지각이 136° 인 다이아몬드 사각추의 압입자를 시험하중으로 시험편에 압입한 후 측정하여 환산표에 의해 경도를 표시하는 시험법은?

① 로크웰 경도 시험   ② 브리넬 경도 시험
③ 비커스 경도 시험   ④ 쇼어 경도 시험

해설 비커스 경도 : 내면 각이 136°인 다이아몬드 사각뿔의 압입자에 대각선 길이로 측정

25.③

26 용접부의 피로강도 향상법으로 맞는 것은?

① 덧붙이 크기를 가능한 최소화한다.
② 기계적 방법으로 잔류 응력을 강화한다.
③ 응력 집중부에 용접 이음부를 설계한다.
④ 야금적 변태에 따라 기계적인 강도를 낮춘다.

해설 용접부의 덧붙이는 응력이 집중 될 수 있기 때문에 피로강도를 향상시키기 위해서는 크기를 최소화한다.

26.①

27 용접 열영향부에서 생기는 균열에 해당되지 않는 것은?

① 비드 밑 균열(under bead crack)
② 세로 균열(longitudinal crack)
③ 토 균열(toe crack)
④ 라멜라테어 균열(lamella tear crack)

27.②

✔️ **해석** 균열의 발생 원인

- 수소의 의한 균열, 내·외적인 힘에 의한 균열, 노치에 의한 균열, 변태에 의한 균열, 용착 금속의 화학 성분에 의한 균열
- 용접을 끝낸 직후의 크레이터 부분의 생기는 크레이터 균열, 용접선 위에 나타나는 비드 균열, 너무 작아 육안으로는 확인 곤란한 마이크로 균열, 외부에서는 볼 수 없는 비드 밑 균열, 열영향부 균열, 비드 표면과 모재와의 경계부에 발생하는 토 균열, 비틀림이 주원이 되어 발생하는 힐 균열, 저온 균열에서 가장 주의하여야 할 균열인 첫층 용접의 루트 근방에서 발생하는 루트 균열, 모재의 재질 결함으로서의 균열인 래미네이션 균열 등이 있다.
- 비드 밑 균열은 용접 비드 바로 아래에 용접선 아주 가까이 거의 이와 평행되게 모재 열영향부에 생기는 균열로 고탄소강이나 저합금강과 같은 담금질에 의한 경화성이 강한 재료를 용접했을 때 생기는 균열
- 토 균열은 맞대기 용접 및 필릿 용접 의 어느 경우나 비드 표면과 모재와의 경계부에 생기는 균열로 예열을 하거나 강도가 낮은 용접봉을 사용하면 효과적이다.
- 설퍼 균열은 강중에 황이 층상으로 존재하는 고온 균열을 말한다.

28 용접이음에서 취성파괴의 일반적 특징에 대한 설명 중 틀린 것은?

① 온도가 높을수록 발생하기 쉽다.

② 항복점 이하의 평균응력에서도 발생한다.

③ 파괴의 기점은 응력과 변형이 집중하는 구조적 및 형상적인 불연속부에서 발생하기 쉽다.

④ 거시적 파면상황은 판 표면에 거의 수직이다.

✔️ **해석** 취성파괴란 재료의 연성이 부족하여 소성변형이 되지 않고 파괴되는 것으로 저온 취성 파괴에 미치는 요인은 온도의 저하, 잔류 응력, 노치 등의 원인이 있다.

28.①

29 다음 그림과 같은 순서로 하는 용착법을 무엇이라고 하는가?

① 전진법

② 후퇴법

③ 캐스케이드법

④ 스킵법

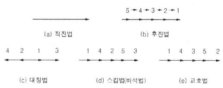

✔️ **해석** 용착순서

① 전진법 : 용접 시작 부분보다 끝나는 부분이 수축 및 잔류 응력이 커서 용접 이음이 짧고, 변형 및 잔류 응력이 그다지 문제가 되지 않을 때 사용

② 후진법 : 용접을 단계적으로 후퇴하면서 전체 길이를 용접하는 방법으로 수축과 잔류 응력을 줄이는 방법

③ 대칭법 : 용접 전 길이에 대하여 중심에서 좌우로 또는 용접물 형상에 따라 좌우 대칭으로 용접하여 변형과 수축 응력을 경감한다.

④ 비석법 : 스킵법이라고도 하며 짧은 용접 길이로 나누어 놓고 간격을 두면서 용접하는 방법으로 특히 잔류 응력을 적게 할 경우 사용한다.

⑤ 교호법 : 열 영향을 세밀하게 분포시킬 때 사용

29.④

30 용접구조물의 수명과 가장 관련이 있는 것은?

① 작업 태도   ② 아크 타임율
③ 피로강도   ④ 작업율

✔**해설** 제시된 내용 중 용접 구조물의 수명가 가장 관련이 있는 것은 피로강도로 피로
강도를 개선하는 방법은 비드 접촉각을 작게 하거나 토우부를 연마하여 평활
하게 한다.

30.③

31 잔류 응력을 제거하는 방법이 아닌 것은?

① 저온 응력 완화법   ② 기계적 응력 완화법
③ 피닝법(peening)   ④ 담금질 열처리법

✔**해설** 잔류 응력 경감법
① 노내 풀림법 : 유지 온도가 높을수록, 유지 시간이 길수록 효과가 크다. 노내 출입
허용 온도는 300℃를 넘어서는 안된다. 일반적인 유지 온도는 625 ± 25℃ 이다.
판두께 25mm 1시간
② 국부 풀림법 : 큰 제품, 현장 구조물 등과 같이 노내 풀림이 곤란할 경우 사용하며
용접선 좌우 양측을 각각 약 250mm 또는 판 두께 12배 이상의 범위를 가열한 후
서냉한다. 하지만 국부 풀림은 온도를 불균일하게 할 뿐 아니라 이를 실시하면 잔류
응력이 발생될 염려가 있으므로 주의하여야 한다. 유도가열 장치를 사용한다.
③ 기계적 응력 완화법 : 용접부에 하중을 주어 약간의 소성 변형을 주어 응력을 제거
한다. 실제 큰 구조물에서는 한정된 조건하에서만 사용할 수 있다.
④ 저온 응력 완화법 : 용접선 좌우 양측을 정속도로 이동하는 가스 불꽃으로 약
150mm의 나비를 약 150~200℃로 가열 후 수냉하는 방법으로 용접선 방향의 인
장 응력을 완화시키는 방법
⑤ 피닝법 : 끝이 둥근 특수 해머로 용접부를 연속적으로 타격하며 용접 표면에 소성
변형을 주어 인장 응력을 완화한다. 첫층 용접의 균열 방지 목적으로 700℃정도에
서 열간 피닝을 한다.

31.④

32 그림과 같은 필릿 용접에서 목 두께를 나타내는 것은?

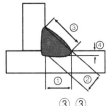

① ①   ② ②   ③ ③   ④ ④

✔**해설** ①은 각장 즉 다리길이, ②는 목두께를 의미한다.

32.②

33 용접부의 파괴 시험법 중에서 화학적 시험방법이 아닌 것은?

① 함유수소시험   ② 비중시험
③ 화학분석시험   ④ 부식시험

✔**해설** 비중시험은 물리적 시험방법이다.

33.②

34 2매의 판이 100°의 각도로 조립되는 필릿 용접 이음의 경우 이론 목 두께는 다리 길이의 약 몇 %인가?

① 70.7%   ② 65%   ③ 50%   ④ 55%

> ☑ 해설 필릿 용접의 가로 단면에 내접하는 이등변 삼각형의 루트부터 빗변까지의 수직거리를 이론 목두께라 하고, 용입을 고려한 루트부터 표면까지의 최단거리를 실제 목두께라 하여 이음부의 강도를 계산할 때 기준으로 삼는다.
> 목두께 = 다리길이 ×cos 45°

35 연강을 0℃ 이하에서 용접할 경우 예열하는 방법은?

① 이음의 양쪽 폭 100mm 정도를 40℃~75℃로 예열하는 것이 좋다.

② 이음의 양쪽 폭 150mm 정도를 150℃~200℃로 예열하는 것이 좋다.

③ 비드 균열을 일으키기 쉬우므로 50℃~350℃로 용접홈을 예열하는 것이 좋다.

④ 200℃~400℃ 정도로 홈을 예열하고 냉각속도를 빠르게 용접한다.

> ☑ 해설 **예열**
> ① 연강의 경우 두께 25mm이상의 경우나 합금 성분을 포함한 합금강 등은 급랭 경화성이 크기 때문에 열 영향부가 경화하여 비드 균열이 생기기 쉽다. 그러므로 50 ~ 350℃정도로 홈을 예열하여 준다.
> ② 기온이 0℃이하에서도 저온 균열이 생기기 쉬우므로 홈 양끝 100mm 나비를 40 ~ 70℃로 예열한 후 용접한다.
> ③ 주철은 인성이 거의 없고 경도와 취성이 커서 500 ~ 550℃로 예열하여 용접 터짐을 방지한다.
> ④ 용접시 저수소계 용접봉을 사용하면 예열 온도를 낮출 수 있다.
> ⑤ 탄소 당량이 커지거나 판 두께가 두꺼울수록 예열 온도는 높일 필요가 있다.
> ⑥ 주물의 두께 차가 클 경우 냉각 속도가 균일하도록 예열

36 용접부의 시점과 끝나는 부분에 용입 불량이나 각종 결함을 방지하기 위해 주로 사용되는 것은?

① 엔드 탭   ② 포지셔너
③ 회전 지그   ④ 고정 지그

> ☑ 해설 엔드탭이란 용접선의 시작부와 끝 부분에 설치하는 보조판으로 모재와 같은 재질 및 홈의 형상도 같아야 한다. 즉 시작 및 끝(크레이터)부분의 충분한 용입을 얻어 결함을 방지하기 위하여 설치한다.

37 65%의 용착효율을 가지고 단일의 V형 홈을 가진 20mm 두께의 철판을 3m 맞대기 용접했을 때, 필요한 소요 용접봉의 중량은 약 몇 kgf 인가?(단, 20mm 철판의 용접부 단면적은 2.6㎠이고, 용착 금속의 비중은 7.85이다.)

① 7.42   ② 9.42   ③ 11.42   ④ 13.42

34.②

35.①

36.①

37.②

✔️해설 용접봉의 소모량은 용접이음부의 단면적에 용접길이와 용착금속의 비중을 곱하여 용착금속의 중량을 구한다. 즉 0.26×3×7.85 용착금속 증량은 6.123이 나오므로 용접봉 소요량은 용착효율인 0.65로 나누어주면 9.42가 나온다.

$$용접봉소료량 = \frac{단위용접길이당용착금속중량}{용착효율}$$

38 용접 제품을 제작하기 위한 조립 및 가접에 대한 일반적인 설명으로 틀린 것은?

① 강도상 중요한 곳과 용접의 시점과 중점이 되는 끝부분을 주로 가접한다.

② 조립 순서는 용접 순서 및 용접 작업의 특성을 고려하여 계획한다.

③ 가접시에는 본 용접보다도 지름이 약간 가는 용접봉을 사용하는 것이 좋다.

④ 불필요한 잔류응력이 남지 않도록 미리 검토하여 조립 순서를 정한다.

✔️해설 가접은 본 용접을 실시하기 전에 좌우의 홈 부분을 잠정적으로 고정하기 위한 짧은 용접으로 가접시 용접 응력이 집중하는 곳은 피하며, 전류는 본 용접보다 높게 하며, 용접봉의 지름은 가는 것을 사용한다. 또한 너무 짧게 하지 않는다. 용접부의 청소가 끝나고 본 용접을 하기 전 가접 작업을 실시하여야 한다.

① 홈안에 가접은 피하고 불가피한 경우 본 용접 전에 갈아낸다.
② 응력이 집중하는 곳은 피한다.
③ 전류는 본 용접보다 높게 하며, 용접봉의 지름은 가는 것을 사용하여 본 용접이 용이하게 하며, 너무 짧게 하지 않는다.
④ 시·종단에 엔드탭을 설치하기도 한다.
⑤ 가접사도 본 용접사에 비하여 기량이 떨어지면 안 된다.

39 그림과 같이 강판 두께(t) 19mm, **용접선의 유효길이**(ℓ) 200mm, h₁, h₂가 각각 8mm, **하중(P) 7000kgf가 작용할 때 용접부에 발생하는 인장응력은 약 몇** kgf/㎟ 인가?

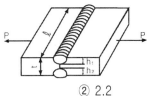

① 0.2　　　　　　　　② 2.2
③ 4.8　　　　　　　　④ 6.8

✔️해설 $\delta_t = \dfrac{P}{(h_1+h_2)\,\ell}$ 에서 $\dfrac{7000}{(8+8)\times200} = 2.18$

38.①

39.②

40 용접작업에서 지그 사용시 얻어지는 효과로 틀린 것은?

① 용접 변형을 억제하고 적당한 역변형을 주어 변형을 방지한다.

② 제품의 정밀도가 낮아진다.

③ 대량생산의 경우 용접 조립 작업을 단순화 시킨다.

④ 용접작업은 용이하고 작업능률이 향상된다.

✔ 해석　용접 지그

① 조립 시간을 단축하고 용접 작업을 효과적으로 하기 위하여 이용되는 장치를 용접 지그라고 한다.

② 지그를 사용하면 공수절감에 효과가 있으며, 품질의 신뢰성을 확보할 수 있다.

③ 지그는 물체를 고정시켜 줄 크기와 힘이 있고 변형을 막아줄 만큼 견고하게 제작 되어야 한다.

④ 물체의 고정과 분해가 용이하여야 하며, 청소가 편리해야 된다.

40.②

제3과목　용접일반 및 안전관리

---

41 교류 아크 용접기의 용접 전류 조정 방법에 의한 분류에 해당하지 않는 것은?

① 가동 철심형　　　　② 가동 코일형

③ 탭 전환형　　　　　④ 발전형

✔ 해석　교류 아크 용접기

① 탭 전환형 : 코일의 감긴 수에 따라 전류를 조정한다. 하지만 탭과 탭사이의 전류를 조절할 수 없어 미세 전류 조절이 불가능하며, 넓은 범위의 전류 조정이 어렵다. 주로 소형으로 사용되나 적은 전류 조정시에도 무부하 전압이 높아 감전의 위험이 있다.

② 가동 코일형 : 1차 코일의 거리 조정으로 누설자속을 변화하여 전류를 조정한다. 아크 안정도가 높고 소음은 없으나 가격이 고가여서 현재 거의 사용되지 않고 있다.

③ 가동 철심형 : 가동철심으로 누설자속을 가감하여 전류를 조정하여 광범위한 전류 조절과 더불어 미세 전류 조절이 가능하여 현재 가장 널리 사용되고 있다.

④ 가포화리액터형 : 가변 저항의 변화로 용접 전류를 조정한다. 전기적 전류 조정으로 소음이 없고 원격 제어가 가능하다.

41.④

---

42 정격 2차 전류 300A의 용접기에서 실제로 200A의 전류로서 용접한다고 가정하면 허용 사용률은 얼마인가?(단, 정격 사용률은 40%라고 한다.)

① 80%　　　　② 85%　　　　③ 90%　　　　④ 95%

✔ 해석　허용사용율(%) × (실제용접전류)² = 정격사용율(%) × (정격2차전류)²

$$허용사용율(\%) = \frac{(정격2차전류)^2}{(실제용접전류)^2} \times 정격사용율$$

허용사용율 × (200)² = 40 × (300)²

허용사용율 (%) = 90%

42.③

43 탄산가스 아크용접 장치에 해당되지 않는 것은? 43.④
① 용접 토치 　　　　　　② 보호 가스 설비
③ 제어 장치 　　　　　　④ 플럭스 공급 장치
✔해설 플럭스 공급 장치는 서브머지드 용접에 있는 장치이다.

44 피복 아크 용접법이 가스 용접법보다 우수한 점이 아닌 것은? 44.③
① 열의 집중성이 좋다. 　　② 용접 변형이 적다.
③ 유해 광선의 발생이 적다. ④ 용접부의 강도가 크다.
✔해설 피복 아크 용접이 가스 용접보다 아크 광선에 의한 불빛이 강하여 차광도가 높은 필터유리를 사용해야 한다.

45 서브머지드 아크 용접의 다전극 방식에 의한 분류 중 같은 종류의 전원에 두 개의 전극을 접속하여 용접하는 것으로 비드 폭이 넓고, 용입이 깊은 용접부를 얻기 위한 방식은? 45.②
① 탠덤식 　② 횡병렬식 　③ 횡직렬식 　④ 종직렬식
✔해설

종류	전극 배치	특징
텐덤식	2개의 전극을 독립 전원에 접속한다.	비드 폭이 좁고 용입이 깊다. 용접 속도가 빠르다.
횡직렬식	2개의 용접봉 중심이 한 곳에 만나도록 배치	아크 복사열에 의해 용접. 용입이 매우 얕다. 자기 불림이 생길 수가 있다.
횡병렬식	2개 이상의 용접봉을 나란히 옆으로 배열	용입은 중간 정도이며 비드 폭이 넓어진다.

46 가스용접으로 주철을 용접할 때 가장 적당한 예열온도는 몇 ℃ 인가? 46.②
① 300~400℃　② 500~600℃　③ 700~800℃　④ 900~1000℃
✔해설 주철 용접 방법
① 예열 및 후열(500~550℃)을 한다.
② 붕사 15%, 탄산수소나트륨 70%, 탄산나트륨 15% 알루미늄 분말 소량의 혼합제가 널리 쓰임

47 용접기에서 떨어져 작업을 할 때 작업 위치에서 전류를 조정할 수 있는 장치는? 47.②
① 전자 개폐 장치 　　　② 원격 제어 장치
③ 전류 측정기 　　　　④ 전격 방지 장치
✔해설 원격 제어 장치 : 용접기에서 멀리 떨어진 장소에서 전류와 전압을 조절할 수 있는 장치로 가포화 리액터형과 전동기 조작형이 있다.

48 공업용 아세틸렌 가스 용기의 도색은?

① 녹색   ② 백색   ③ 황색   ④ 갈색

✔ 해설 아세틸렌 가스의 색은 황색, 공업용 산소는 녹색, 의료용은 갈색이다.

48.③

49 이음부의 루트 간격 치수에 특히 유의하여야 하며, 아크가 보이지 않는 상태에서 용접이 진행된다고 하여 잠호 용접이라고도 부르는 용접은?

① 피복 아크 용접   ② 서브머지드 아크 용접
③ 탄산가스 아크 용접   ④ 불활성가스 금속 아크 용접

✔ 해설 서브머지드 아크 용접

용접부 표면에 입상의 플럭스를 공급 살포하고, 그 플럭스속에 연속적으로 전극 와이어를 송급하여 와이어 선단과 모재사이에 아크를 발생시키는 용접법이다. 발생된 아크열은 와이어, 모재 및 플럭스를 용융시키며, 용융된 플럭스는 슬랙을 형성하고 용융 금속은 용접비드를 형성한다. 서브머지드 아크 용접은 용접 아크가 플럭스 내부에서 발생하여 외부로 노출되지 않기 때문에 잠호용접이라고도 부른다.

49.②

50 산소 용기의 취급상의 주의사항으로 잘못된 사항은?

① 운반이나 취급에서 충격을 주지 않는다.
② 가연성 가스와 함께 저장하여 누설되어도 인화되지 않게 한다.
③ 기름이 묻은 손이나 장갑을 끼고 취급하지 않는다.
④ 운반시 가능한 한 운반 기구를 이용한다.

✔ 해설 산소 용기 취급상 주의사항
① 타격, 충격을 주지 않는다.
② 직사광선, 화기가 있는 고온의 장소를 피한다.
③ 용기 내의 압력이 너무 상승($170kgf/cm^2$)되지 않도록 한다.
④ 밸브가 동결되었을 때 더운물 또는 증기를 사용하여 녹여야 한다.
⑤ 누설 검사는 비눗물을 사용한다.
⑥ 용기 내의 온도는 항상 40℃ 이하로 유지하여야 한다.
⑦ 용기 및 밸브 조정기 등에 기름이 부착되지 않도록 한다.
⑧ 저장실에 가스를 보관시 다른 가연성 가스와 함께 보관하지 않는다.

50.②

51 중량물의 안전운반에 관한 설명 중 잘못된 것은?

① 힘이 센 사람과 약한 사람이 조를 짜며 키가 큰 사람과 작은 사람이 한 조가 되게 한다.
② 화물의 무게가 여러 사람에게 평균적으로 걸리게 한다.
③ 긴 물건은 작업자의 같은 쪽 어깨에 메고 보조를 맞춘다.
④ 정해진 자의 구령에 맞추어 동작 한다.

✔ 해설 중량물의 운반시에는 키와 힘을 고려하여 같은 사람이 한조가 되어야 중량물을 안전하게 운반할 수 있다. 예를 들어 키가 큰 사람과 작은 사람이 한조가 되면 키가 작은 사람에게 중량물의 하중이 집중될 수 있어 위험하다.

51.①

52 용접법의 분류에서 융접에 속하는 것은?

① 테르밋 용접   ② 단접
③ 초음파 용접   ④ 마찰 용접

✓ 해석 융접(Fusion Welding) : 접합 부분을 용용 또는 반용용 상태로 하고 여기에 용접봉 즉 용가재를 첨가하여 접합하는 방법으로 그 종류는 피복 아크 용접, 가스 용접, 불활성 가스 아크 용접, 서브머지드 용접, 이산화탄소 아크 용접, 일렉트로 슬랙 및 일렉트로 가스 용접, 테르밋 용접 등이 있다.

52.①

53 피복 아크 용접봉의 피복제 중에 포함되어 있는 주성분이 아닌 것은?

① 아크 안정제   ② 가스 억제제
③ 슬래그 생성제   ④ 탈산제

✓ 해석 **피복제의 역할**
① 아크 안정   ② 산·질화 방지
③ 용적을 미세화 하여 용착 효율 향상   ④ 서냉으로 취성 방지
⑤ 용착 금속의 탈산 정련 작용   ⑥ 합금 원소 첨가
⑦ 슬랙의 박리성 증대   ⑧ 유동성 증가
⑨ 전기 절연 작용 등이 있다.

53.②

54 냉간 압접의 일반적인 특징으로 틀린 것은?

① 용접부가 가공 경화된다.
② 압접에 필요한 공구가 간단하다.
③ 접합부의 열 영향으로 숙련이 필요하다.
④ 접합부의 전기저항은 모재와 거의 동일하다.

✓ 해석 **냉간 압접**
① 상온에서 행하므로 접합면에서의 확산은 매우 느리다.
② 열영향에 의한 재질의 변화가 없다. ③ 압접 장치가 간단하고 조작이 용이하다.
④ 압접부에 가공 경화되어 눌린 자국이 남는다. ⑤ 압접 재료의 제한이 있다.

54.③

55 용가재인 전극 와이어를 와이어 송급 장치에 의해 연속적으로 보내어 아크를 발생시키는 용극식 용접방식은?

① TIG용접   ② MIG용접
③ 탄산가스 아크용접   ④ 마찰용접

✓ 해석 **이산화탄소 아크 용접**
① 불활성 가스 금속 아크 용접과 원리가 같으며, 불활성 가스 대신 탄산가스를 사용한 용극식 용접법이다. 일반적으로 플럭스 코드가 많이 사용된다.
② 용입을 결정하는 가장 큰 요인은 전류로 전류값이 높아지면 용입이 깊어진다.
③ 비드 형상을 결정하는 것은 용접 전압인데 전압 값이 높아지면 비드 형상이 넓어진다. 하지만 지나치게 커지면 기포가 발생할 수 있다.
④ 용융 속도는 아크 전류에 거의 정비례하여 증가하며, 용접 속도가 빠르면 모재의 입열이 감소되어 용입이 얕아진다.

55.②

56 금속과 금속의 원자간 거리를 충분히 접근시키면 금속원자 사이에 인력이 작용하여 그 인력에 의하여 금속을 영구 결합시키는 것이 아닌 것은?

① 용접　　　　② 압접　　　　③ 납땜　　　　④ 리벳이음

✔해설　용접이란 두 금속간의 간격이 10^{-8}cm($\mathring{A}$) 즉 1억분의 1cm정도 접근시키면 인력이 작용되어 결합된다.

56.④

57 연강용 피복 아크 용접봉 중 내균열성이 가장 좋은 용접봉은?

① 고셀룰로오스계　　　　　② 일미나이트계
③ 고산화티탄계　　　　　　④ 저수소계

✔해설　저수소계(E4316)
① 석회석($CaCO_3$)이나 형석(CaF_2)을 주성분으로 용착 금속 중의 수소량이 다른 용접봉에 비해서 1/10정도로 현저하게 적은 우수한 특성이 있다.
② 피복제는 습기를 흡수하기 쉽기 때문에 사용하기 전에 300 ~ 350℃ 정도로 1 ~ 2시간 정도 건조시켜 사용한다.
③ 기계적 성질은 다른 연강봉보다 우수하기 때문에 중요 강도 부재, 고압 용기, 후판 중 구조물, 탄소 당량이 높은 기계 구조용 강, 균열의 감수성이 좋고 구속도가 큰 구조물, 유황 함유량이 높은 강 등의 용접에 결함 없이 양호한 용접부가 얻어진다.

57.④

58 연강의 가스 절단시 드래그(drag)길이는 주로 어느 인자에 의해 변화하는가?

① 예열과 절단 팁의 크기　　　② 토치 각도와 진행 방향
③ 예열 불꽃 및 백심의 크기　　④ 절단 속도와 산소소비량

✔해설　드래그
① 가스 절단면에 있어서 절단기류의 입구점과 출구점 사이의 수평거리
② 드랙의 길이는 판 두께의 ⅕ 즉 20%정도가 좋다.
③ 드랙은 가능한 작고 일정할 것
절단속도가 일정할 때 산소 소비량을 증가시키면 드랙은 짧아진다. 또한 절단 속도는 산소의 순도 및 압력, 팁의 모양, 모재의 온도 등에 따라 영향을 받으며, 고속 분출을 얻기 위해서는 다이버전트 노즐을 사용하면 속도를 20~25% 증가시킬 수 있다.

58.④

59 피복 아크 용접봉의 단면적 1㎟에 대한 적당한 전류 밀도는?

① 6~9A　　② 10~13A　　③ 14~17A　　④ 18~21A

✔해설　용접 전류
① 일반적으로 심선의 단면적 1mm² 에 대하여 10 ~ 13A정도로 한다.
② 전류가 적정치 보다 높거나 낮으면 결함을 발생할 수 있다.

59.②

60 이음 형상에 따른 저항용접의 분류 중 맞대기 용접이 아닌 것은?

① 플래시 용접　　② 버트심 용접　　③ 점 용접　　④ 퍼커션 용접

✔해설　① 겹치기 저항 용접 : 점 용접, 프로젝션용접, 심 용접
② 맞대기 저항 용접 : 업셋 용접, 플래시 용접, 퍼커션 용접이 있다.

60.③

₂₀11

국가기술자격검정 필기시험문제

2011년 산업기사 제1회 필기시험				수검번호	성 명
자격종목 및 등급(선택분야)	종목코드	시험시간	문제지형별		
용접산업기사	**2026**	**1시간 30분**	**A**		

※ 답안카드 작성시 시험문제지 형별누락, 마킹착오로 인한 불이익은 전적으로 수검자의 귀책사유임을 알려드립니다.

제1과목 : 용접야금 및 용접설비제도

01 용접재료 중 고장력강의 경우 용접에 있어서 균열을 예방하는 방법으로 올바른 것은?

㉮ 여열과 후열 처리를 한다.
㉯ 높은 경도의 재질을 선택한다.
㉰ 고산화티탄계 용접봉을 사용한다.
㉱ 용접부의 구속력을 크게 하여 용접한다.

✔️해설 **균열의 원인**
① 이음의 강성이 너무 클 때   ② 부적당한 용접봉 사용할 때
③ 모재의 탄소, 망간 등의 합금 원소 함량이 많을 때
④ 모재의 유황 함량이 많을 때 ⑤ 전류가 높거나 속도가 빠를 때
균열의 대책
① 예열, 후열 시공   ② 저수소계 용접봉 사용과 건조 관리
③ 적절한 속도로 운봉   ④ 용접 금속 중의 불순물 성분을 저하
⑤ 용접 조건의 선택에 의해 비드 단면 형상을 조정

01. ㉮

02 탄소강의 표준조직이 아닌 것은?

㉮ 페라이트   ㉯ 마텐자이트   ㉰ 펄라이트   ㉱ 시멘타이트

✔️해설 탄소강의 표준조직은 페라이트, 펄라이트 시멘타이트이며 열처리 조직은 마텐자이트, 트루스타이트, 솔바이트 등이 있다.

02. ㉯

03 용접 분위기 중에서 발생하는 수소의 원이 아닌 것은?

㉮ 플럭스 중의 유기물   ㉯ 결정수를 포함한 광물
㉰ 플럭스에 흡수된 수분   ㉱ 모재의 성분

✔️해설 용접 중에 수소는 용접봉 피복 등의 수분이 아크열로 분해될 때 기체로 공급되는 경우가 많다. 하지만 모재의 성분 때문에 용접 분위기 중에서 수소가 발생한다는 것은 거리가 멀다. 용접에서 발생되는 수소원은 이외에도 고착제가 포함한 수분, 대기 중에 있는 수분 등이 있다. 용접 금속에 함유된 수소는 기공, 균열의 원인이 된다.

03. ㉱

04 용접 후 열처리의 주목적으로 틀린 것은?

㉮ 수소 등의 가스 흡수

㉯ 용접 열영향 경화부의 연화

㉰ 용접부의 연성 및 인성 향상

㉱ 잔류 응력의 완화와 치수 안정화

✔ 해설 용접 후 열처리는 잔류 응력 제거 및 경화된 강을 연화시켜 용접부의 연성 및 인성을 증대시키기 위해서 실시한다.

04. ㉮

05 15℃에서 15기압을 하면 아세톤 1리터에 대하여 아세틸렌가스 몇 리터가 용해되는가?

㉮ 285　　　　㉯ 350　　　　㉰ 375　　　　㉱ 420

✔ 해설 아세톤은 아세틸렌을 1기압 하에 25배 용해시키므로 15×25=375가 된다.

05. ㉰

06 시멘타이트를 구상화 하는 구상화 풀림의 효과로 옳은 것은?

㉮ 인성 및 절삭성을 개선시킨다.

㉯ 잔유응력이 커진다.

㉰ 조직이 조대화 되며, 취성이 생긴다.

㉱ 별로 변화가 없다.

✔ 해설 구상화 풀림 : 구상화 열처리는 A_1 변태점 바로 아래나 위의 온도에서 일정 시간을 유지한 다음 서냉하면 시멘타이트는 미세하게 분리되면서 계면 장력에 따라 구상화된다. 즉 구상화가 되면 인성 및 절삭성이 개선된다.

06. ㉮

07 고장력강의 용접 시 일반적인 주의사항으로 잘못된 것은?

㉮ 용접봉은 저수소계를 사용한다.

㉯ 용접 개시 전 이음부 내부를 청소한다.

㉰ 위빙 폭을 크게 하지 않아야 한다.

㉱ 아크 길이는 최대한 길게 유지한다.

✔ 해설 고장력강은 고장력강용 피복 아크 용접봉을 사용하여 용접을 하며 용접 개시 전에 이음 부등에 청소를 하여야 하고 위빙 폭은 가능한 작게 하고, 아크 길이는 짧게 하여야 효과적이다.

[참고] 고장력강용 피복 아크 용접봉

① 항복점 $32kg/mm^2$, 인장 강도 $50kg/mm^2$ 이상의 강으로 연강의 강도를 높이기 위해 Ni, Cr, Mn, Si, Cu, Ti, V, Mo, B 등을 첨가한 저 합금강 용접봉

② 연강 용접봉에 비해 판 두께를 얇게 할 수 있어 구조물의 자중을 줄일 수 있으며, 기초공사가 간단해지고, 재료의 취급이 용이해진다.

③ 일반적으로 피복제 계통은 기계적 성질이 우수한 저수소계를 사용한다.

④ 결함 발생면에서 아크 길이는 가능한 짧게 위빙 폭은 가능한 작게 하는 것이 좋다.

07. ㉱

08 강의 충격시험시의 천이온도에 대해 가장 올바르게 설명한 것은?

㉮ 재료가 연성 파괴에서 취성 파괴로 변화하는 온도 범위를 말한다.

㉯ 충격 시험한 시편의 평균 온도를 말한다.

㉰ 천이온도가 낮은 강을 노치강도가 날카롭다고 한다.

㉱ 천이온도가 높은 강을 노치인성이 풍부하다고 한다.

✅ 해설 재료가 연성파괴에서 취성 파괴로 변화하는 온도 범위를 천이온도라고 하며, 강재 등에 충격 테스트 온도를 낮추면서 반복하면 어느 온도를 경계로 하여 갑자기 작은 에너지로도 파단되게 되는 온도를 말한다.

08. ㉮

09 특수 황동의 종류에 속하지 않는 것은?

㉮ 에드미럴티 황동

㉯ 네이벌 황동

㉰ 쾌삭 황동

㉱ 코로손 황동

✅ 해설 코로손 합금은 구리-니켈에 소량의 규소를 첨가한 것으로 통신선, 전화선 등에 사용된다. 코로손 황동은 없다.

09. ㉱

10 다음 금속 중 면심입방격자(FCC)에 속하는 것은?

㉮ 니켈　　　㉯ 크롬　　　㉰ 텅스텐　　　㉱ 몰리브덴

✅ 해설 면심입방격자는 전연성이 우수한 금속으로 구리, 금, 알루미늄, 니켈 등이 있다.

10. ㉮

11 대상물의 보이는 부분의 모양을 표시하는데 쓰이는 외형선의 종류는?

㉮ 굵은 실선　　㉯ 가는 실선　　㉰ 굵은 1점 쇄선　㉱ 은선

✅ 해설 **선의 종류와 용도**

① 도형의 외형을 나타내는 외형선은 굵은 실선으로 그린다.

② 치수선, 치수 보조선, 지시선, 회전 단면선, 중심선, 수준면선 등은 가는 실선으로 그린다.

③ 은선(숨은선)은 가는 파선 또는 굵은 파선으로 그린다.

④ 중심선, 기준선, 피치선은 가는 1점 쇄선으로 그린다.

⑤ 특수 지정선은 굵은 1점 쇄선으로 그린다.

⑥ 가상선 무게 중심선은 가는 2점 쇄선으로 그린다.

⑦ 파단선은 물체의 일부를 파단한 곳을 표시하는 선으로 불규칙한 파형의 가는 실선 또는 지그재그 선으로 그린다.

⑧ 절단선은 가는 1점 쇄선으로 끝 부분 및 방향이 변하는 부분을 굵게 한 것

⑨ 해칭은 가는 실선으로 규칙적으로 줄을 늘어놓은 것

⑩ 특수한 용도의 선으로는 가는 실선 또는 아주 굵은 실선으로 나눌 수 있다.

11. ㉮

12 재료의 조질도에서 풀림상태(연질)를 표시하는 기호는?

㉮ H　　　㉯ A　　　㉰ B　　　㉱ 1/2H

✅ 해설 A는 연질, B는 반경질, C는 경질을 의미한다.

12. ㉯

13 CAD 시스템의 도입에 따른 적용 효과가 아닌 것은?

㉮ 시제품 제작을 현저히 줄일 수 있는 방법을 제공한다.

㉯ 설계에서의 수정 사항에 대한 신속한 대응이 가능하다.

㉰ 설계 오류에 따른 검증 절차가 분산되어 정보를 제공한다.

㉱ 생산성 향상 및 대외 신뢰도의 향상이 가능하다.

✔해설 CAD를 컴퓨터를 이용한 설계로 설계 오류를 줄일 수 있으며, 설계 오류에 따른 검증 절차를 집중할 수 있어 안정적인 정보 제공이 가능한 특징이 있다.

14 그림과 같은 용접기호의 설명으로 올바른 것은?

㉮ 이음의 화살표 쪽에 용접을 한다.㉯ 양쪽에 용접을 한다.

㉰ 화살표 반대쪽에 용접을 한다.   ㉱ 어느 쪽에 용접을 해도 무방하다.

✔해설 실선에 기호가 붙어 있으므로 화살표 쪽 이음을 말하며 V는 홈의 형상이 V형 맞대기 용접을 의미한다.

15 KS에서 일반구조용 압연강재의 종류를 나타내는 기호는?

㉮ SS400   ㉯ SM45C   ㉰ SWS400   ㉱ SPC

✔해설 ① SC : 탄소강 주조품 ② SBC : 냉간압연 강판 및 강대 ③ SM : 기계구조용 탄소강재 ④ SBB : 보일러용 압연강재 ⑤ SWS : 용접구조용 압연강재 ⑥ SS : 일반구조용 압연강재 ⑦ SF : 탄소강 단조품

16 도면에 사용하는 윤곽선의 굵기로 가장 적합한 것은?

㉮ 0.2mm   ㉯ 0.25mm   ㉰ 0.3mm   ㉱ 0.5mm

✔해설 윤곽선은 도면에서 꼭 기입하여야 할 요소로 테두리선이라고도 하며 0.5mm의 굵은 실선을 이용하여 그린다.

17 프로젝션(projection) 용접의 단면치수는 무엇으로 하는가?

㉮ 너깃의 지름   ㉯ 구멍의 바닥 치수

㉰ 다리길이 치수   ㉱ 루트 간격

✔해설 프로젝션 용접이란 돌기 용접을 말하며 전기 저항 용접 중 겹치기 이음의 한 방법으로 단면 치수는 너깃의 지름으로 한다.

13. ㉰ 14. ㉮ 15. ㉮ 16. ㉱ 17. ㉮

18 용접 기호 중에서 스폿 용접을 표시하는 기호는?

㉮ ⊖   ㉯ ⊓   ㉰ ◯   ㉱ ──

✔ 해석 스폿 용접은 점 용접이라고도 하며 ㉰에 해당하며 ㉮는 시임 용접, ㉯는 플러그(슬롯) 용접을 의미한다.

19 면이 평면으로 가공되어 있고 복잡한 윤곽을 갖는 부품인 경우에 그 면에 광명단 등을 발라 스케치 용지에 찍어 그 면의 실형을 얻는 스케치 방법은?

㉮ 프리핸드법   ㉯ 프린트법   ㉰ 모양뜨기법   ㉱ 사진촬영법

✔ 해석 스케치 방법
① 프린트법 : 부품 표면에 광명단 또는 스탬프잉크를 칠한 후 용지에 찍어 실제 형상으로 모양을 뜨는 방법
② 본뜨기법 : 실제 부품을 용지 위에 올려놓고 본을 뜨는 방법과 부품 표면을 납선으로 본을 떠서 이를 용지에 옮기는 방법
③ 사진 촬영법 : 사진기로 실물을 직접 찍어서 도면을 그리는 방법(크거나 복잡한 경우)
④ 프리핸드법 : 손으로 직접 그리는 방법

20 복사한 도면을 접었을 경우에 어느 부분이 표면으로 나오게 하여야 하는가?

㉮ 표제란이 있는 부분   ㉯ 부품란이 있는 부분
㉰ 정면도가 있는 부분   ㉱ 조립도가 있는 부분

✔ 해석 도면을 접을 때는 A4의 크기로 접으며 표제란이 겉으로 나오게 하여 접어야 한다. 하지만 원도의 경우는 접어서 보관하면 안 되며 말아서 보관하거나 도면 보관함을 이용하여 보관한다.
[참고] 표제란의 위치는 반드시 도면의 오른쪽 아래에 위치한다. 기재 내용으로는 도면 번호(도번), 도면 이름(도명), 척도, 투상법, 도면 작성일, 제도자 이름 등을 기입한다.

제2과목 : 용접구조설계

21 완전 맞대기 용접 이음이 단순 굽힘모멘트 Mb=9800N·cm를 받고 있을 때 용접부에 발생하는 최대 굽힘응력은?(단, 용접선 길이 = 200mm, 판 두께=25mm이고 굽힘응력 방향은 용접선에 수직이다.)?

㉮ 196.0N/cm² ㉯ 470.4N/cm² ㉰ 376.3N/cm² ㉱ 235.2N/cm²

✔ 해석 $\sigma = \dfrac{6M}{lt^2} = \dfrac{6 \times 9800}{20 \times (2.5)^2} = 470.4\text{N/cm}^2$

22 다음 그림에서 용접 홈(groove)의 각 명칭을 올바르게 설명한 것은?

㉮ A : 베벨각도, B : 홈 각도, C : 루트간격, D : 루트면, E : 홈 깊이
㉯ A : 홈 각도, B : 베벨각도, C : 루트면, D : 루트각도, E : 홈 깊이
㉰ A : 홈 각도, B : 베벨각도, C : 루트면, D : 루트각도, E : 홈 깊이
㉱ A : 홈 각도, B : 베벨각도, C : 루트간격, D : 루트면, E : 홈 깊이

✔해설　A : 홈 각도, B : 벨벨 각도, C : 루트 간격, D : 루트면, E : 홈 깊이를 의미한다. 일반적으로 피복 아크 용접에서 루트면은 2~3mm 정도로 하여 용접한다.

22. ㉱

23 가접 시 주의해야 할 사항으로 틀린 것은?

㉮ 본용접자와 동등한 기량을 갖는 용접자가 가용접을 시행한다.
㉯ 본용접과 같은 온도에서 예열을 한다.
㉰ 개선 홈 내의 가접부는 백치핑으로 완전히 제거한다.
㉱ 가접의 위치는 부품의 끝 모서리나 각 등과 같이 응력이 집중되는 곳에 한다.

✔해설　가접은 본 용접을 실시하기 전에 좌우의 홈 부분을 잠정적으로 고정하기 위한 짧은 용접으로 가접 시 용접 응력이 집중하는 곳은 피하며, 전류는 본 용접보다 높게 하며, 용접봉의 지름은 가는 것을 사용한다. 또한 너무 짧게 하지 않는다. 용접부의 청소가 끝나고 본 용접을 하기 전 가접 작업을 실시하여야 한다.
① 홈안에 가접은 피하고 불가피한 경우 본 용접 전에 갈아낸다.
② 응력이 집중하는 곳은 피한다.
③ 전류는 본 용접보다 높게 하며, 용접봉의 지름은 가는 것을 사용하여 본 용접이 용이하게 하며, 너무 짧게 하지 않는다.
④ 시·종단에 엔드탭을 설치하기도 한다.

23. ㉱

24 용접이음의 피로강도에 대한 설명으로 틀린 것은?

㉮ 피로강도에 영향을 주는 요소는 이음형상, 하중상태, 용접부 표면상태, 부식환경 등이 있다.
㉯ S-N 선도를 피로선도라 부르며, 응력 변동이 피로 한도에 미치는 영향을 나타내는 선도를 말한다.
㉰ 일반적으로 용접 구조물이 받는 응력은 정응력보다도 반복응력을 받는 경우가 적다.
㉱ 하중, 변위 또는 열응력이 반복되어 재료가 손상(균열의 발생이나 파단 등)하는 현상을 피로라 한다.

✔해설　반복응력이 또는 변동응력이 발생할 때, 응력의 반복횟수가 증가함으로써 응력의 크기가 정하중을 받을 때의 그 재료의 강도보다 훨씬 작은 값일 때 또는 상온에서의 탄성한도보다도 작은 응력이 작용할 때 오랫동안 반복되면 나중

24. ㉰

에는 파괴가 일어나는 것을 피로파괴라 한다. 일반적으로 용접 구조물은 정응력보다도 반복 응력을 받는 경우가 많다.

25 끝이 구면인 특수한 해머로써 용접부를 연속적으로 때려 용접표면상에 소성 변형을 주어 잔류응력을 완화하는 방법은?

㉮ 구속법   ㉯ 스킵법   ㉰ 가열법   ㉱ 피닝법

✔ 해설 피닝법 : 끝이 둥근 특수 해머로 용접부를 연속적으로 타격하며 용접 표면에 소성 변형을 주어 인장 응력을 완화한다. 첫층 용접의 균열 방지 목적으로 700℃ 정도에서 열간 피닝을 한다.

25. ㉱

26 용접시공 시 용접순서에 관한 설명으로 가장 옳은 것은?

㉮ 용접물 중립축에 대하여 수출력 모멘트의 합이 최대가 되도록 한다.
㉯ 동일 평면 내에 많은 이물이 있을 때에는 수축은 가능한 중앙으로 보낸다.
㉰ 용접물의 중심에 대하여 항상 대칭으로 진행시킨다.
㉱ 수축이 작은 이음을 가능한 먼저 용접하고 수축이 큰 이음은 나중에 용접한다.

✔ 해설 용접 조립시 유의점
① 수축이 큰 맞대기 이음을 먼저 용접하고 다음에 필렛 용접
② 큰 구조물은 구조물에 중앙에서 끝으로 향하여 용접
③ 용접선에 대하여 수축력의 화가 영이 되도록 한다.
④ 리벳과 같이 쓸 때는 용접을 먼저 한다.
⑤ 용접 불가능한 곳이 없도록 한다.
⑥ 물품의 중심에 대하여 대칭으로 용접 진행

26. ㉰

27 다음 그림과 같이 S_1, S_2의 다리길이가 다를 때 필릿 용접부의 단면적의 공식으로 맞는 것은?

㉮ 단면적 $= \dfrac{S_1 + S_2}{4}$ ㉯ 단면적 $= S_1 \times S_2$

㉰ 단면적 $= \dfrac{S_1 + S_2}{2}$ ㉱ 단면적 $= \dfrac{S_1 \times S_2}{2}$

✔ 해설 필릿 용접이란 겹치기 이음의 일종으로 T이음이라고도 부른다. 하중이 용접선 방향과 직각으로 작용할 때 전면 필릿 용접, 방향이 같을 때 측면 필릿 용접, 경사질 때 경사 필릿 용접이라고 하며 다리길이가 다른 필릿 용접부의 단면적은 두 다리길이의 곱을 2로 나눈 평균값으로 한다.

27. ㉱

28 맞대기 용접에서 변형이 가장 적은 홈의 형상은?

㉮ V홈 형　　　㉯ U형 홈　　　㉰ X형 홈　　　㉱ 한쪽 J형 홈

✔ 해설　대칭형의 홈이 변형이 적으로 양면 V형인 X형 홈이 변형이 적다.

28. ㉰

29 용접 경비를 산출하는 경우 가공부의 크기, 부재의 상태, 용접시간 등 많은 사항을 고려해야 하는데 보통 용접경비를 산출하는 것으로 가장 적당한 것은?

㉮ 용접 길이 1m 당의 제(諸)자료에 의하여 산출한다.
㉯ 2시간당 들어가는 제반 비용에 의하여 산출한다.
㉰ 용접봉 10kg 사용량을 기준으로 산출한다.
㉱ 용접 홈의 길이와 높이 폭을 감안한 용접부피를 기준으로 산출한다.

✔ 해설.　용접 경비를 산출하기 위해서는 용접 작업시간이 중요한 요소이다. 용접 작업 시간은 제품의 형상, 용접 자세, 용접봉의 종류 등에 의해 달라질 수 있다. 일 반적으로 용접 길이 1m을 용접하는데 필요한 제 자료에 의하여 산출한다.

29. ㉮

30 다음 그림과 같이 완전용입의 평판 맞대기 용접 이음에 인장하중 P=10000N일 때 인장응력은?(판 두께 t=10mm, 용접선 길이 ℓ=200mm)

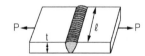

㉮ 20N/mm²　　㉯ 15N/mm²　　㉰ 10N/mm²　　㉱ 5N/mm²

✔ 해설　$\sigma = \dfrac{P}{lt} = \dfrac{10000}{200 \times 10} = 5$

30. ㉱

31 용접의 결함 중 기공의 발생 원인으로 틀린 것은?

㉮ 이음부에 기름, 페인트 등 이물질이 있을 때
㉯ 용접 이음부가 서냉될 때
㉰ 아크 분위기 속에 수소가 있을 때
㉱ 아크 분위기 속에 일산화탄소가 있을 때

✔ 해설　**기공의 원인**
① 수소 또는 일산화탄소 과잉　② 용접부의 급속한 응고
③ 모재 가운데 유황함유량 과대　④ 기름 페인트 등이 모재에 묻어 있을 때
⑤ 아크 길이, 전류 조작의 부적당　⑥ 용접 속도가 너무 빠를 때
기공의 대책
① 저수소계 용접봉 등으로 용접봉을 교환
② 위빙을 하여 열량을 높이거나 예열
③ 이음의 표면을 깨끗이 청소

31. ㉯

④ 정해진 전류 범위 안에서 약간 긴 아크를 사용하거나 용접법을 조절
⑤ 적당한 전류를 사용   ⑤ 용접 속도를 늦춤

32 용접 후 잔류응력을 제거 또는 경감시킬 필요가 있을 때 사용하는 응력 제거 방법이 아닌 것은?

㉮ 피닝법   ㉯ 노내 풀림법
㉰ 고온응력완화법   ㉱ 기계적응력완화법

32. ㉰

✔ 해설 **잔류 응력 경감법**
① 노내 풀림법 : 유지 온도가 높을수록, 유지 시간이 길수록 효과가 크다. 노내 출입 허용 온도는 300℃를 넘어서는 안 된다. 일반적인 유지 온도는 625 ± 25℃이다. 판두께 25mm 1시간
② 국부 풀림법 : 큰 제품, 현장 구조물 등과 같이 노내 풀림이 곤란할 경우 사용하며 용접선 좌우 양측을 각각 약 250mm 또는 판 두께 12배 이상의 범위를 가열한 후 서냉한다. 하지만 국부 풀림은 온도를 불균일하게 할 뿐 아니라 이를 실시하면 잔류 응력이 발생될 염려가 있으므로 주의하여야 한다. 유도가열 장치를 사용한다.
③ 기계적 응력 완화법 : 용접부에 하중을 주어 약간의 소성 변형을 주어 응력을 제거한다. 실제 큰 구조물에서는 한정된 조건하에서만 사용할 수 있다.
④ 저온 응력 완화법 : 용접선 좌우 양측을 정속도로 이동하는 가스 불꽃으로 약 150mm의 나비를 약 150 ~ 200℃로 가열 후 수냉하는 방법으로 용접선 방향의 인장 응력을 완화시키는 방법
⑤ 피닝법 : 끝이 둥근 특수 해머로 용접부를 연속적으로 타격하며 용접 표면에 소성 변형을 주어 인장 응력을 완화한다. 첫층 용접의 균열 방지 목적으로 700℃ 정도에서 열간 피닝을 한다.

33 아크 용접시 6mm 이상 두꺼운 강판 용접의 용접 홈의 형상으로 거리가 먼 것은?

㉮ I형   ㉯ U형   ㉰ 양면 J형   ㉱ H형

33. ㉮

✔ 해설 **용접 홈 형상의 종류**
① 한면 홈이음 : I형, V형, ✔형(베벨형), U형, J형(그러므로 한쪽 방향에서는 V형 또는 U형이 완전한 용입을 얻을 수 있다.)
② 양면 홈이음 : 양면 I형, X형, K형, H형, 양면 J형
③ 판 두께 6mm까지는 I형, 6 ~ 19mm까지는 V형, ✔형(베벨형), J형, 12mm 이상은 X형, K형, 양면 J형이 쓰이고 16 ~ 50mm에는 U형 맞대기 이음이 쓰이며 50mm 이상에서는 H형 맞대기 이음에 쓰인다.

34 용접부의 노치인성(notch toughness)을 조사하기 위해 시행되는 시험법은?

㉮ 맞대기 용접부의 인장시험   ㉯ 샤르피 충격시험
㉰ 저사이클 피로시험   ㉱ 브리넬 경도시험

34. ㉯

✔ 해설 충격시험에는 샤푸픽식과 아이조우드식이 있으며 노치인성을 조사하기 위하여 노치를 만들어 충격을 가하여 인성을 알아본다.

35 용접, 결함부 보수용접에서 균열부를 용접 시 균열의 진행을 방지하기 위해 사용하는 방법으로 가장 적당한 것은?

㉮ 엔드 탭을 사용한다.　　　　㉯ 살포법을 사용한다.

㉰ 스톱 홀을 뚫는다.　　　　　㉱ 백비드를 낸다.

✅ 해설 **결함의 보수 방법**
① 기공 또는 슬래그 섞임이 있을 때는 그 부분을 깎아 내고 재 용접
② 언더컷 : 가는 용접봉을 사용하여 파인 부분을 용접
③ 오버랩 : 덮인 일부분을 깎아내고 가능용접봉을 사용하여 재 용접
④ 균열일 때는 균열 끝에 정지 구멍(stop hole)을 뚫고 균열부를 깎아 낸 후 홈을 만들어 재 용접

36 용착법 중에서 일명 비석법이라고도하며 용접 길이를 짧게 나누어 간격을 두면서 용접하는 방법으로 변형이나 잔류응력을 비교적 적게 발생하는 용착방법은?

㉮ 스킵법　　　　　　　　　　㉯ 대칭법

㉰ 덧살 올림법　　　　　　　　㉱ 전진 블록법

✅ 해설 ① **전진법** : 용접 시작 부분보다 끝나는 부분이 수축 및 잔류 응력이 커서 용접 이음이 짧고, 변형 및 잔류 응력이 그다지 문제가 되지 않을 때 사용
② **후진법** : 용접을 단계적으로 후퇴하면서 전체 길이를 용접하는 방법으로 수축과 잔류 응력을 줄이는 방법
③ **대칭법** : 용접 전 길이에 대하여 중심에서 좌우로 또는 용접물 형상에 따라 좌우 대칭으로 용접하여 변형과 수축 응력을 경감한다.
④ **비석법** : 스킵법이라고도 하며 짧은 용접 길이로 나누어 놓고 간격을 두면서 용접하는 방법으로 특히 잔류 응력을 적게 할 경우 사용한다.
⑤ **교호법** : 열 영향을 세밀하게 분포시킬 때 사용

37 용접작업에서 급열, 급냉에 의한 열응력이나 변형, 균열을 방지하는 방법으로 가장 올바른 것은?

㉮ 용접 전 칸막이를 하고 용접한다.

㉯ 용접 전 모재를 예열한다.

㉰ 용접부 앞면에 냉각수를 뿌리며 용접한다.

㉱ 용접 전용장치를 선택하여 사용한다.

✅ 해설 **예열의 목적**
① 용접부와 인접된 모재의 수축응력을 감소하여 균열 발색 억제
② 냉각속도를 느리게 하여 모재의 취성 방지
③ 용착금속의 수소 성분이 나갈 수 있는 여유를 주어 비드 밑 균열 방지

38 그림과 같은 용착시공 방법은?

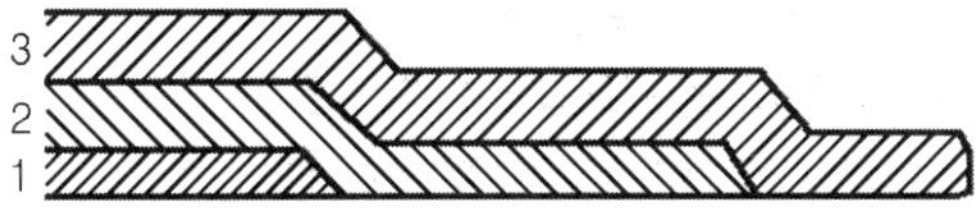

(용접 중심선 단면도)

㉠ 띄움법   ㉡ 캐스케이드법   ㉢ 살붙임법   ㉣ 전진블록법

✅ 해설 **캐스케이드법** : 한 부분의 몇 층을 용접하다가 이것을 다음부분의 층으로 연속시켜 용접하는 방법으로 후진법과 같이 사용하며, 용접결함 발생이 적으나 잘 사용되지 않는다.

39 V형에 비하여 홈의 폭이 좁아도 되고 또한 루트 간격을 "0"으로 해도 작업성이 좋으며 한 쪽에서 용접하여 충분한 용입을 얻을 필요가 있을 때 사용하는 이음 형상은?

㉠ I형   ㉡ U형   ㉢ X형   ㉣ K형

✅ 해설 한 쪽에서 용접하여 충분한 용입을 얻을 경우 적당한 홈은 U형과 V형이나 특히 U형은 루트 간격을 0으로 해도 충분한 용입을 얻을 수 있다. 가급적 루트 반지름은 클수록 좋다.

40 로크웰 B스케일에서 시험하중에 의한 압입 깊이와 기준 하중에 의한 압입 깊이의 차를 h라 할 때 경도값을 구하는 공식으로 맞는 것은?

㉠ $HRB = 100 - 500h$ ㉡ $HRB = 130 - 400h$

㉢ $HRB = 130 - 500h$ ㉣ $HRB = 100 - 400h$

✅ 해설 **로크웰 경도** : B스케일(하중이 100kg), C스케일(꼭지각이 120° 하중은 150kg)이 있다. 즉 검사물에 하중을 주어 경도를 알아보는 파괴 시험 방법이다. 로크웰 B스케일에서 압입 깊이와 기준 하중에 의한 압입 깊이의 차를 h라 할 때 경도값을 구하는 공식 $HRB = 130 - 500h$이며, 로크웰 C케일에서는 $HRC = 100 - 500h$이다.

제3과목 : 용접일반 및 안전관리

41 원격제어 방식이 뛰어난 교류 아크 용접기는?

㉠ 가동 코일형   ㉡ 가동 철심형

㉢ 가포화 리액터형   ㉣ 탭 전환형

✅ 해설 가포화리액터형 용접기의 경우 가변저항을 조절하여 원격으로 용접 전류를 조절한다.

38. ㉡

39. ㉡

40. ㉢

41. ㉢

42 냉간 압접 시 주의해야 할 점이 아닌 것은?

㉮ 표면을 깨끗이 한다.　　　　㉯ 표면 산화방지에 유의한다.
㉰ 손으로 접촉면을 만지지 않는다.　㉱ 작업 전 모재를 0℃ 이하로 한다.

✔해설 냉간이라는 의미는 0℃ 이하를 의미하는 것이 아니라 재결정 온도 이하의 온도를 말한다. 철의 경우는 450℃ 이하의 온도를 기준으로 이하를 냉간 그 이상을 열간이라고 한다. 따라서 상온 등은 냉간이 된다.

42. ㉱

43 피복 아크 용접작업 시 주의할 사항으로 옳지 않은 것은?

㉮ 용접봉은 건조시켜 사용할 것
㉯ 용접 전류의 세기는 적절히 조절할 것.
㉰ 앞치마는 고무복으로 된 것을 사용할 것
㉱ 습기가 있는 보호구를 사용하지 말 것.

✔해설 피복 아크 용접에서 발생하는 열은 5,000℃ 정도로 보호구 중 앞치마와 장갑 등은 가죽으로 되어 있어야 된다.

43. ㉰

44 다음 용접법 중 압접이 아닌 것은?

㉮ 마찰 용접　　　　㉯ 플래시 맞대기 용접
㉰ 초음파 용접　　　　㉱ 전자빔 용접

✔해설 마찰, 초음파, 플래시 맞대기(전기 저항 용접) 등은 압접이며, 전자빔 용접은 융접이다.

44. ㉱

45 아크 용접기의 바깥 케이스를 어스시키는 가장 중요한 이유는?

㉮ 용접기에 과잉전류가 흐르는 것을 방지하기 위하여
㉯ 누전되었을 때 작업자의 감전을 방지하기 위하여
㉰ 용접기의 과열을 방지하기 위하여
㉱ 용접기의 효율을 높이기 위하여

✔해설 아크 용접기의 케이스의 외함 한쪽을 접지시키는 이유는 누전되었을 경우 작업자를 감전의 위험으로부터 보호하기 위함이다.

45. ㉯

46 불활성 가스 금속 아크 용접의 특징 설명으로 틀린 것은?

㉮ TIG 용접에 비해 용융속도가 느리고 박판 용접에 적합하다.
㉯ 각종 금속 용접에 다양하게 적용할 수 있어 용융 범위가 넓다.
㉰ 보호 가스의 가격이 비싸 연강 용접의 경우에는 부적당하다.
㉱ 비교적 깨끗한 비드를 얻을 수 있고 CO_2 용접에 비해 스패터 발생이 적다.

46. ㉮

☑해설 **불활성가스금속 아크용접(GMAW) 장점**
① 용접기 조작이 간단하여 손쉽게 용접할 수 있다.
② 용접 속도가 빠르다
③ 슬랙이 없고 스팩터가 최소로 되기 때문에 용접 후 처리가 불필요하다.
④ 용착 효율이 좋다.(수동 피복 아크 용접 60% MIG는 95%)
⑤ 전자세 용접이 가능하며, 용입이 크며, 전류밀도도 높다.
⑥ 3mm 이상 후판 용접에 적당하다.

47 산업 · 보건표지의 색채, 색도기준 및 용도에서 파란색 또는 녹색에 대한 보조색으로 사용되는 색채는?

㉮ 빨간색   ㉯ 흰색   ㉰ 검은색   ㉱ 노란색

47. ㉯

☑해설 **흰색** : 파란색 또는 녹색에 대한 보조색, **검은색** : 문자 및 빨간색 또는 노란색에 대한 보조색으로 사용

48 납땜의 용제가 갖추어야 할 조건에 대한 설명으로 틀린 것은?

㉮ 용제의 유효온도 범위와 납땜 온도가 일치할 것.
㉯ 모재와 납땜에 대한 부식 작용이 최소한일 것
㉰ 전기 저항 납땜에 사용되는 것은 비전도체일 것
㉱ 침지땜에 사용되는 것은 수분을 함유하지 않을 것

48. ㉰

☑해설 용제는 산화 피막과 같은 불순물을 제거가 용이하여야 하고 유동성이 좋아야 되므로 전기 저항 납땜에 사용되는 용제는 전기를 통하는 전도체이어야 한다.

49 산소용기의 각인 표시에서 내용적을 표시하는 기호와 단위가 각각 올바르게 구성된 것은?

㉮ 기호 : OT, 단위 : kgf   ㉯ 기호 : TP, 단위 : MPa
㉰ 기호 : V, 단위 : L   ㉱ 기호 : It, 단위 : kg/h

49. ㉰

☑해설 내용적은 V(volume), 단위는 L(liter)을 사용한다.

50 서브머지드 아크 용접법 중 다전극의 일종으로서 두 전극에서 아크가 발생되고 그 복사열에 의해 용접이 이루어지므로 비교적 용입이 얇아 주로 스테인리스강 등의 덧붙이 용접에 흔히 사용하는 용접 방식은?

㉮ 탠덤식(tandem process)
㉯ 횡병렬식(parallel transverse process)
㉰ 횡직렬식(series transverse process)
㉱ 데버식(dever process)

50. ㉰

✔해석

종　류	전극 배치	특　　징	용　도
텐덤식	2개의 전극을 독립 전원에 접속한다.	비드 폭이 좁고 용입이 깊다. 용접 속도가 빠르다.	파이프라인에 용접에 사용
횡직렬식	2개의 용접봉 중심이 한 곳에 만나도록 배치	아크 복사열에 의해 용접. 용입이 매우 얕다. 자기 불림이 생길 수가 있다.	육성 용접에 주로 사용한다.
횡병렬식	2개 이상의 용접봉을 나란히 옆으로 배열	용입은 중간 정도이며, 비드 폭이 넓어진다.	

51 가스 절단에서 산소 중에 불순물이 증가될 때 나타나는 결과에 대한 설명으로 틀린 것은?

㉮ 절단 속도가 늦어진다.　　㉯ 산소의 소비량이 적어진다.

㉰ 절단면이 거칠어진다.　　㉱ 슬래그의 이탈성이 나빠진다.

51. ㉯

✔해석 가스 절단 작업에서 산소 중에 불순물이 증가되면 절단이 원활히 이루어지지 않기 때문에 절단 속도도 늦어지고, 절단면이 거칠어지며, 슬래그의 이탈 또한 좋지 못하며 산소의 소비량은 증가된다.

52 중압식 가스용접 토치에서 사용되는 어세틸렌 가스의 압력으로 적당한 것은?

㉮ 0.001~0.07MPa　　㉯ 0.007~0.13MPa

㉰ 0.13~0.25MPa　　㉱ 0.25MPa 이상

52. ㉯

✔해석 토치의 압력에 따라 0.07kgf/cm²일 때를 저압식, 0.07~1.3kgf/cm² 중압식으로 분류한다. 따라서 단위를 환산하면 1kgf/cm²은 0.098066Mpa에 해당하므로 약 0.007~0.13MPa이 된다.

53 아크용접 작업에서 전류가 인체에 미치는 영향 중 몇 mA 이상인 전류가 인체에 흐르면 심장마비를 일으켜 사망할 위험이 있는가?

㉮ 50　　　　㉯ 30　　　　㉰ 20　　　　㉱ 10

53. ㉮

✔해석

인체에 흐르는 전류(mA)	1	8	8~15	15~20	20~25	50~100	100~200	200 이상
영　향	전기의 흐름을 느낄 수 있다.	위험을 수반하지 않는다.	고통을 수반한 흐름을 느낀다.	근육이 저려서 움직이지 않을 수 있다.	근육수축과 더불어 호흡이 곤란해질 수 있다.	순간적으로 사망위험에 처할 수 있다.	사망한다.	화상과 더불어 심장이 정지한다.

54 가연성 가스 등이 있다고 판단되는 용기를 보수 용접하고자 할 때 안전 사항으로 가장 적당한 것은?

㉮ 고온에서 점화원이 되는 기기를 갖고 용기 속으로 들어가서 보수 용접을 한다.

㉯ 용기 속을 고압산소를 사용하여 환기하며 보수 용접한다.

㉰ 용기속의 가연성 가스 등을 고온의 증기로 세척을 한 후 환기를 시키면서 보수 용접한다.

㉱ 용기속의 가연성 가스 등이 다 소모되었으면 그냥 보수 용접을 한다.

☑ 해설 가연성 가스는 점화원과 산소 공급원이 있으면 연소 내지 폭발할 수 있기 때문에 반드시 제거한 후 용접작업을 진행하여야 한다. 따라서 용기 속의 가연성 가스 등을 고온의 증기로 세척을 한 후 환기를 시키면서 보수 용접한다.

54. ㉰

55 돌기 용접(projection welding)의 특징 중 틀린 것은?

㉮ 용접부의 거리가 작은 점용접이 가능하다.

㉯ 전극 수명이 길고 작업 능률이 높다.

㉰ 작은 용접점이라도 높은 신뢰도를 얻을 수 있다.

㉱ 한 번에 한 점씩만 용접할 수 있어서 속도가 느리다.

☑ 해설 **돌기 용접(프로젝션 용접)**
① 접합재의 한쪽에 돌기를 만들어 압접 하는 방법이다.
② 이종 금속 판 두께가 다른 것의 용접이 가능하다.
③ 전극의 소모가 적다(수명이 길다. 작업 능률이 높다).
④ 용접 설비비가 비싸다.
⑤ 돌기의 정밀도가 높아야 한다.
⑥ 용접기 설비가 비싸다.
⑦ 한 번에 여러 점의 용접을 진행할 수 있어 점용접에 비하여 속도가 빠르다.

55. ㉱

56 탄소전극과 모재 사이에 발생된 아크에 의해 금속을 용융함과 동시에 고압의 압축공기를 전극과 평행으로 분출시켜 용융 금속을 불어내어 홈을 파는 방법은?

㉮ 스카핑   ㉯ 산소아크 절단

㉰ 아크에어 가우징   ㉱ 플라스마 아크 절단

☑ 해설 **아크 에어 가우징**
① 탄소 아크 절단에 압축 공기를 병용하여 결함을 제거(흑연으로 된 탄소봉에 구리 도금을 한 전극 사용)
② 가스 가우징보다 작업 능률이 2 ~ 3배 좋다.
③ 균열의 발견이 특히 쉽다.
④ 철, 비철금속 어느 경우도 사용된다.
⑤ 전원으로는 직류 역극성이 사용된다.
⑥ 아크 전압 35V, 전류 200 ~ 500A, 압축 공기는 6 ~ 7kg/cm² (4kg/cm² 이하로 떨어지면 용융 금속이 잘 불려 나가지 않는다.

56. ㉰

57 직류 아크용접 중의 전압 분포에서 양극 전압강하 V_1, 음극 전압강하 V_2, 아크기둥 전압강하 V_3로 분류할 때 아크전압 V_a는 어떻게 표시되는가?

㉮ $V_a = V_1 - V_2 + V_3$ ㉯ $V_a = V_1 - V_2 - V_3$

㉰ $V_a = V_1 + V_2 + V_3$ ㉱ $V_a = V_1 + V_2 - V_3$

✔ 해석 ① 아크 전압(Va) = 음극 전압 강하(Vn) + 양극 전압 강하(Vp) + 아크 기둥 전압 강하(Vc)
　② 양극과 음극 부근에서의 전압강하는 전극 표면이 극히 짧은 길이의 공간에 일어나는 전압강하로 그 값은 전극의 재질에 따라 변한다.
　③ 아크 기둥 전압 강하는 플라스마라고도 하며, 아크 길이에 비례하여 증가 또는 감소하므로 전극 물질이 일정하다고 가정하면 아크 전압은 아크 길이에 따라 변한다. 즉 아크 길이가 길어지면 아크 전압도 커진다.

58 정격 2차 전류 400A, 정격 사용률이 50%인 교류 아크 용접기로서 250A로 용접할 때 이 용접기의 허용사용률은?

㉮ 128%   ㉯ 122%   ㉰ 112%   ㉱ 95%

✔ 해석 허용사용률(%) × (실제용접전류)² = 정격 사용률(%) × (정격2차전류)²　따라서,
$$허용사용률(\%) = \frac{(정격2차전류)^2}{(실제용접전류)^2} \times 정격사용률 = \frac{(400)^2}{(250)^2} \times 50 = 128$$

59 피복 아크 용접봉에 탄소(C)량을 적게 하는 가장 주된 이유는?

㉮ 스패터 방지   ㉯ 용락 방지   ㉰ 산화 방지   ㉱ 균열 방지

✔ 해석 탄소량이 많아지면 균열의 발생의 우려가 있기 때문에 균열 방지를 위하여 용접봉의 심선 등도 저탄소 림드강을 사용한다.

60 가스 절단이 곤란한 주철, 스테인리스강 및 비철금속 절단부에 용제를 공급하여 절단하는 방법은?

㉮ 특수 절단   ㉯ 분말 절단   ㉰ 스카핑   ㉱ 가스 가우징

✔ 해석 분말 절단
　① 철분 및 플럭스 분말을 자동적으로 산소에 혼입 공급하여 산화열 혹은 용제 작용을 이용하여 절단하는 방법으로 2종류가 있다.
　② 철분 절단은 크롬 철, 스테인리스강, 주철, 구리, 청동에 이용된다. 오스테나이트계는 사용하지 않는다.
　③ 분말 절단은 크롬 철, 스테인리스강이 쓰인다.
　④ 철, 비철 금속 및 콘크리트 절단에도 쓰인다.

57. ㉰

58. ㉮

59. ㉱

60. ㉯

국가기술자격검정 필기시험문제

2011년 산업기사 제2회 필기시험				수검번호	성 명
자격종목 및 등급(선택분야)	종목코드	시험시간	문제지형별		
용접산업기사	2026	1시간 30분	B		

※ 답안카드 작성시 시험문제지 형별누락, 마킹 착오로 인한 불이익은 전적으로 수검자의 귀책사 유임을 알려드립니다.

제1과목 : 용접야금 및 용접설비제도

01 알루미늄의 성질을 설명한 것으로 틀린 것은?

㉮ 비중이 가벼워 경금속에 속한다.

㉯ 전기 및 열의 전도율이 좋다.

㉰ 산화 피막의 보호 작용으로 내식성이 좋다.

㉱ 염산에 아주 강하다.

✔해설 **알루미늄의 성질**

① 물리적 성질

㉠ 비중 2.7 용융점 660℃ 변태점이 없으며 색깔은 은백색이다.

㉡ 열 및 전기의 양도체로 전기 전도율은 구리의 60% 이상이므로 송전선으로 많이 사용한다. 전기 전도율을 감소시키는 불순물로 Si, Cu, Ti, Mn 등을 들 수 있다.

② 화학적 성질

㉠ 알루미늄은 대기 중에서 쉽게 산화되지만 그 표면에 생기는 산화알루미늄(Al_2O_3)의 얇은 보호 피막으로 내부의 산화를 방지한다.

㉡ 내식성을 저하하는 불순물로는 구리, 철, 니켈 등이 있다.

㉢ 마그네슘과 망간 등은 내식성에 거의 영향을 끼치지 않는다.

㉣ 황산, 묽은 질산, 인산에는 침식되며 특히 염산에는 침식이 대단히 빨리 진행된다.

㉤ 80% 이상의 진한 질산에는 침식에 잘 견디며, 그 밖의 유기산에는 내식성이 좋아 화학 공업용으로 널리 쓰인다.

③ 기계적 성질

㉠ 전·연성이 풍부하며, 400~500℃에서 연신율이 최대이다.

㉡ 풀림 온도 250~300℃이며, 순수한 알루미늄은 주조가 안 된다.

㉢ 알루미늄은 순도가 높을수록 강도, 경도는 저하되지만, 철, 구리, 규소 등의 불순물 함유량에 따라 성질이 변한다.

㉣ 다른 금속에 비하여 냉간 또는 열간 가공성이 뛰어나므로 판, 원판, 리벳, 봉, 선 등으로 쉽게 소성 가공할 수 있다. 경도와 인장 강도는 냉간 가공도의 증가에 따라 상승하나 연신율은 감소한다.

02 저 융점의 FeS가 결정입계에 개재하여 발생하는 취성으로 Mn을 첨가하여 이것을 방지하는 것은?

㉮ 청열 취성 ㉯ 적열 취성 ㉰ 뜨임 취성 ㉱ 저온 취성

01. ㉱

02. ㉯

> ☑ 해설 고온 900℃ 이상에서 물체가 빨갛게 되어 메지는 것을 적열 취성이라 하며 황이 원인이 되며, 황의 해를 제거하기 위하여 망간을 섞어준다.

03 금속재료의 용접에서 용접변형을 일으키는 가장 큰 원인은?

㉮ 용접자세
㉯ 금속의 수축과 팽창
㉰ 용접 홈의 모양
㉴ 용접속도

> ☑ 해설 용접 열에 의한 금속의 수축과 팽창으로 용접 변형을 일으킨다.

03. ㉯

04 저온응력 완화법은 용접선 양측을 일정속도로 이동하는 가스불꽃에 의하여 약 150mm를 가열한 다음 수냉하는 방법이다. 이때 일반적인 가열온도는?

㉮ 50~100℃
㉯ 100~150℃
㉰ 150~200℃
㉴ 200~300℃

> ☑ 해설 저온 응력 완화법 : 용접선 좌우 양측을 정속도로 이동하는 가스 불꽃으로 약 150mm의 나비를 약 150 ~ 200℃로 가열 후 수냉하는 방법으로 용접선 방향의 인장 응력을 완화시키는 방법

04. ㉰

05 용접에 의한 경화가 가장 현저한 스테인리스강은?

㉮ 마텐자이트 스테인리스강
㉯ 페라이트 스테인리스강
㉰ 오스테나이트 스테인리스강
㉴ 2상 스테인리스강

> ☑ 해설 강의 열처리 조직에서 침상에 조직이라 할 수 있는 마텐자이트는 가장 경화된 강이다. 따라서 용접에 의해 스테인리스강이 가장 경화된 것은 마텐자이트 스테인리스강이다.

05. ㉮

06 열영향부(HAZ)의 기계적 특성을 향상시키기 위하여 가장 많이 취하는 방법은?

㉮ 특수한 용가재를 사용한다.
㉯ 용접부를 피닝한다.
㉰ 용접부의 냉각속도를 빠르게 한다.
㉴ 용접부를 예열과 후열을 한다.

> ☑ 해설 **예열의 목적**
> ① 용접부와 인접된 모재의 수축응력을 감소하여 균열 발색 억제
> ② 냉각속도를 느리게 하여 모재의 취성 방지
> ③ 용착금속의 수소 성분이 나갈 수 있는 여유를 주어 비드 밑 균열 방지
> **후열의 목적**
> ① 용접 후 급랭에 의한 균열 방지
> ② 용접 금속의 수소량 감소 효과

06. ㉴

07 고장력강의 용접열영향부 중에서 경도 값이 가장 높게 나타나는 부분은?

㉮ 세립역   ㉯ 조립역   ㉰ 중간역   ㉱ 입상 펄라이트역

✔해설 조립역 : 1450~1250℃의 과열로 조립화한다. 일부는 위드만 조직으로 나타
나고 급랭 경화함으로 경도가 최대인 구역이다.

07. ㉯

08 서브머지드 아크 용접 시 용융지에서 금속정련 반응이 일어날 때 용접 금속의 청정도 및 인성과 매우 깊은 관계가 있는 것은?

㉮ 플럭스(flux)의 염기도   ㉯ 플럭스(flux)의 소결도
㉰ 플럭스(flux)의 입도   ㉱ 플럭스(flux)의 용융도

✔해설 피복 아크 용접에서도 균열 방지를 위해서는 염기도가 높은 용접봉을 선택한다.
따라서 플럭스의 염기도는 용접 금속의 청정도 및 인성과 가장 관계가 깊다.

08. ㉮

09 다음 조직 중 순철에 가장 가까운 것은?

㉮ 펄라이트   ㉯ 오스테나이트   ㉰ 소르바이트   ㉱ 페라이트

✔해설 페라이트(α, δ) : 일명 지철이라고도 하며 순철에 가까운 조직으로 극히 연하
고 상온에서 강자성체인 체심입방격자 조직이다.

09. ㉱

10 면심입방격자(FCC)에서 단위격자 중에서 포함되어 있는 원자의 수는 몇 개인가?

㉮ 2   ㉯ 4   ㉰ 6   ㉱ 8

✔해설 면심입방격자 (F·C·C) : 배위수는 12, 단위 격자속 원자수는 4이다.

10. ㉯

11 도면의 윤곽선의 규정된 간격을 그려야 한다. 도면을 철하는 부분의 경우 A_3 용지의 가장자리에서 부터의 최소 간격은?

㉮ 10mm   ㉯ 20mm   ㉰ 25mm   ㉱ 30mm

✔해설

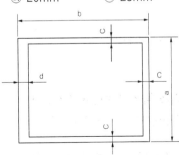

도면의 크기	A0	A1	A2	A3	A4
a × b	841 × 1189	594 × 841	420 × 594	297 × 420	297 × 210

11. ㉰

c(최소)	20	20	10	10	10
d(철하지 않을 때)	20	20	10	10	10
d(철할 때)	25	25	25	25	25

12 도면의 명칭에 관한 용어 중 구조물, 장치에 있어서의 관의 접속·배치의 실태를 나타낸 계통도는?

㉮ 공정도   ㉯ 배선도   ㉰ 배관도   ㉱ 계장도

✔ 해설 관의 접속 및 배치의 실체를 나타낸 계통도를 배관도라고 한다.

12. ㉰

13 핸들이나 바퀴 등의 암 및 림, 리브, 훅 등의 절단부위를 90° 회전시켜서 그 투상도에 그린 단면도는?

㉮ 온 단면도   ㉯ 한쪽 단면도
㉰ 부분 단면도   ㉱ 회전도시 단면도

✔ 해설 ① 핸들, 축, 형강 등과 같은 물체의 절단한 단면의 모양을 90° 회전하여 내부 또는 외부에 그리는 것을 말한다.
② 내부에 표시할 때는 가는 실선을 사용한다.
③ 외부에 표시할 때는 굵은 실선을 사용한다.

회전단면도

13. ㉱

14 기계재료의 표시 방법에서 기호 설명으로 옳지 않은 것은?

㉮ B – 봉   ㉯ C – 주조품   ㉰ F – 강   ㉱ P – 판

✔ 해설 F는 단조품을 의미한다.

14. ㉰

15 CAD 시스템을 사용하여 얻을 수 있는 장점이 아닌 것은?

㉮ 도면의 품질이 좋아진다.
㉯ 도면작성 시간이 단축된다.
㉰ 수치결과에 대한 정확성이 증가한다.
㉱ 설계제도의 규격화와 표준화가 어렵다.

✔ 해설 CAD 시스템을 도입함으로써 규격화와 표준화가 용이해진다.

15. ㉱

16 실형의 물건에 광면단 등 도료를 발라 용지에 찍어 스케치 하는 방법은?

㉮ 사진촬영법   ㉯ 본뜨기법   ㉰ 프리핸드법   ㉱ 프린트법

✔ 해설 스케치 방법
① 프린트법 : 부품 표면에 광명단 또는 스탬프잉크를 칠한 후 용지에 찍어 실제 형상으로 모양을 뜨는 방법
② 본뜨기법 : 실제 부품을 용지 위에 올려놓고 본을 뜨는 방법과 부품 표면을 납선으로 본을 떠서 이를 용지에 옮기는 방법

16. ㉱

③ **사진 촬영법** : 사진기로 실물을 직접 찍어서 도면을 그리는 방법(크거나 복잡한 경우)

④ **프리핸드법** : 손으로 직접 그리는 방법

17 다음 중 가는 실선으로만 구성된 것이 아닌 것은?

㉮ 치수선 – 지시선 – 치수보조선   ㉯ 지시선 – 회전단면선 – 치수보조선

㉰ 치수선 – 회전단면선 – 절단선   ㉱ 수준면선 – 치수보조선 – 치수선

☑ **해설** 선의 종류와 용도

① 도형의 외형을 나타내는 외형선은 굵은 실선으로 그린다.

② 치수선, 치수 보조선, 지시선, 회전 단면선, 중심선, 수준면선 등은 가는 실선으로 그린다.

③ 은선(숨은선)은 가는 파선 또는 굵은 파선으로 그린다.

④ 중심선, 기준선, 피치선은 가는 1점 쇄선으로 그린다.

⑤ 특수 지정선은 굵은 1점 쇄선으로 그린다.

⑥ 가상선 무게 중심선은 가는 2점 쇄선으로 그린다.

⑦ 파단선은 물체의 일부를 파단한 곳을 표시하는 선으로 불규칙한 파형의 가는 실선 또는 지그재그 선으로 그린다.

⑧ 절단선은 가는 1점 쇄선으로 끝 부분 및 방향이 변하는 부분을 굵게 한 것

⑨ 해칭은 가는 실선으로 규칙적으로 줄을 늘어놓은 것

⑩ 특수한 용도의 선으로는 가는 실선 또는 아주 굵은 실선으로 나눌 수 있다.

18 그림과 같은 용접기호가 심(seam) 용접부에 도시되어 있다. 다음 중 설명이 잘못된 것은?

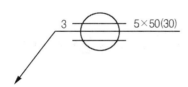

㉮ 심 용접부의 폭은 3mm이다.

㉯ 심 용접부의 길이는 50mm이다.

㉰ 심 용접부의 거리는 30mm이다.

㉱ 심 용접부의 두께는 5mm이다.

☑ **해설** 심 용접수는 5개이고 심 용접부의 길이는 50mm이고, 심 용접부의 거리는 30mm이며, 심 용접부 폭이 3mm이다.

19 도면 크기의 종류 중 호칭방법과 치수(A×B)가 맞지 않는 것은?(단, 단위는 mm이다.)

㉮ A_0 = 841 × 1189   ㉯ A_1 = 594 × 841

㉰ A_3 = 297 × 420   ㉱ A_4 = 220 × 297

☑ **해설** 해설 11번 표 참고 즉 210×297이다.

17. ㉰

18. ㉱

19. ㉱

20 다음과 같은 용접 기본기호의 명칭으로 맞는 것은?

> (기호)
> V

㉮ 개선 각이 급격한 V형 맞대기 용접
㉯ 가장자리 용접
㉰ 필릿 용접
㉱ 일면 개선형 맞대기 용접

✔ 해석 과거에는 베벨형 용접이라고 하였으나 지금은 맞대기 이음에서 한 면, 즉 일면만 개선한 용접이라고 하여 일면 개선형 용접이라고 한다.

20. ㉱

제2과목 : 용접 구조 설계

21 맞대기 용접시에 사용되는 엔드 탭(end tab)에 대한 설명으로 틀린 것은?

㉮ 용접 시작부와 끝부분에 가접한 후 용접한다.
㉯ 용접 시작부와 끝부분에 결함을 방지한다.
㉰ 모재와 다른 재질을 사용해야 한다.
㉱ 모재와 같은 두께와 홈을 만들어 사용한다.

✔ 해석 엔드탭이란 용접선의 시작부와 끝 부분에 설치하는 보조판으로 모재와 같은 재질 및 홈의 형상도 같아야 한다. 즉 시작 및 끝(크레이터)부분의 충분한 용입을 얻어 결함을 방지하기 위하여 설치한다.

21. ㉰

22 인장강도 P, 사용응력 σ, 허용응력 σ_a라 할 때, 안전율 공식으로 옳은 것은?

㉮ 안전율 = $P/(\sigma \cdot \sigma_a)$ ㉯ 안전율 = P/σ_a
㉰ 안전율 = $P/(2 \cdot \sigma)$ ㉱ 안전율 = P/σ

✔ 해석 $안전율 = \dfrac{(인장강도)}{(허용응력)} \times 100$

22. ㉯

23 한쪽 모재 구멍을 이용하여 구멍 안쪽과 다른 모재의 표면을 용접하는 것은?

㉮ 플러그 용접   ㉯ 마찰 용접   ㉰ 플랜지 용접   ㉱ 플레어 용접

✔ 해석
| 플러그 용접 : 플러그 또는 슬롯 용접 |  | |

깊고 좁은 홈을 플러그, 얇고 긴 홈을 슬롯이라 한다.

23. ㉮

24 필릿 용접 이음의 파면시험은 시험편을 파단시킨 후 용접부를 검사하는 방법이다. 다음 중 파면시험으로 검사할 수 없는 것은?

㉮ 용입 불량
㉯ 슬래그 잠입
㉰ 라미네이션 균열
㉱ 기공

✔ 해석 강재의 압연 제조 과정에 있어서 동공 또는 슬러그가 존재하는 층을 형성하여 그 부분이 2매의 판처럼 갈라지는 현상을 라미네이션이라고 하며, 필릿 용접 이음에 파면 시험으로 라미네이션 균열은 검사할 수 없다.

25 용접봉에 용착효율은 용접봉의 소요량을 산출하거나 용접 작업시간을 판단하는데 필요하다. 용착효율(%)을 나타내는 식으로 맞는 것은?

㉮ 용착효율(%) $= \dfrac{\text{피복제의 중량}}{\text{용착금속의 중량}} \times 100$

㉯ 용착효율(%) $= \dfrac{\text{용착금속의 중량}}{\text{피복제의 중량}} \times 100$

㉰ 용착효율(%) $= \dfrac{\text{용착금속의 중량}}{\text{용접봉 사용 중량}} \times 100$

㉱ 용착효율(%) $= \dfrac{\text{용접봉 사용 중량}}{\text{용착금속의 중량}} \times 100$

✔ 해석 용착 효율 즉 용착률은 용착 금속 중량을 사용 용접봉 총 중량으로 나누어 준 것을 말한다.

26 용접부 시험법 중 파괴 시험법에 해당되는 것은?

㉮ 와류 시험
㉯ 현미경 조직 시험
㉰ X선 투과 시험
㉱ 형광 침투 시험

✔ 해석 **현미경 조직 시험** : 시험편을 충분히 연마하여 고배율로 미소결함을 관찰한다. 부식액으로는 철강용은 피크로산 알코올 용액, 초산 알코올 용액을 쓰며, 스테인리스강은 왕수알코올 용액을 구리, 구리합금용은 염화철액, 염화암모늄액, 과황산 암모늄 액이 쓰인다. 알루미늄 및 그 합금은 플로오르화 수소액, 수산화나트륨이 쓰인다. 즉 조직을 부식시킴으로 파괴시험에 해당한다.

27 용접 입열이 일정한 경우 열전도율(λ)이 큰 것일수록 냉각속도가 크다. 다음 금속 중 냉각속도가 가장 빠른 것은?

㉮ 연강   ㉯ 스테인리스강   ㉰ 알루미늄   ㉱ 동(銅)

✔ 해석 **전기 전도율**
① 순서 : Ag > Cu > Au > Al > Mg > Ni > Fe > Pb의 순이다.
② 열전도율도 전기 전도율과 순서가 비슷하다.
③ 금속 중에서 전기 전도율이 가장 좋은 것은 은이다.
④ 일반적으로 순금속에서 다른 금속 또는 비금속을 첨가하여 합금을 만들면 대개의 경우 전기 전도율은 저하된다.

24. ㉰

25. ㉰

26. ㉯

27. ㉱

28 용접 구조물에서 파괴 및 손상의 원인으로 가장 거리가 먼 것은?

㉮ 재료 불량　　㉯ 사용 불량　　㉰ 설계 불량　　㉱ 시공 불량

✔ 해설　용접 구조물에서 파괴 및 손상의 가장 큰 원인은 설계, 시공, 재료 불량을 들 수 있다. 물론 구조물은 사용상 부주의로 인해 파손될 수 있다. 예를 들어 그 구조물이 견뎌야 되는 이상으로 하중을 가하면 파손될 수 있으나 여기서는 가장 거리가 멀다고 볼 수 있다.

28. ㉯

29 다음 그림과 같은 맞대기 용접 이음에서 강판의 두께를 10mm로 하고 최대 2500N의 인장하중을 작용시킬 때 필요한 용접 길이는?(단, 용접부의 허용인장응력은 10N/mm²이다.)

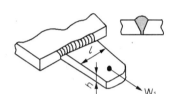

㉮ 25mm　　㉯ 23mm

㉰ 20mm　　㉱ 18mm

✔ 해설　$\sigma = \dfrac{P}{A} = \dfrac{P}{lt}$에서 $l = \dfrac{P}{\sigma t}$이다.

따라서 $\dfrac{2500}{10 \times 10} = 25$

29. ㉮

30 용착금속 중의 수소량과 산소량이 가장 적은 용접봉은?

㉮ 라임티타니아계　　　　㉯ 고셀룰로오스계

㉰ 일루미나이트계　　　　㉱ 저수소계

✔ 해설　**저수소계(E4316)**

① 석회석($CaCO_3$)이나 형석(CaF_2)을 주성분으로 용착 금속 중의 수소량이 다른 용접봉에 비해서 1/10 정도로 현저하게 적은 우수한 특성이 있다.

② 피복제는 습기를 흡수하기 쉽기 때문에 사용하기 전에 300 ~ 350℃ 정도로 1 ~ 2시간 정도 건조시켜 사용한다.

30. ㉱

31 용접용어 중 아크 용접의 비드 끝에서 오목하게 파진 곳이라고 정의하는 것은?

㉮ 스패터(Spatter)　　　　㉯ 크레이터(Crater)

㉰ 피트(Pit)　　　　　　　㉱ 오버랩(Overlap)

✔ 해설　크레이터는 용접이 끝나는 점에서 움푹 파진 곳을 말한다.

31. ㉯

32 용접이음 설계 시 일반적인 주의사항으로 틀린 것은?

㉮ 가급적 능률이 좋은 아래보기 용접을 많이 할 수 있도록 할 것

㉯ 가급적 용접선을 교차시키도록 할 것

㉰ 용접작업에 지장을 주지 않도록 충분한 공간을 갖도록 할 것

㉱ 용접 이음을 1개소로 집중시키거나 너무 접근시키지 않을 것

32. ㉯

☑ 해석 **용접 이음의 설계 시 주의점**
① 아래 보기 용접을 많이 하도록 한다.
② 용접 작업에 지장을 주지 않도록 간격을 둘 것
③ 필릿 용접은 되도록 피하고 맞대기 용접을 하도록 한다.
④ 판 두께가 다른 재료의 이음시 구배를 두어 갑자기 단면이 변하지 않도록 한다.(¼ 이하 테이퍼 가공을 함)
⑤ 맞대기 용접에는 이면 용접을 하여 용입 부족이 없도록 할 것
⑥ 용접 이음부가 한곳에 집중되지 않도록 설계할 것

33 용접부에 인장, 압축의 반복하중 30ton이 작용하는 폭 600mm인 두 장의 강판을 I형 맞대기 용접 하였을 때, 두 강판의 두께가 약 몇 mm이면 견딜 수 있는가?(단, 허용응력 σ_a=6.3 kg/mm² 로 한다.)

㉮ 1mm　　　㉯ 2mm　　　㉰ 6mm　　　㉱ 8mm

33. ㉱

☑ 해석 $\sigma = \dfrac{P}{tl}, t = \dfrac{P}{\sigma l} = \dfrac{30000}{6.3 \times 600} = 7.93$ 그러므로 약 8mm

34 가접 시 주의해야 할 사항으로 옳은 것은?

34. ㉱

㉮ 본 용접자(者)보다 용접 기량이 낮은 용접자가 가접을 시행한다.
㉯ 가접 위치는 부품의 끝 모서리나 각 등과 같이 응력이 집중되는 곳에 가접한다.
㉰ 가접 간격은 일반적으로 판 두께의 150~300배 정도로 하는 것이 좋다.
㉱ 용접봉은 본 용접 작업 시에 사용하는 것보다 가는 것을 사용한다.

☑ 해석 가접은 본 용접을 실시하기 전에 좌우의 홈 부분을 잠정적으로 고정하기 위한 짧은 용접으로 가접 시 용접 응력이 집중하는 곳은 피하며, 전류는 본 용접보다 높게 하며, 용접봉의 지름은 가는 것을 사용한다. 또한 너무 짧게 하지 않는다. 용접부의 청소가 끝나고 본 용접을 하기 전 가접 작업을 실시하여야 한다.
① 홈 안에 가접은 피하고 불가피한 경우 본 용접 전에 갈아낸다.
② 응력이 집중하는 곳은 피한다.
③ 전류는 본 용접보다 높게 하며, 용접봉의 지름은 가는 것을 사용하여 본 용접이 용이하게 하며, 너무 짧게 하지 않는다.
④ 시·종단에 엔드탭을 설치하기도 한다.

35 레이저 용접의 특징 설명으로 틀린 것은?

35. ㉯

㉮ 좁고 깊은 용접부를 얻을 수 있다.
㉯ 대입열 용접이 가능하고, 열영향부의 범위가 넓다.
㉰ 고속 용접과 용접 공정의 융통성을 부여할 수 있다.
㉱ 접합되어야 할 부품의 조건에 따라서 한 방향의 용접으로 접합이 가능하다.

☑ 해석 **레이저 빔 용접의 특징**
① 용접 장치는 고체 금속형, 가스 방전형, 반도체형이 있다.

② 아르곤, 질소, 헬륨으로 냉각하여 레이저 효율을 높일 수 있다.
③ 원격 조작이 가능하고 육안으로 확인하면서 용접이 가능하다.
④ 에너지 밀도가 크고, 고융점을 가진 금속에 이용된다.
⑤ 정밀 용접도 가능하다.
⑥ 불량 도체 및 접근하기 곤란한 물체도 용접이 가능하다.

36 용접변형 방지법 중 냉각법에 속하지 않는 것은?

㉮ 살수법　　　　　　　　㉯ 수냉동판 사용법
㉰ 비석법　　　　　　　　㉱ 석면포 사용법

36. ㉰

✔ 해석　비석법은 용전 진행 방향에 따른 순서를 나타내는 것으로 짧은 용접 길이로 나누어 놓고 간격을 두면서 용접하는 방법이다. 특히 잔류 응력을 적게 할 경우 사용한다.

37 용접 후 잔류응력 제거를 목적으로 일반적으로 판 두께가 25mm인 용접 구조용 압연강재 또는 탄소강의 경우, 노 내 풀림 시 온도로 가장 적당한 것은?

㉮ 325 ± 25℃　㉯ 425 ± 25℃　㉰ 625 ± 25℃　㉱ 825 ± 25℃

37. ㉰

✔ 해석　노내 풀림법 : 유지 온도가 높을수록, 유지 시간이 길수록 효과가 크다. 노내 출입 허용 온도는 300℃를 넘어서는 안 된다. 일반적인 유지 온도는 625 ± 25℃이다. 판두께 25mm 1시간

38 구조용 강재 용접부의 피로강도에 영향을 주는 인자로 가장 거리가 먼 것은?

㉮ 이음 형상　　　　　　　㉯ 용접 결함의 존재
㉰ 용접 구조상의 응력집중　㉱ 용접선 길이

38. ㉱

✔ 해석　용접부의 피로 강도에 영향을 주는 요소는 이음의 형상, 응력 집중, 용접 결함에 따라 피로 강도에 영향을 미친다.

39 용접부의 잔류응력을 제거하는 방법에 해당되지 않는 것은?

㉮ 노내 풀림법　㉯ 국부 풀림법　㉰ 피닝법　㉱ 코킹법

39. ㉱

✔ 해석　잔류 응력 경감법
① **노내 풀림법** : 유지 온도가 높을수록, 유지 시간이 길수록 효과가 크다. 노내 출입 허용 온도는 300℃를 넘어서는 안 된다. 일반적인 유지 온도는 625 ± 25℃이다. 판두께 25mm 1시간
② **국부 풀림법** : 큰 제품, 현장 구조물 등과 같이 노내 풀림이 곤란할 경우 사용하며 용접선 좌우 양측을 각각 약 250mm 또는 판 두께 12배 이상의 범위를 가열한 후 서냉한다. 하지만 국부 풀림은 온도를 불균일하게 할 뿐 아니라 이를 실시하면 잔류 응력이 발생될 염려가 있으므로 주의하여야 한다. 유도가열 장치를 사용한다.

③ 기계적 응력 완화법 : 용접부에 하중을 주어 약간의 소성 변형을 주어 응력을 제거한다. 실제 큰 구조물에서는 한정된 조건하에서만 사용할 수 있다.
④ 저온 응력 완화법 : 용접선 좌우 양측을 정속도로 이동하는 가스 불꽃으로 약 150mm의 나비를 약 150~200℃로 가열 후 수냉하는 방법으로 용접선 방향의 인장 응력을 완화시키는 방법
⑤ 피닝법 : 끝이 둥근 특수 해머로 용접부를 연속적으로 타격하며 용접 표면에 소성 변형을 주어 인장 응력을 완화한다. 첫층 용접의 균열 방지 목적으로 700℃정도에서 열간 피닝을 한다.

40 용접시공에서 예열을 하는 목적을 잘못 설명한 것은?

㉮ 용접부와 인접한 모재의 수축응력을 감소하고 균열을 방지하기 위하여 예열을 한다.
㉯ 냉각속도를 지연시켜 열영향부와 용착금속의 경화를 방지하기 위하여 예열을 한다.
㉰ 냉각속도를 지연시켜 용접금속 내에 수소성분을 배출함으로서 비드 및 균열(under bead crack)을 방지한다.
㉱ 탄소성분이 높을수록 임계점에서의 냉각속도가 느리므로 예열을 할 필요가 없다.

✔해석 **예열의 목적**
① 용접부와 인접된 모재의 수축응력을 감소하여 균열 발색 억제
② 냉각속도를 느리게 하여 모재의 취성 방지
③ 용착금속의 수소 성분이 나갈 수 있는 여유를 주어 비드 밑 균열 방지

제3과목 : 용접 일반 및 안전관리

41 다음 중 필릿 용접을 나타낸 그림은?

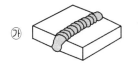
㉮

㉯

㉰

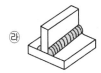
㉱

✔해석 ㉮는 맞대기 용접, ㉯는 모서리 용접, ㉰는 겹치기 용접 ㉱는 필릿 용접을 의미한다.

42 TIG 용접에 관한 사항 중 올바른 것은?

㉮ 직류는 TIG 용접기에 사용할 수 없다.

ⓝ 직류 역극성은 직류 정극성에 비해 비드 폭이 좁다.

ⓓ 두꺼운 모재일수록 직류 정극성으로 한다.

ⓡ 교류는 TIG 용접기에 사용할 수 없다.

✔해설 직류 정극성일 때는 모재(+), 전극(−)이므로 모재쪽에서 열이 많이 발생하므로 두꺼운 모재에 사용하며 반대로 얇은 판에는 역극성을 사용한다.

43 용접기는 아크의 안정을 위하여 아크 용접 전원의 외부 특성 곡선이 필요하다. 관련이 없는 것은?

ⓐ 수하 특성   ⓝ 정전압 특성   ⓓ 상승 특성   ⓡ 과부하 특성

43. ⓡ

✔해설 **용접기에 필요한 특성**

① **부 특성(부저항 특성)** : 전류가 작은 범위에서 전류가 증가하면 아크 저항이 작아져 아크 전압이 낮아지는 특성으로 부저항 특성 또는 부특성이라고 한다. 이 법칙은 일반 전기 회로에서 적용되는 옴의 법칙(Ohm's law)과는 다르다.

② **수하 특성** : 부하 전류가 증가하면 단자 전압이 저하하는 특성을 수하 특성(垂下 特性)이라 한다.

　$V = E - IR$ V : 단자 전압   E : 전원 전압

③ **정전류 특성** : 아크 길이가 크게 변하여도 전류 값은 거의 변하지 않는 특성으로 수하 특성 중에서도 전원 특성 곡선에 있어서 작동점 부근의 경사가 상당히 급한 것을 정전류 특성이라 한다.

이상 ①, ②, ③은 수동 용접에 필요한 특성이다.

④ **상승 특성** : 큰 전류에서 아크 길이가 일정할 때 아크 증가와 더불어 전압이 약간씩 증가하는 특성이다. 이 상승 특성은 반자동 및 자동 용접에서 아크의 안정을 도모하기 위하여 사용되는 특성이다.

⑤ **정전압 특성(자기 제어 특성)** : 수하 특성과는 반대의 성질을 갖는 것으로 부하 전류가 변해도 단자 전압이 거의 변하지 않는 것으로 CP(Constant Potential)특성이라고도 한다. 주로 반자동 및 자동 용접에 필요한 특성이다. 또한 아크 길이가 길어지면 부하 전압은 일정하지만 전류가 낮아져 정상보다 늦게 녹아 정상적인 아크 길이를 맞추고 반대로 아크 길이가 짧아지면 부하 전압은 일정하지만 전류가 높아져 와이어의 녹는 속도를 빨리하여 스스로 아크 길이를 맞추는 것을 자기 제어 특성이라 한다.

44 가스용접 작업 시 전진법과 후진법의 비교 중 전진법의 특징이 아닌 것은?

ⓐ 열 이용률이 양호하다.

ⓝ 용접속도가 느리다.

ⓓ 용접 변형이 크다.

ⓡ 용접 가능한 판 두께가 5mm 정도로 얇다.

44. ⓐ

✔해설 전진법은 오른쪽 → 왼쪽으로 진행하여 좌진법이라고도 한다. 일반적으로 후진법에 비하여 비드 모양만 좋고 모든 것이 후진법에 비하여 나쁘다.

45 초음파 용접의 특징 설명 중 옳지 않은 것은?

㉮ 냉간 압접에 비하여 주어지는 압력이 작으므로 용접물의 변형이 적다.

㉯ 용접 입열이 적고 용접부가 좁으며 용입이 깊어 이종 금속의 용접이 불가능하다.

㉰ 용접물의 표면처리가 간단하고 압연한 그대로의 재료도 용접이 가능하다.

㉱ 얇은 판이나 필름(film)의 용접도 가능하다.

✔ 해설 **초음파 용접의 특징**
① 냉간 압접에 비해 주어지는 압력이 작아 변형이 작다.
② 압연한 그대로의 용접이 된다.
③ 이종 금속의 용접도 가능하다.
④ 극히 얇은 판, 즉 필름도 쉽게 용접한다.
⑤ 판의 두께에 따라 용접 강도가 현저히 달라진다.
⑥ 용접 장치로는 초음파 발진기, 진동자, 진동 전달 기구, 압접팁으로 구성된다.
⑦ 접합 재료의 종류 및 판의 두께에 따라 접합 조건이 달라지나 접합부의 외부 변형을 적게 한다는 의미에서 가급적 단시간으로 한다.

45. ㉯

46 심(seam) 용접에서 용접법의 종류가 아닌 것은?

㉮ 플래시 심 용접(flash seam welding)

㉯ 맞대기 심 용접(butt seam welding)

㉰ 매시 심 용접(mash seam welding)

㉱ 포일 심 용접(foil seam welding)

✔ 해설 **심 용접**
① 점 용접에 비해 가압력은 1.2~1.6배, 용접 전류는 1.5~2.0배 증가
② 단속 통전법, 연속 통전법, 맥동 통전법 등이 있다.
③ 이음 형상에 따라 원주 심, 세로 심이 있다.
④ 용접 방법에 따라 매시 심, 포일 심, 맞대기 심, 로울러 심이 있다.
⑤ 기·수·유밀성을 요하는 0.2~4mm 정도 얇은판에 이용된다.

46. ㉮

47 피복 아크 용접에서 정극성과 역극성의 설명으로 옳은 것은?

㉮ 용접봉을 (−)극에, 모재에 (+)극을 연결하면 정극성이라 한다.

㉯ 정극성일 때 용접봉의 용융속도는 빠르고 모재의 용입은 얕아진다.

㉰ 역극성일 때 용접봉의 용융속도는 빠르고 모재의 용입은 깊어진다.

㉱ 박판의 용접은 주로 정극성을 이용한다.

✔ 해설 **직류 정극성 : 모재(+), 용접봉(−)**
① 모재의 용입이 깊다.　② 용접봉의 늦게 녹는다.
③ 비드 폭이 좁다.　④ 후판 등 일반적으로 사용된다.

47. ㉮

48 MIG 용접의 특징에 대한 설명으로 틀린 것은?

㉮ 반자동 또는 전자동 용접기로 용접속도가 빠르다.

48. ㉱

　④ 정전압 특성 직류 용접기가 사용된다.
　④ 상승 특성의 직류 용접기가 사용된다.
　④ 아크 자기 제어 특성이 없다.

☑ 해설　미그 용접은 반자동 및 자동 용접으로 아크 자기 제어 특성이 있다.

49 표피효과(skin effect)와 근접효과(proximity effect)를 이용하여 용접부를 가열 용접하는 방법은?

　㉮ 초음파 용접(ultrasonic welding)
　㉯ 마찰 용접(friction pressure welding)
　㉰ 폭발 압접(explosive welding)
　㉱ 고주파 용접(high-frequency welding)

☑ 해설　고주파 용접은 고주파 전류를 도체의 표면에 집중적으로 흐르는 성질인 표피 효과와 전류 방향이 반대인 경우는 서로 근접해서 생기는 성질인 근접 효과를 이용하여 용접부를 가열 용접하는 방법이다.

50 가스절단 방법의 종류에 해당되지 않는 것은?

　㉮ 가스 시공　　　㉯ 보통 가스 절단
　㉰ 분말 절단　　　㉱ 플라스마 제트 절단

☑ 해설　**플라즈마 제트 용접 및 절단(비이행형)** : 모재 대신에 수축 노즐에 (+)극을 연결하여 이행형에 비하여 열효율이 낮고, 수축노즐이 과열될 우려가 있으나 비전도체인 경우에도 적용이 가능하기 때문에 비금속의 용접이나 절단에 이용된다.

51 TIG 용접 중 직류 정극성을 사용하여 용접했을 때 용접 효율을 가장 많이 올릴 수 있는 재료는?

　㉮ 스테인리스강　㉯ 알루미늄 합금　㉰ 마그네슘 합금　㉱ 알루미늄 주물

☑ 해설　**불활성 가스 텅스텐 아크 용접 특징**
　① 전극은 텅스텐 전극을 사용. 전자 방사 능력을 높이기 위하여 토륨을 1~2% 함유한 토륨 텅스텐 봉이 사용된다.
　② 전극은 비용극식, 비소모식이라 하여 직접 용가재로 사용하지 않고, 용접 전원으로는 직류, 교류가 모두 쓰인다.
　③ 직류 전원으로는 스테인리스강, 교류 전원으로는 알루미늄을 용접한다.

52 40kVA의 교류 아크 용접기의 전원 전압이 200V일 때 전원 스위치에 넣을 퓨즈의 용량은 몇 A인가?

　㉮ 50　　　㉯ 100　　　㉰ 150　　　㉱ 200

☑ 해설　퓨즈의용량 $= \dfrac{40000}{200} = 200A$

49. ㉱
50. ㉱
51. ㉮
52. ㉱

53 연강용 피복 아크 용접봉의 종류와 피복제의 계통이 서로 맞게 연결된 것은?

㉮ E4301 : 일루미나이트계　　　㉯ E4303 : 저수소계

㉰ E4311 : 라임티타니아계　　　㉱ E4313 : 고셀룰로오스계

✔ 해설 E4301 : 일루미나이트계, E4303 : 라임티탄계, E4311 : 고셀룰로오스계, E4313 : 고산화티탄계

54 정격출력 전류가 180A인 교류 아크 용접기의 최고 무부하 전압으로 맞는 것은?

㉮ 30V 이하　　㉯ 50V 이하　　㉰ 80V 이하　　㉱ 100V 이하

✔ 해설
교류 아크 용접기의 무부하 전압은 일반적으로 60~80V이다.

55 가스 절단면에서 절단면에 생기는 드래그 라인(drag line)에 관한 설명으로 틀린 것은?

㉮ 절단속도가 일정할 때 산소 소비량이 적으면 드래그 길이가 길고 절단면이 좋지 않다.

㉯ 가스 절단의 양부를 판정하는 기준이 된다.

㉰ 절단속도가 일정할 때 산소 소비량을 증가시키면 드래그 길이는 길어진다.

㉱ 드래그 길이는 주로 절단속도, 산소 소비량에 따라 변화한다.

✔ 해설 드래그
① 가스 절단면에 있어서 절단기류의 입구점과 출구점 사이의 수평거리
② 드래그의 길이는 판 두께의 $\frac{1}{5}$, 즉 20% 정도가 좋다.
③ 드래그는 가능한 작고 일정할 것
④ 절단속도가 일정할 때 산소 소비량을 증가시키면 드래그 길이는 짧아진다.

56 용접 중 아크 빛으로 인하여 눈이 혈안이 되고 붓는 수가 있는데 이때 우선 취해야 할 조치로 가장 적절한 것은?

㉮ 밖에 나가 먼 산을 바라본다.

㉯ 눈에 소금물을 넣는다.

㉰ 안약을 넣고 계속 작업한다.

㉱ 냉습포를 눈 위에 얹고 안정을 취한다.

✔ 해설 용접 중 아크 빛에는 자외선 적외선 등을 함유하고 있어 빛에 노출 될 경우 눈이 혈안이 되고 붓는 경우가 있을 수 있다. 이때는 냉승포를 눈 위에 얹고 안정을 취하며 심할 경우 병원에서 치료하여야 한다.

53. ㉮

54. ㉰

55. ㉰

56. ㉱

57 MIG 용접 시 직류 역극성에 의한 용적 이행은?

㉮ 핀치 이행   ㉯ 스프레이 이행 ㉰ 입적 이행   ㉱ 단락 이행

✔ 해설 미그 용접은 전류 밀도가 티그 용접의 2배, 일반 용접의 4~6배로 매우 크고 용적이행은 스프레이형이다.

57. ㉯

58 교류아크 용접 시 아크 시간이 6분이고 휴식 시간이 4분일 때 사용률은 얼마인가?

㉮ 40%   ㉯ 50%   ㉰ 60%   ㉱ 70%

✔ 해설 사용률 $= \dfrac{\text{아크발생시간}}{\text{전체작업시간}} \times 100 = \dfrac{6}{10} \times 100 = 60\%$

58. ㉰

59 피복아크 용접에서 전류가 인체에 미치는 영향 중 고통을 느끼고 강한 근육 수축이 일어나며 호흡이 곤란한 경우의 감전 전류 값은 몇 mA 정도인가?

㉮ 1~5   ㉯ 20~50   ㉰ 100~150   ㉱ 200~300

✔ 해설 1mA : 약간 느끼는 정도, 5mA : 경련을 일으킨다. 10mA : 불안해진다. 15mA : 강력한 경련을 일으킨다. 50~100mA : 사망에 이를 수 있다.

59. ㉯

60 피복 아크 용접봉에서 아크를 안정시키는 피복제의 성분은?

㉮ 산화티탄   ㉯ 페로망간   ㉰ 마그네슘   ㉱ 알루미늄

✔ 해설 아크 안정제 : 이온화하기 쉬운 물질을 만들어 재점호 전압을 낮추어 아크를 안정시킨다. 아크 안정제로는 규산나트륨, 규산칼륨, 산화티탄, 석회석 등이 있다.

60. ㉮

국가기술자격검정 필기시험문제

2011년 산업기사 제3회 필기시험				수검번호	성 명
자격종목 및 등급(선택분야)	종목코드	시험시간	문제지형별		
용접산업기사	2026	1시간 30분	B		

※ 답안카드 작성시 시험문제지 형별누락, 마킹 착오로 인한 불이익은 전적으로 수검자의 귀책사유임을 알려드립니다.

제1과목 : 용접야금 및 용접설비제도

01 다음 중 감마철(γ–Fe)의 결정구조는?

㉮ 면심입방격자 ㉯ 체심입방격자 ㉰ 조밀입방격자 ㉱ 사방입방격자

✔ 해설 **동소 변태** : 고체 내에서 원자 배열이 변하는 것
① α–Fe(체심), γ–Fe(면심), δ–Fe(체심)
② 동소 변태 금속 : Fe(912℃, 1400℃), Co(477℃), Ti(830℃), Sn(18℃) 등

02 합금강에 첨가한 각 원소의 일반적인 효과가 잘못된 것은?

㉮ Ni – 강인성 및 내식성 향상
㉯ Ti – 내식성 향상
㉰ Cr – 내식성 감소 및 연성 증가
㉱ W – 고온강도 향상

✔ 해설 합금강에 첨가되는 원소 중 크롬은 적은 양에 의하여 경도와 인장강도가 증가하고, 함유량의 증가에 따라 내식성과 내열성 및 자경성이 커지며, 탄화물을 만들기 쉬워 내마멸성을 증가한다.

03 오스테나이트계 스테인리스강에서 발생하는 응력부식 균열의 특징에 대한 설명 중 틀린 것은?

㉮ 산소는 응력부식을 가속화시키는 작용을 한다.
㉯ 초기의 균열이 발견되지 않는 잠복기를 거친 후 균열이 급격히 진행된다.
㉰ 외부에서 수축력이 작용하면 응력부식 균열 저항성이 감소된다.
㉱ 완전 오스테나이트계 스테인리스강보다 오스테나이트상과 페라이트상이 혼합된 스테인리스강의 응력부식 균열이 저항성이 더 높다.

✔ 해설 오스테나이트계 스테인리스강에서 발생하는 응력부식 균열은 외부에서 수축력이 작용하면 응력부식 균열 저항성이 감소된다.

01. ㉮

02. ㉰

03. ㉰

04 용접한 오스테나이트 스테인리스강의 입간부식을 방지하기 위해 사용하는 탄화물 안정화 원소에 속하지 않는 것은?

㉮ Ti　　　　㉯ Nb　　　　㉰ Ta　　　　㉱ Al

✔ 해석　응력부식균열의 형태는 입계균열과 입내균열이 있는데, 오스테나이트계 스테인리스강은 입계균열에 해당되며 티탄, 니오브탄탈 등을 섞어 주어 방지할 수 있다.

04. ㉱

05 GA 46이라 표시된 연강용 가스 용접봉 규격에서 46은 무엇을 의미하는가?

㉮ 용착금속의 최소 인장강도 수준　　㉯ 용접봉의 표준 조직번호
㉰ 용착금속의 최소 연신율 구분　　㉱ 용접봉의 피복제의 종류

✔ 해석　연강용 가스 용접봉에서 GA 다음에 나오는 숫자는 최소 인장강도를 의미한다.

05. ㉮

06 주철 용접에서 예열을 실시할 때 얻는 효과 중 틀린 것은?

㉮ 변형의 저감
㉯ 열영향부 경도의 증가
㉰ 이종재료 용접시의 온도기울기 감소
㉱ 사용 중인 주조의 탄수화물 오염의 저감

✔ 해석　**주철의 용접**
① 수축이 크고 균열이 발생하기 쉽고 기포 발생이 많으며, 급열 급랭으로 용접부의 백선화로 절삭 가공이 곤란하며, 이런 이유로 용접이 곤란하다.
② 일산화탄소 가스가 생겨 기공이 생기기 쉽다.
③ 장시간 가열로 흑연이 조대화된 경우 주철 속에 흙, 모래 등이 있는 경우 용착이 불량하거나 모재와의 친화력이 나쁘다.
④ 예열 및 후열(500~550℃)을 한다. 예열을 하게 된다고 열영향부의 경도가 증가하지 않는다.
⑤ 붕사 15%, 탄산수소나트륨 70%, 탄산나트륨 15% 알루미늄 분말 소량의 혼합제가 널리 쓰임

06. ㉯

07 화살표가 지시하는 면의 밀러지수로 바른 것은?(단, x, y, z 축의 절편의 길이는 2, 1, 3 이다.)

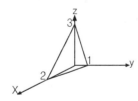

㉮ (2 1 3)　　　㉯ (2 3 6)
㉰ (3 1 2)　　　㉱ (3 6 2)

✔ 해석　각 절편의 최소 공배수인 6을 구하는 절편으로 나누어 주면 X축은 3, Y축은 6, Z축은 2가 된다.

07. ㉱

08 아크 분위기는 대부분이 플럭스를 구성하고 있는 유기물 탄산염 등에 서 발생한 가스로 구성되어 있다. 다음 중 아크 분위기의 가스성분에 속하지 않는 것은?

㉮ He   ㉯ Co   ㉰ CO_2 ㉱ H_2

✔️ 해설 헬륨 가스는 불활성 가스로 아크 분위기의 가스 성분에 포함되어 있지 않다.

08. ㉮

09 가스-용접 산소(O_2)와 함께 연소되어 가장 높은 온도의 불꽃을 발생 시키는 가스는?

㉮ 수소(H_2)   ㉯ 프로판(C_3H_8)

㉰ 메탄(CH_4)   ㉱ 아세틸렌(C_2H_2)

09. ㉱

✔️ 해설

가스의 종류	완전 연소 반응식	비중	발열량 (kcal/m²)	가스 혼합비 (가연성 가스 : 산소)			산소와 혼합 시 불꽃 최고 온도(℃)	공기 중 기체 함유량
아세 틸렌	$C_2H_2 + 2\frac{1}{2}O_2$ $= 2CO_2 + H_2O$	0.906	12,753.7	1 : 1.1	1 : 1.8	1 : 1.7	3,430	2.5 ~ 80
수소	$H_2 + \frac{1}{2}O_2$ $= H_2O$	0.070	2,446.4	1 : 0.5	1 : 0.5	1 : 0.5	2,900	4 ~ 74
프로판	$C_3H_8 + 5O_2$ $= 3CO_2 + 4H_2O$	1.522	20,550.1	1 : 3.75	1 : 4.75	1 : 4.5	2,820	2.4 ~ 9.5
메탄	$CH_4 + 2O_2$ $= CO_2 + 2H_2O$	0.555	8,132.8	1 : 1.8	1 : 2.25	1 : 2.1	2,700	5 ~ 15

10 용접부의 연성시험 방법에 사용되는 굽힘시험 시 시험편의 외부에 적 용되는 변형량을 산출하는 식으로 맞는 것은?(단, ε은 % 변형율, t는 굽힘 시험편의 두께, R은 굽힘시험 시 내부의 반경이다.)

㉮ $e = \dfrac{100t}{2R+t}$ ㉯ $e = \dfrac{100t}{2R}$ ㉰ $e = \dfrac{100t}{4R+t}$ ㉱ $e = \dfrac{100t}{4R}$

10. ㉮

✔️ 해설 **용접 연성 시험** : 용접부의 최고 경도 시험, 용접 비드의 굽힘 시험(코메렐 시험), 용접 비드의 노치 굽힘 시험(킨젤 시험), T형 필릿 굽힘 시험 등이 있 으며 변형량을 산출하는 공식은 ㉮와 같이 계산한다.

11 도형에 관한 용어 중 "대상물의 사면에 대항하는 위치에 그린 투상도"를 뜻하는 것은?

㉮ 주 투상도   ㉯ 보조 투상도   ㉰ 회전 투상도   ㉱ 부분 투상도

✔**해설** 보조 투상도 : 물체가 경사면이 있어 투상을 시키면 실제 길이와 모양이 틀려져 경사면에 별도의 투상면을 설정하고 이 면에 투상하면 실제 모양이 그려짐

11. ㉯

12 선에 관한 용어 중 "대상물의 일부분을 가상으로 제외했을 경우의 경계를 나타내는 선"을 뜻하는 것은?

㉮ 절단선   ㉯ 피치선   ㉰ 파단선   ㉱ 무게 중심선

✔**해설** 파단선은 물체의 일부를 파단한 곳을 표시하는 선으로 불규칙한 파형의 가는 실선 또는 지그재그 선으로 그린다.

12. ㉰

13 도면에는 도면의 크기에 따라 굵기 몇 mm 이상의 윤곽선을 그리는가?

㉮ 0.2mm   ㉯ 0.25mm   ㉰ 0.3mm   ㉱ 0.5mm

✔**해설** 윤곽선 : 도면에 그려야 할 내용의 영역을 명확히 하고, 제도 용지의 가장자리에 생기는 손상으로부터 기재 사항을 보호하기 위해 0.5mm 이상의 실선을 사용한다.

13. ㉱

14 다음 보기와 같이 용접부 표면 또는 용접부 형상을 나타내는 기호에 대한 설명으로 옳은 것은?

보기 $\boxed{\text{MR}}$

㉮ 동일한 면으로 마감 처리   ㉯ 영구적인 이면 판재 사용
㉰ 토우를 매끄럽게 함   ㉱ 제거 가능한 이면 판재 사용

✔**해설** M이면 영구적인 이면 판재 사용, MR이면 제거 가능한 이면 판재 사용

14. ㉱

15 척도의 종류 중 축척(contraction scale)으로 그릴 때의 내용을 바르게 설명한 것은?

㉮ 도면의 치수는 실물을 축척된 치수를 기입한다.
㉯ 표제란의 척도란에 "NS"라고 기입한다.
㉰ 표제란의 척도란에 2 : 1, 20 : 1 등으로 기입한다.
㉱ 도면의 치수는 실물을 실제치수를 기입한다.

✔**해설** 척도 중 축척은 1:2. 1:20 등이다. 즉 분수로 생각하여 1보다 작은 값이 나오면 축척, 1이면 실척, 1 이상이면 배척이 되며 축척에 관계없이 도면에 기입되는 치수는 실물의 실제 치수를 기입하여야 한다.

15. ㉱

16 X, Y, Z 방향의 축을 기준으로 공간상에 하나의 점을 표시할 때 각축에 대한 X, Y, Z에 대응하는 좌표 값으로 표시하는 CAD 시스템의 좌표계의 명칭은?

㉮ 직교 좌표계   ㉯ 극 좌표계   ㉰ 원통 좌표계   ㉱ 구면 좌표계

✔ 해석

공간상에 하나의 점을 표시할 때 각축에 대한 X, Y, Z에 대응하는 좌표 값으로 표시하는 것을 직교 좌표계라고 하며, 길이와 각도 등을 가지고 표시하는 방법을 극 좌표계라고 한다.

16. ㉮

17 일반적으로 부품의 모양을 스케치하는 방법이 아닌 것은?

㉮ 프린트법   ㉯ 프리 핸드법
㉰ 판화법   ㉱ 사진 촬영법

✔ 해석 **스케치 방법**
① 프린트법 : 부품 표면에 광명단 또는 스탬프잉크를 칠한 후 용지에 찍어 실제 형상으로 모양을 뜨는 방법
② 본뜨기법 : 실제 부품을 용지 위에 올려놓고 본을 뜨는 방법과 부품 표면을 납선으로 본을 떠서 이를 용지에 옮기는 방법
③ 사진 촬영법 : 사진기로 실물을 직접 찍어서 도면을 그리는 방법(크거나 복잡한 경우)
④ 프리핸드법 : 손으로 직접 그리는 방법

17. ㉰

18 용접 시방서(WPS)에 반드시 표기해야 되는 내용이 아닌 것은?

㉮ 후열처리 방법   ㉯ 모재 재질
㉰ 용접봉의 종류   ㉱ 비파괴검사 방법

✔ 해석 용접 시방서에는 비파괴 검사 방법 등은 기입하지 않아도 된다.

18. ㉱

19 다음의 용접기호를 바르게 설명한 것은?

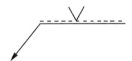

㉮ 화살표 쪽의 용접   ㉯ 양면 대칭 부분 용입의 용접
㉰ 양면 대칭 용접   ㉱ 화살표 반대쪽의 용접

✔ 해석 기호가 실선에 붙으면 화살표 쪽 용접이며, 파선에 붙으면 화살표 반대쪽의 용접이다. 따라서 그림은 1각법으로 파선에 기호가 붙어 있으므로 화살표의 반대쪽의 용접이다.

19. ㉱

20 다음 그림에 대한 명칭으로 맞는 것은?

㉮ 맞대기 용접   ㉯ 연속 필릿 용접
㉰ 슬롯 용접   ㉰ 플랜지형 맞대기 용접

20. ㉰

제2과목 : 용접구조설계

21 일반적으로 양쪽 필릿 용접이음에서 다리길이는 판 두께의 몇 % 정도가 가장 적당한가?

㉮ 60%   ㉯ 75%   ㉰ 85%   ㉰ 100%

21. ㉯

> **해설** 필릿 용접에서 다리길이(각장)는 필릿의 루트에서 필릿 용접의 토까지의 거리로 판 두께의 75%가 적당하다.

22 맞대기 용접이음의 덧살은 용접이음의 강도에 어떤 영향을 주는가?

22. ㉮

㉮ 덧살은 보강 덧붙임으로서의 가치가 거의 없고 오히려 피로강도를 감소시킨다.
㉯ 덧살을 크게 하면 강도가 증가하고 취성이 좋아진다.
㉰ 덧살을 작게 하면 응력집중이 커지고 강도가 좋아진다.
㉰ 덧살이 커지면 피로강도에는 영향을 주지 않는 것으로 생각해도 되나 정적강도에는 크게 영향을 미친다.

> **해설** 정상적인 맞대기 용접이음에서 연성강도는 모재와 일반적으로 동일하다고 가정하며, 맞대기 용접에서 덧붙이는 강도계산에서는 무시한다. 즉 덧붙이의 토 등에 생기는 약간의 응력집중 및 잔류 응력은 연성강도에 영향을 주지 않으나 피로강도에는 응력 집중이 있으면 영향을 받는다.

23 용접변형에서 수축변형에 영향을 미치는 인자로서 다음 중 영향을 가장 적게 미치는 것은?

23. ㉰

㉮ 판 두께와 이음 형상   ㉯ 판의 예열온도
㉰ 용접 입열   ㉰ 용접 자세

> **해설** 용접을 하게 되면 가열 중의 팽창과 냉각중의 수축에 의한 수축 변형이 발생한다. 수축 변형에 영향을 주는 요소는 용접열과 구속에 관계되는 요인이 있다. 용접열에 의한 것은 용접전류, 아크 전압, 용접 속도, 용접 입열, 판 두께와 이음 형상, 판의 예열 온도 등이 있으며 구속에 관계되는 것은 가접, 구속 지그의 사용 등이 있다.

24 TIG 용접 이음부 설계에서 I형 맞대기 용접이음의 설명으로 적합한 것은?

24. ㉰

㉮ 판 두께가 12mm 이상의 두꺼운 판 용접에 이용된다.

㉯ 판 두께가 6~20mm 정도의 다층 비드 용접에 이용된다.
㉰ 판 두께가 3mm 정도의 박판 용접에 많이 이용된다.
㉱ 판 두께가 20mm 이상의 두꺼운 판 용접에 이용된다.

✔ 해설 **불활성 가스 텅스텐 아크 용접의 장·단점**
　① 장점
　　• 용접된 부분이 더 강해진다.　• 연성 내부식성이 증가한다.
　　• 플럭스가 불필요하며 비철금속 용접이 용이하다.
　　• 보호 가스가 투명하여 용접사가 용접 상황을 잘 확인 할 수 있다.
　　• 용접 스팩터를 최소한으로 하여 전자세 용접이 가능하다.
　　• 용접부 변형이 적다.
　② 단점
　　• 소모성 용접을 쓰는 용접 방법보다 용접 속도가 느리다.
　　• 텡스텐 전극이 오염될 경우 용접부가 단단하고 취성을 가질 수 있다.
　　• 용가재의 끝 부분이 공기에 노출되면 용접부의 금속이 오염된다.
　　• 가격이 고가(텅스텐 전극이 가격 상승을 초래, 용접기 가격도 고가)이다.
　　• 후판에는 사용할 수 없다.(3mm 이하에 박판에 사용된다. 주로 0.4 ~ 0.8mm에 쓰임)

25 설비에 사용되는 용접기가 결정되면 필요한 전원 변압기의 용량(Q)을 결정하는데 , 용접기를 1대 설치하는 경우 필요한 전원 변압기의 용량(Q)를 구하는 식은?)(단, α는 용접기 사용률, β는 용접기 부하율, P는 용접기 1대당 최대용량, n은 용접기 대수)

㉮ $Q = \sqrt{\alpha} \cdot \beta \cdot P$
㉯ $Q = \sqrt{n}\,\alpha \cdot \sqrt{(n-1)\alpha} \cdot \beta \cdot P$
㉰ $Q = \alpha \cdot \beta \cdot P$
㉱ $Q = n \cdot \alpha \cdot \beta \cdot P$

✔ 해설 용접기가 한 대인 경우는 ㉮가 정답이며, 용접기가 2~10대인 경우는 ㉯, 용접기가 10대 이상인 경우는 ㉱가 정답이다.

25. ㉮

26 본 용접이 용착법에서 용접방향에 따른 비드 배치법이 아닌 것은?
㉮ 전진법과 후진법　　　　㉯ 대칭법
㉰ 스킵법　　　　　　　　㉱ 펄스 반사법

✔ 해설 펄스 반사법은 비파괴 검사법 중 초음파 검사 방법의 한 가지 방법이다.

26. ㉱

27 두께 10mm, 폭 20mm인 시편을 인장시험한 후 파단된 부위를 측정하였더니 두께 8mm, 폭 16mm가 되었을 때 단면 수축률은 얼마인가?
㉮ 82%　　㉯ 64%　　㉰ 48%　　㉱ 36%

✔ 해설 단면수축율 $= \dfrac{A_0 - A_1}{A_0} \times 100$에서 $\dfrac{200-128}{200} \times 100 = 36$

27. ㉱

28 용접 이음을 설계할 때 유의사항으로 틀린 것은?

㉮ 용접 작업에 지장을 주지 않도록 공간을 남긴다.

㉯ 가능한 한 아래보기 자세로 작업이 가능하도록 한다.

㉰ 용접선의 교차를 최대한도로 줄여야 한다.

㉱ 국부적인 열의 집중을 받도록 한다.

✔️해석 **용접 이음의 설계 시 주의점**
　① 아래 보기 용접을 많이 하도록 한다.
　② 용접 작업에 지장을 주지 않도록 간격을 둘 것
　③ 필릿 용접은 되도록 피하고 맞대기 용접을 하도록 한다.
　④ 판 두께가 다른 재료의 이음 시 구배를 두어 갑자기 단면이 변하지 않도록
　　한다.(¼ 이하 테이퍼 가공을 함)
　⑤ 맞대기 용접에는 이면 용접을 하여 용입 부족이 없도록 할 것
　⑥ 용접 이음부가 한곳에 집중되지 않도록 설계할 것

28. ㉱

29 용접직후 피닝(peening)을 하는 주목적으로 맞는 것은?

㉮ 도료 및 산화된 부분을 없애기 위해서

㉯ 응력을 강하게 하기 위하여

㉰ 용접 후 잔류응력을 방지하기 위해서

㉱ 용접이음 효율을 좋게 하기 위하여

✔️해석 **잔류 응력 경감법**
　① 노내 풀림법 : 유지 온도가 높을수록, 유지 시간이 길수록 효과가 크다. 노
　　내 출입 허용 온도는 300℃를 넘어서는 안 된다. 일반적인 유지 온도는
　　625 ± 25℃이다. 판두께 25mm 1시간
　② 국부 풀림법 : 큰 제품, 현장 구조물 등과 같이 노내 풀림이 곤란할 경우
　　사용하며 용접선 좌우 양측을 각각 약 250mm 또는 판 두께 12배 이상의
　　범위를 가열한 후 서냉한다. 하지만 국부 풀림은 온도를 불균일하게 할 뿐
　　아니라 이를 실시하면 잔류 응력이 발생될 염려가 있으므로 주의하여야 한
　　다. 유도가열 장치를 사용한다.
　③ 기계적 응력 완화법 : 용접부에 하중을 주어 약간의 소성 변형을 주어 응력
　　을 제거한다. 실제 큰 구조물에서는 한정된 조건하에서만 사용할 수 있다.
　④ 저온 응력 완화법 : 용접선 좌우 양측을 정속도로 이동하는 가스 불꽃으로
　　약 150mm의 나비를 약 150～200℃로 가열 후 수냉하는 방법으로 용접
　　선 방향의 인장 응력을 완화시키는 방법
　⑤ 피닝법 : 끝이 둥근 특수 해머로 용접부를 연속적으로 타격하며 용접 표면
　　에 소성 변형을 주어 인장 응력을 완화한다. 첫층 용접의 균열 방지 목적으
　　로 700℃ 정도에서 열간 피닝을 한다.

29. ㉰

30 맞대기 용접이음에서의 각 변형 방지대책이 아닌 것은?

㉮ 개선 각도는 작업에 지장이 없는 한도 내에서 적게 하는 것이 좋다.

㉯ 판 두께가 얇을수록 첫 패스측은 개선깊이를 크게 한다.

㉰ 용접속도가 느린 용접법을 이용한다.

㉱ 역변형의 시공법을 사용한다.

✔️해석 가로 방향의 굽힘 변형을 각변형이라 하며, 용접 속도가 느린 용접법을 사용
　하게 되며 오히려 용접부에 주어지는 입열이 증대되어 각변형이 커진다.

30. ㉰

31 다음과 같은 식에서 (A)에 들어갈 적당한 용어는?

$$(A) = \frac{\text{용착금속무게}}{\text{사용된 용법와이어(봉)의 무게}} \times 100\%$$

㉮ 용접효율   ㉯ 재료효율   ㉰ 가동률   ㉱ 용착효율

☑ 해설 용착 효율 즉 용착률은 용착 금속 중량을 사용 용접봉 총 중량으로 나누어 준 것을 말한다.

31. ㉱

32 용접설계에서 허용응력을 올바르게 나타낸 공식은?

㉮ 허용응력 $= \dfrac{\text{안전율}}{\text{이완력}}$ ㉯ 허용응력 $= \dfrac{\text{인장강도}}{\text{안전율}}$

㉰ 허용응력 $= \dfrac{\text{이완력}}{\text{안전율}}$ ㉱ 허용응력 $= \dfrac{\text{안전율}}{\text{인장강도}}$

☑ 해설 안전율 $= \dfrac{(\text{인장강도})}{(\text{허용응력})} \times 100$에서 허용응력 $= \dfrac{(\text{인장강도})}{(\text{안전율})} \times 100$

32. ㉯

33 플러그 용접의 전단강도는 구멍의 면적당 전 용착금속 인장 강도의 몇 % 정도인가?

㉮ 60~70%   ㉯ 80~90%   ㉰ 40~50%   ㉱ 20~30%

☑ 해설 맞대기 용접 이음의 강도를 100으로 하였을 때 플러그 용접 이음의 인장강도 는 50~70% 정도가 된다.

33. ㉮

34 표점거리가 50mm인 인장 시험편을 인장 시험한 결과 62mm로 늘어 났다면 연신율은 얼마인가?

㉮ 12%   ㉯ 18%   ㉰ 24%   ㉱ 20%

☑ 해설 연신율 $= \dfrac{\ell_1 - \ell_0}{\ell_0} \times 100$에서 $\dfrac{62 - 50}{50} \times 100 = 24$

34. ㉰

35 용접 절차 검증서(PQR)를 작성하기 위하여 PQ Test를 수행하는데 가장 적당한 사람은?

㉮ 관리책임자

㉯ 숙련된 용접사

㉰ 용접 절차서(WPS)에 의해 용접하는 용접사

㉱ 용접 초보자

☑ 해설 용접절차서(WPS)에 따라 용접절차 확인시험을 실시하고 발주처 등에 제출 하고 승인받아 PQ Test를 실시한 후에 보고서(PQR : Procedure Quality Report) 작성은 테스트를 수행한 사람인 숙련된 용접사가 실시한다.

35. ㉯

36 다음 용접결함 중 용접사의 기량과 가장 관계가 없는 것은?

㉮ 슬래그 잠입   ㉯ 용입 불량   ㉰ 비드밑 터짐   ㉱ 언더컷

✔해설 열 영향부(HAZ)에 나타나는 터짐의 일종이며, 모재 표면까지 나타나지 않고 보통 비드에 아주 가까이 나타나는 터짐으로 용접사의 기량과 가장 관계가 멀다고 할 수 있다.

37 전 용접 길이에 X선 검사를 하여 결함이 1개도 발견되지 않았을 때 용접이음의 효율은?

㉮ 85%   ㉯ 90%   ㉰ 100%   ㉱ 30%

✔해설 전 용접 길이에 비파괴 검사(X선)를 실시하여 결함이 1개소도 발견되지 않았을 경우 용접 이음 효율을 100%로 본다.

38 용접 이음에서 중판 이상의 두꺼운 판의 용접을 위한 홈 설계 시 고려하여야 할 사항으로 틀린 것은?

㉮ 루트 간격의 최대치는 사용하는 용접봉의 지름을 한도로 한다.
㉯ 루트 반지름은 가능한 크게 한다.
㉰ 홈의 단면적은 가능한 크게 한다.
㉱ 최소 100 정도는 전후좌우로 용접봉을 움직일 수 있는 각도를 만든다.

✔해설 용접은 가능한 적게 하는 것이 좋다고 생각하면 된다. 즉 용입이 허용하는 한 홈각도는 작게 하고, 루트 반지름을 크게 하여 용입량을 줄여주며 그 만큼 열영향도 적어진다. 하지만 홈의 단면적을 가능한 크게 하면 그 만큼 용입량이 증가하여 열영향부도 커지게 된다.

39 가용접(tack welding)을 할 때 주의할 사항으로 틀린 것은?

㉮ 잔류응력이 남지 않도록 한다.
㉯ 특히 용접순서를 고려해야 한다.
㉰ 본 용접을 하는 홈(groove) 내에 용접을 한다.
㉱ 본 용접과 동일 정도의 기량을 가진 용접사가 해야 한다.

✔해설 가접은 본 용접을 실시하기 전에 좌우의 홈 부분을 잠정적으로 고정하기 위한 짧은 용접으로 가접시 용접 응력이 집중하는 곳은 피하며, 전류는 본 용접보다 높게 하며, 용접봉의 지름은 가는 것을 사용한다. 또한 너무 짧게 하지 않는다. 용접부의 청소가 끝나고 본 용접을 하기 전 가접 작업을 실시하여야 한다.
① 홈안에 가접은 피하고 불가피한 경우 본 용접 전에 갈아낸다.
② 응력이 집중하는 곳은 피한다.
③ 전류는 본 용접보다 높게 하며, 용접봉의 지름은 가는 것을 사용하여 본 용접이 용이하게 하며, 너무 짧게 하지 않는다.
④ 시·종단에 엔드탭을 설치하기도 한다.

39

40 용접부의 가로방향 수축량을 계산하는 공식으로 옳은 것은?(단, Δt는 온도 변화량, L은 팽창한 길이, α는 선팽창계수, Δl은 수축량이다.)

㉮ $\Delta l = \dfrac{\alpha}{\Delta t} \times L$

㉯ $\Delta l = \dfrac{L^2}{\Delta t} \times \alpha$

㉰ $\Delta l = \alpha \times \Delta t \times L$

㉱ $\Delta l = \dfrac{\Delta t}{L} \times \alpha$

40. ㉰

✔해설 가로 방향의 수축량은 보기 ㉰와 같이 계산된다. 여기서 선팽창 계수는 각 재료마다 주어지는 값이다.

제3과목 : 용접일반 및 안전관리

---

41 각종 용접법은 그 종류에 따라 다른 이름으로 불리고 있다. 틀리게 짝지어진 것은?

㉮ 퍼커션 용접 – 충돌 용접

㉯ 서브머지드 아크 용접 – 잠호 용접

㉰ 버트 용접 – 불꽃 용접

㉱ 프로젝션 용접 – 돌기 용접

41. ㉰

✔해설 전기 저항 용접의 일종인 버트 용접은 플래시 버트 용접이라고 한다.

42 내 균열성이 가장 좋은 피복 아크 용접봉은?

㉮ 일루미나이트계

㉯ 저수소계

㉰ 고셀룰로오스계

㉱ 고산화티탄계

42. ㉯

✔해설 염기도가 클수록 내균열성이 우수하다. 저수소계가 가장 우수하다.
저수소계(E4316)
① 석회석($CaCO_3$)이나 형석(CaF_2)을 주성분으로 용착 금속 중의 수소량이 다른 용접봉에 비해서 1/10 정도로 현저하게 적은 우수한 특성이 있다.
② 피복제는 습기를 흡수하기 쉽기 때문에 사용하기 전에 300~350℃ 정도로 1~2시간 정도 건조시켜 사용한다.

43 다음 보기 중 용접의 자동화에서 자동제어의 장점에 해당되는 사항으로만 모두 조합한 것은?

43. ㉰

――――――― (보기) ―――――――
(1) 제품의 품질이 균일화되어 불량품이 감소한다.
(2) 원자재, 원료 등이 증가된다.
(3) 인간에게는 불가능한 고속작업이 가능하다.
(4) 위험한 사고의 방지가 불가능하다.
(5) 연속작업이 가능하다.

㉮ (1), (2), (4)

㉯ (1), (2), (3), (5)

㉡ (1), (3), (5)   ㉣ (1), (2), (3), (4), (5)

✓ 해설 용접을 자동하게 되면 제품의 품질이 균일화되어 불량품이 감소되며, 인간이
작업하기 곤란한 곳이나 사고 위험이 있는 곳에 작업이 가능하며 연속 작업
또한 가능하다.

44 용접지그를 사용할 때의 이점으로 틀린 것은?   44. ㉡

㉮ 작업을 쉽게 할 수 있다.

㉯ 공정수를 절약하므로 능률이 좋다.

㉢ 제품의 제작 속도가 느리다.

㉣ 제품의 정도가 균일하다.

✓ 해설 **용접 지그의 사용** : 제품의 정밀도를 향상할 수 있으며, 용접 지그는 설치와
분해가 간단하고 정밀도를 유지할 수 있도록 변형 등이 잘 일어나지 않는 튼
튼한 구조이어야 한다. 그 효과는 용접을 하기 쉬운 자세를 취할 수 있다. 즉
아래보기 자세로 용접할 수 있으며, 제품의 정밀도 향상을 가져올 수 있다.
또한 용접 조립 작업을 단순화 또는 자동화를 할 수 있게 하여 작업 능률이
향상된다. 그 종류로는 가접용 지그, 변형 방지용 지그, 아래보기 용접용 지
그 등이 있다.

45 아크 전류가 일정할 때, 아크 전압이 높아지면 용접봉의 용융속도가 늦   45. ㉯
어지고, 아크 전압이 낮아지면 용융속도가 빨라지는 아크 특성은?

㉮ 부저항 특성(부특성)   ㉯ 아크 길이 자기제어 특성

㉢ 절연 회복 특성   ㉣ 전압 회복 특성

✓ 해설 **정전압 특성(자기 제어 특성)** : 수하 특성과는 반대의 성질을 갖는 것으로 부
하 전류가 변해도 단자 전압이 거의 변하지 않는 것으로 CP(Constant
Potential)특성이라고도 한다. 주로 반자동 및 자동 용접에 필요한 특성이다.
또한 아크 길이가 길어지면 부하 전압은 일정하지만 전류가 낮아져 정상보다
늦게 녹아 정상적인 아크 길이를 맞추고 반대로 아크 길이가 짧아지면 부하
전압은 일정하지만 전류가 높아져 와이어의 녹는 속도를 빨리하여 스스로 아
크 길이를 맞추는 것을 자기 제어 특성이라 한다.

46 피복 아크 용접봉의 피복제의 주된 역할에 대한 설명으로 맞는 것은?   46. ㉢

㉮ 용착금속의 탈산, 정련작용을 막는다.

㉯ 용착금속에 적당한 합금원소의 첨가를 막는다.

㉢ 용착금속의 냉각속도를 느리게 하여 급랭을 방지한다.

㉣ 모재 표면의 산화물의 제거를 방지한다.

✓ 해설 **피복제의 작용**

① 아크 안정   ② 산·질화 방지

③ 용적을 미세화 하여 용착 효율 향상   ④ 서냉으로 취성 방지

⑤ 용착 금속의 탈산 정련 작용   ⑥ 합금 원소 첨가

⑦ 슬랙의 박리성 증대   ⑧ 유동성 증가 등

⑨ 전기 절연 작용

47 AW300 용접기의 정격 사용률이 40%일 때 200A로 용접을 하면 10분 작업 중 몇 분까지 아크를 발생해도 용접기에 우리가 없는가?

㉮ 3분 ㉯ 5분 ㉰ 7분 ㉱ 9분

47. ㉱

✔해설 허용 사용률(%) × (실제용접전류)^2 = 정격 사용율(%) × (정격2차전류)^2 에서 허용사용률×(200)^2 =40×(300)^2
따라서 90%이므로 10분 작업 중 9분 동안 아크 발생이 가능하며 1분은 아크 발생을 중지하여야 한다.

48 탄산가스 아크용접에서 기공이 발생하는 원인으로 가장 거리가 먼 것은?

48. ㉯

㉮ CO_2 가스 유량이 부족하다.
㉯ 토치의 겨눔 위치가 부적당하다.
㉰ CO_2 가스에 공기가 혼입되어 있다.
㉱ 노즐에 스패터가 많이 부착되어 있다.

✔해설 이 문제의 경우 모든 보기가 답이 될 수 있을 것 같다. 기공의 발생 원인은 다양하다. 즉 토치의 겨눔 위치가 부적당하게 되면 공기 중에 산소에 의해 기공이 발생될 확률이 있다. 하지만 여기서 가장 거리가 먼 것을 고르라는 질문이므로 정답은 ㉯로 보아야 될 것 같다.

49 아크 용접 시 전격에 의해 몸에 근육 수축을 가져오는 경우의 전류값으로 가장 적당한 것은?

49. ㉯

㉮ 10mA ㉯ 20mA ㉰ 1mA ㉱ 5mA

✔해설 1mA : 약간 느끼는 정도, 5mA : 경련을 일으킨다. 10mA : 불안해진다. 15mA : 강력한 경련을 일으킨다. 50~100mA : 사망에 이를 수 있다.

50 불활성 가스 텅스텐 아크 용접의 직류 역극성 용접에서 사용 전류의 크기에 상관없이 정극성 때보다 어떤 전극을 사용하는 것이 좋은가?

50. ㉯

㉮ 가는 전극 사용 ㉯ 굵은 전극 사용
㉰ 같은 전극 사용 ㉱ 전극에 상관없음

✔해설 역극성일 때 전극이 (+) 이므로 열이 많이 발생하기 때문에 정극성 때보다 굵은 전극을 사용하여야 한다.

51 저수소계 피복 금속 아크 용접봉은 사용 전에 몇 ℃ 정도에서 건조해야 하는가?

51. ㉮

㉮ 300~350℃ ㉯ 400~450℃ ㉰ 500~550℃ ㉱ 600~650℃

✔해설 저수소계의 피복제는 습기를 흡수하기 쉽기 때문에 사용하기 전에 300~350℃ 정도로 1~2시간 정도 건조시켜 사용한다.

52 용접기의 1차선에 비하여 2차선에 굵은 도선을 사용하는 이유는?

㉮ 2차 전압이 1차 전압보다 높기 때문에

㉯ 2차선의 방열을 좋게 하기 위해서

㉰ 2차 전류가 1차 전류보다 높기 때문에

㉱ 전선의 유연성을 좋게 하기 위해서

✔️ 해설 용접은 저전압 대전류를 사용하며 2차 전류가 1차 전류보다 높기 때문에 2차 선이 굵은 도선을 사용하며 유연성을 확보하기 위하여 캡타이어 전선을 사용한다.

52. ㉰

53 압력 조절기(pressure regulator)의 구비조건으로 틀린 것은?

㉮ 동작이 예민해야 한다.

㉯ 빙결(氷結)하지 않아야 한다.

㉰ 조정압력과 방출압력과의 차이가 커야 한다.

㉱ 조정압력은 용기 내의 가스량이 변화하여도 항상 일정해야 한다.

✔️ 해설 압력 조절기는 작업자가 사용할 수 있는 압력으로 조정하여 주는 역할을 하는 것으로 조정 압력과 방출 압력의 차이는 나서는 안 되며, 사용 중 압력이 변해도 안 된다.

53. ㉰

54 점(spot) 용접 시의 안전사항 중 틀린 것은?

㉮ 보호 장갑을 착용하여야 한다.

㉯ 용접기에 어스(earth)는 필요시에 따라 실시한다.

㉰ 판재의 기름을 제거한 후 용접한다.

㉱ 보호 안경을 착용하여야 한다.

✔️ 해설 용접은 (+)전극과 (−)전극이 만나 빛, 열, 소리를 수반하면서 진행되는 것으로 용접이 이루어지기 위해서는 반드시 접지(earth)를 하여야 한다.

54. ㉯

55 아크 용접 작업 중 아크 쏠림(arc blow)현상이 가장 심하게 발생될 수 있는 조건은?

㉮ 교류 전원을 이용하여 와전류 발생

㉯ 직류 전원을 이용하여 아크쏠림 발생

㉰ 교류 전원을 이용하여 아크쏠림 발생

㉱ 아크의 길이를 짧게 할 때 발생

✔️ 해설 아크 쏠림, 아크 블로우, 자기불림 등은 모두 동일한 말이며 용접전류에 의한 아크 주위에 발생하는 자장이 용접봉에 대하여 비대칭일 때 일어나는 현상이다.
① 직류 용접기 대신 교류 용접기를 사용한다.
② 아크 길이를 짧게 유지한다.
③ 접지를 용접부로 멀리한다.
④ 긴 용접선에는 후퇴법을 사용한다.
⑤ 용접부의 시·종단에는 엔드탭을 설치한다.

55. ㉯

56 용해된 아세틸렌의 양은 50리터의 용기에서 21리터가 포화 흡수되어 있는데, 15℃, 15기압에서 아세톤 1리터에 아세틸렌 324리터가 용해되어 있다면 50리터 용기에서 아세틸렌 약 몇 리터를 용해시킬 수 있는가?

㉮ 3246 ㉯ 1169 ㉰ 4156 ㉱ 6804

56. ㉱

✔해설 50리터 용기에 21리터가 있고 아세톤 1리터에 324리터가 용해되므로 21×324=6804리터가 나온다.

57 서브머지드 아크 용접법의 설명 중 잘못된 것은?

㉮ 용융속도와 용착속도가 빠르며, 용입이 깊다.
㉯ 비소모식이므로 비드의 외관이 거칠다.
㉰ 모재 두께가 두꺼운 용접에서의 효율적이다.
㉱ 용접선이 수직인 경우 적용이 곤란하다.

57. ㉯

✔해설 서브머지드 아크 용접은 전극이 곧 용접봉이 소모식으로 다음과 같은 장·단점이 있다.
① 장점
 ㉠ 고전류 사용이 가능하여 용착 속도가 빠르고 용입이 깊다.(용접속도가 수동 용접에 비해 10~20배, 용입은 2~3배 정도가 커서 능률적이다.)
 ㉡ 기계적 성질이 우수하다.
 ㉢ 유해 광선이 적게 발생하여 작업 환경이 깨끗하다.
 ㉣ 비드 외관이 아름답다.
 ㉤ 열효율이 높다.
 ㉥ 용접 조건만 일정하면 용접사의 기량차에 의한 품질에 영향을 주지 않아 신뢰도를 높일 수 있다.
 ㉦ 용접 홈의 크기가 작아도 되며 용접 재료의 소비 및 용접 변형이 적다.
 ㉧ 한 번 용접으로 75mm까지 용접이 가능하다.
 ㉨ 용제(Flux)에 의한 불순물 제거로 품질이 우수하다.
② 단점
 ㉠ 장비의 가격이 고가이다.
 ㉡ 용접선이 짧거나 복잡한 경우 수동에 비하여 비능률적이다.
 ㉢ 용접 상태를 육안으로 확인이 곤란하여 치명적인 결함을 식별할 수 없다.
 ㉣ 적용 자세에 제한을 받는다.(대부분 아래보기 자세)
 ㉤ 적용 소재에 제약을 받는다.(탄소강, 저합금강, 스테인리스강 등에 사용)
 ㉥ 용접 홈의 정밀도가 좋아야 한다.
 ㉦ 용제(Flux)에 흡습에 주의하여야 한다.
 ㉧ 입열량이 커서 용접 금속의 결정립의 조대화로 충격값이 커진다.

58 용접 용어 중 "아크 용접의 비드 끝에서 오목하게 파진 곳"을 뜻하는 것은?

㉮ 크레이터 ㉯ 언더컷 ㉰ 오버랩 ㉱ 스패터

58. ㉮

✔해설 아크 용접의 비드 끝에서 오목에게 파진 곳을 크레이터라고 하며 용접을 할 때 크레이터 처리를 한 후 용접을 중지하여야 한다.

59 잠호 용접의 자동 이송장치에 대한 설명 중 틀린 것은?

㉮ 판을 용접할 경우 암(arm)이 자동으로 전진 또는 후퇴한다.

㉯ 원형체일 경우 따로 설치한 롤러가 회전하여 자동 이송이 된다.

㉰ 와이어의 송급장치, 제어장치, 콘택트 팁, 용제 호퍼를 일괄하여 용접 헤드라고 한다.

㉱ 와이어의 송급은 전류 제어장치에 의하여 와이어 롤러가 회전한다.

✔해석 서브머지드 용접장치 중 용접 헤드는 크게 용접봉 릴, 플럭스 호퍼, 제어 박스로 이루어져 있다. 와이어의 송급은 송급 전동기에 의하여 공급된다.

59. ㉱

60 용접재는 판 두께를 측정하는 측정기로 가장 적당한 것은?

㉮ 각장 게이지   ㉯ 버니어 캘리퍼스

㉰ 다이얼 게이지   ㉱ 내경 마이크로미터

✔해석 길이 및 두께를 재는 측정기는 버니어 캘리퍼스가 보기 중에서는 가장 적당하다.

60. ㉯

_{2o}**10**

국가기술자격검정 필기시험문제

2010년 산업기사 제1회 필기시험

자격종목 및 등급(선택분야)	종목코드	시험시간	문제지형별	수검번호	성 명
용접산업기사	2026	1시간 30분	A		

※ 답안카드 작성시 시험문제지 형별누락, 마킹착오로 인한 불이익은 전적으로 수검자의 귀책사유임을 알려드립니다.

제1과목 : 용접야금 및 용접설비제도

01 이종의 원자가 결정격자를 만드는 경우 모재원자보다 작은 원자가 고용할 때 모재원자의 틈새 또는 격자결함에 들어가는 경우의 구조는?

㉮ 치환형고용체
㉯ 변태형고용체
㉰ 침입형고용체
㉱ 금속간고용체

✔ 해석 침입형 : 철원자 보다 작은 원자가 고용하는 경우로 보통 금속 상호간에는 일어나지 않으며, 금속에 C, H, N 등 비금속 원소가 소량 함유되는 경우 일어난다. 철은 약간의 탄소나 질소를 고용하는 침입형 고용체를 만든다.

01. ㉰

02 연강용 피복아크 용접봉의 심선에 주로 사용되는 것은?

㉮ 주강
㉯ 합금강
㉰ 저탄소 림드강
㉱ 특수강

✔ 해석 심선은 저탄소 림드강이 사용되고 있으며 탄소강에 5대 원소인 탄소, 규소, 인, 황, 망간과 더불어 구리에 화학 성분을 규정하고 있다.

02. ㉰

03 철-탄소 합금에서 6.67% C를 함유하는 탄화철 조직은?

㉮ 시멘타이트   ㉯ 레데브라이트.   ㉰ 페라이트   ㉱ 오스테나이트

✔ 해석 시멘타이트(Fe_3C) : 철에 탄소가 6.67% 화합된 철의 금속간 화합물로 현미경으로 보면 흰색의 침상으로 나타나는 조직으로, 고온의 강중에서 생성하는 탄화철을 말하며 경도가 높고 취성이 많으며 상온에선 강자성체이다. 또한 1,153℃에서 빠른 속도로 흑연을 분리시키는 특성을 가진다.

03. ㉮

04 강의 기계적 성질 중에서 온도가 상온보다 낮아지면 충격치가 감소되는 현상은?

㉮ 저온취성   ㉯ 청열인성   ㉰ 상온취성   ㉱ 적열인성

✔ 해석 상온보다 낮은 온도에서 충격치가 감소되는 것은 저온취성이라고 한다.

04. ㉮

05 주철의 종류 중 칼슘이나 규소를 첨가하여 흑연화를 촉진시켜 미세 흑연을 균일하게 분포시키거나 백주철을 열처리하여 연신율을 향상시킨 주철은?

㉮ 반 주철   ㉯ 회주철
㉰ 구상 흑연 주철   ㉱ 가단주철

05. ㉱

✔ 해설 · 백심 가단주철(WMC) 탈탄이 주목적 산화철을 가하여 950℃에서 70 ~ 100시간 가열
· 흑심 가단주철(BMC) Fe_3C의 흑연화가 목적
1단계(850 ~ 950℃ 풀림)유리 Fe_3C → 흑연화
2단계(680 ~ 730℃ 풀림)Pearlite중에 Fe_3C → 흑연화

06 공구강이나 자경성이 강한 특수강을 연화 풀림 하는데 적합한 방법은?

㉮ 응력제거 풀림   ㉯ 항온풀림
㉰ 구상화풀림   ㉱ 확산풀림

06. ㉯

✔ 해설 S곡선의 코 혹은 다소 높은 온도에서 항온 변태 후에 공랭하여 연질의 펄라이트를 얻는 항온 풀림을 이용하여 공구강이나 자경성이 강한 특수강을 연화 풀림 처리한다.

07 가공경화에 의해 발생된 내부응력의 원자배열 상태는 변하지 않고 감소하는 현상은?

㉮ 편석   ㉯ 회복   ㉰ 재결정   ㉱ 조질

07. ㉯

✔ 해설 회복 : 냉간 가공을 계속하면 가공 경화가 일어나 더 이상의 냉간가공이 불가능해진다. 이것을 일정 온도로 가열하면 어느 온도에서 급격히 강도와 경도가 저하되고, 연성이 급격히 회복되어 냉간 가공이 쉬운 상태로 된다.

08 KS규격의 연강용 피복 아크 용접봉 중 철분 산화티탄계는?

㉮ E4311   ㉯ E4324   ㉰ E4327   ㉱ E4316

08. ㉯

✔ 해설 E4311 셀룰로오스계, E4327 철분산화철계, E4316 저수소계

09 금속재료를 일정 온도에서 일정시간 유지 후 냉각시킨 조직이며 주조, 단조, 기계가공 및 용접 후에 잔류응력을 제거하는 풀림방법은?

㉮ 연화풀림   ㉯ 구상화 풀림
㉰ 응력제거 풀림   ㉱ 항온풀림

09. ㉰

✔ 해설 응력 제거 풀림 : 주조, 단조, 압연, 용접 및 열처리에 의해 생긴 열응력과 기계가공에 의해 생긴 내부 응력을 제거할 목적으로 150 ~ 600℃ 정도의 비교적 낮은 온도에서 실시하는 풀림

10 피복 아크 용접에서 용접입열(weld heat input)을 표시하는 식 중 옳은 것은? [단, H:**용접입열**(Joule/cm), E:**아크전압**(V), I:**아크전류**(A), V:**용접속도**(cm/min)]

㉮ $H = \dfrac{60EI}{V}$　　　　　　　　㉯ $H = \dfrac{80EI}{V}$

㉰ $H = \dfrac{100EI}{V}$　　　　　　　㉱ $H = \dfrac{120EI}{V}$

✔ 해석　용접부에 주어지는 열을 용접 입열이라고 하며, 입열은 전류와 전압에 비례하여 커지고 속도에 반비례한다. 여기서 속도의 단위가 분당 이므로 단위 환산상 60이 들어간다.

$$H = \dfrac{60EI}{V}$$

10. ㉮

11 다음 용접기호에서 보조기호 도시는?

㉮ 필릿용접기호　　　　　　㉯ 원둘레 용접기호
㉰ 현장 용접기호　　　　　　㉱ 플러그용접기호

✔ 해석　깃발 표시는 현장 용접을 의미한다.

11. ㉰

12 건설 또는 제조에 필요한 정보를 전달하기 위한 도면으로 제작도가 사용되는데, 이 종류에 해당되는 것으로만 조합된 것은?

㉮ 계획도, 시공도, 견적도　　　㉯ 설명도, 장치도, 공정도
㉰ 상세도, 승인도, 주문도　　　㉱ 상세도, 시공도, 공정도

✔ 해석　도면을 목적에 따라 분류하면 계획도, 주문도, 견적도, 승인도, 제작도, 설명도 등으로 구분할 수 있다. 여기서 제작도에 사용되는 도면은 상세도, 시공도, 공정도, 조립도 등이 있다.

12. ㉱

13 용접 보조기호 없이 기본기호로만 표시하는 경우 보조 기호가 없는 것의 가장 가까운 의미는?

㉮ 기본 기호의 조합으로써 용접부 표면 형상을 나타내기가 어렵다는 의미이다.
㉯ 보조 기호와 기본기호의 중복에 의해 보조기호를 생략한 경우이다.
㉰ 용접부 표면을 자세히 나타낼 필요가 없다는 것을 의미 한다.
㉱ 필요한 보조 기호화가 매우 곤란한 경우임을 의미한다.

13. ㉰

✅ **해설** 용접부의 보조기호는 용접부 및 용접부 표면의 형상을 나타낼 때 사용하는
기호이다. 따라서 보조기호를 사용하지 않았다는 의미는 용접부 및 용접부
표면의 형상을 고려하지 않았다는 의미이다.

14 다음 용접부 기호를 올바르게 설명한 것은?

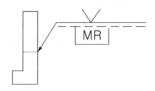

㉮ 화살표 반대쪽 한면 V형 맞대기 용접한다.
㉯ 화살표 쪽의 이면비드를 기계절삭에 의한 가공을 한다.
㉰ 화살표 반대쪽에 제거 가능한 이면 판재를 사용한다.
㉱ 화살표 반대쪽 영구적인 덮개판을 사용한다.

✅ **해설** MR의 의미는 제거 가능한 덮개판을 사용하는 것이다. 또한 파선에 기호가
붙으면 화살표 반대쪽을 의미한다.

15 KS의 부분별 분류기호 중 B에 해당하는 분야는?

㉮ 기본   ㉯ 기계   ㉰ 전기   ㉱ 조선

✅ **해설** A : 기본, B : 기계, C :전기, D : 금속

16 도면에서 해칭하는 방법을 올바르게 설명한 것은?

㉮ 해칭은 주된 단면도의 중심선에 대하여 55°로 가는 실선의 등간격으로
긋는다.
㉯ 해칭은 주된 단면도의 중심선에 대하여 35°로 가는 실선의 등간격으로
긋는다.
㉰ 해칭은 주된 중심선 또는 단면도의 외형선에 대하여 35°로 가는 점선
의 등간격으로 긋는다.
㉱ 해칭은 주된 단면도의 중심선에 대하여 45°로 가는 실선의 등간격으로
긋는다.

✅ **해설** 단면의 표시는 해칭 또는 스머징을 사용한다. 해칭의 표시는 45°의 가는 실
선으로 등간격으로 그린다.

17 CAD시스템의 도입에 따른 일반적인 적용효과에 해당되지 않는 것은?

㉮ 품질 향상   ㉯ 원가 절감   ㉰ 경쟁력 강화   ㉱ 신뢰성약화

✅ **해설** CAD 시스템은 컴퓨터의 도움을 받아 그리는 것으로 CAD 시스템의 도입은
오히려 구조해석 등을 가능하게 하여 신뢰성이 강화된다.

14. ㉰

15. ㉯

16. ㉱

17. ㉱

18 도면의 양식 및 도면 접기에 대한 설명 중 틀린 것은?

㉠ 도면의 크기 치수에 따라 굵기 0.5mm 이상의 실선으로 윤곽선을 그린다.

㉡ 도면의 오른쪽 아래 구석에 표제란을 그리고 도면번호, 도명, 기업명, 책임자 서명, 도면 작성 년 월 일, 척도 및 투상법을 기입한다.

㉢ 도면은 사용하기 편리한 크기와 양식을 임의대로 중심마크를 설치한다.

㉣ 복사한 도면을 접을 때 그 크기는 원칙으로 210×297(A4의 크기)로 한다.

✔️ 해설 중심마크 : 도면의 사진 촬영 및 복사할 때 편의를 위해 사용, 상하 좌우 중앙의 4개소에 표시한다.

18. ㉢

19 다음 용접부를 기호로 표시한 것이다. 용접부의 모양으로 옳은 것은?

㉠ 한쪽 플랜지형   ㉡ I형
㉢ 플러그   ㉣ 필릿

✔️ 해설 그림의 기호는 화살표쪽 I형 용접을 의미한다.

19. ㉡

20 정투상에서 투상면에 수직한 직선과 평면은 평화면에 어떤 투상으로 나타나는가?

㉠ 직선은 점으로 평면은 직선으로 나타난다.

㉡ 직선은 실제 길이로, 평면은 단축되어 나타난다.

㉢ 직선은 실제길이보다 짧게, 평면은 실제형태로 나타난다.

㉣ 직선은 점으로 평면은 단축되어 나타난다.

✔️ 해설 정투상도에서 투상면에 평행하게 보일때는 같은 크기로, 경사지게 보일 때는 짧게, 수직할 때는 한차원 준다. 즉 평면은 직선으로, 직선은 점으로 보인다.

20. ㉠

제2과목 : 용접구조설계

21 다음 그림과 같은 용접부에 인장하중이 5000kgf 작용할 때 인장응력은 몇 kgf/mm²인가?

21. ㉡

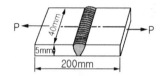

㉮ 20　　　　㉯ 25　　　　㉰ 30　　　　㉱ 35

✔ 해설　$\sigma = \dfrac{P}{A} = \dfrac{5000}{5 \times 40} = 25 kgf/mm^2$

22 용접봉 종류 중 피복제에 석회석이나 형석을 주성분으로 하고 용착금속 중의 수소 함유량이 다른 용접봉에 비해서 1/10 정도로 현저하게 낮은 용접봉은?

㉮ E4301　　　　㉯ E4303　　　　㉰ E4311　　　　㉱ E4316

✔ 해설　저수소계(E4316)
① 석회석($CaCO_3$)이나 형석(CaF_2)을 주성분으로 용착 금속 중의 수소량이 다른 용접봉에 비해서 1/10정도로 현저하게 적은 우수한 특성이 있다.
② 피복제는 습기를 흡수하기 쉽기 때문에 사용하기 전에 300~350℃ 정도로 1~2시간 정도 건조시켜 사용한다.

22. ㉱

23 용접 후 열처리(PWHT)의 목적이 아닌 것은?

㉮ 용접 열영향부의 경화　　　　㉯ 파괴인성의 향상
㉰ 함유가스의 제거　　　　㉱ 형상치수의 안정

✔ 해설　용접 후 열처리를 하는 목적은 경화된 용접부를 연화시키거나 인성의 향상 등을 위하여 실시한다.

23. ㉮

24 탐촉자를 이용하여 결함의 위치 및 크기를 검사하는 비파괴시험법은?

㉮ 방사선투과시험　　　　㉯ 초음파탐상시험
㉰ 침투탐상시험　　　　㉱ 자분탐상시험

✔ 해설　비파괴 검사 중 초음파 검사는 UT라고 하고 탐촉자를 이용하여 결함의 위치 및 크기를 검사하는 방법으로 0.5~15MHz의 초음파를 내부에 침투시켜 내부의 결함, 불균일 층의 유무를 알아냄. 종류로는 투과법, 펄스 반사법(가장 일반적), 공진법이 있다.

24. ㉯

25 용융금속의 이행은 용적의 이행상태로 분류하는데 이에 속하지 않는 것은?

㉮ 글로뷸러형　　㉯ 스프레이형　　㉰ 단락형　　㉱ 원자형

✔ 해설　① 단락형 : 큰 용적이 용융지에 단락 되어 표면 장력의 작용으로 이행되는 형식으로 맨 용접봉, 박피복 용접봉에서 발생한다.

25. ㉱

② 글로 블러형 : 비교적 큰 용적이 단락 되지 않고 옮겨가는 형식으로 피복제가 두꺼운 저수소계 용접봉 등에서 발생한다. 핀치 효과형이라고도 한다.
③ 스프레이형 : 미세한 용적이 스프레이와 같이 날려 이행되는 형식으로 고산화티탄계, 일미나이트계 등에서 발생한다. 분무상 이행형이라고도 한다.

26 용접이음에서 취성파괴의 일반적 특징에 대한 설명 중 틀린 것은?

㉮ 온도가 높을수록 발생하기 쉽다.
㉯ 항복점 이하의 평균응력에서도 발생한다.
㉰ 파괴의 기점은 응력, 변형이 집중하는 구조적 및 형상적인 불연속부에서 발생한다.
㉱ 거시적 파면상황은 판표면에 거의 수직이다.

✓해석 취성파괴란 재료의 연성이 부족하여 소성변형이 되지 않고 파괴되는 것으로 저온 취성 파괴에 미치는 요인은 온도의 저하, 잔류 응력, 노치 등의 원인이 있다.

26. ㉮

27 용접선이 교차를 피하기 위하여 부재에 파 놓은 부채꼴의 오목 들어간 부분을 무엇이라고 하는가?

㉮ 스켈롭(scallop)   ㉯ 노치(notch)
㉰ 오선(pick up)   ㉱ 너깃(nugget)

✓해석 용접선의 교차를 피하기 위하여 부채꼴 모양으로 오목하게 파 놓은 것을 스켈롭이라고 한다.

27. ㉮

28 겹쳐진 2부재의 한쪽에 둥근 구멍 대신에 좁고 긴 홈을 만들어놓고 그곳을 용접하는 용접법은?

㉮ 겹치기 용접   ㉯ 플랜지용접
㉰ T형 용접   ㉱ 슬롯용접

✓해석

(b) 슬롯 용접

28. ㉱

29 설계자는 구조물의 설계뿐만 아니라 제작공정의 제반사항을 알아야 용접비용과 품질을 좌우하는 용접요령을 지시할 수 있는데, 설계자가 알아야 할 요령 중 맞지 않는 것은?

㉮ 용접기의 1차 및 2차 케이블의 용량이 충분할 것
㉯ 가능한 아래보기 자세로 용접하도록 할 것
㉰ 가능한 짧은 시간에 용착량이 많게 용접할 것

29. ㉱

㉘ 가능한 낮은 전류를 사용할 것

✔**해설** 일반적으로 비드의 겉모양을 손상시키지 않는 범위에서는 전류가 높고 속도가 빠른 용접이 경제적이다.

30 용접제품의 정밀도와 신뢰성을 향상시키고 용접 작업능률을 높이기 위하여 사용되는 일종의 용접용 고정구를 무엇이라고 하는가?

㉮ 컴비네이션 셋   ㉯ 핫 스타트 장치
㉰ 엔드탭   ㉱ 지그

30. ㉱

✔**해설** 용접 지그 사용 효과
① 용접을 하기 쉬운 자세를 취할 수 있다. 즉 아래보기 자세로 용접할 수 있다.
② 제품의 정밀도 향상을 가져 올 수 있다.
③ 용접 조립 작업을 단순화 또는 자동화를 할 수 있게 하여 작업 능률이 향상된다.

31 용접 작업시 용접 길이를 짧게 나누어 간격을 두면서 용접하는 방법으로 피 용접물 전체에 변형이나 잔류 응력이 적게 발생하도록 하는 용착법은?

㉮ 대칭법   ㉯ 도열법   ㉰ 비석법   ㉱ 후진법

31. ㉰

✔**해설** 비석법은 용전 진행 방향에 따른 순서를 나타내는 것으로 짧은 용접 길이로 나누어 놓고 간격을 두면서 용접하는 방법이다. 특히 잔류 응력을 적게 할 경우 사용한다.

32 용접 후 언더컷의 결함보수 방법으로 적합한 것은?

㉮ 단면적이 작은 용접봉을 사용하여 보수 용접한다.
㉯ 정지 구멍을 뚫어 보수 용접한다.
㉰ 절단하여 다시 용접한다.
㉱ 해머링 하여준다.

32. ㉮

✔**해설** 균열일 경우는 정지 구멍을 뚫고 얇은 용접봉으로 보수 용접하나, 언더컷의 경우는 단면적이 작은 용접봉을 사용하여 보수한다.

33 판재의 두께 8mm를 아래보기 자세로 15m, 판재의 두께 15mm를 수직 맞대기 용접 자세로 8m용접하였다. 이때 환산 용접 길이는 얼마인가?

㉮ 44.28m   ㉯ 48.56m   ㉰ 54.36m   ㉱ 61.24m

33. ㉰

✔**해설** 이 문제의 경우는 환산계수를 알아야 되며 연강이라는 전제가 있어야 된다. 연강의 경우 아래보기 맞대기 경우 환산계수가 1.32, 수직 맞대기인 경우 4.32이므로 $(1.32 \times 15) + (4.32 \times 8) = 54.36$ (하지만 문제에서 아래보기 필릿인지, 맞대기 인지를 밝히지 않았고, 아울러 연강이라는 전제도 주지 않아 오류가 있는 문항이다.)

34 용접 시공 전에 준비해야할 사항 중 틀린 것은?

㉮ 이음 면이 정확히 되어있나 확인한다.

㉯ 덧붙임 용접시는 마멸부분을 제거하지 않고, 그대로 이용하여 용접한다.

㉰ 시공 면에 기름, 녹 등을 제거한다.

㉱ 습기는 가열하여 제거한다.

✔ 해설 용접 시공 전 모재 등의 기름, 녹 등은 제거하고 습기가 있는 경우 예열 등을 통하여 제거한 후 용접하여야 한다. 아울러 덧붙임 용접 등의 경우 마멸부분은 제거하고 용접하여야 한다.

34. ㉯

35 용접전류가 과대하고, 아크길이가 길며 운봉속도가 빠른 용접일 때 가장 일어나기 쉬운 용접결함은?

㉮ 언더컷   ㉯ 오버랩   ㉰ 융합불량   ㉱ 용입불량

✔ 해설 언더컷은 전류가 높을 때, 아크 길이가 길거나 부적당한 용접봉 사용 시 용접부가 파이는 결함을 말한다.

35. ㉮

36 용접 순서를 결정하는데 기준이 되는 유의사항으로 틀린 것은?

㉮ 수축이 작은 이음은 먼저하고 수축이 큰 이음은 가급적 뒤에 한다.

㉯ 같은 평면 안에 많은 이음이 있을 때에는 수축이 가급적 자유단으로 보낸다.

㉰ 용접물의 중심에 대하여 항상 대칭으로 용접을 진행시킨다.

㉱ 용접물의 중립축을 생각하고 그 중립축에 대하여 용접으로 인한 수축력 모멘트의 합이 0이 되도록 한다.

✔ 해설 용접과 리벳 작업을 하여야 할 경우 수축이 큰 용접 작업 후 리벳 작업을 진행하여야 수축으로 인한 변형 등의 교정 작업이 용이하다.

36. ㉮

37 그림과 같은 V형 맞대기 용접에서 굽힘 모멘트(Mb)가 10,000kgfcm 작용하고 있을 때 최대굽힘 응력은 몇 kgf/cm²인가?(단, l=150mm, t=20mm이고 완전 용입일 때이다.)

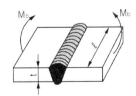

㉮ 10   ㉯ 1000   ㉰ 100   ㉱ 10000

✔ 해설 $\sigma_b = \dfrac{6M}{lt^2} = \dfrac{(6 \times 10000)}{(15 \times 2^2)} = 1000$

37. ㉯

38 다음과 같은 필릿 용접 이음부에 하중 P가 작용할 때 용접부에 발생하는 응력의 크기를 구하는 식은?(단, 필릿 용접부에 작용하는 응력은 같다)

38. ㉮

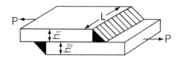

㉮ $\dfrac{\sqrt{2}P}{(h1+h2)L}$

㉯ $\dfrac{P}{\sqrt{2h1}\,L}$

㉰ $\dfrac{2P}{(h1+h2)L}$

㉱ $\dfrac{P}{(h1+h2)L}$

✔️ 해설 전면 필릿 용접의 응력의 식은 $\dfrac{\sqrt{2}P}{(h1+h2)L}$ 이다. 또는 $\sqrt{2}$대신 1.414를 넣어도 된다.

39 그림과 같은 V형 맞대기 용접에서 각부의 명칭 중에서 옳지 못한 것은?

39. ㉱

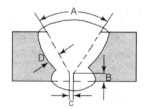

㉮ A는 홈 각도

㉯ B는 루트 면

㉰ C는 루트 간격

㉱ D는 오버랩

✔️ 해설 오버랩은 전류가 낮거나 속도가 느릴 때 용접부 위를 넓게 덮는 구조상의 결함이다.

40 파괴시험 방법의 종류 중에서 기계적 시험에 속하지 않는 것은?

40. ㉱

㉮ 인장시험   ㉯ 굽힘시험   ㉰ 충격시험   ㉱ 파면시험

✔️ 해설 파면 시험은 화학적 시험 방법이다.

제3과목 : 용접일반 및 안전관리

41 모재를 녹이지 않고 접합하는 것은?

41. ㉱

㉮ 가스 용접

㉯ 피복아크 용접

㉰ 서브머지드 아크용접

㉱ 납땜

✔️ **해설** ① 융접(Fusion Welding) : 접합 부분을 용융 또는 반용융 상태로 하고 여기에 용접봉 즉 용가재를 첨가하여 접합하는 방법으로 그 종류는 피복 아크 용접, 가스 용접, 불활성 가스 아크 용접, 서브머지드 용접, 이산화탄소 아크 용접, 일렉트로 슬랙 및 일렉트로 가스 용접 등이 있다.
② 압접 (Pressure Welding) : 접합 부분을 열간 또는 냉간 상태에서 압력을 주어 접합하는 방법으로 그 종류는 전기 저항 용접(점용접, 심 용접, 프로젝션 용접, 업셋 용접, 플래시 용접, 퍼커션 용접), 초음파 용접, 마찰 용접, 유도가열 용접, 가스 압접 등이 있다.
③ 납땜(Brazing and Soldering) : 모재보다 용융점이 낮은 용가재(용접봉)를 사용하여 모재는 녹이지 않고 용접봉만 녹여 표면장력으로 접합시키는 방법으로 그 종류는 크게 온도 450℃를 기준으로 그 이하에서 용접하는 연납땜과 그 이상에서 용접하는 경납땜이 있다.

42 가스용접에서 아세틸렌이 과잉으로 된 불꽃은?

㉮ 중성산화불꽃　　㉯ 탄화불꽃
㉰ 산화불꽃　　㉱ 중성불꽃

✔️ **해설** 아세틸렌 과잉불꽃은 탄화불꽃 또는 환원불꽃이라 한다.

43 가스용접에서 전진법과 후진법의 비교 설명으로 가장 올바르지 않은 것은?

㉮ 용접속도는 후진법이 전진법보다 빠르다.
㉯ 열이용율은 후진법이 전진법보다 좋다.
㉰ 소요 홈 각도는 후진법이 전진법보다 크다.
㉱ 용접변형은 후진법이 전진법보다 작다.

✔️ **해설** 후진법이 다 좋으며 비드 모양만 나쁘다고 생각하면 된다. 따라서 소요 홈 각도가 좁을수록 열 영향 등을 줄일 수 있어 좋으므로 후진법이 작다.

44 가스 용접에서 팁이 막혔을 때 뚫는 방법 중 옳은 것은?

㉮ 철판위에 가볍게 문지른다.
㉯ 내화벽돌위에 가볍게 문지른다.
㉰ 팁 크리너로 제거한다.
㉱ 가는 철사로 제거한다.

✔️ **해설** 팁이 막혔을 경우에는 팁 크리너로 뚫어 주어야 한다.

45 가스절단 작업시 예열불꽃 세기의 영향을 맞게 설명한 것은?

㉮ 예열불꽃이 강할 때 절단면이 거칠어진다.
㉯ 예열불꽃이 강할 때 드래그가 증가한다.
㉰ 예열불꽃이 강할 때 절단속도가 늦어진다.

42. ㉯
43. ㉰
44. ㉰
45. ㉮

㉑ 예열불꽃이 강할 때 슬래그 중의 철 성분의 박리가 쉽다.

✔ 해설 예열 불꽃의 역할은 개시점을 발화온도로 가열, 절단 산소의 순도 저하 방지, 절단 산소의 운동량 유지, 절단재 표면 스케일 등을 제거하여 절단 산소와의 반응을 용이하게 한다. 열 불꽃의 세기가 세면 절단면 모서리가 용융되어 둥글게 되고, 절단면이 거칠게 되며 슬래그 중의 철 성분의 박리가 어렵게 된다. 반대로 약해지면 드랙의 길이가 증가하고, 절단 속도가 늦어지며, 역화를 일으키기 쉽다.

46 아세틸렌가스 공급관로에 사용할 수 없는 재료는?

㉮ 주철   ㉯ 스테인리스강
㉰ 연강   ㉱ 구리

✔ 해설 구리 함유량이 62% 이상이면 폭발할 수 있다.

46. ㉱

47 다전극 서브머지드 아크 용접시 두 개의 전극 와이어를 각각 독립된 전원에 연결하는 방식은?

㉮ 횡병렬식   ㉯ 횡직렬식   ㉰ 퓨즈식   ㉱ 텐덤식

47. ㉱

✔ 해설

종 류	전극 배치	특 징
텐덤식	2개의 전극을 독립 전원에 접속한다.	비드 폭이 좁고 용입이 깊다. 용접 속도가 빠르다.
횡직렬식	2개의 용접봉 중심이 한 곳에 만나도록 배치	아크 복사열에 의해 용접. 용입이 매우 얕다. 자기 불림이 생길 수가 있다.
횡병렬식	2개 이상의 용접봉을 나란히 옆으로 배열	용입은 중간 정도이며 비드 폭이 넓어진다.

48 용접봉 홀더 200호로 접속할 수 있는 최대 홀더용 케이블의 도체 공칭 단면적은 몇 ㎟인가?

㉮ 22   ㉯ 30   ㉰ 38   ㉱ 50

48. ㉰

✔ 해설

	200A	300A	400A
1차측 지름(mm)	5.5	8	14
2차측 단면적(mm²)	38	50	60

하지만 이 문제는 오류가 있다. 발문을 가장 적합한 공칭 단면적으로 하여야 된다. 왜냐하면 38보다 큰 것은 사용가능 하기 때문이다.

49 용착속도(rate of deposition)를 올바르게 설명한 것은?

㉮ 용접심선이 10분간 용융되는 길이

49. ㉱

④ 용접심선이 1분간에 용융되는 중량

⑤ 용접봉 혹은 심선의 소모량

㉐ 단위시간에 용착되는 용착금속의 량

✔️ 해설 용착이란 용접봉이 용융지에 녹아 들어가는 것이므로 단위 시간당 용착되는 용착 금속의 량으로 속도를 계산할 수 있다.

50 용접 흄(fume)에 대해서 서술한 것 중 올바른 것은?

㉮ 용접 흄은 인체에 영향이 없으므로 아무리 마셔도 괜찮다.

㉯ 실내 용접 작업에서는 환기설비가 필요하다.

㉰ 용접봉의 종류와 무관하여 전혀 위험은 없다.

㉱ 용접흄은 입자상 물질이며, 가제마스크로 충분히 차단할 수가 있음으로 인체에 해가 없다.

✔️ 해설 용접 흄에는 인체에 해를 줄 수 있는 각종 물질이 있어 실내 용접 작업 시에는 환기설비를 필요로 한다. 아울러 흄이란 가스+입자상 물질을 합쳐 부를 때 사용한다.

50. ㉯

51 정격 2차 전류 200[A], 정격사용률 50%인 아크용접기로 실제 150[A]의 전류로 용접할 경우 허용사용률은 약 몇 %인가?

㉮ 67 ㉯ 78 ㉰ 89 ㉱ 95

✔️ 해설 허용사용률(%) × (실제용접전류)² = 정격 사용률(%) × (정격2차전류)²

허용사용률(%) $= \dfrac{(정격2차전류)^2}{(실제용접전류)^2} \times 정격사용률$

허용사용률(%) × (150)² = 50 × (200)²

허용사용률(%) = 88.8%

51. ㉰

52 일렉트로 슬래그 용접법의 원리는?

㉮ 가스 용해열을 이용한 용접법

㉯ 전기 저항열을 이용한 용접법

㉰ 수중 압력을 이용한 용접법

㉱ 비가열식을 이용한 압접법

✔️ 해설 서브머지드 아크 용접에서와 같이 처음에는 플럭스 안에서 모재와 용접봉 사이에 아크가 발생하여 플럭스가 녹아서 액상의 슬랙이 되면 전류를 통하기 쉬운 도체의 성질을 갖게 되면서 아크는 꺼지고 와이어와 용융 슬랙 사이에 흐르는 전류의 저항 발열을 이용하는 자동 용접법이다.

52. ㉯

53 가스 절단 작업에서 프로판가스와 아세틸렌가스를 사용하였을 경우를 비교한 사항 중 옳지 않은 것은?

53. ㉱

㉮ 포갬 절단 속도는 프로판 가스를 사용하였을 때가 빠르다.

㉯ 슬래그 제거가 쉬운 것은 프로판가스를 사용하였을 경우이다.

㉰ 후판 절단시 절단 속도는 프로판 가스를 사용하였을 때가 빠르다.

㉱ 산소는 아세틸렌가스가 프로판가스보다 약간 더 필요하다.

✔ 해설

아세틸렌	프로판
·혼합비 1 : 1 ·점화 및 불꽃 조절이 쉽다. ·예열 시간이 짧다. ·표면의 녹 및 이물질 등에 영향을 덜 받는다. ·박판의 경우 절단 속도가 빠르다.	·혼합비 1 : 4.5 ·절단면이 곱고 슬랙이 잘 떨어진다. ·중첩 절단 및 후판에서 속도가 빠르다. ·분출 공이 크고 많다. ·산소 소비량이 많아 전체적인 경비는 비슷하다.

54 스테인리스나 알루미늄 합금의 납땜이 어려운 가장 큰 이유는?

54. ㉯

㉮ 적당한 용제가 없기 때문에

㉯ 강한 산화막이 있기 때문에

㉰ 용점이 높기 때문에

㉱ 친화력이 강하기 때문에

✔ 해설　강한 산화막이 표면에 있고 산화막의 용융온도가 높아 용접과 절단 등이 어렵다.

55 역류, 역화, 인화 등을 막기 위해 사용하는 수봉식 안전기 취급시 주의 사항이 아닌 것은?

55. ㉯

㉮ 수봉관에 규정된 선까지 물을 채운다.

㉯ 안전기가 얼었을 경우 가스토치로 해빙시킨다.

㉰ 한 개의 안전기에는 반드시 한 개의 토치를 설치한다.

㉱ 수봉관의 수위는 작업 전에 반드시 점검한다.

✔ 해설　안전기가 얼었을 경우 뜨거운 물을 사용하여 녹인다.

56 무부하 전압 80V, 아크전압 30V, 아크 전류 200A까지의 아크 용접기의 역률을 계산하면?(단 내부손실은 4kw)

56. ㉱

㉮ 80%　　㉯ 62.5%　　㉰ 90%　　㉱ 72.5%

✔ 해설　$역률 = \dfrac{소비전력(kW)}{전원입력(KVA)} \times 100$　$효율 = \dfrac{아크출력(kW)}{소비전력(kW)} \times 100$

소비 전력 = 아크 출력 + 내부 손실

전원 입력 = 무부하 전압 × 정격 2차 전류

아크 출력 = 아크 전압 × 정격 2차 전류

따라서 효율 $= \frac{6}{10} \times 100 = 60\%$, 역률 $= \frac{10}{16} \times 100 = 62.5\%$

57 CO_2아크 용접에서 인체 유해성분에 가장 영향을 미치는 가스는?

㉮ 일산화탄소가스   ㉯ 황산가스
㉰ 질소가스   ㉱ 메탄가스

✔ 해설 이산화탄소 아크 용접에서 인체에 가장 유해한 성분은 연탄가스를 흡입했을 경우와 마찬가지인 일산화탄소가 위험하다.

57. ㉮

58 TIG용접에 사용되는 전극의 조건 중 틀린 것은?

㉮ 고 용융점의 금속
㉯ 전자 방출이 잘되는 금속
㉰ 열 전도성이 좋은 금속
㉱ 전기 저항률이 큰 금속

✔ 해설 전기 저항률이 크면 전기를 잘 흘려 줄 서 없기 때문에 전극의 사용조건으로는 부적당하다.

58. ㉱

59 용접 전의 일반적인 준비사항에 해당되지 않는 것은?

㉮ 제작 도면을 잘 이해하고 작업내용을 충분히 검토한다.
㉯ 용착금속과 홈의 선택에 대하여 이해한다.
㉰ 예열, 후열의 필요성 여부는 중요하지 않으므로 검토를 안 해도 된다.
㉱ 용접전류, 용접순서, 용접조건을 미리 정해둔다.

✔ 해설 용접 전 예열 후열의 필요성 여부는 반드시 검토하여야 한다.

59. ㉰

60 아크 기둥의 전압을 올바르게 설명한 것은?

㉮ 아크 기둥의 전압은 아크 길이에 거의 관계가 없다.
㉯ 아크 기둥의 전압은 아크 길이에 거의 정비례하여 증가 한다.
㉰ 아크 기둥의 전압은 아크 길이에 거의 반비례하여 감소한다.
㉱ 아크 기둥의 전압은 아크 길이에 거의 반비례하여 증가 한다.

✔ 해설 아크 전압= 양극전압강하+아크기둥전압강하+음극전압강하
그러므로 아크 기둥 전압은 아크 길이에 정비례하여 증가한다.

60. ㉯

국가기술자격검정 필기시험문제

2010년 산업기사 제2회 필기시험

자격종목 및 등급(선택분야)	종목코드	시험시간	문제지형별	수검번호	성 명
용접산업기사	**2026**	**1시간 30분**	**A**		

※ 답안카드 작성시 시험문제지 형별누락, 마킹착오로 인한 불이익은 전적으로 수검자의 귀책사
유임을 알려드립니다.

제1과목 : 용접야금 및 용접설비제도

01 탄소강에서 탄소(C)의 함유량이 증가할 경우에 해당하는 것은?

㉮ 경도증가, 연성감소　　　　㉯ 경도감소, 연성감소
㉰ 경도증가, 연성증가　　　　㉭ 경도감소, 연성증가

✔ 해석　탄소 함유량이 증가하면 강도 및 경도가 증가하고 연성은 감소한다.

01. ㉮

02 브리넬 경도계의 경도값의 정의는 무엇인가?

㉮ 시험하중을 압입자국의 깊이로 나눈 값
㉯ 시험하중을 압입자국의 높이로 나눈 값
㉰ 시험하중을 압입자국의 표면적으로 나눈 값
㉭ 시험하중을 압입자국의 체적으로 나눈 값

✔ 해석　경도를 측정하는 방법은 브리넬 경도, 비커어스 경도, 로크웰 경도, 쇼어 경
도 방법이 있다. 이중 브리넬 경도 값은 압입자국의 표면적으로 나눈 값을
가지고 나타낸다.

02. ㉰

03 탄소 이외의 원소가 강의 성질에 미치는 영향 중 황(S)의 함유량이 많
을 경우 발생하기 쉬운 결함은?

㉮ 적열취성　　㉯ 청열취성　　㉰ 저온취성　　㉭ 뜨임취성

✔ 해석　적열 취성의 원인은 황(S), 청열 취성의 원인은 인(P)이다.

03. ㉮

04 피복아크 용접봉의 플럭스(flux)에 함유되어 있는 탈산제가 아닌 것
은?

㉮ Fe-Mn　　㉯ Fe-Si　　㉰ Fe-Ti　　㉭ Fe-Cu

✔ 해석　탈산제의 종류는 Fe-Mn, Fe-Si, Fe-Ti 등이 사용된다.

04. ㉭

05 용접 전에 적당한 온도로 예열하는 목적으로 틀린 것은?

㉮ 수축 변형을 감소시키기 위하여

㉯ 냉각속도를 빠르게 하기 위하여

㉰ 잔류응력을 경감시키기 위하여

㉱ 연성을 증가시키기 위하여

✔ 해석 **예열의 목적**
① 용접부와 인접된 모재의 수축응력을 감소하여 균열 발생을 억제한다.
② 냉각속도를 느리게 하여 모재의 취성을 방지한다.
③ 용착금속의 수소 성분이 나갈 수 있는 여유를 주어 비드 밑 균열을 방지한다.

05. ㉯

06 가스용접봉을 선택할 때 고려하여야 할 조건에 대한 설명으로 맞지 않은 것은?

㉮ 가능한 모재와 동일한 재질로서 모재를 강화시킬 수 있어야 한다.

㉯ 용접봉의 용융온도가 모재보다 높아야 한다.

㉰ 용접부의 기계적 성질에 나쁜 영향을 주어서는 안 된다.

㉱ 용접봉의 재질 중에 불순물을 포함하지 않아야 한다.

✔ 해석 가스 용접봉은 모재와 재질이 같은 것이 좋으므로 용융점 또한 같아야 한다.

06. ㉯

07 다음 중 체심입방격자를 갖는 금속이 아닌 것은?

㉮ W   ㉯ Mo   ㉰ Al   ㉱ V

✔ 해석 면심입방격자(F·C·C)는 전·연성이 풍부하여 가공성이 우수하다. Ag, Al, Au, Cu, Ni 등이 있다.

07. ㉰

08 다음 중 탄소공구강의 구비조건으로 틀린 것은?

㉮ 가격이 저렴할 것   ㉯ 강인성 및 내충격성이 우수할 것

㉰ 내마모성이 작을 것   ㉱ 상온 및 고온경도가 클 것

✔ 해석 탄소 공구강은 탄소 함유량을 높여 경도 등을 크게 하여 내마모성을 향상시킨 공구강이다.

08. ㉰

09 재열 균열을 방지하기 위한 방법으로 옳은 것은?

㉮ 입열을 최소화하여 결정립이 조대화를 억제한다.

㉯ Al, Pb 등을 첨가하여 HAZ부의 조대화를 촉진시킨다.

㉰ 용접시 용접부 구속을 증가시켜 비틀림을 방지한다.

㉱ 후열처리시 최고가열 온도를 모재의 템퍼링(Tempering) 온도 이상으로 한다.

✔ 해석 재열 균열은 SR 균열이라고도 하며 입열 등을 억제하여 조직의 결정립의 조대화를 억제하여 방지할 수 있다.

09. ㉮

10 다음 중 용강 중의 질소 함유량을 나타내는 시버츠의 법칙으로 맞는 것은?(단, [N]:용강 중의 질소의 함량, K_n:평형정수, P_{N2}:기상 중의 질소의 분압이다.)

㉮ $[N] = K_N \sqrt{P_{N2}}$ ㉯ $[N] = \dfrac{1}{K_N} \sqrt{P_{N2}}$

㉰ $[N] = K_N^3 \sqrt{P_{N2}}$ ㉱ $[N] = \dfrac{1}{K_N^3} \sqrt{P_{N2}}$

✔해설 용강중의 질소 함유량을 나타내는 방법인 시버츠의 법칙은 $[N] = K_N \sqrt{P_{N2}}$ ([N]:용강 중의 질소의 함량, K_n:평형정수, P_{N2}:기상 중의 질소의 분압)으로 표시된다.

11 다음 그림과 같은 용접기호를 올바르게 설명한 것은?

㉮ 화살표 쪽의 심(seam)용접   ㉯ 화살표 반대쪽의 필릿(fillet)용접
㉰ 화살표 쪽의 스폿(spot)용접   ㉱ 화살표 쪽의 플러그(plug)용접

✔해설 실선에 기호가 붙어 있으므로 화살표쪽, 인 기호는 심용접을 의미한다.

12 용접 기본기호 중 점 용접 기호는?

㉮    ㉯ ◯   ㉰ 🚩   ㉱ ▶

✔해설 규격이 바뀌기 전에는 *가 점용접을 뜻하였으나 ◯이 점용접으로 바뀌었다.

13 특수한 용도의 선으로 얇은 부분의 단면도시를 명시하는데 사용하는 선은?

㉮ 아주굵은실선   ㉯ 가는 1점 쇄선
㉰ 파단선   ㉱ 가는 2점 쇄선

✔해설 얇은 부분은 해칭할 수 없어 아주 굵은 실선으로 단면을 표시한다.

14 도면에 마련해야 하는 양식에 관한 설명 중 틀린 것은?

㉮ 비교 눈금은 도면 용지의 가장자리에서 가능한 한 윤곽선에 겹쳐서 중심마크에 대칭으로, 나비는 최대 5mm로 배치한다.

④ 윤곽선은 최소 0.5mm 이상의 실선으로 그리는 것이 좋다.

④ 도면을 마이크로필름으로 촬영하거나 복사할 때 편의를 위하여 중심마
크를 표시한다.

㉰ 부품란에는 도면번호, 도면명칭, 척도, 투상법 등을 기입한다.

✔ 해설 도면번호, 도면명칭, 척도, 투상법 등은 표제란에 기입한다.

15 핸들이나 바퀴 등의 암 및 리브, 훅, 축, 구조물의 부재 등의 절단면을
표시하는데 가장 적합한 단면도는?

㉮ 부분 단면도　　　　　　　　　㉯ 회전도시 단면도
㉰ 조합에 의한 단면도　　　　　　㉱ 한쪽 단면도

15. ㉯

✔ 해설

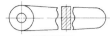

회전단면도

① 핸들, 축, 형강 등과 같은 물체의 절단한 단면의 모양을 90°회전하여 내부
또는 외부에 그리는 것을 말한다.
② 내부에 표시할 때는 가는 실선을 사용한다.
③ 외부에 표시할 때는 굵은 실선을 사용한다.

16 다음 그림과 같은 용접 보조기호를 올바르게 설명한 것은?

16. ㉱

㉮ 오목하게 처리한 필릿 용접　　　㉯ 용접한 그대로 처리한 필릿 용접
㉰ 볼록하게 처리한 필릿 용접　　　㉱ 매끄럽게 처리한 필릿 용접

✔ 해설 용접이음의 보조기호 중 그림은 필릿 용접의 끝단부를 매끄럽게 처리하라는
의미이다.

17 다음 그림에서 용접부 기호의 명칭으로 옳은 것은?

17. ㉰

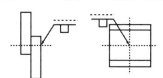

㉮ 필릿용접　　㉯ 점용접　　㉰ 플러그용접　　㉱ 이면용접

✔ 해설

플러그 용접 : 플러그 또는 슬롯 용접		

18 출력하는 도면이 많거나 도면의 크기가 크지 않을 경우 도면이나 문자
들을 마이크로필름화 하는 장치는?

㉮ CIM장치 ㉯ CAE장치 ㉰ CAT장치 ㉱ COM장치

✔ 해설 발문에 해당하는 장치는 COM장치이다.

18. ㉱

19 다음 용접 기호를 설명한 것으로 틀린 것은?

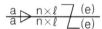

㉮ 목 두께가 A인 지그재그 단속 필릿 용적이다.
㉯ n은 용접부의 개수를 말한다.
㉰ ℓ은 용접부의 길이로 크레이터부를 포함한다.
㉱ (e)는 인접한 용접부 간의 거리를 표시한다.

✔ 해설

에서 ℓ은 용접부 길이(크레이터부 제외)를 뜻한다.

19. ㉰

20 가는 1점 쇄선의 용도에 의한 명칭이 아닌 것은?

㉮ 중심선 ㉯ 기준선 ㉰ 피치선 ㉱ 숨은선

✔ 해설 가는 1점 쇄선은 중심선, 기준선, 피치선으로 사용된다. 숨은선은 파선으로
사용한다.

20. ㉱

┌─────────────────────┐
│ 제2과목 : 용접구조설계 │
└─────────────────────┘

21 다음 그림의 용접이음 중 적은 하중이나 충격 또는 반복하중을 받지 않
는 곳에 사용하는 이음형상은?

㉮ 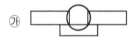 ㉯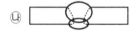

㉰ 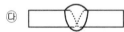 ㉱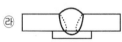

✔ 해설 적은 하중이나 충격 또는 반복을 받지 않는 경우는 덧댐을 되지 않거나 루트
간격을 벌리지 않고 용접한다.

21. ㉰

22 플러그 용접(Plug Welding)의 설명으로 알맞은 것은?

㉮ 고진공 중에서 고속전자 방출에 의한 충격 발열을 이용하여 접합하는

22. ㉯

　용접방법

㉯ 접합하는 부재 한쪽에 원형 구멍을 뚫고 판의 표면까지 가득하게 용접
　하고 다른 쪽 부재와 접합하는 용접방법

㉰ 겹친 모재를 전극의 선단에 띠워놓고 전류를 집중시켜 국부적으로 가
　열과 동시 가압하는 용접방법

㉱ 맞대기 저항용접의 일종이며 접합부를 충분히 가열한 다음 큰 압력으
　로 면을 접합하는 용접방법

✔ 해설　해설 17그림 참고

23 무부하 전압이 80V, 아크전압 35V, 아크전류 400A이라 하면 교류 용
　　접기의 역률과 효율은 각각 약 몇 %인가?(단, 내부손실 4kW이다.)

㉮ 역률 : 51, 효율 : 72　　　　㉯ 역률 : 56, 효율 : 78

㉰ 역률 : 61, 효율 : 82　　　　㉱ 역률 : 66, 효율 : 88

23. ㉯

✔ 해설　$역률 = \dfrac{소비전력(kW)}{전원입력(KVA)} \times 100$, $효율 = \dfrac{아크출력(kW)}{소비전력(kW)} \times 100$

소비 전력 = 아크 출력 + 내부 손실
전원 입력 = 무부하 전압 × 정격 2차 전류
아크 출력 = 아크 전압 × 정격 2차 전류
따라서

$$효율 = \frac{14}{18} \times 100 = 77.7\%, \quad 역률 = \frac{18}{32} \times 100 = 56.2\%$$

24 용접지그를 선택하는 기준 설명 중 틀린 것은?

㉮ 청소하기 쉬워야 한다.

㉯ 용접변형을 억제할 수 있는 구조이어야 한다.

㉰ 피용접물과의 고정과 분해가 어려운 구조이어야 한다.

㉱ 작업 능률이 향상되어야 한다.

24. ㉰

✔ 해설　용접 지그 사용 효과

① 용접을 하기 쉬운 자세를 취할 수 있다. 즉 아래보기 자세로 용접 할 수
　있다.

② 제품의 정밀도 향상을 가져 올 수 있다.

③ 용접 조립 작업을 단순화 또는 자동화를 할 수 있게 하여 작업 능률이 향상
　된다.

따라서 피용접물과의 고정 및 분해가 용이하여야 된다.

25 가 용접시 주의 하여야 할 사항으로 맞는 것은?

㉮ 가 용접은 본 용접에 비해 중요하지 않으므로 대충 용접한다.

㉯ 가 용접에 사용되는 용접봉은 본 용접보다 굵은 용접봉을 사용한다.

㉰ 본 용접자와 동등한 기량을 갖는 용접자로 하여금 가접하게 한다.

25. ㉰

㉒ 가 용접의 위치는 부품의 끝, 모서리, 각 등과 같이 응력이 집중되는 곳에서 한다.

✔ 해설 **가접**
① 홈안에 가접은 피하고 불가피한 경우 본 용접 전에 갈아낸다.
② 응력이 집중하는 곳은 피한다.
③ 전류는 본 용접보다 높게 하며, 용접봉의 지름은 가는 것을 사용한다. 또한 너무 짧게 하지 않는다.
④ 시·종단에 엔드탭을 설치하기도 한다.
⑤ 가접사도 본 용접사에 비하여 기량이 떨어지면 안 된다.

26 특수강 용접 시 용접봉의 선택에서 가장 먼저 고려해야 할 것은?

㉮ 작업성(사용하기 쉬운가의 여부)
㉯ 용접성(용접한 부분의 기계적 성질)
㉰ 환경성(작업의 조건 및 안전한가 여부)
㉱ 경제성(제반 경비 단가)

✔ 해설 용접봉을 선택하기 전 우선적으로 고려하여야 할 사항은 용접성이다.

27 용착부의 인장응력이 5kgf/mm², 용접선 유효길이가 80mm이며, V형 맞대기로 완전 용입인 경우 하중 8000kgf에 대한 판 두께는 몇 mm인가?(단, 하중은 용접선과 직각 방향임.)

㉮ 10   ㉯ 20   ㉰ 30   ㉱ 40

✔ 해설 $\sigma = \dfrac{P}{A} = \dfrac{P}{lt}$에서 $t = \dfrac{P}{\sigma l}$이다. 따라서 $\dfrac{8000}{5 \times 80} = 20$

28 피복 아크 용접에서 용접부의 균열 방지대책으로 맞지 않은 것은?

㉮ 적당한 예열과 후열을 한다.
㉯ 염기도가 적은 용접봉을 선택한다.
㉰ 적절한 속도로 운봉을 한다.
㉱ 저수소계 용접봉을 사용한다.

✔ 해설 저수소계 용접봉은 염기도가 높은 용접봉이다. 따라서 균열 방지를 위해서는 염기도가 높은 용접봉을 선택한다.

29 용접부 결함의 종류중 구조상의 결함이 아닌 것은?

㉮ 기공   ㉯ 슬래그 섞임   ㉰ 융합불량   ㉱ 변형

✔ 해설 **용접 결함의 종류**
① 치수상 결함 : 변형, 치수 및 형상 불량
② 성질상 결함 : 기계적, 화학적 성질 불량
③ 구조상 결함 : 언더컷, 오버랩, 기공, 용입 불량 등

26. ㉯
27. ㉯
28. ㉯
29. ㉱

30 각 변형의 방지대책에 관한 설명 중 틀린 것은?

㉮ 개선 각도는 작업에 지장이 없는 한도 내에서 작게 하는 것이 좋다.

㉯ 용접속도가 빠른 용접법을 이용한다.

㉰ 구속지그를 활용한다.

㉱ 판 두께와 개선형상이 일정할 때 용접봉 지름이 작은 것을 이용하여 패스의 수를 늘인다.

✔해설 각변형이란 용접에 의해 부재 또는 구조물에 생기는 가로(횡) 방향의 굽힘 변형을 말한다. 맞대기 용접의 경우는 상부쪽의 수축량이 크기 때문에 위쪽으로 오므라들게 되며, 필릿 용접의 경도 수평판의 상부쪽이 오므라드는 것을 말한다. 용접 개선 각도는 작업에 지장이 없는 한 작게 하며, 용접봉의 열영향을 줄이기 위해 가능한 패스 수를 줄인다.

31 용접시공시 관리의 기본 회로(circle)를 설명한 것으로 가장 적당한 것은?

㉮ 확인 → 계획 → 실시 → 행동   ㉯ 계획 → 확인 → 실시 → 행동

㉰ 계획 → 실시 → 행동 → 확인   ㉱ 계획 → 실시 → 확인 → 행동

✔해설 용접 시공이 순서는 계획하고 실시하며 확인 후 행동하는 것이다.

32 AW-400인 용접기 50대를 설치하고자 할 때 전원 변압기는 어느 정도 용량을 설비해야 하는가?(단, 용접기의 평균전류는 200A, 무부하 전압은 80V 사용률은 70%이다.)

㉮ 320kVA   ㉯ 420kVA   ㉰ 460kVA   ㉱ 560kVA

✔해설 용접기가 10대 이상인 경우 전원 변압기 용량은 다음과 같이 계산한다.
용접기 대수×용접기 사용률×용접기 부하율×용접기 최대 용량
따라서 50×0.7×0.5×400×80=560000VA, 따라서 560KVA

33 맞대기 용접 이음의 홈의 종류가 아닌 것은?

㉮ I형 홈   ㉯ V형 홈   ㉰ T형 홈   ㉱ U형 홈

✔해설 T형은 홈의 형상이 아니라 이음의 형상이다.

34 용접부 내부에 모재표면과 평행하게 층상으로 형성되어 있는 균열은?

㉮ 라멜라테어 균열   ㉯ 라미네이션 균열

㉰ 재열 균열   ㉱ 힐 균열

✔해설 압연강판의 층(Lamination) 사이에 균열이 생기는 현상으로 원인은 두께가 두꺼운 후판 용접, 특히 T형 필릿이음 등에서 완전용입으로 다층 용접을 할 경우, 압연강판의 두께방향 응력에 의해 구속이 심할 때 용접금속의 수축을 수반하는 국부적인 변형이 주원인

30. ㉱ 31. ㉱ 32. ㉱ 33. ㉰ 34. ㉮

35 용접이음을 설계할 때 일반적인 주의 사항으로 틀린 것은?

㉮ 강도가 약한 필릿 용접은 될 수 있는 대로 피하고 맞대기 용접을 하도록 한다.

㉯ 용접작업에 지장을 주지 않도록 충분한 공간을 준다.

㉰ 용접이음이 한 곳으로 집중되거나, 접근되도록 한다.

㉱ 가급적 능률이 좋은 아래보기 용접을 많이 하도록 한다.

✔️해설 용접 이음이 한 곳으로 집중될 경우 열영향 등 악영향을 줄 우려가 있어 피해야 된다.

36 연강 맞대기 용접의 완전용입 이음에서 모재 인장강도에 대한 용접 시험편 인장강도의 이음 효율은 보통 얼마인가?

㉮ 100%   ㉯ 80%   ㉰ 60%   ㉱ 40%

✔️해설 맞대기 용접의 완전 용입의 이음 효율은 100%로 본다.

37 용접이음의 안전율에 영향을 미치는 주요 인자(因子)로 고려할 사항으로 가장 적절하게 나열한 것은?

㉮ 모재의 기계적 성질, 모재의 보관방법, 용접기의 종류, 용착금속의 기계적 성질, 파괴시험

㉯ 재료의 가격성, 용접사의 기능, 용접자세, 하중의 향상 모재의 보관방법

㉰ 용착금속의 기계적 성질, 작업장소, 용접자세, 용접기의 종류, 하중의 형상

㉱ 모재의 기계적 성질, 재료의 용접성, 용접방법, 하중의 종류, 용접자세

✔️해설 안전율 = $\frac{(인장강도)}{(허용응력)} \times 100$로 구할 수 있으므로, 모재의 기계적 성질, 재료의 용접성, 용접방법 등의 영향을 받는다고 볼 수 있다.

38 초음파 탐상법의 종류에 속하지 않는 것은?

㉮ 투과법   ㉯ 펄스반사법   ㉰ 공진법   ㉱ 관통법

✔️해설 비파괴 검사 중 초음파 검사는 UT라고 하고 탐촉자를 이용하여 결함의 위치 및 크기를 검사하는 방법으로 0.5~15MHz의 초음파를 내부에 침투시켜 내부의 결함, 불균일 층의 유무를 알아냄. 종류로는 투과법, 펄스 반사법(가장 일반적), 공진법이 있다.

39 연강을 인장시험으로 측정할 수 없는 것은?

㉮ 항복점   ㉯ 연신율   ㉰ 재료의 경도   ㉱ 단면수축물

✔️해설 탄성한계, 비례한계, 항복점, 연신율, 수축률 등은 인장시험으로 알 수 있으

35. ㉰
36. ㉮
37. ㉱
38. ㉱
39. ㉰

나 경도는 정확히 알 수 없고 추청치만 알 수 있다.

40 용접 홈의 형상 중 V형 홈에 대한 설명으로 옳은 것은?

㉮ 판 두께가 대략 6mm 이하의 경우 양면 용접에 사용한다.

㉯ 양쪽 용접에 의해 완전한 용입을 얻으려고 할 때 쓰인다.

㉰ 판 두께 3mm 이하로 루트 간격 없이 한쪽에서 용접할 때 쓰인다.

㉱ 보통 판 두께 20mm 이하의 판에서 한쪽 용접으로 완전한 용입을 얻고자 할 때 쓰인다.

✔해설 V형 홈은 일반적으로 판 두께 6~19mm 정도 한쪽에서 완전 용입을 얻고자 사용한다.

40. ㉱

제3과목 : 용접일반 및 안전관리

41 가스절단에서 절단용 산소의 순도가 낮은 것을 사용하였을 때의 설명으로 맞는 것은?

㉮ 슬래그 박리성이 양호하다.

㉯ 절단속도가 느리고, 절단면이 거칠어진다.

㉰ 절단시간이 단축된다.

㉱ 절단 홈의 폭이 좁아지고, 절단효율과는 무관하다.

✔해설 산소의 순도가 1% 저하하면 절단 속도는 25% 저하한다. 아울러 순도가 저하하면 산소의 소비량도 증가한다.

41. ㉯

42 용접의 장점에 관한 일반적인 설명으로 틀린 것은?

㉮ 이종(異種)재료도 접합 시킬 수 있다.

㉯ 수밀성과 기밀성이 좋다.

㉰ 재료의 두께에 제한을 받는다.

㉱ 보수와 수리가 용이하다.

✔해설 용접의 장점
① 작업 공정을 줄일 수 있다.
② 형상의 자유화를 추구 할 수 있다.
③ 이음 효율을 향상(기밀 수밀 유지)시킬 수 있다.
④ 중량 경감, 재료 및 시간이 절약된다.
⑤ 이종 재료의 접합이 가능하다.
⑥ 보수와 수리가 용이하다.(주물의 파손부 등)

42. ㉰

43 탄소 아크 절단에 압축공기를 병용하여 전극 홀더의 구멍에서 탄소 전극봉에 나란히 분출하는 고속의 공기를 분출시켜 용융금속을 불어내

43. ㉱

어 홈을 파는 방법은?

㉮ 가스 가우징　　　　　　　　㉯ 스카핑
㉰ 산소창 절단　　　　　　　　㉴ 아크에어 가우징

✔️해설　**아크 에어 가우징**
① 탄소 아크 절단에 압축 공기를 병용하여 결함을 제거(흑연으로 된 탄소봉에 구리 도금을 한 전극 사용)
② 가스 가우징보다 작업 능률이 2～3배 좋다.
③ 균열의 발견이 특히 쉽다.
④ 철, 비철금속 어느 경우도 사용된다.
⑤ 전원으로는 직류 역극성이 사용된다.
⑥ 아크 전압 35V, 전류 200～500A, 압축 공기는 6～7kg/cm² (4kg/cm² 이하로 떨어지면 용융 금속이 잘 불려 나가지 않는다.)

44 잠호 용접기에서 용접전류는 직류 또는 교류가 사용되고 아크의 복사열에 의해 모재를 가열 용융시켜 용접을 행하며 용입이 얕은 관계로 스테인리스강 등의 덧붙이 용접에 잘 쓰이는 다 전극 방식은?

㉮ 횡 병렬식　　　　　　　　㉯ 횡 직렬식
㉰ 텐덤식　　　　　　　　　　㉴ 아크에어 가우징

44. ㉯

✔️해설

종 류	전극 배치	특 징
텐덤식	2개의 전극을 독립 전원에 접속한다.	비드 폭이 좁고 용입이 깊다. 용접 속도가 빠르다.
횡 직렬식	2개의 용접봉 중심이 한 곳에 만나도록 배치	아크 복사열에 의해 용접. 용입이 매우 얕다. 자기 불림이 생길 수가 있다.
횡 병렬식	2개 이상의 용접봉을 나란히 옆으로 배열	용입은 중간 정도이며 비드 폭이 넓어진다.

45 용접기의 보수 및 점검시 지켜야 할 사항으로 틀린 것은?

45. ㉮

㉮ 2차측 단자의 한쪽과 용접기 케이스는 접지해서는 안 된다.
㉯ 가동부분, 냉각팬을 점검하고 회전부 등에는 주유를 해야 한다.
㉰ 탭 전환의 전기적 접속부는 자주 샌드페이퍼 등으로 잘 닦아준다.
㉴ 용접 케이블 등의 파손된 부분은 절연 테이프로 감아야 한다.

✔️해설　2차측 단자의 한쪽과 용접기 케이스는 반드시 접지하여야 한다.

46 산소와 아세틸렌 가스용기 취급시 주의할 점으로 틀린 것은?

46. ㉮

㉮ 산소용기는 직사광선을 피하고 60℃ 이하에서 보관한다.
㉯ 아세틸렌 용기는 반드시 세워서 사용해야 한다.
㉰ 산소병을 운반시는 반드시 캡을 씌워 이동한다.
㉴ 가스누설 점검은 수시로 실시하며 비눗물로 한다.

산소 용기 취급상 주의사항

① 타격, 충격을 주지 않는다.
② 직사광선, 화기가 있는 고온의 장소를 피한다.
③ 용기 내의 압력이 너무 상승(170kgf/cm²)되지 않도록 한다.
④ 밸브가 동결되었을 때 더운물 또는 증기를 사용하여 녹여야 한다.
⑤ 누설 검사는 비눗물을 사용한다.
⑥ 용기 내의 온도는 항상 40℃ 이하로 유지하여야 한다.
⑦ 용기 및 밸브 조정기 등에 기름이 부착되지 않도록 한다.
⑧ 저장실에 가스를 보관시 다른 가연성 가스와 함께 보관하지 않는다.

47 용해 아세틸렌의 이점에 해당되지 않는 것은?

㉮ 아세틸렌 발생기와 부속기구가 필요하다.

㉯ 운반이 비교적 용이하다.

㉰ 발생기를 사용하지 않으므로 폭발의 위험성이 적다.

㉱ 순도가 높아 불순물에 의해 용접부의 강도가 저하되지 않는다.

✔해설 용해 아세틸렌을 사용할 경우 용기에 넣어 사용하므로 아세틸렌 압력 조정기 등의 부속기구는 필요하다. 이점을 장점이라고 말할 수는 없다.

47. ㉮

48 용접 작업을 하지 않을 때에는 용접기의 2차 무부하 전압을 약 25V 이하로 유지하고 용접봉을 모재에 접촉하는 순간에만 릴레이가 작동하여 용접이 가능토록 한 장치는?

㉮ 원격 제어 장치   ㉯ 전격 방지 장치

㉰ 핫 스타트 장치   ㉱ 고주파 발생 장치

✔해설 전격 방지기 : 감전의 위험으로부터 작업자를 보호하기 위하여 2차 무부하 전압을 20 ~ 30[V]로 유지하는 장치

48. ㉯

49 일렉트로 슬래그 용접에서 사용되는 수냉식 판의 재료는?

㉮ 알루미늄   ㉯ 니켈   ㉰ 구리   ㉱ 연강

49. ㉰

✔해설
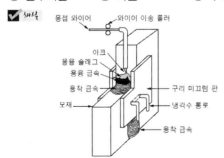

50 아르곤 가스는 1기압 하에서 약 6500ℓ의 양이 약 몇 기압으로 용기에 충전되어 공급하는가?

㉮ 15   ㉯ 25   ㉰ 140   ㉱ 180

✔ 해설 아르곤 용기의 색은 회색이며 충전기압은 약 $140kgf/cm^2$ 이다.

50. ㉰

51 아크 발생열에 의하여 피복제가 분해되어 일산화탄소, 이산화탄소, 수증기 등의 가스 발생제가 되는 가스실드식 피복제의 성분은?

㉮ 규산나트륨   ㉯ 셀룰로오스   ㉰ 규사   ㉱ 일미나이트

✔ 해설 셀룰로오스는 가스 발생제이다.

51. ㉯

52 산소-아세틸렌가스의 혼합비가 1:1정도이고, 표준불꽃이라고도 하는 것은?

㉮ 산화불꽃   ㉯ 탄화불꽃   ㉰ 중성불꽃   ㉱ 산소과잉 불꽃

✔ 해설 표준 불꽃 또는 산화 및 환원 불꽃과 비교하여 중성 불꽃이라 한다.

52. ㉰

53 연강용 피복아크 용접봉에서 피복제의 편심율은 몇 % 이내이어야 하는가?

㉮ 10%   ㉯ 15%   ㉰ 30%   ㉱ 3%

✔ 해설 피복제의 편심율은 KS 3% 이내로 제한하고 있다.

53. ㉱

54 가스용접이나 절단에 사용되는 연료가스가 가져야 할 성질 중 틀린 것은?

㉮ 불꽃의 온도가 높을 것
㉯ 연소 속도가 느릴 것
㉰ 발열량이 클 것
㉱ 용융금속과 화학반응을 일으키지 않을 것

✔ 해설 연료가스의 구비조건
 • 불꽃 온도가 높을 것
 • 연소 속도가 빠를 것
 • 발열량이 클 것
 • 용융 금속과 화학 반응을 일으키지 않을 것

54. ㉯

55 납땜 작업 시 용제가 갖추어야 할 조건이 아닌 것은?

㉮ 땜납의 표면장력을 맞추어서 모재와의 친화력이 낮을 것

55. ㉮

　　ⓑ 납땜 후 슬래그 제거가 용이할 것
　　ⓒ 청정한 금속면의 산화를 방지할 것
　　ⓓ 용융금속과 화학반응을 일으키지 않을 것
　　✔해설　용제는 모재 표면의 불순물 제거 등을 통하여 모재와의 친화력을 높여준다.

56 용해 아세틸렌을 용기에 15℃, 15기압으로 충전할 때 아세틸렌은 1 ℓ
　의 아세톤에 몇 ℓ 가 용해되는가?

　　㉮ 375　　　　　㉯ 200　　　　　㉰ 250　　　　　㉱ 275
　　✔해설　1기압 하에서 아세톤에 아세틸렌은 25배 용해되므로 25×15=375

56. ㉮

57 아크길이에 따라 전압이 변동하여도 아크전류는 거의 변하지 않는 특
　성은?

　　㉮ 아크 부특성　　　　　　㉯ 수하 특성
　　㉰ 정전류 특성　　　　　　㉱ 정전압 특성
　　✔해설　수동 용접에 필요한 특성으로 아크 길이에 따라 전압은 변동되어도 아크 전
　　　　류는 변하지 않는 특성은 정전류 특성이다.

57. ㉰

58 저항용접에 의한 압접에서 전류 20A, 전기저항 30Ω, 통전시간
　10sec일 때 발열량은 몇 cal인가?

　　㉮ 14400　　　㉯ 28800　　　㉰ 48800　　　㉱ 24400
　　✔해설　$Q=0.24I^2Rt=0.24×30×(20)^2×10=28800$

58. ㉯

59 점(Spot)용접의 3대 요소가 아닌 것은?

　　㉮ 가압력　　　　　　　　㉯ 전류의 세기
　　㉰ 통전시간　　　　　　　㉱ 도전율
　　✔해설　점 용접의 3대 요소는 PIT 즉 가압력, 전류의 세기, 통전시간이다.

59. ㉱

60 안전·보건표지의 색채, 색도기준 및 용도에서 정한 파란색의 용도로
　맞는 것은?

　　㉮ 금지　　　　㉯ 경고　　　　㉰ 안내　　　　㉱ 지시
　　✔해설　빨강 금지, 노랑 경고, 녹색 안내, 파랑 지시

60. ㉱

국가기술자격검정 필기시험문제

				수검번호	성 명
자격종목 및 등급(선택분야)	종목코드	시험시간	문제지형별		
용접산업기사	2026	1시간 30분	A		

※ 답안카드 작성시 시험문제지 형별누락, 마킹착오로 인한 불이익은 전적으로 수검자의 귀책사유임을 알려드립니다.

제1과목 : 용접야금 및 용접설비제도

01 다음 보기를 공통적으로 설명하고 있는 표면 경화법은?

> (보기)
> ○ 강을 NH_3 가스 중에서 500~550℃로 20~100시간 정도 가열한다.
> ○ 경화 깊이를 깊게 하기 위해서는 시간을 길게 하여야 한다.
> ○ 표면층에 합금 성분인 Cr, Al, Mo 등이 단단한 경화층을 형성하며, 특히 Al은 경도를 높여주는 역학을 한다.

㉮ 질화법   ㉯ 침탄법   ㉰ 크로마이징   ㉱ 화염경화법

✔ 해석 질화법 : 암모니아(NH_3)가스를 이용하여 520℃에서 50 ~ 100시간 가열하면 Al, Cr, Mo 등이 질화되며, 질화가 불필요하면 Ni, Sn도금을 한다.

01. ㉮

02 결정입자의 크기와 형상에 대한 설명 중 맞는 것은?

㉮ 냉각속도가 빠르면 결정핵 수는 많아진다.
㉯ 냉각속도가 빠르면 입자는 조대화 된다.
㉰ 냉각속도가 느리면 결정핵 수는 많아진다.
㉱ 냉각속도가 느리면 입자는 미세해 진다.

✔ 해석 결정의 크기 : 냉각 속도가 빠르면 핵 발생이 증가하여 결정 입자가 미세해진다.

02. ㉮

03 강의 용접 열영향부 조직 중 가열온도 범위가 900~1100℃이고 재결정으로 인해 미세화, 인성 등 기계적 성질이 양호한 것은?

㉮ 조립역   ㉯ 세립역   ㉰ 모재원질역   ㉱ 취화역

✔ 해석 ① 용접금속(1500℃) : 용해된 다음 응고되어 수지상 결정조직이 되어 있는 부분을 말한다.
② 반용융부(1400℃) : 본드부라고도 하며 경도값이 최대인 곳으로 워드만 조직이 발달한 부분이다.

03. ㉯

③ 조립부(1100℃) : 과열로 인해 조립화 워드만 조직 부분을 말한다.
④ 미립부(미세부)(900℃) : 인성이 큰 조직으로 불림 처리되어 AC3 이상 가열된 부분을 말한다.
⑤ 입상펄라이트(700℃) : 펄라이트가 세립상으로 분리된 부분으로 AC1~ AC3 범위로 가열된 부분을 말한다.
⑥ 취화부(500℃) : 현미경 조직 변화는 거의 없으나 기계적 성질이 나쁘다.
⑦ 원질부(100℃) : 용접열의 영향을 거의 받지 않은 모재 부분이다.

04 피복 아크 용접봉에 습기가 많을 때 나타나는 것은?

㉮ 아크가 안정해 진다.
㉯ 용접부에 기공이나 균열이 생기기 쉽다.
㉰ 용접 비드 폭이 넓어지고 비드가 깨끗해진다.
㉱ 용접 후 각 변형이 작아진다.

✔해석   습기는 기공의 원인이 된다. 따라서 저수소계 등의 피복 금속 아크 용접봉은 건조 후 사용한다.

04. ㉯

05 다음 중 강자성체에 속하는 것은?

㉮ Fe, Co, Ni   ㉯ Fe, Ag, Zn   ㉰ Fe, Sb, Ni   ㉱ Fe, Co, Cu

✔해석   자기 변태 금속인 Fe(775℃), Ni(358℃), Co (1,160℃)는 강자성체이다.

05. ㉮

06 탄소강의 물리적 성질 변화에서 탄소량의 증가에 따라 증가 되는 것은?

㉮ 비중   ㉯ 열팽창계수   ㉰ 열전도도   ㉱ 전기저항

✔해석   탄소강의 물리적 성질은 순철과 시멘타이트의 혼합물로서 그 근사값을 알 수 있으며, 탄소 함유량에 따라 변한다.
① 인성(질긴 성질), 전성(퍼지는 성질)등은 탄소량이 증가하면 오히려 감소한다.
② 탄소 함유량이 많을수록 일반적으로 경도와 강도가 증가되지만 연신율과 충격값은 매우 낮아진다.
③ 비중과 선팽창 계수는 탄소의 함유량이 증가함에 따라 감소
④ 비열, 전기 저항, 보자력 등은 탄소의 함유량이 증가함에 따라 증가
⑤ 내식성은 탄소의 함유량이 증가할수록 저하하며 구리를 첨가하면 좋아진다.

06. ㉱

07 철을 서냉하면 910℃에서 단위격자의 특성이 다르게 된다. 이를 무엇이라고 하는가?

㉮ 금속간 화합   ㉯ 치환   ㉰ 변태   ㉱ 공간격자

✔해석   동소 변태 : 고체 내에서 원자 배열이 변하는 것, α – Fe(체심), γ – Fe(면심), δ – Fe(체심)

07. ㉰

08 금속재료에 포함된 원소 중 용접부의 균열에 가장 큰 영향을 미치는 원소는?

㉮ 크롬(Cr) ㉯ 규소(Si) ㉰ 황(S) ㉱ 니켈(Ni)

✔️해설 황은 적열 취성의 원인이 되는 원소로 용접부 균열에 가장 큰 영향을 주어 제한하고 있다.

08. ㉰

09 용접부의 노내 응력 제거 방법 중 가열부를 노에 넣을 때 및 꺼낼 때의 노내 온도는 몇 ℃ 이하로 하는가?

㉮ 300℃ ㉯ 400℃ ㉰ 500℃ ㉱ 600℃

✔️해설 노내의 온도는 625° ± 25° 정도 유지하나 노에 넣고 꺼낼 때는 300℃ 이하로 유지한다.

09. ㉮

10 피복 배합제의 성분 중 슬래그 생성제의 역할에 대한 설명으로 틀린 것은?

㉮ 기공이나 내부 결함을 방지한다.
㉯ 용융점이 높은 무거운 슬래그를 만든다.
㉰ 용접부의 표면을 덮어 산화와 질화를 방지한다.
㉱ 용착금속의 냉각속도를 느리게 한다.

✔️해설 용착 금속의 보호하기 위하여 용접부 표면에 덮는 슬래그는 산화 및 질화를 방지하고, 기공 등 내부결함을 방지하며, 냉각 속도를 느리게 하여 취성을 방지한다.

10. ㉯

11 다음 그림 중 모서리 이음을 나타낸 것은?

㉮   ㉯   ㉰   ㉱

✔️해설 ㉮ 모서리 이음, ㉯ 플레어 이음, ㉰ 맞대기 이음, ㉱ 겹치기 이음

11. ㉮

12 스케치 방법 중 평면으로 복잡한 윤곽을 갖고 있는 부품의 경우 그 면에 광명단 등을 바르고 스케치용지에 찍어 그 면의 실형을 얻는 것은?

㉮ 프리핸드법 ㉯ 본뜨기법 ㉰ 프린트법 ㉱ 사진촬영법

✔️해설 스케치 방법
① 프린트법 : 부품 표면에 광명단 또는 스탬프 잉크를 칠한 후 용지에 찍어 실제 형상으로 모양을 뜨는 방법
② 본뜨기법 : 실제 부품을 용지 위에 올려놓고 본을 뜨는 방법과 부품 표면을 납선으로 본을 떠서 이를 용지에 옮기는 방법

12. ㉰

③ 사진 촬영법 : 사진기로 실물을 직접 찍어서 도면을 그리는 방법(크거나 복잡한 경우)
④ 프리핸드법 : 손으로 직접 그리는 방법

13 KS의 부문별 분류기호에서 V는 어느 부문을 뜻하는 것인가?

㉮ 금속　　　　　㉯ 기계　　　　　㉰ 조선　　　　　㉱ 광산

☑ 해석　금속은 D, 기계는 B, 광산은 E이다.

13. ㉰

14 표제란의 척도란에 척도 값을 「1:2」, 「1:5」 등과 같이 기입하는 척도의 종류로 맞는 것은?

㉮ 현척　　　　　㉯ 배척　　　　　㉰ 실척　　　　　㉱ 축척

☑ 해석　분수로 생각하면 된다. 즉 1:2는 1/2. 1:5는 1/5로 생각하면 0.5, 0.2가 된다. 즉 줄여 그리는 축척이 된다.

14. ㉱

15 아래 그림의 화살표 쪽의 인접부분을 참고로 표시하는데 사용하는 선의 명칭은?

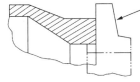

㉮ 외형선　　　　㉯ 숨은선　　　　㉰ 파단선　　　　㉱ 가상선

☑ 해석　가상선(이점 쇄선)
① 도시된 물체의 앞면을 표시하는 선
② 인접 부분을 참고로 표시하는 선
③ 가공 전 또는 가공 후의 모양을 표시하는 선
④ 이동하는 부분의 이동 위치를 표시하는 선
⑤ 공구, 지그 등의 위치를 참고로 표시하는 선
⑥ 반복을 표시하는 선

15. ㉱

16 기계재료의 표시기호 SM 25C에서 25C가 뜻하는 것은?

㉮ 재료의 최저 인장강도　　　　㉯ 재료의 용도 표시
㉰ 재료의 탄소함유량　　　　　　㉱ 재료의 제조방법

☑ 해석　C가 붙으면 탄소 함유량을 C가 붙지 않으면 인장강도를 의미한다.

16. ㉰

17 보기의 용접기호 설명 중 가장 적절하지 않은 것은?

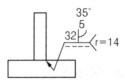

㉮ 루트 반지름 14[mm]　　㉯ 루트 간격 5[mm]
㉰ 홈(그루브)각도 35°　　㉴ 루트 깊이 32[mm]

✔ 해석　용입의 깊이가 32mm이다.

18 외형도에 있어서 필요로 하는 요소의 일부분만을 오려서 국부적으로 단면도를 표시한 도면을 무슨 단면도라고 하는가?

㉮ 한쪽단면도　　㉯ 온단면도
㉰ 부분단면도　　㉴ 회전도시 단면도

✔ 해석　온단면도는 전단면도라하여 물체의 1/2을 절단하여 그린 것이고, 한쪽단면도 또는 반단면도라고하는 것은 상하좌우가 대칭인 물체의 1/4을 잘라 단면한 것이다. 물체의 일부분만을 단면한 것을 부분 단면도라고 한다.

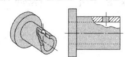

19 CAD의 특징에 대한 설명으로 틀린 것은?

㉮ 점, 선 및 원 등을 이용하여 도형을 정확하게 그릴 수 있다.
㉯ 필요에 따라 도면을 확대, 축소, 이동 등이 가능하다.
㉰ 도형을 2차원적으로만 그리고 입체적으로는 그릴 수 없다.
㉴ 방대한 자료를 컴퓨터에 저장하여 데이터베이스를 구축하여 설계의 생산성을 향상 시킬 수 있다.

✔ 해석　3D 캐드를 오늘날 많이 사용하여 입체적 표현을 하고 있다.

20 KS에 의한 용접 보조기호 [⏛]의 명칭을 올바르게 설명한 것은?

㉮ 평면 마감 처리한 V형 맞대기 용접
㉯ 이면 용접이 있으며 표면 모두 평면 마감 처리한 볼록 양면 V형 용접
㉰ 이면 용접이 있으며 표면 모두 평면 마감 처리한 오목 필릿 용접
㉴ 이면 용접이 있으며 표면 모두 평면 마감 처리한 V형 맞대기 용접

✔ 해석　V형 홈의 표면과 이면 용접을 모두 평면으로 마감 처리함

17. ㉴

18. ㉰

19. ㉰

20. ㉴

제2과목 : 용접구조설계

21 용접이음 설계 시 충격하중을 받는 연강의 안전율로 적당한 것은?

㉮ 3   ㉯ 5   ㉰ 8   ㉱ 12

✅ **해설** 안전율 $= \dfrac{인장강도}{허용응력} \times 100$

(정하중 : 3, 동하중(단진 응력) : 5, 동하중(교번 응력) : 8, 충격 하중 : 12)

22 용접이 완료된 후에 발생되는 응력부식의 원인으로 맞는 것은?

㉮ 과다한 탄소함량   ㉯ 담금질 효과

㉰ 뜨임효과   ㉱ 잔류응력의 증가

✅ **해설** 잔류 응력은 부식 및 균열 등의 원인으로 작용한다.

23 두께가 6.4mm인 두 모재의 맞대기 이음에서 용접이음부가 4536kgf인 인장하중이 작용할 경우 필요한 용접부의 최소 허용길이(mm)는 약 얼마인가?(단, 용접부의 허용인장응력은 14.06kgf/mm² 이다.)

㉮ 50.4mm   ㉯ 40.3mm   ㉰ 30.1mm   ㉱ 20.7mm

✅ **해설** $\sigma = \dfrac{P}{A}$ 에서 $14.06 = \dfrac{4536}{6.4 \times \chi}$ 따라서 $\chi = 50.4089$

24 금속의 응고 과정에서 방출된 기체가 빠져 나가지 못하여 생긴 결함을 무엇이라고 하는가?

㉮ 슬래그   ㉯ 설퍼 프린트   ㉰ 홀인   ㉱ 기공

✅ **해설** 기공은 공기의 구멍이라고 생각하면 된다. 즉 방출된 기체 등이 빠져 나가지 못하고 생긴 것을 의미한다.

25 용접선에 따라 응력을 제거할 목적으로서 압축응력 부분을 가스불꽃으로 가열한 직후에 수냉하여 그 부위를 소성 변형시켜 잔류응력을 감소시키는 것은?

㉮ 억제법   ㉯ 역 변형법

㉰ 도열법   ㉱ 저온응력 완화법

✅ **해설** 잔류 응력을 경감하는 방법은 노내 풀림법, 국부 풀림법, 기계적 응력 완화법, 저온 응력 완화법, 피닝법 등이 있다. 나비 150mm, 온도 150~200℃ 가열 후 수냉하는 것은 저온 응력 완화법이다.

21. ㉱

22. ㉱

23. ㉮

24. ㉱

25. ㉱

26 용접구조물을 제작할 때 피로강도를 향상시키기 위한 방법을 올바르게 설명한 것은?

㉮ 가능한 응력 집중부에는 용접부가 집중되도록 한다.

㉯ 열처리 또는 기계적인 방법으로 용접부 잔류응력을 완화시킬 것

㉰ 냉간가공 또는 야금적 변태를 이용하여 기계적 강도를 완화시킬 것

㉱ 표면가공, 다듬질, 등에 의하여 단면이 급변하게 할 것

✔ 해설　피로 강도를 개선하기 위하여 풀림 등의 열처리 또는 잔류 응력을 경감할 수 있는 기계적 응력 완화법 등을 사용하여야 한다.

27 용접지그 사용 시 장점에 대한 설명으로 틀린 것은?

㉮ 용접작업을 용이하게 한다.

㉯ 제품의 정도를 균일하게 향상시킨다.

㉰ 작업능률이 향상되므로 변형이 생긴다.

㉱ 공정수를 절약하므로 작업능률이 좋다.

✔ 해설　**용접 지그 사용 효과**
① 용접을 하기 쉬운 자세를 취할 수 있다. 즉 아래보기 자세로 용접 할 수 있다.
② 제품의 정밀도 향상을 가져 올 수 있다.
③ 용접 조립 작업을 단순화 또는 자동화를 할 수 있게 하여 작업 능률이 향상된다.

28 용접부에 발생하는 잔류응력 완화법이 아닌 것은?

㉮ 응력제거 어닐링법　　　㉯ 피닝법

㉰ 고온 응력 완화법　　　㉱ 기계적 응력 완화법

✔ 해설　잔류 응력을 경감하는 방법은 노내 풀림법, 국부 풀림법, 기계적 응력 완화법, 저온 응력 완화법, 피닝법 등이 있다.

29 용접비용을 줄이기 위한 방법으로 고려해야 할 사항 중 틀린 것은?

㉮ 대기시간을 길게 한다.

㉯ 용접이음부가 적은 경제적인 설계를 한다.

㉰ 재료의 효과적인 사용계획을 세운다.

㉱ 용접지그를 활용 한다.

✔ 해설　용접 전체 작업 시간에는 아크 발생 시간과 휴식 시간이 들어간다. 따라서 대기 시간이 길어지게 되면 인건비 및 각종 잡비 등이 증가할 수 있다.

30 용접이 교차하는 곳에는 응력집중이 생기기 쉬워 부채꼴 오목부를 붙인다. 이것을 무엇이라 하는가?

26. ㉯

27. ㉰

28. ㉰

29. ㉮

30. ㉯

㉮ 빌드업(buildup)　　　　　㉯ 스켈롭(scallop)

㉰ 블록(block)　　　　　　　㉰ 캐스케이드(cascade)

✔해설 scallop의 의미는 부채모양, 가리비를 의미한다. 용접선이 교차하여 응력 집중이 생기기 쉬운 곳에 부채꼴의 오목부를 붙이는 것을 스켈롭이라고 한다.

31 I형 맞대기 이음 용접에서 용착금속의 최대 인장응력이 100kgf/mm² 이고 안전율이 5라면 이음의 허용응력은 몇 kgf/mm² 인가?

㉮ 10 kgf/mm²　　　　　　㉯ 20 kgf/mm²

㉰ 40 kgf/mm²　　　　　　㉰ 500 kgf/mm²

✔해설 안전율 $= \dfrac{\text{인장강도}}{\text{허용응력}} \times 100$ 에서 $5 = \dfrac{100}{\chi}$ 따라서 $\chi = 20$

31. ㉯

32 용접순서를 결정할 때의 주의사항으로서 틀린 것은?

㉮ 수축은 자유단으로 보낸다.

㉯ 대칭으로 용접한다.

㉰ 수축이 큰 이음은 먼저 용접한다.

㉰ 리벳과 용접을 병용할 때 리벳을 먼저 한다.

✔해설 리벳과 용접을 병용할 때는 수축이 큰 용접을 먼저 한 후 리벳 작업을 후에 한다.

32. ㉰

33 자분 탐상 검사의 자화방법이 아닌 것은?

㉮ 축통전법　　　㉯ 관통법　　　㉰ 극간법　　　㉰ 원형법

✔해설 자분 탐상 검사(MT)

철강 재료 등 강자성체를 자기장에 놓았을 때 시험편 표면이나 표면 근처에 균열, 편석, 기공, 용입불량 등의 결함이 있으면 결함 부분에는 자속이 통하기 어려워 누설자속이 생긴다. 비자성체는 사용이 곤란하다. 그 종류로는 축 통전법, 직각 통전법, 관통법, 코일법, 극간법이 있다.

33. ㉰

34 용접 길이를 짧게 나누어 간격을 두면서 용접하는 방법으로 피 용접물 전체에 변형이나 잔류응력이 적게 발생하도록 하는 용착법은?

㉮ 전진법　　　㉯ 후진법　　　㉰ 블록법　　　㉰ 비석법

✔해설 비석법은 용전 진행 방향에 따른 순서를 나타내는 것으로 짧은 용접 길이로 나누어 놓고 간격을 두면서 용접하는 방법이다. 특히 잔류 응력을 적게 할 경우 사용한다.

34. ㉰

35 본 용접하기 전에 적당한 예열을 함으로서 얻어지는 효과가 아닌 것은?

㉮ 예열을 하게 되면 기계적 성질이 향상된다.

㉯ 용접부의 냉각속도를 느리게 하여 균열 발생이 적게 된다.

㉰ 용접부 변형과 잔류 응력을 경감시킨다.

㉱ 용접부의 냉각속도가 빨라지고 높은 온도에서 큰 영향을 받는다.

☑ 해설 **예열의 목적**
① 용접부와 인접된 모재의 수축응력을 감소하여 균열 발생을 억제한다.
② 냉각속도를 느리게 하여 모재의 취성을 방지한다.
③ 용착금속의 수소 성분이 나갈 수 있는 여유를 주어 비드 밑 균열을 방지한다.

36 다음 그림과 같은 필릿 용접에서 이론 목두께는?

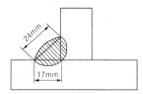

㉮ 약 8.5mm   ㉯ 약 17mm   ㉰ 약 24mm   ㉱ 약 12mm

☑ 해설 이론 목두께는 각장×COS 45° 이다. 따라서 17×0.707=12.019

37 피복 아크 용접에서 언더컷(under cut)의 발생 원인이 아닌 것은?

㉮ 용접 속도가 부적당할 때   ㉯ 용접전류가 너무 높을 때

㉰ 부적당한 용접봉을 사용할 때   ㉱ 용착부가 급냉 될 때

☑ 해설 언더컷은 전류가 높을 때, 아크 길이가 길거나, 부적당한 용접봉 및 용접 속도를 사용 시 용접부가 파이는 결함을 말한다.

38 용접의 장점에 대한 설명으로 틀린 것은?

㉮ 이음효율이 높다.   ㉯ 수밀, 기밀, 유밀성이 우수하다.

㉰ 저온취성이 생길 우려가 없다.   ㉱ 재료의 두께에 제한이 없다.

☑ 해설 용접의 장점은 이음 효율이 높아 수밀 기밀, 유밀성이 우수한 점을 꼽을 수 있다. 다음으로는 이음의 형상이 자유롭고 재료의 두께의 제한이 없다는 점을 들 수 있다.

39 피닝(peening)에 대한 설명으로 맞는 것은?

㉮ 특수해머로 용착부를 1번 정도 때려 용착부의 균열을 점검한다.

35. ㉱

36. ㉱

37. ㉱

38. ㉰

39. ㉱

④ 특수해머로 용착부를 1번 정도 때려 용착부의 굽힘 응력을 완화시킨다.

④ 특수해머로 용착부를 연속으로 때려 용착부의 기공을 점검한다.

㉐ 특수해머로 용착부를 연속으로 때려 용착부의 인장응력을 완화시킨다.

✔ 해석 피닝은 용접부의 잔류 응력의 경감 등을 목적으로 특수 해머로 용착부를 두 드려 인장응력을 완화시키는 방법으로 열간 피닝과 냉간 피닝이 있다.

40 필릿 용접이음부의 보수에 관한 설명으로 옳지 않은 것은?

㉮ 간격이 1.5mm 이하인 경우 그대로 규정된 다리 길이로 용접한다.

④ 간격이 1.5~4.5mm의 경우에는 6mm 정도의 뒷 댐판을 대고 용접한다.

㉘ 간격이 4.5mm 이상인 경우 라이너(Liner)를 넣고 용접한다.

㉐ 간격이 4.5mm 이상인 경우 부족한 판을 300mm 이상 잘라내어 교환 한 후 용접한다.

✔ 해석 **필릿 용접의 보수 용접**
용접물의 간격이 1.5mm 이하에서는 규정의 각장으로 용접하며, 1.5~ 4.5mm인 경우는 그대로 용접해도 좋으나 각장을 증가시킬 수도 있다. 4.5mm 이상에서는 라이너를 넣는다거나 또는 부족한 판을 300mm 이상 잘 라내서 대체한다.

40. ④

제3과목 : 용접일반 및 안전관리

41 맞대기 저항용접에 해당하는 것은?

㉮ 스폿용접   ④ 매시 심 용접   ㉘ 프로젝션 용접   ㉐ 업셋용접

✔ 해석 겹치기 저항 용접 : 점, 시임, 프로젝션
맞대기 저항 용접 : 업셋, 플래시, 퍼커션

41. ㉐

42 용접을 장시간 하게 되면 용접 흄 또는 가스를 흡수하게 되는데 그 방 지대책 및 주의사항으로 가장 적당하지 않은 것은?

㉮ 아연 합금, 납 등의 모재에 대해서는 특히 주의를 요한다.

④ 환기 통풍을 잘한다.

㉘ 절연형 홀더를 사용한다.   ㉐ 보호 마스크를 착용한다.

✔ 해석 절연형 홀더인 A형 안전 홀더를 사용하는 것은 전격의 위험을 방지하기 위해 서이다.

42. ㉘

43 교류아크 용접에서 전원전류는 몇 사이클마다 극성이 변하는가?

㉮ 1/2   ④ 1/3   ㉘ 1/4   ㉐ 1/5

✔ 해석 우리나라는 60㎐로 1초에 극은 120번이 바뀐다.I 즉 극성은 1/2마다 바뀐다.

43. ㉮

44 피복 금속 아크 용접봉의 피복 배합제의 주요 성분이 아닌 것은?

㉮ 고착성분　　　　　　　　㉯ 슬래그생성 성분
㉰ 아크안정 성분　　　　　　㉭ 전기도체 성분

　✔해설　① 아크 안정
　　　　② 산·질화 방지
　　　　③ 용적을 미세화 하여 용착 효율 향상
　　　　④ 서냉으로 취성 방지　　⑤ 용착 금속의 탈산 정련 작용
　　　　⑥ 합금 원소 첨가　　　　⑦ 슬랙의 박리성 증대
　　　　⑧ 유동성 증가　　　　　⑨ 전기 절연 작용 등이 있다.

45 다음 중에서 용접기의 수하특성과 가장 관련이 깊은 것은?

㉮ 저항 – 열의 특성　　　　㉯ 전류 – 전력의 특성
㉰ 전압 – 전류의 특성　　　　㉭ 전력 – 저항의 특성

　✔해설　부하 전류가 증가하면 단자 전압이 저하하는 전압 전류의 특성으로 수동 용접에 필요한 특성이다.

46 가스절단에서 예열 불꽃이 약할 때 일어나는 현상으로 가장 거리가 먼 것은?

㉮ 절단 속도가 늦어진다.
㉯ 드래그가 증가한다.
㉰ 절단이 중단되기 쉽다.
㉭ 절단면의 위 기슭이 녹아 둥글게 된다.

　✔해설　열 불꽃의 역할은 개시점을 발화온도로 가열, 절단 산소의 순도 저하 방지, 절단 산소의 운동량 유지, 절단재 표면 스케일 등을 제거하여 절단 산소와의 반응을 용이하게 한다. 열 불꽃의 세기가 세면 절단면 모서리가 용융되어 둥글게 되고, 절단면이 거칠게 되며 슬래그 중의 철 성분의 박리가 어렵게 된다. 반대로 약해지면 드랙의 길이가 증가하고, 절단 속도가 늦어지며, 역화를 일으키기 쉽다.

47 카바이드 취급 시 주의사항으로 틀린 것은?

㉮ 운반 시 타격, 충격, 마찰 등을 주지 말 것
㉯ 카바이드 통에서 카바이드를 꺼낼 때에는 모넬메탈이나 목재공구를 사용할 것
㉰ 카바이드는 개봉 후 잘 닫아 안전상 습기가 침투하도록 보관 할 것
㉭ 저장소 가까이에 인화성 물질이나 화기를 가까이 하니 말 것

　✔해설　카바이드는 물과 반응을 하므로 습기가 침투되지 않도록 주의하여야 한다.

48 TIG용접에서 아크 스타트를 쉽게 하고, 아크가 안정화 되도록 용접기에 설비하는 것은?

㉮ 콘덴서　　㉯ 가동철심　　㉰ 고주파발생기　㉱ 리액터

✔해설　아크의 안정을 확보하기 위하여 상용 주파수의 아크 전류 외에, 고전압 3,000～4,000[V]를 발생하여, 용접 전류를 중첩시키는 방식으로 용접시 출발을 쉽게하여 준다.

48. ㉰

49 소화 작업에 대한 설명 중 틀린 것은?

㉮ 화재가 발생하면 화재 경보를 한다.
㉯ 화재 시는 가스밸브를 조이고 전기 스위치를 끈다.
㉰ 전기배선이 시설의 수리 시는 전기가 통하는지 여부를 확인한다.
㉱ 유류 및 카바이드에 붙은 불은 물로 끄는 것이 좋다.

✔해설　· 포말 소화기 : 보통 화재, 기름 화재에는 적합하나 전기화재는 부적합하다.
· 분말 소화기 : 기름 화재에 적합하며 기타 화재에는 양호하다.
· CO_2 소화기 : 전기화재에 적합하며 기타 화재에는 양호하다.

49. ㉱

구분	명칭	내용
A급 (백색)	일반 화재	목재, 섬유류, 종이 나무 등 연소 후에 재를 남김
B급 (황색)	유류 화재	가솔린, 석유, LPG 등 연소 후에 아무 것도 남지 않음
C급 (청색)	전기 화재	변압기, 개폐기, 전기다리미 등 누전, 접속부과열 등의 원인으로 전기 기구 및 기계에 의해 발생
D급	금속 화재	마그네슘, 알루미늄 등의 금속 또는 금속분 금속 분진이 점화원과 접촉하여 발생
E급	가스 화재	가스 가스 누출, 정전기 등이 원인으로 자연적으로 발생

50 자동용접에 필요한 기구 중 대형파이프를 원주용접 할 때 사용하는 기구는?

㉮ 용접 포지셔너(Welding positioner)
㉯ 턴테이블(Turn table)
㉰ 매니플레이터(Manipulator)
㉱ 터닝롤러(Turning roller)

✔해설　대형 파이프 등의 원주 용접을 위해 돌면(turning)서 회전하는 보조기구를 터닝롤이라고 한다.

50. ㉱

51 가스용접에 사용되는 가연성 가스의 완전 연소식의 화학식으로 틀린 것은?

㉮ $C_2H_2 + 2\frac{1}{2}O_2 = 2CO_2 + H_2O$ ㉯ $H_2 + \frac{1}{2}O_2 = H_2O$

㉰ $C_3H_8 + 5O_2 = 3CO_2 + 2H_2O_2$ ㉱ $CH_4 + 2O_2 = CO_2 + 2H_2O$

✓ 해석 $C_3H_8 + 5O_2 = 3CO_2 + 4H_2O$ 가 된다.

51. ㉰

52 교류용접기와 비교한 직류용접기 특징 설명으로 맞는 것은?

㉮ 아크의 안정성이 우수하다.   ㉯ 전격의 위험이 많다.

㉰ 용접기의 고장이 적다.   ㉱ 용접기의 가격이 저렴하다.

✓ 해석 직류 용접기의 특성 : 교류에 비하여 아크 안정성이 우수하고 무부하 전압이 40~60으로 낮아 전격의 위험이 적다. 하지만 구조가 복잡하여 고장이 많으며 가격이 교류에 비하여 고가이다.

52. ㉮

53 분말절단법 중 플럭스(flux)절단에 주로 사용되는 재료는?

㉮ 스테인리스 강판   ㉯ 알루미늄 탱크

㉰ 저합금 강판   ㉱ 강관

✓ 해석 탄소 0.25% 이하의 강은 절단이 가능하나 4% 이상의 것은 분말 절단을 해야 한다.
크롬 5% 이하는 절단이 용이하지만 10% 이상은 분말 절단을 한다.
즉 스테인리스 강판은 Cr의 양이 13% 이상이므로 분말절단을 하여야 한다.
일반적으로 철분 절단은 크롬 철, 스테인리스강, 주철, 구리, 청동에 이용된다. 오스테나이트계는 사용하지 않는다.

53. ㉮

54 핀치효과에 의해 열에너지의 집중도가 좋고 고온이 얻어지므로 용입이 깊고 비드 폭이 좁은 접합부가 형성되며, 용접속도가 빠른 것이 특징인 용접은??

㉮ 플라스마 아크 용접   ㉯ 테르밋 용접

㉰ 전자빔 용접   ㉱ 원자 수소 아크 용접

✓ 해석 플라즈마 절단에는 이행형 즉 텅스텐 전극과 모재에 각각 전원을 연결하는 방식인 플라즈마 제트 절단과 텅스텐 전극과 수냉 노즐에 전원을 연결하고 모재에는 전원을 연결하지 않는 비이행형인 플라즈마 아크 절단이 있다. 비이행형의 경우는 비금속, 내화물의 절단도 가능하다.
① 무부하 전압이 높은 직류 정극성 이용
② 플라즈마 10,000 ~ 30,000℃를 이용하여 절단
③ 일반적으로 아르곤+수소가스를 사용하나 스테인리스강에는 질소+수소 가스를 사용한다.
④ 특수금속, 비금속, 내화물도 절단 가능
⑤ 절단면에 슬랙이 부착되지 않고 열 영향부가 적어 변형이 거의 없다.

54. ㉮

55 서브머지드 아크 용접 시 사용하는 용융형 용제의 특징에 대한 설명으로 틀린 것은?

㉮ 흡습성이 높아 재건조가 필요하다.
㉯ 비드 외관이 아름답다.
㉰ 용제의 화학적 균일성이 양호하다.
㉱ 미용융 용제는 재사용이 가능하다.

✔ 해석 **용융형 용제**
① 외관은 유리 형상의 형태
② 흡습성이 적어 보관이 편리하다.
③ 화학 성분에 따라 미국 LINDE사의 상표가 G20, G50, G80 등으로 표시
④ 용제에 합금 첨가제가 거의 들어가 있지 않아 용접 후 원하는 기계적 성질에 따라 적당한 와이어를 선정하여야 한다.
⑤ 입자가 가늘수록 고 전류를 사용하며, 용입이 얕고 비드 폭이 넓은 평활한 비드를 얻을 수 있다.
⑥ 전류가 낮을 때는 굵은 입자를, 전류가 높을 때는 가는 입자를 사용한다.

55. ㉮

56 산소 및 아세틸렌용기 취급에 대한 설명 중 올바른 것은?

㉮ 산소병은 60℃ 이하, 아세틸렌 병은 30℃ 이하의 온도에서 보관한다.
㉯ 아세틸렌 병은 눕혀서 운반하되 운반도중 충격을 주어서는 안 된다.
㉰ 아세틸렌 병은 폭발의 위험을 방지하기 위하여 산소병과 5m 이상 간격을 두고 설치한다.
㉱ 산소병 내에 다른 가스를 혼합해서는 안 되며 누설시험 시는 비눗물을 사용한다.

✔ 해석 산소는 지연성 가스로 다른 가스의 연소를 돕는 가스로 다른 가스와 혼합되어서는 안되며 누설 검사는 비눗물을 사용한다.

56. ㉱

57 연강용 피복 아크 용접봉 중 가스 실드계의 대표적인 용접봉으로 피복제 중에 유기물을 20~30% 정도 포함하고 있는 것은?

㉮ 라임티타니아계   ㉯ 저수소계
㉰ 철분산화철계   ㉱ 고셀룰로오스계

✔ 해석 **고셀룰로오스계(E4311)**
아크는 스프레이 형상으로 용입이 크고 비교적 빠른 용융 속도
슬랙이 적으므로 비드 표면이 거칠고 스팩터가 많은 것이 결점
아연 도금 강판이나 저합금강에도 사용되고 저장 탱크, 배관 공사 등에 사용
피복량이 얇고, 슬랙이 적어 수직 상·하진 및 위보기 용접에서 우수한 작업성
사용 전류는 슬랙 실드계 용접봉에 비해 10~15% 낮게 사용되고 사용 전에 70~100℃에서 30분~1시간 건조

57. ㉱

58 이산화탄소(CO_2)아크 용접법의 특징을 설명한 것 중 옳은 것은?

㉮ 적용 재질이 비철계통으로 한정되어 있다.

㉯ 용착금속의 기계적 성질이 나쁘다.

㉰ 용입이 깊고 용접속도를 빠르게 할 수 있다.

㉱ 아크를 볼 수 없으므로 시공이 불편하다.

58. ㉰

✔해설 이산화탄소 아크 용접의 장·단점

① 장점

㉠ 가는 와이어로 고속 용접이 가능하며 수동 용접에 비해 용접 비용이 저렴하다.

㉡ 가시 아크이므로 시공이 편리하고, 스패터가 적어 아크가 안정하다.

㉢ 전자세 용접이 가능하고 조작이 간단하다.

㉣ 잠호 용접에 비해 모재 표면에 녹과 거칠기에 둔감하다.

㉤ 미그 용접에 비해 용착 금속의 기공 발생이 적다.

㉥ 용접 전류의 밀도가 크므로 용입이 깊고, 용접속도를 매우 빠르게 할 수 있다.

㉦ 산화 및 질화가 되지 않은 양호한 용착 금속을 얻을 수 있다.

㉧ 보호가스가 저렴한 탄산가스라서 용접경비가 적게 든다.

㉨ 강도와 연신성이 우수하다.

② 단점

㉠ 이산화탄소 가스를 사용하므로 작업량 환기에 유의한다.

㉡ 비드 외관이 타 용접에 비해 거칠다

㉢ 고온 상태의 아크 중에서는 산화성이 크고 용착 금속의 산화가 심하여 기공 및 그 밖의 결함이 생기기 쉽다.

59 저항용접에 의한 압접은 전기저항 열로써 모재를 용융상태로 만들고 외력을 가하여 접합하는 용접법이다. 이때 발생하는 저항열을 구하는 식은?[단, Q : 저항열, I : 전류, R : 전기저항, t : 통전시간(초)]

59. ㉯

㉮ $Q = 0.24IR^2t$

㉯ $Q = 0.24I^2Rt$

㉰ $Q = 0.24I^2R^2t$

㉱ $Q = 0.24I^2Rt^2$

✔해설 줄열은 전류세기의 제곱과 도체 저항 및 전류가 흐르는 시간에 비례한다는 법칙으로 저항 용접에 사용된다.

즉 $Q = 0.24EIt = 0.24I^2Rt$

60 용접용어 중 용착부를 만들기 위하여 녹여서 첨가하는 금속을 무엇이라고 하는가?

60. ㉰

㉮ 용제   ㉯ 용접금속   ㉰ 용가재   ㉱ 덧살

✔해설 첨가한다는 의미를 가질 때 용가재는 용접봉을 의미한다. 때에 따라서는 용접봉이 곧 전극봉이 되는 경우도 있다. 즉 티그 용접에서 용접봉은 용가재의 의미로 첨가되어 사용되나 미그 및 이산화탄소 아크 용접에서는 전극봉의 의미로 사용된다.

2o09

국가기술자격검정 필기시험문제

2009년 산업기사 제1회 필기시험

				수검번호	성 명
자격종목 및 등급(선택분야)	종목코드	시험시간	문제지형별		
용접산업기사	2026	1시간 30분	B		

※ 답안카드 작성시 시험문제지 형별누락, 마킹착오로 인한 불이익은 전적으로 수검자의 귀책사유임을 알려드립니다.

제1과목 : 용접야금 및 용접설비제도

01 용접부를 풀림처리 했을 때 얻는 효과는?

㉮ 잔류응력 감소 및 경화부가 연화된다.
㉯ 잔류응력이 커진다.
㉰ 조직이 조대화되며 취성이 생긴다.
㉱ 별로 변화가 없다.

☑ 해석 풀림의 가장 큰 목적은 내부 응력을 완화하는데 있다. 즉 잔류 응력 감소 및 경화부가 연화된다.

01.㉮

02 두 종 이상의 금속 원자가 간단한 원자비로 결합되어 성분 금속과 다른 성질을 가지는 독립된 화합물을 형성할 때 이것을 무엇이라 하는가?

㉮ 동소 변태   ㉯ 금속간 화합물   ㉰ 고용체   ㉱ 편석

☑ 해석 금속간 화합물 : 친화력이 큰 성분 금속이 화학적으로 결합되면 각 성분 금속과는 성질이 현저하게 다른 독립된 화합물을 만드는데 이것을 금속간 화합물이라 한다.(Fe_3C, Cu_4Sn, Cu_3Sn $CuAl_2$, Mg_2Si, $MgZn_2$)

02.㉯

03 강의 조직을 표준상태로 하기 위하여 철강 상태도의 A_3 선 이상의 온도로 가열한 후 공기 중에서 냉각하는 열처리는?

㉮ 담금질   ㉯ 풀림   ㉰ 불림   ㉱ 뜨임

☑ 해석 조직을 표준화 즉 균일화하기 위하여 열처리는 불림(normalizing)으로 A3선 이상의 온도로 가열 후 공냉 한다.

03.㉰

04 강자성체로만 나열된 것은?

㉮ Fe, Ni, Co   ㉯ Fe, Pt, Sb   ㉰ Bi, Sn, Au   ㉱ Co, Sn, Cu

☑ 해석 자기 변태 금속인 Fe(775℃), Ni(358℃), Co(1,160℃)는 강자성체이다.

04.㉮

05 면심입방(FCC) 금속이 아닌 것은?

㉮ Al ㉯ Pt ㉰ Mg ㉱ Au

해설 Ti, Be, Mg, Zn 등은 조밀 육방 격자이다.

06 아크용접에서 발생하는 용접 입열량(H)을 구하는 공식은?(단, E는 아크전압, I는 아크전류(A), v는 용접속도(cm/min)이다.)

㉮ $H(J/cm) = \dfrac{60EI}{v}$　㉯ $H(J/cm) = \dfrac{v}{60EI}$

㉰ $H(J/cm) = \dfrac{EI}{60v}$　㉱ $H(J/cm) = \dfrac{60v}{EI}$

해설 외부에서 용접 모재에 주어지는 열량으로 일반적으로 모재에 흡수되는 열량은 입열의 75~85%이다. 용접 입열이 충분하지 못하면 용입 불량 등의 용접 결함을 수반할 수 있다. $H = \dfrac{60EI}{V}$ [Joule/cm] (H : 용접 입열, E : 아크 전압[V], I : 아크 전류[A], V : 용접 속도[cm/min])

07 인장 시험을 통해 측정할 수 없는 것은?

㉮ 항복강도 ㉯ 탄성계수 ㉰ 연신율 ㉱ 피로강도

해설 인장시험은 재료의 항복강도, 연신율 및 인장 강도 등을 알아보기 위한 파괴 시험방법이다.

08 담금질할 때에 잔류하는 오스테나이트를 마텐자이트화하기위해 보통의 담금질을 한 다음 실온 이하의 온도로 냉각 열처리하는 것은?

㉮ 마템퍼링 ㉯ 완전풀림 ㉰ 서브제로처리 ㉱ 구상화풀림

해설 서브제로 처리(심랭 처리) : 담금질 직후 잔류 오스테나이트를 없애기 위해서 0℃ 이하로 냉각하는 것으로 치수의 정확을 요하는 게이지 등을 만들 때 심랭 처리를 하는 것이 좋다.

09 주철(cast iron)의 특성 설명 중 잘못된 것은?

㉮ 절삭성이 우수하다.
㉯ 내마모성이 우수하다.
㉰ 강에 비해 충격값이 현저하게 높다
㉱ 진동 흡수능력이 우수하다.

해설 주철은 탄소량이 연강에 비하여 높기 때문에 비중 및 융점이 낮으며, 팽창계수가 작아 충격값이 적어 취성이 생기기 쉽다.

05.㉰　06.㉮　07.㉱　08.㉰　09.㉰

10 탄소강에서 용접성을 나쁘게 하는 적열취성을 방지하는 원소는?

10.㉣

㉠ 탄소   ㉯ 인   ㉰ 유황   ㉣ 망간

✔해설 적열취성의 원인은 황(S)이여 망간(Mn)을 첨가하여 황의 해를 방지한다.

11 다음 그림과 같은 제3각법 투상도에서 A가 정면도 일 때 배면도는?

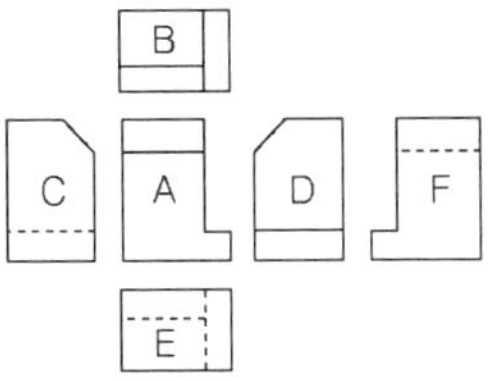

11.㉣

```
        B
   C    A    D    F
        E
```

㉠ E   ㉯ C   ㉰ D   ㉣ F

✔해설 A : 정면도, B : 평면도, C : 좌측면도, D : 우측면도, E : 저면도. F는 배면도이다.

12 용접의 명칭에 따른 KS 용접기호 표시가 틀린 것은?

12.㉠

㉠ 이면용접: ∨∨   ㉯ 가장자리 용접: ｜｜｜

㉰ 표면육성: ⌒⌒   ㉣ 표면접합부: ──

✔해설

가장 자리 용접	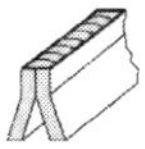	｜｜｜
서페이싱	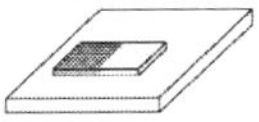	 ⌒
서페이싱 용접	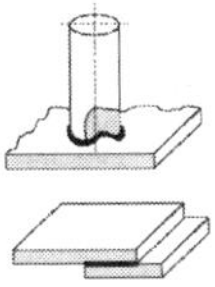	＝
경사 이음	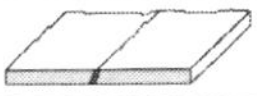	 ∕∕
겹침이음		 ⊋

㉠는 이면 공정이 없는 용접이다.

13 다음 그림의 용접기호를 바르게 설명한 것은?

13.㉯

⊋

㉠ 경사 접합부   ㉯ 겹침 접합부   ㉰ 점 용접   ㉣ 플러그 용접

✔해설 12번 참고

14 화살표 쪽을 용접하는 필릿 용접기호로 맞는 것은?

㉮ 　㉯ 　㉰ 　㉱

✔ 해설 실선에 기호가 붙으면 화살표 쪽 용접이며, 파선에 붙으면 화살표 반대쪽이다. 화살표 쪽인 ㉯, ㉰ 중에서 정답을 찾아야 된다. ㉯는 필릿 용접이며, ㉰는 I형 맞대기 용접의 표시이다.

14.㉯

15 스케치도의 필요성에 관한 설명으로 관계가 먼 것은?

㉮ 동일한 기계를 제작할 필요가 있는 경우
㉯ 제작도면을 오래도록 보전할 필요가 있는 경우
㉰ 사용 중인 기계의 부품이 파손된 경우
㉱ 사용 중인 기계의 부품 개조가 필요한 경우

✔ 해설 스케치도는 제도 용구를 사용하지 않고 도면이 없는 경우에 그리는 것으로 프리핸드법, 모양뜨기법, 프린트법, 사진촬영법이 있다.

15.㉯

16 아래 용접 기호 설명 중 틀린 것은?

C $\boxed{}$ n× ℓ (e)

㉮ C : 용접부 너비　　㉯ n : 용접부 수
㉰ ℓ : 용접부 길이　　㉱ (e) : 단속용접 길이

✔ 해설 용접부의 너비 C, ℓ 용접부의 길이, 용접수 n, 간격(e)의 표시

16.㉱

17 기계제도에 사용하는 문자의 종류가 아닌 것은?

㉮ 한글　　㉯ 로마자　　㉰ 아라비아 숫자　　㉱ 상형문자

✔ 해설 기계제도에 사용되는 문자는 한글, 로마자, 아라비아 숫자가 사용된다.

17.㉱

18 선의 종류 중 가는 2점 쇄선의 용도가 아닌 것은?

㉮ 가공 전 또는 후의 모양을 표시하는데 사용
㉯ 도시된 단면의 앞쪽에 있는 부분을 표시하는데 사용
㉰ 가공에 사용하는 공구, 지그 등의 위치를 참고로 나타내는데 사용
㉱ 대상물의 보이지 않는 부분의 모양을 표시하는데 사용

✔ 해설 가상선(이점 쇄선)
① 도시된 물체의 앞면을 표시하는 선
② 인접 부분을 참고로 표시하는 선
③ 가공 전 또는 가공 후의 모양을 표시하는 선
④ 이동하는 부분의 이동 위치를 표시하는 선
⑤ 공구, 지그 등의 위치를 참고로 표시하는 선
⑥ 반복을 표시하는 선

18.㉱

19 치수의 배치방법 종류가 아닌 것은?

㉮ 직렬 치수 배치방법　　㉯ 병렬 치수 배치방법
㉰ 평행 치수 배치방법　　㉱ 누진 치수 배치방법

✔해석 ① 직렬 치수 기입 : 한 지점에서 그 다음 지점까지의 거리를 각각 치수를 기입한 것
② 병렬 치수 기입 : 기준면에서부터 각각의 지점까지 치수를 기입한 것
③ 누진 치수 기입 : 병렬 치수 기입과 같으면서 1개의 연속된 치수선에 기입한 것

19.㉰

20 그림 (a)와 같이 정면, 평면, 측면을 하나의 투상면 위에 동시에 볼 수 있도록 두개의 옆면 모서리가 수평선과 $30°$ 가 되게 하여 그림(b)와 같이 세축이 $120°$ 의 등각이 되도록 입체도로 투상한 것은?

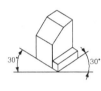

(a)　　　　　(b)

㉮ 정투상도　㉯ 등각 투상도　㉰ 부등각 투상도　㉱ 투시도

✔해석 등각 투상도
① 물체의 정면, 평면, 측면을 하나의 투상도에서 볼 수 있도록 그린 도법
② 물체의 모양과 특징을 가장 잘 나타냄
③ 물체 3개의 세 모서리는 각각 $120°$
④ 용도 : 구상도나 설명도 등

20.㉯

제2과목 : 용접구조설계

21 맞대기 용접의 이음효율 구하는 공식으로 가장 적당한 것은?

㉮ 이음효율 $= \dfrac{용착금속의인장강도}{모재의항복강도} \times 100(\%)$

㉯ 이음효율 $= \dfrac{모재의인장강도}{용착금속의인장강도} \times 100(\%)$

㉰ 이음효율 $= \dfrac{용접시험편의인장강도}{모재의인장강도} \times 100(\%)$

㉱ 이음효율 $= \dfrac{용접재료의항복강도}{용착금속의인장강도} \times 100(\%)$

✔해석 이음효율은 $\eta = \dfrac{(용착금속강도)}{(모재인장강도)} \times 100$ 로 구한다.

21.㉰

22 강판의 두께 15mm, 폭 100mm의 V형 홈을 맞대기 용접이음 할 때 이음효율을 80%, 판의 허용응력을 35kgf/mm² 로 하면 인장력(kgf)은 얼마까지 허용할 수 있는가?

㉮ 35000 ㉯ 38000 ㉰ 40000 ㉱ 42000

✔해석 $\sigma = \dfrac{P}{tl}$ 에서 P = σ × t × ℓ =35×15×100=52,500에서 이음효율이 80% 이므로 52500×0.8=42,000이 계산된다.

22.㉱

23 양면 용접에 의하여 충분한 용입을 얻으려고 할 때 사용되며 두꺼운 판의 용접에 가장 적합한 맞대기 홈의 형태는?

㉮ J형 ㉯ H형 ㉰ V형 ㉱ I형

✔해석 판 두께 6mm까지는 I형, 6~19mm까지는 V형, V형(베벨형), J형, 12mm이상은 X형, K형, 양면 J형이 쓰이고 16~50mm에는 U형 맞대기 이음이 쓰이며 50mm이상에서는 H형 맞대기 이음에 쓰인다.

23.㉯

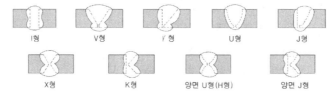

I형 V형 V형 U형 J형

X형 K형 양면 U형(H형) 양면 J형

24 가접시 주의해야 할 사항으로 틀린 것은?

㉮ 본용접자와 동등한 기량을 갖는 용접자가 가용접을 시행한다.

㉯ 본용접과 같은 온도에서 예열을 한다.

㉰ 개선 홈 내의 가접부는 백치핑으로 완전히 제거한다.

㉱ 가접의 위치는 부품의 끝 모서리나 각 등과 같이 응력이 집중되는 곳에 한다.

24.㉱

✔해석 가접은 본 용접을 실시하기 전에 좌우의 홈 부분을 잠정적으로 고정하기 위한 짧은 용접으로 가접시 용접 응력이 집중하는 곳은 피하며, 전류는 본 용접보다 높게 하며, 용접봉의 지름은 가는 것을 사용한다. 또한 너무 짧게 하지 않는다. 용접부의 청소가 끝나고 본 용접을 하기 전 가접 작업을 실시하여야 한다.

① 홈안에 가접은 피하고 불가피한 경우 본 용접 전에 갈아낸다.

② 응력이 집중하는 곳은 피한다.

③ 전류는 본 용접보다 높게 하며, 용접봉의 지름은 가는 것을 사용하여 본 용접이 용이하게 하며, 너무 짧게 하지 않는다.

④ 시·종단에 엔드탭을 설치하기도 한다.

⑤ 가접사도 본 용접사에 비하여 기량이 떨어지면 안 된다.

25 자분탐상법의 특징 설명으로 틀린 것은?

㉮ 시험편의 크기, 형상 등에 구애를 받는다.

㉯ 내부결함의 검사가 불가능하다.

㉰ 작업이 신속 간단하다.

㉱ 정밀한 전처리가 요구되지 않는다.

✔ 해석 자기(자분 탐상) 검사(MT) : 철강 재료 등 강자성체를 자기장에 놓았을 때 시험편 표면이나 표면 근처에 균열, 편석, 기공, 용입불량 등의 결함이 있으면 결함 부분에는 자속이 통하기 어려워 누설자속이 생긴다. 시험편에 형상과 크기에는 구애를 받지 않지만 비자성체는 사용이 곤란하다. 그 종류로는 축통전법, 직각 통전법, 관통법, 코일법, 극간법이 있다.

26 용접 후 처리에서 외력만으로 소성변형을 일으켜 변형을 교정하는 방법은?

㉮ 박판에 대한 점 수축법

㉯ 가열 후 해머링 하는 법

㉰ 롤러에 거는 법

㉱ 형재에 대한 직선 수축법

✔ 해석 변형 교정 방법 중 외력만으로 소성변형을 일으켜 변형을 교정하는 방법은 롤러에 거는 방법이 있다. 나머지는 가열을 이용하여 변형을 교정하는 방법이다.

27 일반적으로 용접순서를 결정할 때 주의사항으로 틀린 것은?

㉮ 동일 평면 내에 이음이 많을 경우, 수축은 가능한 자유단으로 보낸다.

㉯ 중심선에 대해 대칭을 벗어나면 수축이 발생하여 변형 된다.

㉰ 가능한 한 수축이 작은 이음을 먼저 용접하고 수축이 큰 이음은 나중에 한다.

㉱ 리벳과 용접을 병용하는 경우에는 용접이음을 먼저하여 용접열에 의한 리벳의 풀림을 피한다.

✔ 해석 ① 수축이 큰 맞대기 이음을 먼저 용접하고 다음에 필렛 용접
② 큰 구조물은 구조물에 중앙에서 끝으로 향하여 용접
③ 용접선에 대하여 수축력의 화가 영이 되도록 한다.
④ 리벳과 같이 쓸 때는 용접을 먼저 한다.
⑤ 용접 불가능한 곳이 없도록 한다.
⑥ 물품의 중심에 대하여 대칭으로 용접 진행

28 피닝(Peening)법에 관한 설명 중 옳은 것은?

㉮ 용접에 의한 변형을 미리 예측하여 용접하기 전에 변형을 주고 용접하는 법

㉯ 용접부에 냉각속도를 느리게 하기 위해서 다른 재료로 모재를 덮어 놓는 법

④ 맞대기 용접할 때 홈 간격이 벌어지거나 수축되는 것을 방지하는 법

④ 용접부를 구면상의 특수한 해머로 비드를 두드려 용접 금속부의 용접에 의한 수축변형을 감소시키며, 잔류응력을 완화하는 법

✓ 해설 피닝법 : 끝이 둥근 특수 해머로 용접부를 연속적으로 타격하며 용접 표면에 소성 변형을 주어 인장 응력을 완화한다. 첫층 용접의 균열 방지 목적으로 700℃ 정도에서 열간 피닝을 한다.

29 오스테나이트계 스테인리스강을 용접할 때 용접하여 가열한 후 급냉시키는 이유로 가장 적합한 것은?

㉮ 고온크랙(crack)을 예방하기 위하여

㉯ 기공의 확산을 막기 위하여

㉰ 용접 표면에 부착한 피복제를 쉽게 털어내기 위하여

㉱ 입간부식을 방지하기 위하여

29.㉱

✓ 해설 오스테나이트(18 – 8) 스테인리스강의 용접시 주의 사항
① 예열을 하지 않는다.
② 층간 온도가 320℃ 이상을 넘어서는 안 된다.
③ 용접봉은 모재와 같은 것을 사용하며, 될수록 가는 것을 사용한다.
④ 낮은 전류치로 용접하여 용접 입열을 억제한다.
⑤ 짧은 아크 길이를 유지한다.(길면 카바이드 석출)
⑥ 크레이터를 처리한다.
⑦ 용접 후 급냉하여 입계 부식을 방지한다.

30 불활성 가스 텅스텐 아크용접에서 직류 역극성(DCRP)으로 용접할 경우 비드폭과 용입에 대한 설명으로 맞는 것은?

㉮ 용입이 얕고 비드 폭이 넓다.   ㉯ 용입이 깊고 비드 폭이 좁다.

㉰ 용입이 얕고 비드 폭이 좁다.   ㉱ 용입이 깊고 비드 폭이 넓다.

30.㉮

✓ 해설 ① 직류 정극성(폭이 좁고, 깊은 용입을 얻음) → 높은 전류, 용접봉은 정극성일 때는 끝을 뾰족하게 가공, 용입이 깊고, 비드폭은 좁아지며, 용접 속도가 빨라 주로 스테인레스 용접시 많이 사용된다.
② 직류 역극성(폭이 넓고, 얕은 용입을 얻음) → 청정작용이 있다. 특수한 경우 Al, Mg등의 박판 용접에만 쓰이고 있다. 용입이 얕고, 비드폭은 넓어진다. 정극성에 비해 전극이 가열되어 소모되기 쉬워 전극 지름이 4배 정도 큰 사이즈를 사용한다.

31 용접부의 시작점과 끝점에 충분한 용입을 얻기 위해 사용되는 것은?

㉮ 엔드탭   ㉯ 포지셔너   ㉰ 회전지그   ㉱ 고정지그

31.㉮

✓ 해설 엔드탭이란 용접선의 시작부와 끝 부분에 설치하는 보조판으로 모재와 같은 재질 및 홈의 형상도 같아야 한다. 즉 시작 및 끝(크레이터)부분의 충분한 용입을 얻어 결함을 방지하기 위하여 설치한다.

32. 수축량에 미치는 용접시공 조건의 영향 설명 중 틀린 것은?

  ㉮ 루트 간격이 클수록 수축이 크다.

  ㉯ 구속도가 클수록 수축이 작다.

  ㉰ 용접봉이 직경이 클수록 수축이 크다.

  ㉱ 위빙을 하는 쪽이 수축이 작다.

✔ 해설 용접열에 의한 수축 변형이 크므로 열과 관련된 것을 찾으면 된다. 즉 루트 간격이 크면 그 만큼 용접량이 증가되어 수축은 커질 수 있으며, 구속도가 크면 수축이 억제될 수 있다. 아울러 위빙을 하면 수축을 줄일 수 있다. 하지만 용접봉 직경이 커지면 전류밀도가 낮아져 오히려 수축은 줄어 들 수 있다.

32. ㉰

33 필릿용접에서 다리길이가 10mm일 때 이론상 목두께는 몇 mm인가?

  ㉮ 약 5.0   ㉯ 약 6.1   ㉰ 약 7.1   ㉱ 약 8.0

✔ 해설 목두께 = 다리길이×cos 45° =10×0.707=7.07

33. ㉰

34 그림과 같이 강판두께가 t=19mm, 용접선의 유효길이 ℓ=200mm이고, h_1, h_2 가 각각 8mm일 때, 하중 P=7000kgf에 대한 인장응력은 약 몇 kgf/mm² 인가?

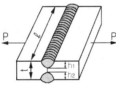

  ㉮ 0.2   ㉯ 2.2   ㉰ 4.8   ㉱ 6.8

✔ 해설 $\delta_t = \dfrac{P}{(h_1+h_2)\,\ell}$ 에서 $\delta_t = \dfrac{7000}{(8+8)200} = 2.18$

34. ㉯

35 본 용접에서 그림과 같은 비드 만들기 순서로 용접하는 용착법은?

                    1   4   2   5   3

  ㉮ 대칭법   ㉯ 후퇴법   ㉰ 스킵법   ㉱ 살수법

✔ 해설

(a) 직진법   (b) 후진법

(c) 대칭법   (d) 스킵법(비석법)   (e) 교호법

35. ㉰

36 다음 그림과 같은 필릿 용접이음에서 용접선의 방향과 하중의 방향이 직교한 것을 무슨 이음이라고 하는가?

36.㉮

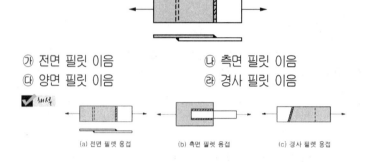

㉮ 전면 필릿 이음　　　　㉯ 측면 필릿 이음
㉰ 양면 필릿 이음　　　　㉴ 경사 필릿 이음

✔해석

(a) 전면 필렛 용접　　(b) 측면 필렛 용접　　(c) 경사 필렛 용접

37 용접변형의 경감 및 교정방법에서 용접부에 구리로 된 덮개판을 두던지 뒷면에 용접부를 수냉 또는 용접부 근처에 물기 있는 석면, 천 등을 두고 모재에 용접입열을 막음으로써 변형을 방지하는 방법은?

37.㉰

㉮ 롤링법　　㉯ 피닝법　　㉰ 냉각법　　㉴ 억제법

✔해석　변형 방지법
① 억제법 : 모재를 가접 또는 구속 지그를 사용하여 변형억제
② 역변형법 : 용접전에 변형의 크기 및 방향을 예측하여 미리 반대로 변형시키는 방법
③ 도열법(냉각법) : 용접부 주위에 물을 적신 석면, 동판을 대어 열을 흡수시키는 방법
④ 용착법 : 대칭법, 후퇴법, 스킵법 등을 사용한다.

38 TIG용접 이음부 설계에서 I형 맞대기 용접이음의 설명으로 적합한 것은?

38.㉰

㉮ 판두께가 12mm 이상의 두꺼운 판용접에 이용된다.
㉯ 판두께가 6~20mm 이상의 다층비드용접에 이용된다.
㉰ 판두께가 3mm 정도의 박판용접에 많이 이용된다.
㉴ 판두께가 20mm 이상의 두꺼운 판용접에 이용된다.

✔해석　불활성가스 텅스텐 아크 (TIG)용접은 3mm 이하에 박판에 사용된다. 주로 0.4～0.8mm에 쓰인다.

39 아래 그림과 같은 용접부의 종류는?

39.㉯

㉮ 플러그용접　　㉯ 슬롯용접　　㉰ 플레어용접　　㉴ 필릿용접

✔️ 해설

(a) 플러그 용접   (b) 슬롯 용접   (c) 비드 용접

40 용착금속의 인장 또는 굽힘시험했을 경우 파단면에 생기며 은백색 파면을 갖는 결함은?

㉮ 기공   ㉯ 크레이터   ㉰ 오우버랩   ㉱ 은점

40.㉱

✔️ 해설 수소 때문에 머리카락 모양처럼 생기는 헤어 크랙과 생선 눈처럼 빛나는 은점이 생긴다.

제3과목 : 용접일반 및 안전관리

41 저항용접법 중 맞대기 용접에 속하는 것은?

㉮ 스폿용접   ㉯ 심용접   ㉰ 방전충격용접   ㉱ 프로젝션용접

41.㉰

✔️ 해설 ① 겹치기 저항 용접 : 점 용접, 프로젝션용접, 심 용접
② 맞대기 저항 용접 : 업셋 용접, 플래시 용접, 퍼커션 용접(충격)이 있다.

42 피복 아크 용접에서 아크 쏠림 현상의 방지대책으로 틀린 것은?

㉮ 용접봉의 끝을 아크쏠림 방향으로 기울인다.

㉯ 교류아크 용접기를 사용한다.

㉰ 접지점을 용접부로부터 멀리한다.

㉱ 아크 길이를 짧게 유지한다.

42.㉮

✔️ 해설 아크 쏠림, 아크 블로우, 자기불림, 자기쏠림 등은 모두 동일한 말이며 용접 전류에 의한 아크 주위에 발생하는 자장이 용접봉에 대하여 비대칭일 때 일어나는 현상이다.
• 쏠림방지책
① 직류 용접기 대신 교류 용접기를 사용한다.
② 아크 길이를 짧게 유지한다.
③ 접지를 용접부로 멀리한다.
④ 긴 용접선에는 후퇴법을 사용한다.
⑤ 용접부의 시 · 종단에는 엔드탭을 설치한다.

43 저항용접에 의한 압점은 전기 저항열로써 모재를 용융상태로 만들고 외력을 가하여 접합하는 용접법이다. 이때 발생하는 저항열을 구하는 식은? (단, Q:저항열, I:전류, R:전기저항. t:통전시간[초])

㉮ $Q = 0.24IR^2t$ ㉯ $Q = 0.24I^2R^2t$

㉰ $Q = 0.24I^2Rt$ ㉱ $Q = 0.24I^3Rt$

43.㉰

✔️**해설** 줄열은 전류세기의 제곱과 도체 저항 및 전류가 흐르는 시간에 비례한다는 법칙으로 저항 용접에 사용된다.

즉 $Q = 0.24EIt = 0.24I^2 Rt$

44 아세틸렌가스의 폭발 위험성에 관한 설명으로 **틀린** 것은?

⑦ 아세틸렌가스는 매우 타기 쉬운 기체이다.

④ 아세틸렌가스는 매우 안전한 화합물이다.

⑤ 아세틸렌가스는 충격, 마찰 등의 외력이 작용하면 폭발 위험성이 있다.

⑥ 아세틸렌가스는 구리, 수은(Hg) 등과 접촉하면 폭발 화합물을 생성한다.

44.④

✔️**해설**

변 수	조 건
온도	· 406 ~ 408℃ : 자연 발화 · 505 ~ 515℃ : 폭발 위험 · 780℃ : 자연 폭발
압력	· 1.3기압 이하에서 사용 · 1.5기압 : 충격 가열 등의 자극으로 폭발 · 2기압 : 자연 폭발
외력	· 압력이 주어진 아세틸렌가스에 충격, 마찰, 진동 등에 의하여 폭발의 위험성이 있다.
혼합 가스	· 공기 또는 산소가 혼합한 경우 불꽃 또는 불티 등으로 착화, 폭발의 위험성이 있다. (아세틸렌 15%, 산소 85%에서 가장 위험하다) · 인화 수소를 포함한 경우 : 0.02% 이상 폭발성, 0.06% 이상 자연 폭발
화합물 영향	· 구리, 구리합금(구리 62% 이상), 은, 수은, 습기, 녹, 암모니아
건조 상태	· 120℃에서 맹렬한 폭발성

45 스테인리스강에 사용되는 플라즈마 절단 작동가스로 가장 적합한 것은?

⑦ 아세틸렌　　　　④ 프로판

⑤ 아르곤+수소　　⑥ 질소+수소

45.⑥

✔️**해설** 플라즈마 절단에는 이행형 즉 텅스텐 전극과 모재에 각각 전원을 연결하는 방식인 플라즈마 제트 절단과 텅스텐 전극과 수냉 노즐에 전원을 연결하고 모재에는 전원을 연결하지 않는 비이행형인 플라즈마 아크 절단이 있다. 비이행형의 경우는 비금속, 내화물의 절단도 가능하다.

① 무부하 전압이 높은 직류 정극성 이용

② 플라즈마 10,000 ~ 30,000℃를 이용하여 절단

③ 일반적으로 아르곤+수소가스를 사용하나 스테인리스강에는 질소+수소가스를 사용한다.

④ 특수금속, 비금속, 내화물도 절단 가능

⑤ 절단면에 슬랙이 부착되지 않고 열 영향부가 적어 변형이 거의 없다.

46 지혈 및 출혈시 응급조치방법으로 옳지 않은 것은?

㉮ 정맥출혈시는 압박붕대나 손에 가제를 대고 누르면서 상처 부위를 높게 한다.

㉯ 동맥출혈시는 응급조치로 지혈대나 압박붕대, 지압법 등으로 지혈시킨 후 의사의 조치를 받는다.

㉰ 피하 출혈시에는 냉습포를 한 뒤에 온습포를 댄다.

㉱ 신체의 다른 부분보다 부상당한 팔과 다리를 낮게 쳐들어야 한다.

✅ 해설 응급 조치시 부상당한 팔과 다리는 신체의 다른 부분보다 높게 들어야 된다.

46. ㉱

47 가스 용접봉 및 용제에 관한 각각의 설명으로 틀린 것은?

㉮ 용제는 건조한 분말, 페이스트 또는 용접봉 표면에 피복한 것도 있다.

㉯ 용제의 융점은 모재의 융점보다 낮은 것이 좋다.

㉰ 연강의 가스 용접에는 용제를 필요로 하지 않는다.

㉱ 가스용접은 탄화 불꽃이 되기 쉬운데다 공기 중의 탄소를 흡수하여 용융 금속이 탄화되는 경우가 많다.

✅ 해설 가스 용접에 필요한 산소와 아세틸렌의 이론적 비율은 2.5 : 1이다. 하지만 1.5는 공기 중에 있는 산소를 공급 받는다.

47. ㉱

48 아크 용접시 작업자에게 가장 위험한 부분은?

㉮ 배전판 ㉯ 용접봉 홀더 노출부

㉰ 용접기 ㉱ 케이블

✅ 해설 홀더는 일반적으로 A형 안전 홀더로 용접봉을 무는 홀더 노출부를 제외하고는 절연이 되어 있다. 그러므로 전격에 위험이 있는 곳은 용접봉 홀더 노출부이다.

48. ㉯

49 피복 아크 용접봉의 선택시 고려해야 할 사항으로 거리가 먼 것은?

㉮ 아크의 안정성 ㉯ 용접봉의 내균열성

㉰ 스패터링 ㉱ 용착금속 내의 슬래그의 양

✅ 해설 피복 아크 용접봉 선택시 아크 안정, 용접봉의 내균열성 및 스패터링 등을 고려하여 선택하여야 한다.

49. ㉱

50 불활성 가스 아크용접인 것은?

㉮ 테르밋용접 ㉯ TIG용접 ㉰ 산소-수소용접 ㉱ 플라즈마용접

✅ 해설 불활성 가스 아크 용접 중 TIG 용접은 Tungsten inert Gas의 약자로 텅스텐 전극을 사용하는 비용극식 방법이고, MIG용접은 Metal inert Gas의 약자로 금속 전극을 사용하는 용극식 방법이다.

50. ㉯

51 용접법을 분류한 것 중 융접에 해당되지 않은 것은?

㉮ 아크용접   ㉯ 가스용접   ㉰ MIG용접   ㉱ 마찰용접

51.㉱

✔ 해설 ① 융접(Fusion Welding) : 접합 부분을 용융 또는 반용융 상태로 하고 여기
에 용접봉 즉 용가재를 첨가하여 접합하는 방법으로 그 종류는 피복 아크
용접, 가스 용접, 불활성 가스 아크 용접, 서브머지드 용접, 이산화탄소 아
크 용접, 일렉트로 슬랙 및 일렉트로 가스 용접 등이 있다.
② 압접 (Pressure Welding) : 접합 부분을 열간 또는 냉간 상태에서 압력을
주어 접합하는 방법으로 그 종류는 전기 저항 용접(점용접, 심 용접, 프로
젝션 용접, 업셋 용접, 플래시 용접, 퍼커션 용접), 초음파 용접, 마찰 용
접, 유도가열 용접, 가스 압접 등이 있다.
③ 납땜(Brazing and Soldering) : 모재보다 용융점이 낮은 용가재(용접봉)
를 사용하여 모재는 녹이지 않고 용접봉만 녹여 표면장력으로 접합시키는
방법으로 그 종류는 크게 온도 450℃를 기준으로 그 이하에서 용접하는
연납땜과 그 이상에서 용접하는 경납땜이 있다.

52 아크용접에서 피복제의 주된 역할을 설명한 것 중 옳은 것은?

㉮ 전기 통전작용을 한다.

㉯ 용융점이 높은 적당한 점성의 무거운 슬래그를 생성한다.

㉰ 용착금속의 탈산 정련작용을 한다.

㉱ 용착금속의 냉각속도를 빠르게 한다.

52.㉰

✔ 해설 피복제의 역할
① 아크 안정
② 산·질화 방지
③ 용적을 미세화 하여 용착 효율 향상
④ 서냉으로 취성 방지
⑤ 용착 금속의 탈산 정련 작용
⑥ 합금 원소 첨가
⑦ 슬랙의 박리성 증대
⑧ 유동성 증가
⑨ 전기 절연 작용 등이 있다.

53 가스용접장치에서 충전가스 용기의 도색이 잘못 연결된 것은?

㉮ 아르곤-회색   ㉯ 염소-백색

㉰ 아세틸렌-황색   ㉱ 탄산가스-청색

53.㉯

✔ 해설 아세틸렌 용기의 색은 황색이다. 공업용 산소는 녹색, 의료용은 백색이다.

54 서브머지드 아크 용접법의 설명 중 잘못된 것은?

㉮ 용융속도와 용착속도가 빠르며, 용입이 깊다.

㉯ 비소모식이므로 비드의 외관이 거칠다.

㉰ 개선각을 작게하여 용접의 패스 수를 줄일 수 있다.

㉱ 용접선이 짧거나 불규칙한 경우 수동에 비해 비 능률적이다.

54.㉯

✔️ **해설** 서브머지드 아크 용접의 장점
① 고전류 사용이 가능하여 용착 속도가 빠르고 용입이 깊다.(용접속도가 수동 용접에 비해 10 ~ 20배, 용입은 2 ~ 3배 정도가 커서 능률적이다.)
② 기계적 성질이 우수하다.
③ 유해 광선이 적게 발생하여 작업 환경이 깨끗하다.
④ 비드 외관이 아름답다.
⑤ 열효율이 높다.
⑥ 용접 조건만 일정하면 용접사의 기량차에 의한 품질에 영향을 주지 않아 신뢰도를 높일 수 있다.
⑦ 용접 홈의 크기가 작아도 되며 용접 재료의 소비 및 용접 변형이 적다.
⑧ 한 번 용접으로 75mm까지 용접이 가능하다.
⑨ 용제(Flux)에 의한 불순물 제거로 품질이 우수하다.

55 15℃ 15기압에서 아세톤 1리터에 대하여 아세틸렌가스 몇 리터가 용해되는가?

㉮ 285   ㉯ 325   ㉰ 375   ㉱ 420

55.㉰

✔️ **해설** 1기압 하에서 아세톤에 25배 녹으므로 15기압에서는 15 × 25 = 375

56 철심을 움직여 그로 인하여 발생하는 누설 자속을 변동시켜 전류를 조절하는 용접기는?

㉮ 탭전환형   ㉯ 가동철심형
㉰ 가동코일형   ㉱ 가포화리액터형

56.㉯

✔️ **해설** ① 탭 전환형 : 코일의 감긴 수에 따라 전류를 조정한다. 하지만 탭과 탭사이의 전류를 조절할 수 없어 미세 전류 조절이 불가능하며, 넓은 범위의 전류 조정이 어렵다. 주로 소형으로 사용되나 적은 전류 조정시에도 무부하 전압이 높아 감전의 위험이 있다.
② 가동 코일형 : 1차 코일의 거리 조정으로 누설자속을 변화하여 전류를 조정한다. 아크 안정도가 높고 소음은 없으나 가격이 고가여서 현재 거의 사용되지 않고 있다.
③ 가동 철심형 : 가동철심으로 누설자속을 가감하여 전류를 조정하여 광범위한 전류 조절과 더불어 미세 전류 조절이 가능하여 현재 가장 널리 사용되고 있다.
④ 가포화리액터형 : 가변 저항의 변화로 용접 전류를 조정한다. 전기적 전류 조정으로 소음이 없고 원격 제어가 가능하다.

57 탄산가스 아크용접에 대한 설명 중 올바르지 못한 것은?

㉮ 전류밀도가 높아 용입이 깊고 용접속도를 빠르게 할 수 있다.
㉯ 가시(可視) 아크이므로 시공이 편리하다.
㉰ 특수한 용제를 사용하므로 용접부에 슬래그 섞임이 없고 용접후의 처리가 간단하다.
㉱ 용착금속의 기계적 성질 및 금속학적 성질이 우수하다.

57.㉰

✔ 해설 이산화탄소 아크 용접
① 불활성 가스 금속 아크 용접과 원리가 같으며, 불활성 가스 대신 탄산가스를 사용한 용극식 용접법이다. 일반적으로 플럭스 코드가 많이 사용된다.
② 용입을 결정하는 가장 큰 요인은 전류로 전류값이 높아지면 용입이 깊어진다.
③ 비드 형상을 결정하는 것은 용접 전압인데 전압 값이 높아지면 비드 형상이 넓어진다. 하지만 지나치게 커지면 기포가 발생할 수 있다.
④ 용융 속도는 아크 전류에 거의 정비례하여 증가하며, 용접 속도가 빠르면 모재의 입열이 감소되어 용입이 얕아진다.

58 용접부 외부에서 주어지는 열량을 용접입열(weld heat input)이라 하는데, 용접입열이 충분하지 못할 때 발생하는 용접 결함은?

㉮ 용입불량(lack of penetration) ㉯ 선상조직(ice flower structure)
㉰ 용접균열(welding crack) ㉱ 은점(fish eye)

58.㉮

✔ 해설 용입불량은 홈 각도가 좁다, 용접 속도가 너무 빠르다, 용접 전류가 낮을 때 나타나는 결함으로 즉 용접 입열이 충분하지 못할 때 용입이 되지 않는 결함이다.

59 가스용접에서 산화불꽃은 어떤 금속 용접에 가장 적합한가?

㉮ 황동 ㉯ 연강 ㉰ 모넬메탈 ㉱ 스텔라이트

59.㉮

✔ 해설 아세틸렌의 비율보다 산소의 비율이 많은 산화 불꽃 즉 산소 과잉 불꽃은 황동 등에 용접에 적당하다.

60 탄산가스(CO_2)아크 용접에서 O_2의 해를 방지하기 위하여 와이어에 Mn을 첨가하여 용접한다. 이때의 반응식 중 올바른 것은?

㉮ $2FeO + Mn = Fe + MnO_2$ ㉯ $Mn + 2FeO_3 = 2fe + MnO_6$
㉰ $Mn + FeO = Fe + MnO$ ㉱ $FeO_2 + Mn = FeO + MnO$

60.㉰

✔ 해설 이산화탄소 아크 용접에서는 산화철을 제거하기 위하여 용접부에 적합한 탈산제인 망간과 규소를 첨가한다. 용융강에서는 다음과 같은 반응을 통하여 양질의 금속이 얻어진다.
$2FeO + Si → 2Fe + SiO_2$
$FeO + Mn → Fe + MnO$

국가기술자격검정 필기시험문제

2009년 산업기사 제2회 필기시험

자격종목 및 등급(선택분야)	종목코드	시험시간	문제지형별	수검번호	성 명
용접산업기사	2026	1시간 30분	A		

※ 답안카드 작성시 시험문제지 형별누락, 마킹착오로 인한 불이익은 전적으로 수검자의 귀책사 유임을 알려드립니다.

제1과목 : 용접야금 및 용접설비제도

01 동일 금속일 경우 재결정 온도가 낮아지는 원인과 가장 거리가 먼 것은?

㉮ 가공도가 작을수록
㉯ 가공시간이 길수록
㉰ 금속의 순도가 높을수록
㉱ 가공 전의 결정입자기 미세할수록

✔해설 가공에 의해 생긴 응력이 적당한 온도로 가열하면 일정 온도에서 응력이 없는 새로운 결정이 생기는 것을 재결정이라고 한다. 재결정 온도 이상에서 가공하는 것을 열간가공, 이하에서 가공하는 것을 냉간가공이라고 한다. 냉간가공을 하게 되면 인장 강도 및 경도가 증가하며 연신율은 감소한다. 하지만 피로강도는 증가하게 된다. 가공도가 작다고 하여 재결정 온도가 낮아지는 것은 아니다.

01.㉮

02 금속의 열전도율이 큰 순서로 나열된 것은?

㉮ Cu>Ag>Al>Au
㉯ Ag>Cu>Au>Al
㉰ Ag>Al>Au>Cu
㉱ Au>Cu>Ag>Al

✔해설 열전도율과 전기전도율은 비슷하다. Ag > Cu > Au > Al > Mg > Ni > Fe > Pb 의 순이다.

02.㉯

03 2개 성분의 금속이 용해된 상태에서는 균일한 용액으로 되나 응고 후에는 성분 금속이 각각 결정이 되어 분리되며, 2개의 성분금속이 고용체를 만들지 않고 기계적으로 혼합될 수 있는 조직은?

㉮ 공정조직   ㉯ 공석조직   ㉰ 포정조직   ㉱ 포석조직

✔해설 공정 : 두 개의 성분 금속이 용융 상태에서 균일한 액체를 형성하나 응고 후에는 성분 금속이 각각 결정으로 분리, 기계적으로 혼합된 것을 말한다.(액체 ⇔ 고체A + 고체B)

03.㉮

04 피복 배합제의 성분에서 슬래그 생성제로 사용되는 것이 아닌 것은?

㉮ 탄산바륨($BaCO_3$)
㉯ 이산화망간(MnO_2)
㉰ 석회석($CaCO_3$)
㉱ 산화티탄(TiO_2)

04.㉮

✔️ **해석** 슬랙 생성제 : 용융점이 낮은 가벼운 슬랙을 만들어 용융 금속의 표면을 덮어서 산화나 질화를 방지하고 용착 금속의 냉각 속도를 느리게 한다. 슬랙 생성제로는 석회석, 형석, 탄산나트륨, 일미 나이트, 산화철, 산화티탄, 이산화망간, 규사 등이 있다.

05 철강을 순철, 강, 주철로 분류할 경우 기준이 되는 것은?

㉮ 황(S)함유량　　　　　　　　㉯ 탄소(C)함유량
㉰ 망간(Mn)함유량　　　　　　㉱ 규소(Si)함유량

✔️ **해석** 철강을 탄소 함유량에 따라 순철, 강 주철을 분류할 수 있다.

05.㉯

06 주철의 용접이 곤란하고 어려운 이유에 대한 설명으로 틀린 것은?

㉮ 주철은 연강에 비하여 여리며 주철의 급랭에 의한 백선화로 수축이 많아 균열이 생기기 쉽기 때문이다.
㉯ 주철 속에 기름, 흙, 모래 등이 있는 경우에 용착이 불량하거나 모재와의 친화력이 나빠지기 때문이다.
㉰ 일산화탄소 가스가 발생하여 용착 금속에 기공이 생기기 쉽기 때문이다.
㉱ 크롬 탄화물이 결정입계에 석출하기 쉽기 때문이다.

✔️ **해석** 주철은 수축이 크고 균열이 발생하기 쉽고 기포 발생이 많으며, 급열 급랭으로 용접부의 백선화로 절삭 가공이 곤란하며 이런 이유로 용접이 곤란하다. 크롬 탄화물이 결정입계에 석출하는 것은 스테인레스강 용접에서 나타나는 것이다.

06.㉱

07 탄소강에 포함된 원소 중 실온에서 충격치를 저하시켜 상온취성의 원인이 되며 결정립을 최대화시키는 것은?

㉮ P　　　　㉯ S　　　　㉰ Mn　　　　㉱ Au

07.㉮

✔️ **해석**

취성의 종류	현 상	원인
청열 취성	강이 200~300℃로 가열되면 경도, 강도가 최대로 되고, 연신율, 단면 수축률은 줄어들게 되어 메지게 되는 것으로 이때 표면에 청색의 산화 피막이 생성된다.	P
적열 취성	고온 900℃이상에서 물체가 빨갛게 되어 메지는 것을 적열 취성이라 한다.	S
상온 취성	충격, 피로 등에 대하여 깨지는 성질로 일명 냉간 취성이라고도 한다.	P

08 일반적으로 열이 전달되기 쉬운 정도를 표시할 때 열전도율이 사용되고 있다. 용접 입열이 일정할 경우 냉각속도가 가장 느린 것은?

㉮ 연강　　　　㉯ 스테인리스강　　　　㉰ 알루미늄　　　　㉱ 구리

✔️ **해석** 보기 중 열전도율이 가장 작은 것은 스테인리스강이다.

08.㉯

09 일반적인 금속의 공통적인 특성 설명으로 틀린 것은?

㉮ 이온화하면 양(+)이온이 된다.

㉯ 열과 전기의 양도체이다.

㉰ 전성과 연성이 좋다.

㉱ 강도, 경도, 비중이 비교적 적다.

✔️해석 금속의 공통적 성질

① 실온에서 고체이며, 결정체이다.(단 수은 제외)

② 빛을 반사하고 고유의 광택이 있다.

③ 가공이 용이하고, 연·전성이 크다.

④ 열, 전기의 양도체이다.

⑤ 비중이 크고, 경도 및 용융점이 높다.

10 탄소강의 물리적 성질 변화에서 탄소량의 증가에 따라 증가 되는 것은?

㉮ 비중

㉯ 열팽창계수

㉰ 열전도도

㉱ 전기저항

✔️해석

탄소량 증가 영향	·인장 강도, 경도, 항복점, 전기 저항 증가 ·연신율, 충격값, 비중, 열전도는 감소

11 도면의 분류에서 설명도의 용도로 가장 적합한 것은?

㉮ 주문자 또는 기타 관계자의 승인을 얻기 위한 도면이다.

㉯ 사용자에게 물품의 구조, 기능, 성능 등을 알려주기 위한 도면이다.

㉰ 지역 내의 건물 위치나 공장 내부에 기계 등을 설치위치의 상세한 정보를 나타낸 도면이다.

㉱ 견적 내용을 나타낸 도면이다.

✔️해석 설명도 : 제품의 구조, 원리, 기능, 취급방법 등을 설명한 도면

12 특별한 도시 방법에서 도형 내의 특정한 부분이 평면이란 것을 표시할 필요가 있을경우에 나타내는 표시 방법으로 가장 적합한 것은?

㉮ 정사각형기호(□)를 사용한다.

㉯ R 기호를 사용한다.

㉰ P 기호를 사용한다.

㉱ 가는 실선의 대각선을 긋는다.

✔️해석 ⊠ : 가는 실선의 대각선을 그어 평면을 뜻하는 기호로 사용한다.

13 KS규격에서 용접부 및 용접부의 표면 형상 보조기호 설명으로 틀린 것은?

㉮ ──── :평면(동일한 면으로 마감처리 함)

㉯ ⌣ :토우(골단부)를 오목하게 함

㉰ │ M │ :영구적인 이면 판재를 사용함

㉱ │ MR │ :제거 가능한 이면 판재를 사용함

13.㉱

☑ 해설

용접부 및 용접부 표면의 형상	기 호
평면(동일 평면으로 다듬질)	────
볼록(凸)형	⌒
오목(凹)형	⌣
끝단부를 매끄럽게 함	⌣
영구적인 덮개 판을 사용	M
제거 가능한 덮개 판을 사용	MR

14 기계나 장치 등의 실체를 보고 프리핸드로 그린 도면은?

㉮ 배치도

㉯ 기초도

㉰ 장치도

㉱ 스케치도

14.㉱

☑ 해설 스케치 방법
① 프린트법 : 부품 표면에 광명단 또는 스탬프 잉크를 칠한 후 용지에 찍어 실제 형상으로 모양을 뜨는 방법
② 본뜨기법 : 실제 부품을 용지 위에 올려놓고 본을 뜨는 방법과 부품 표면을 납선으로 본을 떠서 이를 용지에 옮기는 방법
③ 사진 촬영법 : 사진기로 실물을 직접 찍어서 도면을 그리는 방법(크거나 복잡한 경우)
④ 프리핸드법 : 손으로 직접 그리는 방법

15 제도의 목적을 달성하기 위한 기본 요건으로 틀린 것은?

㉮ 대상물의 도형이 있으면 필요로 하는 크기, 모양, 자세, 위치의 정보를 포함하지 않아야 한다.

㉯ 애매한 해석이 생기지 않도록 표현상 명확한 뜻을 갖고 있어야 한다.

㉰ 무역 및 기술의 국제 교류의 입장에서 국제성을 갖고 있어야 한다.

㉱ 기술의 각 분야에 걸쳐 가능한 한 정확성, 보편성을 갖고 있어야 한다.

15.㉮

☑ 해설 제도란 주문자가 의도하는 주문에 따라, 설계자가 제품의 모양이나 크기를 일정한 규칙에 따라 선, 문자, 기호 등을 이용하여 도면으로 작성하는 과정으로 설계자의 의도를 도면 사용자에게 확실하고 쉽게 전달하는데 목적이 있다.

16 KS규격에서 평면형 평행 맞대기 이용 용접을 의미하는 기호는?

㉮ ⎠⎝   ㉯ ‖   ㉰ ∨   ㉱ ✕

16.㉯

✔해설

평면형 평행 맞대기 이음 즉 l형	‖
양면 V형	✕
베벨형	∨
부분 용입 한쪽 면 V형	Y

17 정투상법의 제3각법에서 투상하여 보는 순서는?

㉮ 눈→물체→투상면   ㉯ 눈→투상면→물체
㉰ 물체→투상면→눈   ㉱ 물체→눈→투상면

17.㉯

✔해설 3각법
① 물체를 제3면각 안에 놓고 투상하는 방법이다.
② 투상방법 : 눈 → 투상면 → 물체
③ 정면도를 기준으로 투상된 모양을 투상한 위치에 배치한다.
④ KS에서는 제 3각법으로 도면 작성하는 것이 원칙이다.
⑤ 도면의 표제란에 표시 기호로 표현 가능하다.
⑥ 장점 : 도면을 보고 물체의 이해가 쉽다.

18 제3각법의 그림 기호 표시를 올바르게 나타낸 것은?

18.㉱

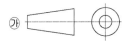 ㉮   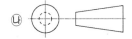 ㉯
 ㉰   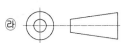 ㉱

✔해설 3각법을 뜻하는 기호는 다음 그림과 같다.

19 현장용접 보조기호 표시를 올바르게 표현한 것은?

19.㉮

㉮ ⚑   ㉯ ○   ㉰ ⊖   ㉱ ◑

✔해설 현장 용접의 표시는 깃발 모양이며, 일주(전둘레, 온둘레) 용접의 표시는 ○이다. 현장 용접과 일주 용접의 표시 기호는 화살과 기선이 만나는 꼭지점에 표시한다.

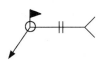

20 선의 종류에 따른 용도 설명으로 틀린 것은?

  ㉮ 외형선: 대상물의 보이는 부분의 모양을 표시하는 선

  ㉯ 지시선: 기초, 기술 등을 표시하기 위하여 끌어내는데 쓰이는 선

  ㉰ 파단선: 그 절단 위치를 대응하는 그림에 표시하는 선

  ㉱ 해칭: 도형의 한정된 특정 부분을 다른 부분과 구별하는데 사용하는 선

  ✅ 해석 파단선은 물체의 일부를 파단한 곳을 표시하는 선으로 불규칙한 파형의 가는 실선 또는 지그재그 선으로 그린다. 절단선과 혼동하지 말자.

20.㉰

제2과목 : 용접구조설계

21 맞대기 용접이음의 가접 또는 첫 층에서 보이는 세로균열의 일종으로 약 200℃ 이하의 저온에서 발생하는 균열은?

  ㉮ 설퍼 균열   ㉯ 라미네이션 균열

  ㉰ 루트 균열   ㉱ 헤어 균열

  ✅ 해석 루트 균열은 저온 균열(200℃ 이하)로 그 원인은 수소취화에 있다.

21.㉰

22 용접봉의 선택 기준으로 가장 거리가 먼 것은?

  ㉮ 모재의 재질   ㉯ 제품의 형상   ㉰ 용접 자세   ㉱ 사용보호구

  ✅ 해석 모재의 재질, 제품의 형상, 용접 자세 등에 따라 용접봉의 선택은 달라 질 수 있다.

22.㉱

23 잔류 응력이 존재하는 용접구조물에 어떤 하중을 걸어 용접부를 약간 소성변형 시킨 다음 하중을 제거하면 잔류응력이 감소하는 현상을 이용하는 방법은?

  ㉮ 국부 응력 제거법   ㉯ 저온 응력 완화법

  ㉰ 피닝법   ㉱ 기계적 응력 완화법

  ✅ 해석 잔류응력을 경감하는 방법 중 하나인 기계적 응력 완화법은 용접부에 하중을 주어 약간의 소성 변형을 주어 응력을 제거한다. 실제 큰 구조물에서는 한정된 조건하에서만 사용할 수 있다.

23.㉱

24 용접작업에서 지그 사용시 얻어지는 효과로 틀린 것은?

  ㉮ 대량생산의 경우 용접 조립 작업을 단순화 시킨다.

  ㉯ 제품의 마무리 정밀도를 향상시킨다.

  ㉰ 용접 변형을 억제하고 적당한 역 변형을 주어 정밀도를 높인다.

  ㉱ 용접작업은 용이하나 작업능률이 저하된다.

24.㉱

☑ **해설** 용접 지그 사용 효과
① 용접을 하기 쉬운 자세를 취할 수 있다. 즉 아래보기 자세로 용접 할 수 있다.
② 제품의 정밀도 향상을 가져 올 수 있다.
③ 용접 조립 작업을 단순화 또는 자동화를 할 수 있게 하여 작업 능률이 향상된다.

25 판의 홈 용접에서 용접의 진행과 더불어 이동하는 열원의 전방 홈 한격이 열렸다 닫혔다 하는 현상으로 주로 열원이동 중에 있어서 용융지 부근 모재의 용접선 방향에의 열팽창에 기인하여 생기는 용접 변형은?

㉮ 회전변형   ㉯ 세로 굽힘변형   ㉰ 팽창변형   ㉱ 비틀림변형

25.㉮

☑ **해설** 변형의 종류
· 면내의 수축 변형 : 가로 수축, 세로 수축, 회전 수축
· 면외의 수축 변형 : 굽힘 변형(가로, 세로 방향), 좌굴 변형
· 비틀림 변형 : 용융지 부근 모재의 용접선 방향에 열팽창에 의해 생기는 용접 변형은 회전변형이다.

26 가접시 주의해야 할 사항으로 틀린 것은?

26.㉱

㉮ 본 용접자(者)와 동등한 기량을 갖는 용접자가 가접을 시행한다.
㉯ 가접 위치는 부품의 끝 모서리나 각 등과 같이 응력이 집중되는 곳은 피한다.
㉰ 본 용접과 같은 온도에서 예열을 한다.
㉱ 용접봉은 본 용접 작업시에 아용하는 것보다 약간 굵은 것을 사용한다.

☑ **해설** 가접시 전류는 본 용접보다 높게 하며, 용접봉의 지름은 가는 것을 사용한다. 또한 너무 짧게 하지 않는다.

27 용접 이음의 설계를 할 때의 주의사항으로 틀린 것은?

27.㉰

㉮ 용접작업에 지장을 주지 않도록 공간을 둔다.
㉯ 용접이음을 한쪽으로 집중되게 접근하여 설계하지 않도록 한다.
㉰ 용접선은 될 수 있는 한 교차하도록 한다.
㉱ 가능한 한 아래보기 용접을 많이 하도록 한다.

☑ **해설** 용접 이음 설계시 응력이 집중 되지 않도록 하여야 하며, 용접선은 가급적 교차되지 않도록 설계되어야 된다.

28 KS규격에서 E4340 용접봉의 피복제의 계통으로 맞는 것은?

28.㉱

㉮ 일미나이트계   ㉯ 고산화티탄계   ㉰ 저소수계   ㉱ 특수계

☑ **해설** E4301(알루미 나이트계), E4303(라임 티탄계), E4311(고 셀로오스계), E4313(고 산화 티탄계), E4316(저 수소계), E4324(철분 산화 티탄계), E4327(철분 산화철계), E4326(철분 저 수소계), E4340(특수계)

29 용접부 인장시험에서 최초의 길이가 40mm이고, 인장시 형편의 파단 후의 거리가 50mm일 경우에 변형률 ε는?

㉮ 10%　　　　㉯ 15%　　　　㉰ 20%　　　　㉴ 25%

✔해석 변형률 $= \dfrac{\text{나중길이} - \text{처음길이}}{\text{처음길이}} \times 100$에서 $\dfrac{50-40}{40} \times 100 = 25\%$

29.㉴

30 응력 제거 풀림에 의해 엷어지는 효과에 해당 되지 않는 것은?

㉮ 용접 잔류 응력이 제거된다.
㉯ 용착 부식에 대한 저항력이 증대된다.
㉰ 용착 금속 중의 수소제거에 의한 연성이 증대된다.
㉴ 충격저항이 감소하고 크리프 강도가 향상된다.

✔해석 용접 잔류 응력을 제거하기 위한 응력 제거 풀림은 응력 부식에 대한 저항력이 증대되며, 연성이 증대된다.

30.㉴

31 용접부의 부근을 냉각시켜서 용접변형을 방지하는 냉각법의 종류에 해당 되지 않는 것은?

㉮ 석면포 사용법　　　　　　㉯ 피닝법
㉰ 살수법(殺水法)　　　　　　㉴ 수냉동판 사용법

✔해석 변형 방지법
① 억제법 : 모재를 가접 또는 구속 지그를 사용하여 변형 억제
② 역 변형법 : 용접 전에 변형의 크기 및 방향을 예측하여 미리 반대로 변형 시키는 방법
③ 도열법(냉각법) : 용접부 주위에 물을 적신 석면, 동판을 대어 열을 흡수시키는 방법
④ 용착법 : 대칭법, 후퇴법, 스킵법 등을 사용한다.

31.㉯

32 본 용접하기 전에 적당한 예열을 함으로서 얻어지는 효과 설명으로 가장 적당한 것은?

㉮ 예열을 하게 되면 용접성은 좋아지나 용접결함을 수반한다.
㉯ 변형과 잔류 응력이 많아 발생한다.
㉰ 용접부의 냉각속도를 느리게 하여 균열 발생이 적게 된다.
㉴ 용접부의 냉각속도가 빨라지고 높은 온도에서 큰 영향을 받는다.

✔해석 예열의 목적
① 용접부와 인접된 모재의 수축응력을 감소하여 균열 발생을 억제한다.
② 냉각속도를 느리게 하여 모재의 취성을 방지한다.
③ 용착금속의 수소 성분이 나갈 수 있는 여유를 주어 비드 밑 균열을 방지한다.

32.㉰

33 용접 후처리에서 노치인성의 설명으로 옳은 것은?

㉮ 수소량이 적어지면 연성의 저하가 심해지는 성질

㉯ 용접 전, 굽힘 가공하여 용접부에 균열이 생기는 성질

㉰ 강이 저온, 충격 하중 또는 노치의 응력 집중 등에 대하여 견딜 수 있는 성질

㉱ 강이 고온 충격 하중 또는 노치의 응력 분산 등에 의해서 메지게 되는 성질

✔️**해설** 인성이란 질긴 성질로 노치인성이란 강이 저온, 충격 하중 또는 노치의 응력 집중 등에 대하여 견디는 성질을 말한다.

33.㉰

34 그림과 같이 폭 60mm 두께 12mm의 강판을 60mm만을 겹쳐서 전둘레 필릿용접을 한다. 여기에 9000kgf의 하중을 작용시킨다면 필릿용접의 치수는 약 몇 mm인가?(단, 용접의 허용응력은 1000kgf/cm² 으로 한다.)

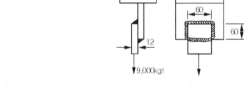

㉮ 5.3   ㉯ 9.2   ㉰ 12.1   ㉱ 16.4

✔️**해설** $\sigma_b = \dfrac{1.414 \times P}{h}$ 에서 $P = \dfrac{9000}{(2 \times 6) + (2 \times 6)} = 375$

그러므로 $h = \dfrac{1.414 \times 375}{1000} = 0.53$㎝ 그러므로 5.3mm

34.㉮

35 계산 또는 필릿 용접의 치수 이상으로 표면 위에 용착된 금속은?

㉮ 이면비드   ㉯ 덧붙이   ㉰ 개선 홈   ㉱ 용접의 루트

✔️**해설** 덧붙이 : 계산 또는 필릿 용접의 치수 이상으로 표면 위에 용착된 금속

35.㉯

36 아래 그림과 같은 필릿 용접부의 종류는?

㉮ 연속 병렬 필릿용접

㉯ 연속 지그재그 필릿용접

㉰ 단속 병렬 필릿용접

㉱ 단속 지그재그 필릿용접

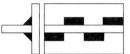

✔️**해설** 그림은 연속하지 않는 단속이며 지그재그 필릿 용접이다.

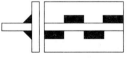

36.㉱

37 두 부재 사이의 휨 부분을 용접하는 것으로 용접부 형상이 V형, X형, K형 등이 있는 용접은?

㉮ 플러그 용접   ㉯ 슬롯 용접   ㉰ 플랜지 용접   ㉱ 플레어 용접

☑ 해설 두 부재 사이의 휨 부분을 용접하는 것은 플레어 용접이다.

37.㉱

38 맞대기 용접 이음에서 강판의 두께 6mm이고 용접길이 200mm, 연장하중 6000kgf 작용시 용접 이음부에 발생하는 인장응력은 몇 kgf/mm² 인가?

㉮ 4   ㉯ 5   ㉰ 6   ㉱ 7

☑ 해설 $\sigma = \dfrac{P}{A} = \dfrac{6000}{6 \times 200} = 5$

38.㉯

39 일반적인 용접변형 교정방법의 종류가 아닌 것은?

㉮ 얇은 판에 대한 점 수축법   ㉯ 형재에 대한 직선 수축법
㉰ 변형된 부위를 줄질하는 법   ㉱ 가열 후 해머링 하는 법

☑ 해설 변형의 교정
① 박판에 대한 점 수축법 : 점 수축법 시공 조건 : 가열 온도 500~600℃, 가열 시간은 30초 정도, 가열 부 지름 20~30mm, 가열 즉시 수냉한다.
② 형재에 대한 직선 수축법
③ 가열 후 해머링 하는 방법
④ 후판에 대해 가열 후 압력을 가하고 수냉하는 방법
⑤ 로울러에 거는 법
⑥ 절단하여 정형 후 재용접하는 방법
⑦ 피닝법

39.㉰

40 일반적인 용접순서를 결정하는 유의사항 설명으로 틀린 것은?

㉮ 용접 구조물이 조립되어 강에 따라 용접작업이 불가능한 곳이나 곤란한 경우가 생기지 않도록 한다.
㉯ 용접물의 중심에 대하여 항상 대칭으로 용접을 해나간다.
㉰ 수축이 작은 이음을 먼저 용접하고 수축이 큰 이음(맞대기 등)은 나중에 용접한다.
㉱ 용접구조물이 중립축에 대하여 용접 수축력의 모멘트의 합이 0(零)이 되게 한다.

☑ 해설 ① 수축이 큰 맞대기 이음을 먼저 용접하고 다음에 필릿 용접
② 큰 구조물은 구조물에 중앙에서 끝으로 향하여 용접
③ 용접선에 대하여 수축력의 화가 영이 되도록 한다.
④ 리벳과 같이 쓸 때는 용접을 먼저 한다.
⑤ 용접 불가능한 곳이 없도록 한다.
⑥ 물품의 중심에 대하여 대칭으로 용접 진행

40.㉰

제3과목 : 용접일반 및 안전관리

41 접합할 모재를 용융시키지 않고 모재보다 용융점이 낮은 금속을 사용하여 두 모재 간의 모세관 현상을 이용하여 금속을 접합하는 것은?

㉮ 특수용접   ㉯ 납땜

㉰ 아크용접   ㉱ 압접

✔️ 해설 납땜(Brazing and Soldering) : 모재보다 용융점이 낮은 용가재(용접봉)를 사용하여 모재는 녹이지 않고 용접봉만 녹여 표면장력으로 접합시키는 방법으로 그 종류는 크게 온도 450℃를 기준으로 그 이하에서 용접하는 연납땜과 그 이상에서 용접하는 경납땜이 있다.

42 냉간압접의 장점에 해당 되지 않는 것은?

㉮ 접합부가 가공 경화된다.

㉯ 접합부에 열영향이 없다.

㉰ 압접기구가 간단하다.

㉱ 접합부의 전기저항은 모재와 거의 비슷하다.

✔️ 해설 접합부가 가공 경화되는 것은 장점이 아니라 오히려 단점이다.

43 가스용접시 팁 끝이 순간적으로 막히면 가스 분출이 나빠지고 토치의 가스 혼합실까지 불꽃이 그대로 전달되어 토치가 빨갛게 달구어지는 현상은?

㉮ 역류   ㉯ 난류

㉰ 인화   ㉱ 역화

✔️ 해설

	원인	방지책
인화	가스 압력 부적당 팁 끝이 막힘	• 팁을 깨끗이 청소한다. • 가스 유량을 적당하게 조정 • 토치 및 각 기구를 점검한다. • 호스의 비틀림이 없게 한다. • 우선 아세틸렌을 차단 한 후산소를 차단한다.

44 가스압접의 특징 설명으로 틀린 것은?

㉮ 장치가 복잡하고 설비비, 보수비가 비싸다.

㉯ 이음부에 탈탄층이 거의 없다.

㉰ 작업이 거의 기계적이다.

㉱ 용가재 및 용제가 필요 없다.

✔️ 해설 가스 압접은 장치가 간단하여 설비비 등이 저렴하다.

41.㉯

42.㉮

43.㉰

44.㉮

45 피복아크용접에서 용접 전류가 너무 높거나 낮을 때 발생하는 용접 결함의 종류와 가장 거리가 먼 것은?

㉮ 용입불량   ㉯ 선상조직

㉰ 오버랩   ㉱ 언더컷

✔ 해설 선상조직은 급냉 또는 모재 재질이 불량할 때 발생하는 결함이다.

45.㉯

46 용접법의 분류에서 압접, 단접, 전기저항 용접을 압접이라고 하는데, 아크용접, 가스용접 및 테르밋용접을 무엇이라 하는가?

㉮ 가압접   ㉯ 에네르기법

㉰ 열용접   ㉱ 융접

✔ 해설 융접(Fusion Welding) : 접합 부분을 용융 또는 반용융 상태로 하고 여기에 용접봉 즉 용가재를 첨가하여 접합하는 방법으로 그 종류는 피복 아크 용접, 가스 용접, 불활성 가스 아크 용접, 서브머지드 용접, 이산화탄소 아크 용접, 일렉트로 슬랙 및 일렉트로 가스 용접 등이 있다.

46.㉱

47 CO_2가스 아크 용접장치에 해당 되지 않는 것은?

㉮ 용접토치   ㉯ 보호가스 설비

㉰ 제어장치   ㉱ 플럭스 공급장치

✔ 해설 플럭스 공급장치는 서브머지드 용접(잠호 용접)에 있는 장치이다.

47.㉱

48 용접부의 안전율을 나타낸 것으로 맞는 것은?

㉮ 안전율 $= \dfrac{인장강도}{허용응력} \times 100$ ㉯ 안전율 $= \dfrac{인장응력}{굽힘응력} \times 100$

㉰ 안전율 $= \dfrac{허용응력}{굽힘강도} \times 100$ ㉱ 안전율 $= \dfrac{인장응력}{피로응력} \times 100$

✔ 해설 안전율 $= \dfrac{(인장강도)}{(허용응력)} \times 100$

48.㉮

49 1차 압력이 30[KVA]인 피복 아크 용접기에서 전원 전압이 200[V]라면 퓨즈의 용량은 몇 A가 가장 적합한가?

㉮ 75   ㉯ 100

㉰ 150   ㉱ 300

✔ 해설 퓨즈의용량 $= \dfrac{1차입력(KVA)}{전원전압(200V)}$ 에서 $\dfrac{30000}{200} = 150$

49.㉰

50 다음 보기의 설명에서 A, B에 들어갈 값으로 맞는 것은?

> (보기)
> 용해 아세틸렌가스는 15℃에서 (A)kgf/cm2로 충전하며, 15℃,
> 1kgf/cm2에서 t*l*아세톤은(B)t의 아세틸렌가스를 용해한다.

㉮ A=1.5, B=10 ㉯ A=25, B=35
㉰ A=15, B=25 ㉱ A=10, B=15

✔ 해설 용해 아세틸렌의 충전은 15℃ 15기압으로 충전하며, 아세톤에 25배 녹는다.

50.㉰

51 서브머지드 아크용접 장치의 구성 및 종류에 관한 설명으로 틀린 것은?

㉮ 용접 전류는 용접 전원으로부터 용접 전극을 통하여 공급된다.
㉯ 용접 능률의 향상을 위해 2개 이상의 전극을 동시에 사용하는 다전극 용접기가 실용화 되고 있다.
㉰ 용접전원으로는 직류가 시설비가 싸고 자기불림 현상이 매우 커서 많이 사용된다.
㉱ 와이어 승급장치, 전압제어장치, 콘택트 조, 후락스호퍼를 일괄하여 용접머리(welding head)라고 한다.

✔ 해설 직류는 시설비가 비싸고 자기 불림 즉 아크 쏠림 현상이 있어 박판용으로 사용되고 일반적으로 쏠림이 없고 가격이 저렴한 교류 전원이 사용된다.

51.㉰

52 피복 아크 용접봉에 사용하는 피복제의 주된 역할이 아닌 것은?

㉮ 아크를 안정시킨다.
㉯ 용착금속의 탈산(脫酸) 정련 작용을 한다.
㉰ 용착 금속의 용적을 미세화하여 용착 효율을 낮춘다.
㉱ 스패터의 발생을 적게 한다.

✔ 해설 피복제의 작용
① 아크 안정
② 산·질화 방지
③ 용적을 미세화 하여 용착 효율 향상
④ 서냉으로 취성 방지
⑤ 용착 금속의 탈산 정련 작용
⑥ 합금 원소 첨가
⑦ 슬랙의 박리성 증대
⑧ 유동성 증가
⑨ 전기 절연 작용 등이 있다.

52.㉰

53 KS규격에서 E4324 용접봉의 피복제의 계통으로 맞는 것은?

㉮ 저수소계   ㉯ 철분산화티탄계

㉰ 특수계   ㉭ 일루미나이트계

✔해설 E4301(알루미 나이트계), E4316(저 수소계), E4324(철분 산화 티탄계), E4340(특수계)

53.㉯

54 탄산 가스 아크 용접에서 중독 및 질식사고의 원인이 되는 가스는?

㉮ 수소(H_2)   ㉯ 암모니아(NH_3)

㉰ 일산화탄소(CO)   ㉭ 아세탈렌(C_2H_2)

✔해설 탄산 가스 아크 용접은 이산화탄소 및 일산화탄소에 의한 중독 및 질식 사고 가 발생될 수 있다.

54.㉰

55 다음 보기 중 용접의 자동화에서 자동제어의 장점에 해당되는 사항으로만 조합한 것은?

（보기)
① 제품의 품질이 균일화되어 불량품이 감소된다.
② 원자재, 원료 등이 증가된다.
③ 인간에게는 불가능한 고속작업이 가능하다.
④ 위험한 사고의 방지가 불가능하다.
⑤ 연속작업이 가능하다.

㉮ ①, ②, ④   ㉯ ①, ③, ④

㉰ ①, ③, ⑤   ㉭ ①, ②, ③, ④, ⑤

✔해설 자동화의 장점으로는 우선 품질이 균일화되고 불량품이 감소되며, 연속 작업 이 가능하며, 사고의 방지가 가능하며, 능률적인 작업을 할 수 있다.

55.㉰

56 용접기의 유지보수 및 점검시에 지켜야 할 사항으로 틀린 것은?

㉮ 용접기는 습기나 먼지가 많은 곳은 가급적 설치를 하지 말아야 한다.
㉯ 2차측 단자의 한쪽과 용접기 케이스는 접지를 확실히 해둔다.
㉰ 탭 전환의 전기적 접속부는 자주 샌드페이퍼 등으로 잘 닦아 준다.
㉭ 용접기는 어떤 부분에도 주유해서는 안 된다.

✔해설 용접기중 냉각팬 부분 즉 회전하는 부분은 주유하여야 한다.

56.㉭

57 피복 아크 용접시 아크 쏠림 방지 대책이 아닌 것은?

㉮ 용접봉 끝을 아크 쏠림 반대 방향으로 기울인다.

57.㉭

ⓝ 직류 용접으로 하지 말고 교류용접으로 한다.
ⓓ 접지점은 될 수 있는 대로 용접부에서 멀리 한다.
ⓡ 긴 아크를 사용한다.

☑ 해설 쏠림 방지책
① 직류 용접기 대신 교류 용접기를 사용한다.
② 아크 길이를 짧게 유지한다.
③ 접지를 용접부로 멀리한다.
④ 긴 용접선에는 후퇴법을 사용한다.
⑤ 용접부의 시·종단에는 엔드탭을 설치한다.

58. 본 용접 전 가접에서의 주의사항 설명으로 틀린 것은?   58.㉮

㉮ 본 용접보다도 지름이 굵은 용접봉을 사용한다.
ⓝ 강도상 중요한 부분에는 가접을 피한다.
ⓓ 용접의 시점 및 중점이 되는 끝 부분은 가접을 피한다.
ⓡ 본 용접과 비슷한 기량을 가진 용접사에 의해 실시하는 것이 좋다.

☑ 해설 가접
① 홈안에 가접은 피하고 불가피한 경우 본 용접 전에 갈아낸다.
② 응력이 집중하는 곳은 피한다.
③ 전류는 본 용접보다 높게 하며, 용접봉의 지름은 가는 것을 사용한다. 또한 너무 짧게 하지 않는다.
④ 시·종단에 엔드탭을 설치하기도 한다.
⑤ 가접사도 본 용접사에 비하여 기량이 떨어지면 안 된다.

59 아크 용접 작업에서 전격의 방지대책으로 가장 거리가 먼 것은?   59.ⓝ

㉮ 절연 홀더의 절연부분이 파손되면 즉시 교환 할 것
ⓝ 접지선은 수도 배관에 할 것
ⓓ 용접작업을 중단 혹은 종료 시에는 즉시 스위치를 끊을 것
ⓡ 습기 있는 장갑, 작업복, 신발 등을 착용하고 용접 작업을 하지 말 것

☑ 해설 2차측 단자의 한쪽과 용접기 케이스는 반드시 접지 할 것

60 아세틸렌 압력조정기의 구비조건 설명으로 틀린 것은?   60.ⓓ

㉮ 가스의 방출량이 많아도 유량이 안정되어 있어야 한다.
ⓝ 조정압력은 용기 내의 가스량이 변해도 항상 일정해야 한다.
ⓓ 조정압력과 방출압력과의 차이가 클수록 좋다.
ⓡ 얼어붙지 않고 동작이 예민해야 한다.

☑ 해설 조정압력과 방출압력은 차이가 없어야 된다.

국가기술자격검정 필기시험문제

2009년 산업기사 제3회 필기시험

자격종목 및 등급(선택분야)	종목코드	시험시간	문제지형별	수검번호	성 명
용접산업기사	**2026**	**1시간 30분**	**A**		

※ 답안카드 작성시 시험문제지 형별누락, 마킹착오로 인한 불이익은 전적으로 수검자의 귀책사유임을 알려드립니다.

제1과목 : 용접야금 및 용접설비제도

01 금속을 가열한 다음 급속히 냉각시켜 재질을 경화시키는 열처리 방접은?

㉮ 풀림   ㉯ 뜨임   ㉰ 불림   ㉱ 담금질

✔ 해설 담금질 : 강을 A_3 변태 및 A_1 선 이상 30~50℃로 가열한 후 수냉 또는 유냉으로 급랭시키는 방법으로 강을 강하게 만드는 열처리이다.

01.㉱

02 포정반응 설명으로 가장 적합한 것은?

㉮ 하나의 고용체에 다른 액체가 작용하여 다른 고용체를 형성하는 반응
㉯ 2종 이상의 물질이 고체 상태로 완전히 융합되는 것
㉰ 하나의 액체에서 고체와 다른 종류의 액체를 동시에 형성하는 반응
㉱ 하나의 액체를 어떤 온도로 냉각시키면서 동시에 2개 또는 그 이상의 종류의 고체를 생기게 하는 반응

✔ 해설 포정 반응 : A, B양 성분 금속이 용융상태에서는 완전히 융합되나, 고체 상태에서는 서로 일부만이 고용되는 경우로 고용체가 액체와 반응하여 고용체의 외주부에 별개의 고용체를 만드는 포정반응을 일으키는 것을 말한다.
(고용체A + 액체 ⇔ 고용체B) (Cd – Hg계, Co – Cu계 합금)

02.㉮

03 면심입방격자(FCC)에서 단위격자 중에 포함되어 있는 원자의 수는 몇 개인가?

㉮ 2   ㉯ 4   ㉰ 6   ㉱ 8

✔ 해설 면심입방격자의 원자수 = (꼭지점에 있는 원자의 수 = 8) $\times \frac{1}{8}$ + (면 중심에 있는 원자의 수 = 6) $\times \frac{1}{2}$ = 4개

03.㉯

04 맞대기 용접 이음의 가접 또는 첫층에서 루트 근방의 열영향부에서 발생하여 점차 비드속으로 들어가는 균열은?

04.㉯

㉮ 토 균열 　　　　　　　㉯ 루트 균열
㉰ 세로 균열 　　　　　　㉱ 크레이터 균열

✔ 해설 용접을 끝낸 직후의 크레이터 부분의 생기는 크레이터 균열, 외부에서는 볼 수 없는 비드 밑 균열, 열영향부 균열, 비드 표면과 모재와의 경계부에 발생하는 토 균열, 비틀림이 주원이 되어 발생하는 힐 균열, 저온 균열에서 가장 주의하여야 할 균열인 첫층 용접의 루트 근방에서 발생하는 루트 균열, 모재의 재질 결함으로서의 균열인 래미네이션 균열 등이 있다.

05 저수소계 피복 아크 용접봉의 건조 조건으로 가장 적절한 것은?

㉮ 70~100℃, 1시간 　　　㉯ 200~250℃, 30시간
㉰ 300~350℃, 1~2시간 　㉱ 400~450℃, 30시간

✔ 해설 저수소계(E4316)
① 석회석($CaCO_3$)이나 형석(CaF_2)을 주성분으로 용착 금속 중의 수소량이 다른 용접봉에 비해서 1/10 정도로 현저하게 적은 우수한 특성이 있다.
② 피복제는 습기를 흡수하기 쉽기 때문에 사용하기 전에 300~350℃ 정도로 1~2시간 정도 건조시켜 사용한다.

06 일반적인 금속 원자의 단위 결정격자의 종류가 아닌 것은?

㉮ 체심입방격자 　　　　　㉯ 정밀입방격자
㉰ 면심입방격자 　　　　　㉱ 조밀육방격자

✔ 해설

종 류	특 징	금 속
체심입방격자 (B·C·C)	· 강도가 크고 전·연성은 떨어진다. · 단위격자속 원자수 $2\left(1+\dfrac{1}{8}\times 8\right)$ · 배위수는 8, 충진율 68	Cr, Mo, W, V, Ta, K, Ba, Na, Nb, Rb, α-Fe, δ-Fe
면심입방격자 (F·C·C)	· 전·연성이 풍부하여 가공성이 우수하다. · 단위격자속 원자수 $4\left(\dfrac{1}{8}\times 8+\dfrac{1}{2}\times 6\right)$ · 배위수는 12, 충진율 74	Ag, Al, Au, Cu, Ni, Pb, Ce, Pd, Pt, Rh, Th, Ca, γ-Fe
조밀육방격자 (C·H·P)	· 전·연성 및 가공성 불량하며 취약하다. · 단위격자속 원자수 4 · 배위수는 12, 충진율 74	Ti, Be, Mg, Zn, Zr, Co, La1

07 철강의 용접시 열 영향부에 대한 설명으로 틀린 것은?

㉮ 탄소의 함량이 많을수록 경화 현상이 발생하기 쉽다.
㉯ 오스테나이트까지 가열된 조직은 급냉으로 마텐자이트 조직이 된다.
㉰ 조직이 마텐자이트가 되면 경도가 증가한다.
㉱ 조직이 마텐자이트가 되면 연신율이 증가한다.

✔ 해설 마텐자이트는 담금질 열처리시 나타나는 침상의 조직으로 매우 강한 조직이다.

05.㉰

06.㉯

07.㉱

08 주철의 용접성으로 틀린 것은?

㉮ 수축이 많아 균열이 생기기 쉽다.

㉯ 일산화탄소 가스가 발생하여 용착금속에 기공 발생이 적다.

㉰ 500~600℃의 예열 및 후열이 필요하다.

㉱ 주철 속에 기름, 흙, 모래 등이 있는 경우에 용착이 불량하거나 모재와의 친화력이 나쁘다.

✔ 해석 주철의 용접
① 수축이 크고 균열이 발생하기 쉽고 기포 발생이 많으며, 급열 급랭으로 용접부의 백선화로 절삭 가공이 곤란하며 이런 이유로 용접이 곤란하다.
② 일산화탄소 가스가 생겨 기공이 생기기 쉽다.
③ 장시간 가열로 흑연이 조대화 된 경우 주철 속에 흙, 모래 등이 있는 경우 용착이 불량하거나 모재와의 친화력이 나쁘다.
④ 주철은 다량의 탄소 함유로 균열 발생 우려가 있다.

09 피복 아크 용접시 용융금속 중에 침투한 산화물을 제거하는 탈산제로 쓰이지 않는 것은?

㉮ 망간철   ㉯ 규소철   ㉰ 산화철   ㉱ 티탄철

✔ 해석 탈산제 : 용융 금속 중의 산화물을 탈산 정련하는 작용을 한다. 탈산제로는 페로실리콘, 페로망간, 페로티탄, 알루미늄 등이 있다.

10 잔류 응력 제거 방법으로서 용접선의 양측을 가스 불꽃으로 나비 약 150mm에 걸쳐서 150 ~200℃로 가열한 다음 곧 수냉하는 방법은?

㉮ 기계적 응력 완화법   ㉯ 피닝법

㉰ 저온 응력 완화법   ㉱ 확산 풀림법

✔ 해석 잔류 응력을 경감하는 방법은 노내 풀림법, 국부 풀림법, 기계적 응력 완화법, 저온 응력 완화법, 피닝법 등이 있다. 나비 150mm, 온도 150~200℃ 가열 후 수냉하는 것은 저온 응력 완화법이다.

11 정 투상법에서 제3각법은 (①)→(②)→(③)순서로 투상한다. ( )속의 번호에 들어갈 용어로 맞는 것은?

㉮ ①눈, ②물체, ③투상면   ㉯ ①눈, ②투상면, ③물체

㉰ ①물체, ②눈, ③투상면   ㉱ ①투상면, ②물체, ③눈

✔ 해석 3각법
① 물체를 제3면각 안에 놓고 투상하는 방법이다.
② 투상방법 : 눈 → 투상면 → 물체
③ 정면도를 기준으로 투상된 모양을 투상한 위치에 배치한다.
④ KS에서는 제 3각법으로 도면 작성하는 것이 원칙이다.
⑤ 도면의 표제란에 표시 기호로 표현 가능하다.
⑥ 장점 : 도면을 보고 물체의 이해가 쉽다.

08.㉱

09.㉰

10.㉰

11.㉯

12 도면의 분류에서 내용에 따라 분류에 해당하지 않는 것은?

㉮ 전개도　　　　　　　　㉯ 부품도

㉰ 기초도　　　　　　　　㉱ 조립도

☑ 해설 · 목적에 따른 도면 분류 : 계획도, 주문도, 견적도, 승인도, 제작도, 설명도
· 내용에 따른 분류 : 부품도, 조립도, 기초도, 배관도, 공정도, 배선도 등
전개도는 물체의 형상을 만들기 위한 도면이다.

13 대상물의 보이지 않는 부분을 표시하는데 쓰이는 선의 종류는?

㉮ 굵은 실선　　　　　　　㉯ 가는 파선

㉰ 가는 실선　　　　　　　㉱ 가는 이점쇄선

☑ 해설 선의 종류와 용도
① 도형의 외형을 나타내는 외형선은 굵은 실선으로 그린다.
② 치수선, 치수 보조선, 지시선, 회전 단면선, 중심선, 수준면선 등은 가는
실선으로 그린다.
③ 은선(숨은선)은 가는 파선 또는 굵은 파선으로 그린다
④ 중심선, 기준선, 피치선은 가는 1점 쇄선으로 그린다.
⑤ 특수 지정선은 굵은 1점 쇄선으로 그린다.
⑥ 가상선 무게 중심선은 가는 2점 쇄선으로 그린다.
⑦ 파단선은 물체의 일부를 파단한 곳을 표시하는 선으로 불규칙한 파형의 가
는 실선 또는 지그재그 선으로 그린다.
⑧ 절단선은 가는 1점 쇄선으로 끝 부분 및 방향이 변하는 부분을 굵게 한 것
⑨ 해칭은 가는 실선으로 규칙적으로 줄을 늘어놓은 것
⑩ 특수한 용도의 선으로는 가는 실선 또는 아주 굵은 실선으로 나눌 수 있다.

14 도면의 보관방법 및 출고에 대한 설명으로 가장 거리가 먼 것은?

㉮ 원도는 화재나 수해로부터 안전하도록 방재처리를 한 후 도면 보관함
에 격리하여 보관한다.

㉯ 도면 보관함에는 도면번호, 도면크기 등을 표시하여 사용을 쉽게 한다.

㉰ 복사도에는 출고용 도장을 찍지 않아도 사용이 가능하며, 도면이 심하
게 파손되었을 때는 현장에서 즉시 태워 버린다.

㉱ 원도는 도면을 변경하고자 하는 이외에는 출고하지 않으며, 곧바로 생
산 현장에 출고할 때는 복사도를 출고한다.

☑ 해설 원도는 접어서 보관하지 않고 말거나 도면함에 보관하며 절대로 출도(고)해
서는 안 된다. 복사도는 A4로 표제란이 겉으로 나오게 접어 보관하며, 현장
등에 출도(고)할 때 사용한다. 복사도에도 반드시 출고용 날인이 되어 있어야
하며 훼손시 폐기할 때는 관련 부서에서 하여야 한다.

15 용접 기본기호 중 맞대기 이음 용접 기호가 아닌 것은?

㉮ ‖　　　　　㉯ V　　　　　㉰ Y　　　　　㉱ L

☑ 해설 ㉮는 I형, ㉯는 V형, ㉰는 루트면 있는 V형, L형 맞대기 이음은 없다.

12.㉮

13.㉯

14.㉰

15.㉱

16 CAD 인터페이스 종류 중 소프트웨어 인터페이스가 아닌 것은?

㉮ GKS(Graphical Kernel System)
㉯ IGES(Initial Graphics Exchange Specitition)
㉰ RS-232C
㉱ DXF(Date Exchange File)

☑ 해설 CAD의 인터페이스는 GKS, IGES, DXF 등이 있다. RS-232C는 통신 프로토콜이다.

16.㉰

17 경사면부가 있는 대상물에서 그 경사면의 실장을 나타낼 필요가 있는 경우에 그리는 투상도는?

㉮ 보조 투상도   ㉯ 부분 투상도   ㉰ 국부 투상도   ㉱ 회전 투상도

☑ 해설 보조(부) 투상도 : 물체가 경사면이 있어 투상을 시키면 실제 길이와 모양이 틀려져 경사면에 별도의 투상면을 설정하고 이 면에 투상하면 실제 모양이 그려짐

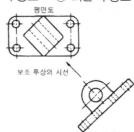

17.㉮

18 국가 및 기구에 대한 규격기호를 틀리게 연결한 것은?

㉮ 국제표준화기구-ISO   ㉯ 미국-USA
㉰ 일본-JIS   ㉱ 스위스-SNV

☑ 해설 국제표준화기구 : ISO, 국제전기표준 : IEC, 한국 : KS, 일본 : JIS, 독일 : DIN, 미국 : ANSI, 스위스 : SNV, 영국 : BS, 프랑스 : NF 등이다.

18.㉯

19 치수 기입 방법에서 치수선과 치수 보조선에 대한 설명으로 틀린 것은?

㉮ 치수선과 치수 보조선은 가는 실선으로 긋는다.
㉯ 치수선은 원칙적으로 치수 보조선을 사용하여 긋는다.
㉰ 치수선은 원칙적으로 지시하는 길이 또는 각도를 측정하는 방향으로 평행하게 긋는다.
㉱ 치수 보조선은 지시하는 치수의 끝에 해당하는 도형상의 점 또는 선의 중심을 지나 치수선에 평행으로 긋는다.

☑ 해설 치수선 및 치수 보조선 : 가는 실선을 사용하며, 치수선 양 끝에는 화살표를 붙임
㉠ 치수선 : 일반적으로 외형선과 평행하고, 외형선에서 8~10mm 간격으로 동일하게 그린다.
㉡ 치수 보조선 : 치수선에 수직하게 그리며, 치수선을 지나 약간(2~3mm) 넘도록 그린다. 아울러 외형선에서 1mm 정도 띄어서 시작한다.
㉢ 치수 보조선은 외형선에 직각으로 긋는다. 단 테이퍼부의 치수를 나타 낼 때는 치수선과 60°의 경사로 긋는다.

19.㉱

20 다음 용접 기호의 설명으로 옳은 것은?

㉮ 플러그 용접　　　　　　㉯ 뒷면 용접
㉰ 스폿 용접　　　　　　　 ㉲ 심 용접

✅ 해석

	실제 모양	기호 모양
플러그 용접 : 플러그 또는 슬롯 용접		⊓
스폿 용접		○
심 용접		⊖

제2과목 : 용접구조설계

21 용접이음 중에서 접합하는 2부재 사이에서 양쪽 면에 홈을 파고 용접하는 양쪽면 홈이음 형은?

㉮ I형 홈　　　㉯ J형 홈　　　㉰ H형 홈　　　㉲ V형 홈

✅ 해석　홈의 형상은 I형, V형, 양면 V형(X), 베벨형, 양면 베벨형(K), U형, 양면 U형(H형)등이 있다. 이중 양면형은 X형, K형, H형이 있다.

22 설계 단계에서의 일반적인 용접 변형 방지법 중 틀린 것은?

㉮ 용접 길이가 감소될 수 있는 설계를 한다.
㉯ 용착 금속을 감소시킬 수 있는 설계를 한다.
㉰ 보강재 등 구속이 작아지도록 설계를 한다.
㉲ 변형이 적어질 수 있는 이음 부분을 배치한다.

✅ 해석　보강재 및 구속 등을 통하여 변형을 방지할 수 있다. 하지만 지나친 구속은 응력을 발생할 수 있다.(31번 참고)

23 연강의 맞대기용접 이음에서 용착 금속의 기계적 성질 중 인장강도가 $40kgf/mm^2$, 안전율이 5라면 용접이음의 허용응력(kgf/mm^2)은 얼마인가?

㉮ 0.8　　　　㉯ 8　　　　㉰ 20　　　　㉲ 200

✅ 해석　안전율 $= \dfrac{인장강도}{허용응력}$ 에서 허용응력 $= \dfrac{인장강도}{안전율} = \dfrac{40}{5} = 8$

24 가용접(tack welding)시 주의해야 할 사항이 아닌 것은?

㉮ 본 용접자와 동등한 기량을 갖는 용접자가 가용접을 시행할 것

㉯ 본 용접과 같은 온도에서 예열을 할 것

㉰ 가용접 위치는 부품의 끝 모서리나 각 등과 같이 응력이 집중되는 곳을 피할 것

㉱ 용접봉은 본 용접 작업시에 사용하는 것보다 약간 굵은 것을 사용할 것

✔ **해설** ① 홈안에 가접은 피하고 불가피한 경우 본 용접 전에 갈아낸다.
② 응력이 집중하는 곳은 피한다.
③ 전류는 본 용접보다 높게 하며, 용접봉의 지름은 가는 것을 사용한다. 또한 너무 짧게 하지 않는다.
④ 시·종단에 엔드탭을 설치하기도 한다.
⑤ 가접사도 본 용접사에 비하여 기량이 떨어지면 안 된다.
⑥ 가접용 지그 등을 사용하여 부재의 형상을 유지한다.

24.㉱

25 자기 탐상 검사가 되지 않는 금속재료의 용접부 표면검사법으로 가정 적합한 것은?

㉮ 외관 검사

㉯ 침투 탐상 검사

㉰ 초음파 탐상 검사

㉱ 방사선 투과 검사

✔ **해설** 자기 검사(MT)는 비자성체의 검사에는 사용이 곤란하며, 침투 검사(PT)를 사용하여 표면 검사를 할 수 있다.

25.㉯

26 용접변형 방지법에서 역변형법의 설명에 해당되는 것은?

㉮ 공작물을 가접 또는 지그로 고정하여 변형을 발생을 방지하는 법

㉯ 용접 금속 및 모재의 수축에 대하여 용접 전에 반대 방향으로 굽혀 놓고 용접 작업하는 법

㉰ 비드를 좌우대칭으로 놓아 변형을 방지하는 법

㉱ 용접 진행 방향으로 뜀 용접을 하여 변형을 방지하는 법

✔ **해설** 역변형법 : 용접전에 변형의 크기 및 방향을 예측하여 미리 반대로 변형시키는 방법

26.㉯

27 레이저 용접장치의 기본형에 속하지 않는 것은?

㉮ 고체 금속형

㉯ 가스 방전형

㉰ 반도체형

㉱ 에너지형

✔ **해설** 레이저 용접 장치의 기본형은 고체 금속형, 반도체형, 가스 방전형이 있다.

27.㉱

28 맞대기 용접 및 필릿 용접 이음시 각 변형을 교정할 때 이음하는 이면 담금질 방법은?

28.㉰

㉮ 점가열법   ㉯ 송엽가열법
㉰ 선상가열법   ㉱ 격자가열법

☑️ 해설 가열 방법의 종류와 특징
① 점(點)형 가열 : 수축력이 큰 6㎜ 이하의 박판 교정에 사용한다. 표면에서 녹아 날아
   가기 쉽기 때문에 주의를 요한다.
② 선(線)상 가열 : 변형 교정의 가열 방법 중 기본으로 배면 열처리에 많이 이용되며,
   주로 가로굽힘 변형(각변형)에 이용된다.
③ 분산식 가열 : 각 방향으로 변형 교정의 효과가 커서 균일하게 교정되고 마무리가
   우수하다. 비슷한 방법으로는 십자형 가열 방법이 있다.
④ 격자형 가열 : 큰 변형 교정에 사용되나 표면이 타서 상하기 쉽기 때문에 주의를 요
   한다.
⑤ 삼각형상(쐐기) 가열 : 굽힘 변형이나 굽힘 가공에 주로 이용한다.
⑥ 고리형 가열 : 마무리가 우수한 방법으로 효과적인 가열 방법이다.

29 용접시공에 의한 변형 경감법에 해당되지 않는 것은?

㉮ 대칭법   ㉯ 후진법
㉰ 스킵법   ㉱ 도열법

☑️ 해설 도열법(냉각법) : 용접부 주위에 물을 적신 석면, 동판을 대어 열을 흡수시키
         는 방법

30 용접부에 발생하는 기공(blow hole)이나 피트(pit)와 같은 결함의 원
인이 될 수 없는 것은?

㉮ 이음부에 녹이나 이물질 부착   ㉯ 용접봉 건조 불량
㉰ 용접 홈 각도의 과대   ㉱ 용접속도의 과대

☑️ 해설 피트의 원인
         · 모재에 탄소, 망간, 황 등의 함유량이 많을 때
         · 습기, 녹, 페인트가 있을 때
         · 용착 금속의 냉각 속도가 빠를 때
         기공의 원인
         · 수소 또는 일산화탄소 과잉
         · 용접부의 급속한 응고
         · 모재 가운데 유황함유량 과대
         · 기름 페인트 등이 모재에 묻어 있을 때
         · 아크 길이, 전류 조작의 부적당
         · 용접 속도가 너무 빠를 때

31 용접 이음을 설계할 때 주의사항이 아닌 것은?

㉮ 가급적 아래보기 용접을 많이 하도록 한다.
㉯ 용접 작업에 지장을 주지 않도록 공간을 두어야 한다.
㉰ 용접 이음을 반쪽으로 집중되게 접근하여 설계하지 않도록 한다.
㉱ 맞대기 용접은 될 수 있는 대로 피하고 필릿 용접을 하도록 한다.

29.㉱

30.㉰

31.㉱

✔️ **해설** ① 수축이 큰 맞대기 이음을 먼저 용접하고 다음에 필렛 용접
② 큰 구조물은 구조물에 중앙에서 끝으로 향하여 용접
③ 용접선에 대하여 수축력의 화가 영(0)이 되도록 한다.
④ 리벳과 같이 쓸 때는 용접을 먼저 한다.
⑤ 용접 불가능한 곳이 없도록 한다.
⑥ 물품의 중심에 대하여 대칭으로 용접 진행
⑦ 가능한 아래보기 용접을 할 수 있도록 한다.

32 동일한 길이를 용접하는 경우라도 판 두께, 용접 자세, 작업장도 등이 변동되면 용접에 소요하는 작업량도 변하게 되는데 이 작업량에 영향을 주는 것을 각기 계수로 표시하고 이 계수를 실제의 용접길이에 곱한 것을 무슨 용접길이라고 하는가?

㉮ 도면상의 용접길이   ㉯ 환산 용접길이
㉰ 돌림 용접길이   ㉱ 가공 후 용접길이

✔️ **해설** 환산 용접 길이 = 계수 × 용접 길이

32.㉯

33 필릿 용접 이음의 수축 변형에서 모재가 용접선에 각을 이루는 경우를 각(角)변형이라고 하는데, 각(角)변형과 같이 쓰이는 용어는?

㉮ 가로 굽힘   ㉯ 세로 굽힘
㉰ 회전 굽힘   ㉱ 원형 굽힘

✔️ **해설** 수축 변형의 종류
① 면내의 수축 변형 : 가로 수축, 세로 수축, 회전 수축
② 면외의 수축 변형 : 가로 굽힘 변형(각변형), 종굽힘 변형, 좌굴 변형, 비틀림 변형
③ 용접 변형을 줄이려면 용접 입열을 적게 하며, 열량을 한 개소에 집중시키지 않도록 하여야 한다. 아울러 일정한 거리에 가접 등을 통하여 처짐 변형 등을 방지한다.

33.㉮

34 그림과 같은 겹치기 이음의 필릿 용접을 하려고 한다. 허용응력을 5kgf/mm² 라 하고, 인장하중을 5000kgf, 판두께 12mm이라고 할 때, 필요한 용접 유효 길이는 약 몇 mm인가?

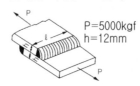

P=5000kgf
h=12mm

㉮ 83   ㉯ 73   ㉰ 69   ㉱ 59

✔️ **해설** $\sigma_t = \dfrac{1.414P_1}{(h_1+h_2)\ell}$ 에서 $\ell = \dfrac{1.414P_1}{(h_1+h_2)\sigma_t} = \dfrac{1.414 \times 5000}{(12+12) \times 5} = 58.9$

34.㉱

35 용접구조물의 수명과 가장 관련이 있는 것은?

㉮ 작업 태도 ㉯ 아크 타임율 ㉰ 피로 강도 ㉱ 작업율

✔ 해석 피로 강도 등이 용접 구조물의 수명과 연관이 깊다.

35.㉰

36 인장시험 결과 시험편이 파단 후의 단면적 20mm² 이고 원단면적 25mm² 일 때 단면수축률은?

㉮ 20% ㉯ 30% ㉰ 40% ㉱ 50%

✔ 해석 수축율 $= \dfrac{25-20}{25} \times 100 = 20$

36.㉮

37 다음 그림과 같은 용접이음의 형상기호 종류는?

㉮ 필릿용접 X형 ㉯ 플러그용접 K형
㉰ 모서리용접 V형 ㉱ 플레어용접 X형

✔ 해석 그림은 플레어 용접 X형이다.

37.㉱

38 특수한 구면상의 형상을 갖는 해머(hammer)로 용접부를 연속적으로 타격해줌으로써 표면의 소성변형을 주어 잔류 응력을 제거하는 방법은?

㉮ 기계적 응력 완화법 ㉯ 저온 응력 완화법
㉰ 피닝법 ㉱ 응력제거 풀림법

✔ 해석 피닝법 : 끝이 둥근 특수 해머로 용접부를 연속적으로 타격하며 용접 표면에 소성 변형을 주어 인장 응력을 완화한다. 첫층 용접의 균열 방지 목적으로 700℃정도에서 열간 피닝을 한다.

38.㉰

39 용접 전 예열을 하는 목적에 대한 설명으로 틀린 것은?

㉮ 용접부와 인접된 모재의 수축응력을 증가시키기 위하여 예열을 실시한다.
㉯ 임계온도를 통과하여 냉각될 때 냉각속도를 느리게 하여 열영향부와 용착 금속의 경화를 방지하고 연성을 높여준다.
㉰ 약 200℃의 범위를 통과하는 시간을 지연시켜 용착 금속내의 수소를 방출 시간을 줌으로서 비드 밑 균열을 방지한다.
㉱ 온도 분포가 완만하게 되어 열응력의 감소로 변형과 잔류응력 발생을 적게 한다.

39.㉮

☑ **해설** 예열의 목적
① 용접부와 인접된 모재의 수축응력을 감소하여 균열 발생을 억제한다.
② 냉각속도를 느리게 하여 모재의 취성을 방지한다.
③ 용착금속의 수소 성분이 나갈 수 있는 여유를 주어 비드 밑 균열을 방지한다.

40 용접경비를 적게 하고자 할 때 유의사항으로 가장 관계가 먼 것은?

㉮ 용접봉의 적절한 선정과 그 경제적 사용방법
㉯ 재료 절약을 위한 방법
㉰ 용접 지그의 사용에 의한 위보기 자세의 이음
㉱ 용접사의 작업 능력의 향상

40.㉰

☑ **해설** 용접 지그 사용 효과
① 용접을 하기 쉬운 자세를 취할 수 있다. 즉 아래보기 자세로 용접 할 수 있다.
② 제품의 정밀도 향상을 가져 올 수 있다.
③ 용접 조립 작업을 단순화 또는 자동화를 할 수 있게 하여 작업 능률이 향상된다.

제3과목 : 용접일반 및 안전관리

41 가스용접에서 판두께를 t(mm)라면 용접봉의 지름 D(mm)를 구하는 식으로 옳은 것은? (단, 모재의 두께는 1mm 이상인 경우이다.)

41.㉯

㉮ $D = t+1$

㉯ $D = \dfrac{t}{2}+1$

㉰ $D = \dfrac{t}{3}+2$

㉱ $D = \dfrac{t}{4}+2$

☑ **해설** 가스 용접봉의 지름을 구하고자 할 때는 용접하고자 하는 모재 두께의 반에 1을 더한 것이다. 즉 $D = \dfrac{t}{2}+1$이 된다.

42 아세틸렌가스의 성질에 대한 설명으로 틀린 것은?

㉮ 순수한 아세틸렌가스는 무색, 무취의 기체이다.
㉯ 각종 액체에 잘 용해되며 알코올에는 25배가 용해된다.
㉰ 비중이 0.906으로 공기보다 약간 가볍다.
㉱ 산소와 적당히 혼합하여 연소시키면 약 3000~3500℃의 높은 열을 낸다.

42.㉯

☑ **해설** 여러 가지 액체에 잘 용해되며 물에는 같은 양, 석유에는 2배, 벤젠에는 4배, 알코올에서는 6배, 아세톤에는 25배 용해되며, 그 용해량은 압력에 따라 증가한다. 단 소금물에는 용해되지 않는다.

43 교류 용접기에서 무부하 전압 80V, 아크전압 25V, 아크전류 30A이며, 내부손실 3kW라 하면 이때 용접기의 효율은 약 몇 %인가?

㉮ 71.4　　　　　　　㉯ 70.1

㉰ 68.3　　　　　　　㉱ 66.7

43.㉮

✔ 해석 역률과 효율(단위에 주의한다.)

$$역률 = \frac{소비전력(kW)}{전원입력(KVA)} \times 100, \quad 효율 = \frac{아크출력(kW)}{소비전력(kW)} \times 100$$

소비 전력 = 아크 출력 + 내부 손실

전원 입력 = 무부하 전압 × 정격 2차 전류

아크 출력 = 아크 전압 × 정격 2차 전류

아크 출력 = 25×300 =7.5

소비전력=3+7.5=10.5

그러므로 효율은 $\frac{7.5}{10.5} \times 100 = 71.4$

44 전극 물질이 일정할 때 모재와 용접봉 사이의 아크전압에 대한 설명으로 맞는 것은?

㉮ 전류의 증가와 더불어 감소한다.

㉯ 아크의 길이와 더불어 증가한다.

㉰ 아크의 길이와 관계없다.

㉱ 전류의 증가와 더불어 증가한다.

44.㉯

✔ 해석 아크의 성질

① 아크 전압 (Va) = 음극 전압 강하(Vn) + 양극 전압 강하(Vp) + 아크 기둥 전압 강하)(Vc)

② 양극과 음극 부근에서의 전압강하는 전극 표면이 극히 짧은 길이의 공간에 일어나는 전압강하로 그 값은 전극의 재질에 따라 변한다.

③ 아크 기둥 전압 강하는 플라스마라고도 하며 아크 길이에 비례하여 증가 또는 감소하므로 전극 물질이 일정하다고 가정하면 아크 전압은 아크 길이에 따라 변한다. 즉 아크 길이가 길어지면 아크 전압도 커진다.

④ 아크를 처음 발생할 때 아크 길이는 약간 길게 한다.(3 ~ 4mm)

45 교류 용접기에 역률 개선용 콘덴서를 사용하였을 때의 이점(利點)설명으로 틀린 것은?

㉮ 입력 KVA가 많아지므로 전력 요금이 싸진다.

㉯ 전원 용량이 적어도 된다.

㉰ 배선전이 재료가 절감된다.

㉱ 전압 변동율이 적어진다.

45.㉮

✔ 해석 • 역률이 개선된다.

• 전원 입력이 적게 되어 전기 요금이 적게 된다.

• 전압 변동률이 적어진다.(무효전력)

• 여러 개의 용접기를 접속할 수 있다.

• 배전선의 재료가 적어진다(선의 굵기를 줄일 수 있다.).

46 피복아크 용접에 비해 가스 용접의 장점이 아닌 것은?

㉮ 가열할 때 열량 조절이 비교적 자유롭다.
㉯ 가열범위가 커서 용접 응력이 크다.
㉰ 전원설비가 없는 곳에서도 쉽게 설치 할 수 있다.
㉱ 유해 광선의 발생이 적다.

☑ 해설 가스 용접의 장점
　　㉠ 전기가 필요 없다.
　　㉡ 용접기의 운반이 비교적 자유롭다.
　　㉢ 용접 장치의 설비비가 전기 용접에 비하여 싸다.
　　㉣ 불꽃을 조절하여 용접부의 가열 범위를 조정하기 쉽다.
　　㉤ 박판 용접에 적당하다.
　　㉥ 용접되는 금속의 응용 범위가 넓다.
　　㉦ 유해 광선의 발생이 적다.
　　㉧ 용접 기술이 쉬운 편이다.

46.㉯

47 피복 아크용접에서 용융 금속의 이행 형식에 속하지 않는 것은?

㉮ 단락형　　　　　㉯ 스프레이형
㉰ 글로뷸러형　　　 ㉱ 리액터형

☑ 해설 ① 단락형 : 큰 용적이 용융지에 단락 되어 표면 장력의 작용으로 이행되는
　　　　 형식으로 맨 용접봉, 박피복 용접봉에서 발생한다.
　　 ② 글로 뷸러형 : 비교적 큰 용적이 단락 되지 않고 옮겨가는 형식으로 피복제
　　　　 가 두꺼운 저수소계 용접봉 등에서 발생한다. 핀치 효과형이라고도 한다.
　　 ③ 스프레이형 : 미세한 용적이 스프레이와 같이 날려 이행되는 형식으로 고
　　　　 산화티탄계, 일미나이트계 등에서 발생한다. 분무상 이행형이라고도 한다.

47.㉱

48 피복 아크 용접시 아크 길이가 너무 길 때 발생하는 현상이 아닌 것은?

㉮ 스패터가 심해진다.
㉯ 용입 불량이 나타난다.
㉰ 아크가 불안정 된다.
㉱ 용융금속이 산화 및 질화되기 어렵다.

☑ 해설 아크 길이가 길어지면 산화 및 질화되기 쉽다.

48.㉱

49 불활성 가스 텅스텐 아크 용접의 직류 역극성 용접에서 사용 전류의 크
기에 상관없이 정극성 때보다 어떤 전극을 사용하는 것이 좋은가?

㉮ 가는 전극 사용　　　 ㉯ 굵은 전극 사용
㉰ 같은 전극 사용　　　 ㉱ 전극에 상관없음

☑ 해설 직류 역극성일 때는 모재(−), 전극(+)이므로 전극쪽에서 열이 많이 발생하
　　　 므로 굵은 전극을 사용한다.

49.㉯

50 가스 용접 토치에 대한 설명 중 틀린 것은?

㉮ 토치는 손잡이, 혼합실, 팁으로 구성되어 있다.

㉯ 가스 용접 토치는 사용되는 산소 가스의 압력에 따라 저압식, 중압식, 고압식으로 분류된다.

㉰ 토치의 구조에 따라 불변압식과 가변압식으로 분류한다.

㉱ 불변압식 토치는 분출 구멍의 크기가 일정하고 팁의 능력도 일정하기 때문에 불꽃의 능력을 변경 할 수 없다.

✔ 해설 아세틸렌 게이지 압력이 보통 저압식($0.07kgf/cm^2$) 이하에서 이용되며 산소 압력이 높다. 하지만 중압식($0.07 \sim 1.3kgf/cm^2$)은 아세틸렌가스와 산소 가스의 압력이 거의 같은 압력으로 혼합실에서 공급된다.

50.㉯

51 탄산가스 아크 용접에 관한 설명 중 틀린 것은?

㉮ MIG용접과 같이 비철금속, 스테인리스강을 쉽게 용접할 수 있다.

㉯ MIG용접에서 불활성 가스 대신 탄산가스를 사용한다.

㉰ 전자동 용접과 반자동 용접이 주로 이용되고 있다.

㉱ MIG용접에 비하여 비드 표면이 깨끗하지 못하다.

✔ 해설 이산화탄소 아크 용접
① 불활성 가스 금속 아크 용접과 원리가 같으며, 불활성 가스 대신 탄산가스를 사용한 용극식 용접법이다. 일반적으로 플럭스 코드가 많이 사용되며, 연강 용접에 주로 사용된다.
② 용입을 결정하는 가장 큰 요인은 전류로 전류값이 높아지면 용입이 깊어진다.
③ 비드 형상을 결정하는 것은 용접 전압인데 전압 값이 높아지면 비드 형상이 넓어진다. 하지만 지나치게 커지면 기포가 발생할 수 있다.
④ 용융 속도는 아크 전류에 거의 정비례하여 증가하며, 용접 속도가 빠르면 모재의 입열이 감소되어 용입이 얕아진다.

51.㉮

52 산업용 용접 로봇의 일반적인 분류에 속하지 않는 것은?

㉮ 지능 로봇   ㉯ 시퀀스 로봇   ㉰ 평행좌표 로봇   ㉱ 플레이백 로봇

✔ 해설 인간의 손작업을 대신하여 용접하는 것으로 크게 저항 용접용 로봇과 아크 용접용 로봇이 있으며, 직교 좌표형 및 다 관절형이 있다. 또한 분류 방법으로는 지능 로봇, 시퀀스 로봇, 플레이백 로봇으로 구분한다.

52.㉰

53 스텃(stud welding)법의 특징 중 잘못된 것은?

㉮ 아크열을 이용하여 자동적으로 단시간에 용접부를 가열 용융하여 용접하는 방법으로 용접변형이 극히 적다.

㉯ 대체적으로 모재가 급열, 급냉되기 때문에 저탄소강에 용접하기가 좋다.

㉰ 용접 후 냉각속도가 비교적 느리므로 용착 금속부 또는 열영향부가 경화되는 경우가 적다.

㉱ 철강 재료 외에 구리, 황동, 알루미늄, 스테인리스강에도 적용이 가능하다.

53.㉰

✔해설 스텃 용접
① 원리 : 스텃 용접은 크게 저항 용접에 의한 것, 충격 용접에 의한 것, 아크 용접에 의한 것으로 구분 되며, 아크 용접은 모재와 스텃 사이에 아크를 발생 시켜 용접한다.
② 특징
· 자동 아크 용접이다.
· 볼트, 환봉, 핀 등을 용접한다.
· 0.1~2초 정도의 아크가 발생한다.
· 셀렌 정류기의 직류 용접기를 사용한다. 교류도 사용 가능하다.
· 짧은 시간에 용접되므로 변형이 극히 적다.
· 철강재 이외에 비철 금속에도 쓸 수 있다.

54 두 개의 모재에 압력을 가해 접촉시킨 후 회전시켜 발생하는 열과 가압력을 이용하여 접합하는 용접법은?
㉮ 스터드용접   ㉯ 마찰용접
㉰ 단조용접   ㉱ 확산용접

54.㉯

✔해설 마찰 용접
① 원리 : 접합하고자 하는 재료를 접촉시키고 하나는 고정시키며 다른 하나를 가압, 회전하여 발생되는 마찰열로 적당한 온도가 되었을 때 접합
② 특징
· 컨벤셔널형과 플라이 휠일형이 있다.
· 자동화가 용이하며 숙련이 필요 없다.
· 접합 재료의 단면은 원형으로 제한한다.
· 상대 운동을 필요로 하는 것은 곤란하다.

55 용접 설비의 점검 및 유지에 관한 설명 중 틀린 것은?
㉮ 회전부와 가동부분에 윤활유가 없도록 한다.
㉯ 용접기기 전원에 잘 접속되어 있는가를 점검한다.
㉰ 전환 탭은 사포를 사용해서 깨끗이 청소한다.
㉱ 용접기는 습기나 먼지가 많은 곳에 설치하지 않도록 한다.

55.㉮

✔해설 용접기의 냉각팬 부분은 점검하고 주유하여야 한다.

56 TIG, MIG, 탄산가스 아크 용접시 사용하는 차광렌즈 번호는?
㉮ 12-13   ㉯ 8-10
㉰ 6-7   ㉱ 4-5

56.㉮

✔해설 일반적으로 10~12번이 사용되나 판 두께 사용 전류 등에 따라 값은 달라질 수 있다.

57 용접구조물의 제작에 가장 많이 사용되는 대표적인 용접 이음의 종류에 해당되는 것으로만 구성된 것은?

㉮ 맞대기 이음, 필릿 이음　　　㉯ 수직 이음, 원형 이음
㉰ I형 이음, J형 이음　　　　　㉱ 플러그 이음, 슬롯 이음

✔️해설　용접이음은 크게 맞대기 이음, 겹치기 이음, 필릿 이음 등으로 나눈다.

57.㉮

58 아세틸렌이 접촉하면 화합물을 만들어 맹렬한 폭발성을 가지게 되는 것이 아닌 것은?

㉮ Fe　　　　㉯ Cu　　　　㉰ Ag　　　　㉱ Hg

58.㉮

✔️해설

변 수	조 건
온 도	· 406 ~ 408℃ : 자연 발화 · 505 ~ 515℃ : 폭발 위험 · 780℃ : 자연 폭발
압 력	· 1.3기압 이하에서 사용 · 1.5기압 : 충격 가열 등의 자극으로 폭발 · 2기압 : 자연 폭발
외 력	· 압력이 주어진 아세틸렌가스에 충격, 마찰, 진동 등에 의하여 폭발의 위험성이 있다.
혼합 가스	· 공기 또는 산소가 혼합한 경우 불꽃 또는 불티 등으로 착화, 폭발의 위험성이 있다.(아세틸렌 15%, 산소 85%에서 가장 위험하다) · 인화 수소를 포함한 경우 : 0.02% 이상 폭발성, 0.06% 이상 자연 폭발
화합물 영향	· 구리, 구리합금(구리 62% 이상), 은, 수은, 습기, 녹, 암모니아
건조 상태	· 120℃에서 맹렬한 폭발성

59 교류 아크 용접기 부속장치 중 아크 발생시 용접봉이 모재에 접촉하지 않아도 아크가 발생되는 것은?

㉮ 핫 스타트 장치　　　　㉯ 원격 제어장치
㉰ 전격 방지장치　　　　㉱ 고주파 발생장치

59.㉱

✔️해설　교류 용접기의 부속 장치
① 전격 방지기 : 전격이란 전기적인 충격 즉 감전을 말하며, 전격방지기는 감전의 위험으로부터 작업자를 보호하기 위하여 2차 무부하 전압을 20 ~ 30[V]로 유지하는 장치
② 핫 스타트 장치는 처음 모재에 접촉한 순간의 0.2 ~ 0.25초 정도의 순간적인 대 전류를 흘려서 아크의 초기 안정을 도모하는 장치로 일명 아크 부스터라 한다.
③ 고주파 발생 장치 : 아크의 안정을 확보하기 위하여 상용 주파수의 아크 전류 외에, 고전압 3,000 ~ 4,000[V]를 발생하여, 용접 전류를 중첩시키는 방식

60 아크용접용 로봇에 사용되는 것으로 동작기구가 인간의 팔꿈치나 손목 관절에 해당하는 부분의 움직임을 갖는 것으로 회전→선회→선회 운동을 하는 로봇은?

㉮ 극 좌표 로봇   ㉯ 관절 좌표 로봇

㉰ 원통 좌표 로봇   ㉱ 직각 좌표 로봇

✔ 해설 움직임이 회전 및 선회 할 수 있는 것은 관절 좌표 로봇에 해당된다. (52번 참고)

60.㉯

2o08

국가기술자격검정 필기시험문제

2008년 산업기사 제1회 필기시험

자격종목 및 등급(선택분야)	종목코드	시험시간	문제지형별	수검번호	성 명
용접산업기사	2026	1시간 30분	A		

※ 답안카드 작성시 시험문제지 형별누락, 마킹착오로 인한 불이익은 전적으로 수검자의 귀책사유임을 알려드립니다.

제1과목 : 용접야금 및 용접설비제도

01 Fe-C 평형상태도에서 r - 철의 결정구조는?

㉮ 면심입방격자　　　　㉯ 체심입방격자
㉰ 조밀육방격자　　　　㉱ 혼합결정격자

✔ 해설　철 – 탄소(Fe – C) 평형 상태도에서, 912 – 1,400℃에서는 면심입방격자 (FCC)이고 γ철이라 한다.

01.㉮

02 주철의 용접시 주의사항으로 틀린 것은?

㉮ 용접 전류는 필요 이상 높이지 말고 지나치게 용입을 깊게 하지 않는다.
㉯ 비드의 배치는 짧게 해서 여러번의 조작으로 완료한다.
㉰ 용접봉은 가급적 지름이 큰 것을 사용한다.
㉱ 용접부를 필요 이상 크게 하지 않는다.

✔ 해설　① 용접 전류는 필요 이상 높이지 말고, 직선 비드를 사용하며, 깊은 용입을 얻지 않는다.
② 될 수 있는 대로 가는 지름의 것을 사용한다.
③ 비드 배치는 짧게 여러 번 한다.
④ 피닝 작업을 하여 변형을 줄인다.
⑤ 두꺼운 판에 경우에는 예열과 후열 후 서냉한다.

02.㉰

03 다음 중 금속의 일반적 특성으로 틀린 것은?

㉮ 모든 금속은 상온에서 고체이며 결정체이다.
㉯ 열과 전기의 좋은 양도체이다.
㉰ 전성 및 연성이 풍부하다.
㉱ 금속적 광택을 가지고 있다.

✔ 해설　금속은 일반적으로 고체이며 결정체이나 수은(Hg)만은 액체이다.

03.㉮

04 규소가 탄소강에 미치는 일반적 영향으로 틀린 것은?

㉮ 강의 인장강도를 크게 한다.   ㉯ 연신율을 감소시킨다.

㉰ 가공성을 좋게 한다.   ㉱ 충격값을 감소시킨다.

✔ 해설 **규소(Si)**
① 인장 강도, 탄성 한도, 경도 증가
② 주조성(유동성) 증가 하지만 단접성은 저하시킴
③ 연신율, 충격값 저하시킴
④ 결정립 조대화, 냉간 가공성 및 용접성 저하시킴
⑤ 탈산제로 사용

04.㉰

05 다음 중 적열취성의 주 원인이 되는 원소는?

㉮ 질소   ㉯ 황

㉰ 수소   ㉱ 망간

✔ 해설 적열취성의 원인은 황(S)이여 망간(Mn)을 첨가하여 황의 해를 방지한다. 아울러 청열취성의 원인 원소는 인(P)이다.

05.㉯

06 합금강에 첨가한 원소의 일반적인 효과가 잘못된 것은?

㉮ Ni – 강인성 및 내식성 향상   ㉯ Ti – 내식성 향상

㉰ Cr – 내식성 감소 및 연성 증가   ㉱ W – 고온강도 향상

✔ 해설 크롬은 적은 양에 의하여 경도와 인장강도가 증가하고, 함유량의 증가에 따라 내식성과 내열성 및 자경성이 커지며, 탄화물을 만들기 쉬워 내마멸성을 증가한다.

06.㉰

07 고장력강의 용접시 일반적인 주의사항으로 잘못된 것은?

㉮ 용접봉은 저수소계를 사용한다.

㉯ 용접 개시 전 이음부 내부를 청소한다.

㉰ 위빙 폭을 크게 하지 말아야 한다.

㉱ 아크 길이는 최대한 길게 유지한다.

✔ 해설 ① 일반적으로 피복제 계통은 기계적 성질이 우수한 저수소계를 사용한다.
② 결함 발생면에서 아크 길이는 가능한 짧게 위빙 폭은 가능한 작게 하는 것이 좋다.

07.㉱

08 연강을 0℃ 이하에서 용접할 경우 예열하는 요령으로 올바른 것은?

㉮ 용접 이음의 양쪽 폭 100mm 정도를 40 ~ 70℃로 예열한다.

㉯ 용접 이음부를 약 500 ~ 600℃로 예열한다.

㉰ 용접 이음부의 홈 안을 700℃ 전후로 예열한다.

㉱ 연강은 예열이 필요 없다.

08.㉮

> ✔ 해석 연강의 경우 두께 25mm 이상의 경우나 합금 성분을 포함한 합금강 등은 급랭 경화성이 크기 때문에 열 영향부가 경화하여 비드 균열이 생기기 쉽다. 그러므로 50~350℃ 정도로 홈을 예열하여 준다.
> 기온이 0℃ 이하에서도 저온 균열이 생기기 쉬우므로 홈 양끝 100mm 나비를 40~70℃로 예열한 후 용접한다.

09 다음 그림은 체심입방 A·B형 격자를 나타낸 것이다. 격자내의 B원자 수는?(단, ○ : A 원자, ● : B 원자)

09.㉣

㉮ 8   ㉯ 4   ㉰ 2   ㉱ 1

> ✔ 해석 체심입방격자는 그림에서 A원자와 같이 단위격자 중심에 1개, 입방체 8개 꼭지점에 B원자와 같이 $\frac{1}{8} \times 8 = 1$이 있어 B또한 1이 된다. 그러므로 단위 격자에 속해 있는 원자수는 2가 된다.

10 금속 재료의 냉간가공에 따른 일반적 성질변화 중 옳지 않은 것은?

10.㉱

㉮ 인장강도 증가   ㉯ 경도 증가
㉰ 연신율 감소   ㉱ 피로강도 감소

> ✔ 해석 냉간가공을 하게 되면 인장 강도 및 경도가 증가하며 연신율은 감소한다. 하지만 피로강도는 증가하게 된다.

11 용접부 보조 기호 중 끝단부를 매끄럽게 처리하도록 하는 기호는?

11.㉮

> ✔ 해석
>
> | 용접부 및 용접부 표면의 형상 | 기 호 |
> |---|---|
> | 평면(동일 평면으로 다듬질) | ─── |
> | 볼록(凸)형 | ⌒ |
> | 오목(凹)형 | ⌣ |
> | 끝단부를 매끄럽게 함 | ⏝⏝ |
> | 영구적인 덮개 판을 사용 | M |
> | 제거 가능한 덮개 판을 사용 | MR |

12 다음 용접의 명칭과 기호가 맞지 않는 것은?

㉮ 겹침 이음 : $\bigvee$
㉯ 가장자리 용접 : $|||$
㉰ 서페이싱 : $\frown$
㉱ 서페이싱 이음 : $=$

✔ 해설 ㉮는 뒷면 용접 공정이 없는 경우의 보조기호 표시이다.

13 물체의 모양을 가장 잘 나타낼 수 있는 투상면은?

㉮ 평면도
㉯ 정면도
㉰ 우측면도
㉱ 좌측면도

✔ 해설 물체의 모양을 가장 잘 나타낼 수 있는 투상면은 정면도이다.

14 다음 용접기호를 설명한 것으로 올바른 것은?

$$c \boxed{} n \times \ell \,(e)$$

㉮ C = 슬롯부의 폭
㉯ ℓ = 용접부의 개수(용접수)
㉰ n = 용접부 길이
㉱ (e) = 크레이터 길이

✔ 해설 = c $\boxed{}$ n× ℓ (e) 그러므로 C는 슬롯의 폭, n
은 용접부의 개수, ℓ이 용접부의 길이이다.

15 A0의 도면 치수는 얼마인가? (단, 단위는 mm이다.)

㉮ 841 × 1189
㉯ 594 × 841
㉰ 841 × 1783
㉱ 594 × 1682

✔ 해설 A0는 전지로 면적이 약 1㎡이 되며 그 크기는 841 × 1189이다.

16 기계제도에서 단면도에 관한 설명으로 틀린 것은?

㉮ 가상의 절단면을 정 투상법에 의하여 나타낸 투상도를 말한다.
㉯ 주로 대칭인 물체의 중심선을 기준으로 내부 모양과 외부 모양을 동시
에 표현하는 방법이 한쪽 단면도이다.
㉰ 단면 부분은 단면이란 것을 표시하기 위하여 해칭 또는 스머징을 한다.
㉱ 해칭은 주된 중심선에 대해서 60°로 굵은 실선으로 등 간격으로 표시
한다.

✔ 해설 해칭은 45°로 각도로 가는 실선의 등간격으로 그어 60°로 그리는 지시선과의
혼동을 피한다.

17 용접설비제도에 사용하는 문자의 크기에 있어서 일반치수 숫자 및 기술문자의 크기는?

㉮ 2.24 ~ 4.5mm

㉯ 3.15 ~ 6.3mm

㉰ 6.3 ~ 12.5mm

㉱ 9 ~ 18mm

✔ 해설 일반치수 숫자 및 기술 문자의 크기는 3.15 ~ 6.3mm이다.

17.㉯

18 핸들이나 바퀴 등의 암 및 림, 리브, 훅 등의 절단면을 90° 회전하여 그린 단면도는?

㉮ 온 단면도   ㉯ 한쪽 단면도

㉰ 부분 단면도   ㉱ 회전 단면도

✔ 해설 핸전단면도는 핸들, 축, 형강 등과 같은 물체의 절단한 단면의 모양을 90° 회전하여 내부 또는 외부에 그린 것
내부에 표시할 때는 가는 실선을 외부에 표시할 때는 굵은 실선을 사용한다.

18.㉱

19 다음 그림의 보조 기호의 용접기호를 바르게 설명한 것은?

MR

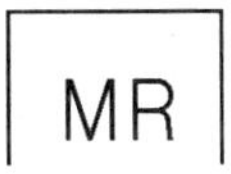

㉮ 영구적인 덮개판을 사용

㉯ 평면(동일평면)으로 다듬질

㉰ 제거 가능한 덮개판을 사용

㉱ 끝단부를 매끄럽게 다듬질

✔ 해설 M은 영구적인 덮개판을 MR은 제거 가능한 덮개판을 사용하는 것이다. 11번 해설 참고

19.㉰

20 원 또는 다각형에 감긴 실을 잡아당기면서 풀어갈 때 실위의 한 점이 그려가는 것을 이어서 얻은 선을 무엇이라 하는가?

㉮ 포물선

㉯ 쌍곡선

㉰ 인벌류트곡선

㉱ 사이클로이드곡선

✔ 해설 실을 감고 잡아당기면서 풀어나가면 실의 끝점이 그리는 곡선을 인벌류트 곡선이라 하며, 일직선 위를 한 원이 미끄러지지 않고 굴러갈 때 이 원의 중심을 지나는 직선 위의 고정된 점이 굴러가는 원주상에 있을 때의 자취를 사이클로이드라 한다.

20.㉰

제2과목 : 용접구조설계

21 다음 그림에서 필릿 용접의 실제 목 두께(actual throat)를 나타내는 것은?

㉮ (1)
㉯ (2)
㉰ (3)
㉱ (4)

✔️ 해설 실제 목두께는 (1), 이론 목두께는 (4)이다.

21.㉮

22 강판 두께 9mm, 용접선 유효길이 150mm, 홈의 깊이 h_1, h_2가 각각 3mm인 V형 맞대기 용접을 불완전 용입으로 용접하고, 9000kgf의 하중이 용접선과 직각 방향으로 작용하는 경우 압축 응력은 몇 kgf/mm²인가?

㉮ 20   ㉯ 15   ㉰ 10   ㉱ 5

✔️ 해설 $\sigma = \dfrac{p}{((h1+h2)\times l)} = \dfrac{9000}{((3+3)\times 150)} = 10$

22.㉰

23 용착부의 인장응력이 5kgf/mm², 용접선유효길이가 80mm이며, V형 맞대기 용접을 완전 용입인 경우 하중 8000kgf에 대한 판두께는 몇 mm인가?

㉮ 10   ㉯ 20   ㉰ 30   ㉱ 40

✔️ 해설 $\sigma = \dfrac{p}{tl}$ 에서 $t = \dfrac{8000}{5\times 80} = 20$

23.㉯

24 끝이 구면인 특수한 해머로써 용접부를 연속적으로 때려 용접표면상에 소성변형을 주어 인장응력을 완화하는 방법은?

㉮ 전진법   ㉯ 스킵법   ㉰ 후퇴법   ㉱ 피닝법

✔️ 해설 피닝법 : 끝이 둥근 특수 해머로 용접부를 연속적으로 타격하며 용접 표면에 소성 변형을 주어 인장 응력을 완화한다. 첫층 용접의 균열 방지 목적으로 700℃정도에서 열간 피닝을 한다.

24.㉱

25 다음 금속 중 냉각속도가 가장 큰 금속은?

㉮ 연강   ㉯ 알루미늄   ㉰ 구리   ㉱ 스텐레스강

✔️ 해설 ① 냉각 속도는 얇은 판보다는 두꺼운 판에서 크다.
② 냉각 속도는 맞대기 이음보다는 T형 이음의 경우가 크다. 즉 열의 확산 방향이 많을수록 크다.
③ 열전도율이 클수록 냉각속도는 크다.

25.㉰

26 자기검사에서 피검사물의 자화방법은 물체의 형상과 결함의 방향에 따라서 여러 가지가 사용된다. 그 중 옳지 않은 것은?

㉮ 투과법 ㉯ 축통전법
㉰ 직각 통전법 ㉱ 극간법

☑ 해석 자기 검사(MT) : 표면에 가까운 곳의 균열, 편석, 기공, 용입불량 등의 검출에 사용되나 비자성체는 사용이 곤란하다. 투과법은 초음파 탐상법의 한 방법이다.

26.㉮

27 다음 용접 변형 교정 방법 중 적합하지 않은 것은?

㉮ 얇은 판에 대한 점 수축법 ㉯ 형재에 대한 직선 수축법
㉰ 가열후 해머질 하는 법 ㉱ 변형 된 부위를 줄질 하는 법

☑ 해석 ① 박판에 대한 점 수축법
② 형재는 대한 직선 수축법을 사용한다.
③ 가열 후 해머질 하여 변형을 교정한다.
④ 후판에 대해 가열 후 압력을 가하고 수냉하는 방법으로 변형을 교정한다.
⑤ 롤러에 걸어 변형을 교정한다.
⑥ 절단하여 정형 후 재 용접하여 변형을 교정한다.
⑦ 피닝법을 사용하여 변형을 교정한다.

27.㉱

28 맞대기나 필릿 용접부의 비드표면과 모재와의 경계부에 발생하는 용접균열은?

㉮ 힐 균열(heel crack) ㉯ 토 균열(toe crack)
㉰ 비드 및 균열(under bead crack) ㉱ 루트 균열(root crack)

☑ 해석 용접을 끝낸 직후의 크레이터 부분의 생기는 크레이터 균열, 외부에서는 볼 수 없는 비드 밑 균열, 열영향부 균열, 비드 표면과 모재와의 경계부에 발생하는 토 균열, 비틀림이 주원이 되어 발생하는 힐 균열, 저온 균열에서 가장 주의하여야 할 균열인 첫층 용접의 루트 근방에서 발생하는 루트 균열, 모재의 재질 결함으로서의 균열인 래미네이션 균열 등이 있다.

28.㉯

29 용접 준비에서 조립 및 가용접에 관한 설명으로 옳은 것은?

㉮ 변형 혹은 잔류응력을 될 수 있는 대로 크도록 해야 한다.
㉯ 가용접은 본 용접을 실시하기 전에 좌우의 홈 부분을 잠정적으로 고정하기 위한 짧은 용접이다.
㉰ 조립 순서는 수축이 큰 이음을 나중에 용접한다.
㉱ 용접물의 중립축에 대하여 용접으로 인한 수축력 모멘트의 합이 100이 되도록 한다.

☑ 해석 가접은 본 용접을 실시하기 전에 좌우의 홈 부분을 잠정적으로 고정하기 위한 짧은 용접으로 가접시 용접 응력이 집중하는 곳은 피하며, 전류는 본 용접보다 높게 하며, 용접봉의 지름은 가는 것을 사용한다. 또한 너무 짧게 하지 않는다. 아울러 가접사도 본 용접사에 비하여 기량이 떨어지면 안 된다.

29.㉯

30 용접이음을 설계할 때 주의할 사항이 아닌 것은?

㉮ 아래보기 용접을 많이 하도록 한다.

㉯ 용접보조기구 및 장비를 사용하여 작업조건을 좋게 만든다.

㉰ 용접진행은 부재의 자유단에서 고정단으로 향하여 용접하게 한다.

㉱ 부재 전체에 가능한 열의 분포가 일정하게 되도록 한다.

✔️해설 **용접 순서**

① 용접전 용접이 불가능한 곳이 없도록 충분히 검토한다.

② 용접물 중심에 대하여 대칭으로 용접하여 변형이 생기지 않도록 한다.

③ 동일 평면 내에 많은 이음이 있을 때에는 수축은 가능한 자유단으로 보낸다.

④ 수축이 큰 이음을 먼저하고 작은 이음은 나중에 한다.

⑤ 중립축에 대하여 모멘트 합이 0이 되도록 한다.

30.㉰

31 본 용접에서 용착법의 종류에 해당 되지 않는 것은?

㉮ 대칭법　　㉯ 풀림법　　㉰ 후퇴법　　㉱ 스킵법

✔️해설 풀림법은 잔류 응력 경감법의 한 종류이다.

31.㉯

32 똑같은 두께의 재료를 다음 보기와 같이 용접할 때 냉각 속도가 가장 빠른 이음은?

✔️해설 ① 냉각 속도는 얇은 판보다는 두꺼운 판에서 크다.

② 냉각 속도는 맞대기 이음보다는 T형 이음의 경우가 크다. 즉 열의 확산 방향이 많을수록 크다.

③ 열전도율이 클수록 냉각속도는 크다.

32.㉰

33 용접부의 안전율(Safety factor)을 나타낸 것은?

㉮ 안전율 $=\dfrac{극한강도}{허용응력} \times 100\%$　　㉯ 안전율 $=\dfrac{극한응력}{전단응력} \times 100\%$

㉰ 안전율 $=\dfrac{피로강도}{굽힘응력} \times 100\%$　　㉱ 안전율 $=\dfrac{굽힘응력}{피로응력} \times 100\%$

✔️해설 안전율 $=\dfrac{인장강도}{허용응력} \times 100$

(정하중 : 3, 동하중(단진 응력) : 5, 동하중(교번 응력) : 8, 충격 하중 : 12)

33.㉮

34 초음파탐상법 중 가장 많이 사용되는 검사법은?

㉮ 투과법　　㉯ 펄스반사법

㉰ 공진법　　㉱ 자기검사법

34.㉯

☑해설 초음파 검사(UT) : 0.5~15MHz의 초음파를 내부에 침투시켜 내부의 결함, 불균일 층의 유무를 알아냄. 종류로는 투과법, 펄스 반사법(가장 일반적), 공진법이 있다.

35 용접이음의 강도는 이음에 어떤 부하가 작용하는지를 생각해야 하는데 그 부하에 속하지 않는 것은?

㉮ 수직력(P) ㉯ 굽힘모멘트(H)
㉰ 비틀림 모멘트(T) ㉱ 응력강도(K)

35.㉱

☑해설 용접이음의 강도 계산에는 수직력, 굽힘 모멘트. 비틀림 모멘트 등을 고려한다.

36 피복아크 용접기에서 AW300, 무부하전압 70V, 아크전압 30V를 사용할 때 역율과 효율은 각각 얼마인가?(단, 내부손실은 3kW이다.)

㉮ 역율 75.8%, 효율 57.2% ㉯ 역율 72.3%, 효율 64.7%
㉰ 역율 67.4%, 효율 71% ㉱ 역율 57.1%, 효율 75%

36.㉱

☑해설 역률 $=\frac{소비전력(kW)}{전원입력(KVA)}\times100$, 효율 $=\frac{아크출력(kW)}{소비전력(kW)}\times100$

전원입력 = 무부하 전압×정격2차 전류=70×300=21000VA = 21KVA
소비전력 = 아크 출력(아크전압 × 정격2차전류) + 내부손실
= 30 × 300 + 3kW = 12kW
그러므로 효율 $=\frac{9}{12}\times100=75\%$, 역률 $=\frac{12}{21}\times100=57.14\%$

37 다음 중 이음 효율을 구하는 식으로 맞는 것은?

㉮ 용접이음의 허용응력 / 모재의 허용응력
㉯ 모재의 인장강도 / 용착금속의 인장강도
㉰ 용접재료의 항복강도 / 용접재료의 인장강도
㉱ 모재의 인장강도 / 용접시편의 인장강도

37.㉮

☑해설 $\eta=\frac{(용착금속강도)}{(모재인장강도)}\times100$ 그러므로 여기서는 ㉮가 된다.

38 아크 전류가 300A 아크 전압이 25V 용접속도가 20cm/min인 경우 용접길이 1cm당 발생 되는 용접 입열은?

㉮ 20000J/cm ㉯ 22500J/cm
㉰ 25500J/cm ㉱ 30000J/cm

38.㉯

☑해설 $H=\frac{60EI}{V}$ [Joule/cm]
(H : 용접 입열, E : 아크 전압[V], I : 아크 전류[A], V : 용접 속도[cm/min])
$H=\frac{60\times25\times300}{20}=22500$

39 계산 또는 필릿용접의 치수 이상으로 표면 위에 용착된 금속은?

㉮ 이면비드   ㉯ 덧붙이

㉰ 개선 홈   ㉱ 용접의 루트

✔️해설 필릿 용접의 치수 이상으로 표면 위에 용착된 금속을 덧붙이라 한다.

40 다층용접시 한 부분의 몇 층을 용접하다가 이것을 다음 부분의 층으로 연속시켜 전체가 단계를 이루도록 용착시켜 나가는 방법은?

㉮ 후퇴법(Backstep method)

㉯ 캐스케이드법(Cascade method)

㉰ 블록법(Block method)

㉱ 덧살올림법(Build – up method)

✔️해설 캐스케이드법 : 한 부분의 몇 층을 용접하다가 이것을 다음부분의 층으로 연속시켜 용접하는 방법으로 후진법과 같이 사용하며, 용접결함 발생이 적으나 잘 사용되지 않는다.

제3과목 : 용접일반 및 안전관리

41 1차 입력이 22kVA인 피복 아크용접기에서 전원 전압이 220V라면 퓨즈는 다음 중 몇 A가 가장 적합한가?

㉮ 50   ㉯ 100   ㉰ 200   ㉱ 400

✔️해설 퓨즈의 용량 $= \dfrac{1차입력(KVA)}{전원전압(200V)} = \dfrac{22000}{220} = 100$

42 가스용접에서 판두께를 T(mm)라면 용접봉의 지름 D(mm)를 구하는 식으로 옳은 것은?(단, 모재의 두께는 1mm 이상인 경우이다.)

㉮ $D = t + 1$ ㉯ $D = \dfrac{t}{2} + 1$

㉰ $D = \dfrac{t}{3} + 2$ ㉱ $D = \dfrac{t}{4} + 2$

✔️해설 가스 용접봉의 지름을 구하고자 할 때는 용접하고자 하는 모재 두께의 반에 1을 더한 것이다. 즉 $D = \dfrac{t}{2} + 1$이 된다.

43 내용적 40리터의 산소용기에 조정기의 고압측 압력계가 50kgf/cm² 를 지시하고 있다면, 이 용기에는 잔류산소가 몇 리터(L) 있는가?

㉮ 100   ㉯ 200   ㉰ 1000   ㉱ 2000

✔️해설 산소 용기의 총 가스량 : 총 가스량 = 내용적 × 기압 = 40 × 50 = 2,000

39.㉯

40.㉯

41.㉯

42.㉯

43.㉱

44 산소 아세틸렌 불꽃에서 아세틸렌이 이론적으로 완전연소 하는데 필요한 산소 : 아세틸렌의 연소비는?

㉮ 1.5 : 1　　　㉯ 1 : 1.5　　　㉰ 2.5 : 1　　　㉱ 1 : 2.5

✓ 해설　$2C_2H_2 + 5O_2 → 4CO_2 + 2H_2O + 193.7kcal$
이론상 산소와 아세틸렌의 혼합비는 5 : 2
즉, 2.5 : 1이나 실제 용접시 산소의 1.5는 공기 중에서 얻는다.

44.㉰

45 산소 아세틸렌가스로 절단이 가장 잘 되는 금속은?

㉮ 연강　　　　　　　　　㉯ 알루미늄
㉰ 스테인리스강　　　　　㉱ 구리

✓ 해설　가스절단은 일반적으로 산소 – 아세틸렌 불꽃으로 약 850 ~ 900℃정도로 예열하고, 고압의 산소를 분출시켜 철의 연소 및 산화로 절단하는 절단이다.

45.㉮

46 가스용접에서 산소압력조정기의 압력조정나사를 오른쪽으로 돌리면 밸브는 어떻게 되는가?

㉮ 잠겨진다.　　　　　　　㉯ 중립상태로 된다.
㉰ 고정된다.　　　　　　　㉱ 열리게 된다.

✓ 해설　산소 압력 조정기의 압력 조정나사를 오른쪽으로 돌리면 밸브는 열리게 된다.

46.㉱

47 가스용접에서 충전가스 용기의 도색을 표시한 것이다. 틀린 것은?

㉮ 산소 – 녹색　　　　　　㉯ 수소 – 주황색
㉰ 프로판 – 회색　　　　　㉱ 아세틸렌 – 청색

✓ 해설　아세틸렌 용기의 색은 황색이다. 산소 공업용은 녹색, 의료용은 백색

47.㉱

48 금속과 금속을 충분히 접근시키면 금속원자 사이에 인력이 작용하여 그 인력에 의하여 금속을 영구 결합시키는 것이 아닌 것은?

㉮ 융접　　　㉯ 압접　　　㉰ 납땜　　　㉱ 리벳이음

✓ 해설　금속과 금속을 충분히 접근시키면 금속원자 사이에 인력이 작용하여 그 인력에 의하여 금속을 영구 결합시키는 것은 용접에 원리이다. 리벳이음은 기계적 접합방법이다.

48.㉱

49 피복아크 용접봉의 피복제 중 아크 안정제는?

㉮ 규산칼륨　　　　　　　㉯ 탄가루
㉰ 마그네슘　　　　　　　㉱ 페로크롬

49.㉮

☑ 해설 **아크 안정재** : 이온화 하기 쉬운 물질을 만들어 재점호 전압을 낮추어 아크를 안정시킨다. 아크 안정제로는 규산나트륨, 규산칼륨, 산화티탄, 석회석 등이 있다.

50 보호가스와 용극방식에 의한 분류 중 용제가 들어있는 와이어 CO_2 법 이 아닌 것은?

㉮ 아코스 아크법　　　　　㉯ 스카핑 아크법

㉰ 퓨즈 아크법　　　　　㉱ 유니언 아크법

☑ 해설 **용제가 들어 있는 와이어 CO_2법**
　① 아아고스 아크법(컴파운드 와이어)　② 퓨즈 아크법
　③ 유니언 아크법(자성용)　　　　　　　④ 버나드 아크 용접(NCG법)

50.㉯

51 전격 방지를 위한 준비 작업으로 틀린 것은?

㉮ 피용접물과 용접기 케이스를 접지 시킨다.

㉯ 면장갑을 끼고 그 위에 용접용 장갑을 낀다.

㉰ 우천시에는 용접기의 과열을 방지하기 위하여 비에 젖도록 하는 것이 좋다.

㉱ 전격방지 장치가 설치된 용접기를 사용한다.

☑ 해설 습기가 많아지면 저항이 작아져 전류가 더 잘 흘러 전격의 위험은 그 만큼 더 커진다.

51.㉰

52 가스용접에서 역화의 원인이 될 수 없는 것은?

㉮ 아세틸렌의 압력이 높을 때

㉯ 팁 끝이 모재에 부딪혔을 때

㉰ 스패터가 팁의 끝 부분에 덮였을 때

㉱ 토치에 먼지나 물방울이 들어갔을 때

☑ 해설 **역화(Back fire)** : 팁 끝이 모재에 닿아 순간적으로 팁 끝이 막히거나 팁 끝의 가열 및 조임 불량 및 가스 압력의 부적당할 때 폭음이 나며선 불꽃이 꺼졌다가 다시 나타나는 현상을 말한다. 역화를 방지하려면 팁의 과열을 막고, 토치 기능을 점검한다. 역화가 발생하였을 경우는 우선 아세틸렌을 차단 후 산소를 차단하여야 한다.

52.㉮

53 아크용접시 발생 되는 유해한 광선은?

㉮ X – 선　　　　　　　㉯ 감마선(r)

㉰ 알파선(α)　　　　　㉱ 적외선

☑ 해설 아크 광선에는 자외선, 적외선, 가시광선을 포함하고 있다. 초기 작업 중 아크 광선에 노출되면 자외선으로 인하여 눈에 결막염 등을 일으킬 수 있다.

53.㉱

54 가스 절단법에 사용되는 프로판가스의 성질을 설명한 것 중 틀린 것은?

㉮ 공기보다 가볍다.　　　　㉯ 액화성이 있다.
㉰ 증발잠열이 크다.　　　　㉱ 석유정제과정의 부산물이다.

✔ 해석

가스의 종류	비중	산소와 혼합시 불꽃 최고 온도(℃)	공기 중 기체 함유량
프로판	1.522	2,820	2.4 ~ 9.5

즉, 비중이 1보다 크므로 공기보다 무겁다.

54.㉮

55 서브머지드 아크 용접의 용제에 대한 설명이다. 용융형 용제의 특성이 아닌 것은?

㉮ 비드 외관이 아름답다.
㉯ 흡습성이 높아 재건조가 필요하다.
㉰ 용제의 화학적 균일성이 양호하다.
㉱ 용융시 분해되거나 산화되는 원소를 첨가할 수 있다.

✔ 해석 **용융형 용제**
① 외관은 유리 형상의 형태
② 흡습성이 적어 보관이 편리하다.
③ 화학 성분에 따라 미국 LINDE사의 상표 G20, G50, G80 등으로 표시
④ 용제에 합금 첨가제가 거의 들어가 있지 않아 용접 후 원하는 기계적 성질에 따라 적당한 와이어를 선정하여야 한다.
⑤ 입자가 가늘수록 고 전류를 사용하며, 용입이 얕고 비드 폭이 넓은 평활한 비드를 얻을 수 있다.
⑥ 전류가 낮을 때는 굵은 입자를, 전류가 높을 때는 가는 입자를 사용한다.

55.㉯

56 직류 아크 용접에서 정극성의 특징에 해당되는 것은?

㉮ 용접봉의 용융이 빠르다.　　　　㉯ 비드 폭이 넓다.
㉰ 모재의 용입이 깊다.　　　　㉱ 박판 용접에 용이하다.

✔ 해석 **직류 정극성 : 모재(+), 용접봉(-)**
① 모재의 용입이 깊다.
② 용접봉의 늦게 녹는다.
③ 비드 폭이 좁다.
④ 후판 등 일반적으로 사용된다.

56.㉰

57 단조에 비교하여 용접의 장점이 아닌 것은?

㉮ 재료의 두께에 제한이 없다.
㉯ 시설비가 적게 든다.
㉰ 수축변형 및 잔류응력이 발생한다.
㉱ 서로 다른 금속을 접합할 수 있다.

57.㉰

✔️ 해설 **용접의 단점**
① 품질 검사가 곤란하다.
② 제품의 변형을 가져 올 수 있다(잔류 응력 및 변형에 민감).
③ 유해 광선 및 가스 폭발 위험이 있다.
④ 용접사의 기능과 양심에 따라 이음부 강도가 좌우한다.

58 다음 중 연납의 종류가 아닌 것은?

㉮ 주석 – 납   ㉯ 인 – 구리
㉰ 납 – 카드뮴   ㉱ 카드뮴 – 아연

✔️ 해설 연납의 가장대표적인 것은 주석(Sn) – 납(Pb)합금이며, 주석의 함유량에 따라 흡착 작용이 달라진다. 또한 카드뮴 – 아연납은 모재에 가공 경화를 주지 않고 이음 강도가 요구 될 때 사용된다. 또한 저 융점 납땜으로는 주석 – 납 합금에 비스무트를 첨가한 것이 사용된다.

59 TIG용접 중 직류정극성을 사용하여 용접했을 때 용접효율을 가장 많이 올릴 수 있는 재료는?

㉮ 스테인리스강   ㉯ 알루미늄합금
㉰ 마그네슘합금   ㉱ 알루미늄주물

✔️ 해설 ① 직류 정극성(폭이 좁고 깊은 용입을 얻음) → 높은 전류, 용접봉은 정극성일 때는 끝을 뾰족하게 가공, 용입이 깊고, 비드폭은 좁아지며, 용접 속도가 빨라 주로 스테인레스 용접시 많이 사용된다.
② 직류 역극성(폭이 넓고 얕은 용입을 얻음) → 청정작용이 있다. 특수한 경우 Al, Mg등의 박판 용접에만 쓰이고 있다. 용입이 얕고, 비드폭은 넓어진다. 정극성에 비해 전극이 가열되어 소모되기 쉬워 전극 지름이 4배정도 큰 사이즈를 사용한다.

60 플라스마 아크용접법의 종류에 해당 되지 않는 것은?

㉮ 중간형 아크법   ㉯ 이행형 아크법
㉰ 용적형 아크법   ㉱ 비이행형 아크법

✔️ 해설 ① 플라즈마 아크 용접(이행형) : 텅스텐 전극에 (–)극, 모재에 (+)극을 연결하는 직류 정극성의 특성을 가지며, 모재가 전기회로의 일부이므로 반드시 전기 전도성을 가져야 하며 깊은 용입을 얻을 수 있다.
② 플라즈마 제트 용접(비이행형) : 모재 대신에 수축 노즐에 (+)극을 연결하여 이행형에 비하여 열효율이 낮고 수축노즐이 과열될 우려가 있으나, 비전도체인 경우에도 적용이 가능하기 때문에 비금속의 용접이나 절단에 이용된다.
③ 중간형 = (이행형) + (비이행형)

58.㉯

59.㉮

60.㉰

국가기술자격검정 필기시험문제

2008년 산업기사 제2회 필기시험

자격종목 및 등급(선택분야)	종목코드	시험시간	문제지형별	수검번호	성 명
용접산업기사	2026	1시간 30분	A		

※ 답안카드 작성시 시험문제지 형별누락, 마킹착오로 인한 불이익은 전적으로 수검자의 귀책사유임을 알려드립니다.

제1과목 : 용접야금 및 용접설비제도

01 순철의 자기 변태온도는 약 얼마인가?

㉮ 210℃ ㉯ 738℃
㉰ 768℃ ㉱ 910℃

☑ 해설 자기 변태 : 원자 배열은 변화가 없고 자성만 변하는 것으로 철의 자기 변태 온도는 약 768℃이다. 자기 변태 금속으로는 Fe, Ni, Co가 있다.

01.㉰

02 용접 후 제품의 잔류 응력을 제거하는 방법이 아닌 것은?

㉮ 저온 응력 완화법 ㉯ 노내 풀림법
㉰ 국부 풀림법 ㉱ 오스템퍼링

☑ 해설 잔류 응력 경감법 : 노내 풀림법, 국부 풀림법, 기계적 응력 완화법, 저온 응력 완화법, 피닝법

02.㉱

03 아크용접에서 피복제의 역할에 대하여 틀린 것은?

㉮ 용착금속을 보호 ㉯ 용착금속에 산소 및 수소공급
㉰ 아크의 안정 ㉱ 용착금속의 급냉방지

☑ 해설 **피복제의 역할**
① 아크 안정 ② 산·질화 방지
③ 용적을 미세화 하여 용착 효율 향상
④ 서냉으로 취성 방지 ⑤ 용착 금속의 탈산 정련 작용
⑥ 합금 원소 첨가 ⑦ 슬랙의 박리성 증대
⑧ 유동성 증가 ⑨ 전기 절연 작용 등이 있다.

03.㉯

04 다음 중 열영향부의 냉각속도에 영향을 미치는 용접조건이 아닌 것은?

㉮ 용접전류 ㉯ 아크전압
㉰ 용접속도 ㉱ 무부하 전압

☑ 해설 용접입열을 생각하여 보면 용접부에 주어지는 열은 아크 전압과 전류에 비례하여 증가하나 용접속도에는 반비례한다.

04.㉱

05 오스테나이트계 스테인리스강의 용접시 발생하기 쉬운 고온 균열에 영향을 주는 합금원소 중에서 균열의 증가에 가장 관계가 깊은 원소는?

㉮ C   ㉯ Mo   ㉰ Mn   ㉱ S

✔ 해석 고온 균열에 영향을 주는 원소는 황(S)이다.

05.㉱

06 알루미늄의 성질을 설명한 것으로 틀린 것은?

㉮ 비중이 가벼워 경금속에 속한다.

㉯ 전기 및 열의 전도율이 좋다.

㉰ 산화 피막의 보호작용으로 내식성이 좋다.

㉱ 염산에 아주 강하다.

✔ 해석 알루미늄은 대기 중에서 쉽게 산화되지만 그 표면에 생기는 산화알루미늄(Al_2O_3)의 얇은 보호 피막으로 내부의 산화를 방지한다. 하지만 황산, 묽은 질산, 인산에는 침식되며 특히 염산에는 침식이 대단히 빨리 진행된다.

06.㉱

07 질화법의 종류가 아닌 것은?

㉮ 가스 질화법   ㉯ 연 질화법

㉰ 액체 침질법   ㉱ 고체 질화법

✔ 해석 질화법 : 암모니아(NH_3)가스를 이용하며 액체 침탄법을 침탄 질화법이라고도 한다. 고체 질화법은 존재하지 않는다.

07.㉱

08 고장력강 용접시 주의사항 중 틀린 것은?

㉮ 용접봉은 저수소계를 사용한다.

㉯ 아크 길이는 가능한 짧게 유지한다.

㉰ 위빙 폭은 용접봉 지름의 3배 이상으로 한다.

㉱ 용접개시 전에 용접할 부분을 청소한다.

✔ 해석 일반적으로 피복제 계통은 기계적 성질이 우수한 저수소계를 사용한다.
결함 발생면에서 아크 길이는 가능한 짧게 위빙 폭은 가능한 작게 하는 것이 좋다.

08.㉰

09 피복 아크 용접봉에 습기가 많을 때 나타나는 것은?

㉮ 아크가 안정해 진다.

㉯ 용접부에 기공이나 균열이 생기기 쉽다.

㉰ 용접 비드 폭이 넓어지고 비드가 깨끗해진다.

㉱ 용접 후 각 변형이 작아진다.

✔ 해석 용접봉에 습기가 있으면 기공이나 균열이 생기기 쉽다. 그러므로 사용 전에 건조한 후 사용한다.

09.㉯

10 주철 용접이 곤란한 이유 중 맞지 않는 것은?

㉮ 수축이 많아 균열이 생기기 쉽다.

㉯ 용융금속 일부가 연화된다.

㉰ 용착 금속에 기공이 생기기 쉽다.

㉱ 흑연의 조대화 등으로 모재와의 친화력이 나쁘다.

✔해설 ① 수축이 크고 균열이 발생하기 쉽고 기포 발생이 많으며, 급열 급랭으로 용접부의 백선화로 절삭 가공이 곤란하며 이런 이유로 용접이 곤란하다.
② 일산화탄소 가스가 생겨 기공이 생기기 쉽다.
③ 장시간 가열로 흑연이 조대화된 경우 주철 속에 흙, 모래 등이 있는 경우 용착이 불량하거나 모재와의 친화력이 나쁘다.
④ 주철은 다량의 탄소 함유로 균열 발생 우려가 있다.

10.㉱

11 한쪽면 K형 맞대기 이음 용접의 기본기호는?

㉮   ㉯   ㉰   ㉱

✔해설 ㉮는 평면형 평행 맞대기 이음 즉 I형, ㉯는 양면 V형, ㉱는 부분 용입 한쪽면 V형

11.㉰

12 다음 중 그림과 같은 리벳 이음의 명칭은?

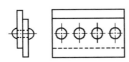

㉮ 1줄 맞대기이음   ㉯ 1줄 겹치기이음

㉰ 1줄 지그재그 맞대기이음   ㉱ 1줄 지그재그 겹치기이음

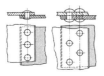

ⓐ 겹치기 이음   ⓑ 맞대기 이음

ⓐ 겹치기 이음 : 1줄 겹치기, 2줄 지그재그 겹치기
ⓑ 맞대기 이음 : 1줄 맞대기, 2줄 지그재그 맞대기

12.㉯

13 특수한 가공을 하는 부분 등 특별한 요구사항을 적용할 수 있는 범위를 표시 하는데 사용하는 선은?

㉮ 굵은 1점쇄선   ㉯ 지그재그선

㉰ 굵은 실선   ㉱ 아주 굵은 실선

13.㉮

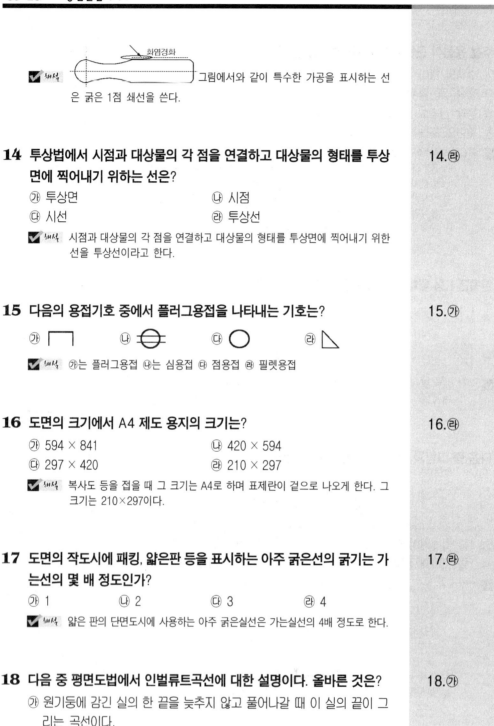

✔ **해설** 그림에서와 같이 특수한 가공을 표시하는 선은 굵은 1점 쇄선을 쓴다.

14 투상법에서 시점과 대상물의 각 점을 연결하고 대상물의 형태를 투상면에 찍어내기 위하는 선은?

㉮ 투상면　　　　　　　　　㉯ 시점
㉰ 시선　　　　　　　　　　㉴ 투상선

✔ **해설** 시점과 대상물의 각 점을 연결하고 대상물의 형태를 투상면에 찍어내기 위한 선을 투상선이라고 한다.

14.㉴

15 다음의 용접기호 중에서 플러그용접을 나타내는 기호는?

㉮ └─┐　　　㉯ ⊖　　　㉰ ○　　　㉴ ◺

✔ **해설** ㉮는 플러그용접 ㉯는 심용접 ㉰ 점용접 ㉴ 필렛용접

15.㉮

16 도면의 크기에서 A4 제도 용지의 크기는?

㉮ 594 × 841　　　　　　　㉯ 420 × 594
㉰ 297 × 420　　　　　　　㉴ 210 × 297

✔ **해설** 복사도 등을 접을 때 그 크기는 A4로 하며 표제란이 겉으로 나오게 한다. 그 크기는 210×297이다.

16.㉴

17 도면의 작도시에 패킹, 얇은판 등을 표시하는 아주 굵은선의 굵기는 가는선의 몇 배 정도인가?

㉮ 1　　　　㉯ 2　　　　㉰ 3　　　　㉴ 4

✔ **해설** 얇은 판의 단면도시에 사용하는 아주 굵은실선은 가는실선의 4배 정도로 한다.

17.㉴

18 다음 중 평면도법에서 인벌류트곡선에 대한 설명이다. 올바른 것은?

㉮ 원기둥에 감긴 실의 한 끝을 늦추지 않고 풀어나갈 때 이 실의 끝이 그리는 곡선이다.
㉯ 1개의 원이 직선 또는 원주 위를 굴러갈 때 그 구르는 원의 원주 위의 1점이 움직이며 그려 나가는 자취를 말한다.
㉰ 전동원이 기선 위를 굴러갈 때 생기는 곡선을 말한다.
㉴ 원뿔을 여러 가지 각도로 절단하였을 때 생기는 곡선이다.

18.㉮

✔️ 해설 실을 감고 잡아당기면서 풀어나가면 실의 끝점이 그리는 곡선을 인벌류트 곡선이라 하며, 일직선 위를 한 원이 미끄러지지 않고 굴러갈 때 이 원의 중심을 지나는 직선 위의 고정된 점이 굴러가는 원주상에 있을 때의 자취를 사이클로이드라 한다.

19 용접의 기본기호 중 가장자리 용접을 나타내는 것은?

㉮ ⊕   ㉯ ||│   ㉰ ✕   ㉱ ⊖

19.㉯

✔️ 해설 ⌒는 서페이싱, ═══는 서페이싱 이음을, 가장자리 용접은 │││이다.

20 다음 용접 기호를 설명한 것으로 틀린 것은?

$$\frac{a}{a}\triangleright\frac{n\times\ell}{n\times\ell}\begin{array}{c}\diagdown(e)\\\diagup(e)\end{array}$$

㉮ 목두께가 a인 지그재그 단속필릿 용접이다.
㉯ n은 용접부의 개수를 말한다.
㉰ ℓ은 용접부의 길이로 크레이터부를 포함한다.
㉱ (e)는 인접한 용접부간의 거리를 표시한다.

20.㉰

✔️ 해설 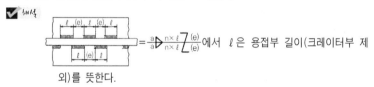 에서 ℓ은 용접부 길이(크레이터부 제외)를 뜻한다.

제2과목 : 용접구조설계

21 각종 금속의 예열에 관한 설명으로 잘못된 것은?

㉮ 고장력강, 저합금강, 주철의 경우 용접 홈을 50~350℃로 예열한다.
㉯ 연강을 0℃ 이하에서 용접할 경우 이음의 폭 100mm 정도를 40~75℃ 정도로 예열한다.
㉰ 열전도가 좋은 구리합금, 알루미늄 합금은 예열이 필요없다.
㉱ 고급 내열 합금에서도 용접균열 방지를 위해 예열을 한다.

21.㉰

✔️ 해설 연강의 경우 두께 25mm 이상의 경우나 합금 성분을 포함한 합금강 등은 급랭 경화성이 크기 때문에 열 영향부가 경화하여 비드 균열이 생기기 쉽다. 그러므로 50~350℃ 정도로 홈을 예열하여 준다.
기온이 0℃ 이하에서도 저온 균열이 생기기 쉬우므로 홈 양끝 100mm 나비를 40~70℃로 예열한 후 용접한다.
구리 및 알루미늄 합금의 경우에도 열전도가 빨라 냉각속도 빠르므로 예열이 필요하다.

22 저온 응력 완화법은 일정한 온도로 가열하고, 급냉시켜 용접선 방향의 인장 잔류 응력을 완화하는 방법이다. 이때 가스염은 용접선을 중심으로 폭 몇 mm를 정속도 이동하며, 몇 ℃정도로 가열시키는가?

22.㉰

㉮ 50mm, 50℃   ㉯ 100mm, 100℃

㉰ 150mm, 200℃   ㉱ 200mm, 300℃

✔해설 용접선 좌우 양측을 정속도로 이동하는 가스 불꽃으로 약 150mm의 나비를 약 150~200℃로 가열 후 수냉하는 방법으로 용접선 방향의 인장 응력을 완화시키는 방법

23 폭 50mm, 두께 12.7mm인 강판 두장을 38mm만큼 겹쳐서 전주 필릿용접을 하였다. 여기에 외력 P = 9000kgf의 하중을 작용시킬 때 필요한 필릿용접 이음의 치수(목길이)는 몇 cm인가?(단, 용접부의 허용응력은 σ_a=1020kgf/cm²이다.)

23.㉱

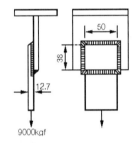

9000kgf

㉮ 0.99   ㉯ 1.4   ㉰ 0.49   ㉱ 0.7

✔해설 $\sigma_b = \frac{1.414 \times P}{h}$ 에서 $P = \frac{9000}{(2 \times 5) + (2 \times 3.8)} = 511.36$

그러므로 $h = \frac{1.414 \times 511.36}{1020} = 0.7$

24 잔류 응력의 측정법을 정량법과 정성법으로 분류할 때 정량법에 해당하는 것은?

24.㉯

㉮ 부식법   ㉯ 분할법

㉰ 자기적법   ㉱ 응력 와니스법

✔해설 정성적방법 : 자기적방법, 부식법, Varnish법 등
정량적방법 : 분활법, 절취법, 드릴링법 등

25 용접시 발생되는 잔류응력의 영향과 관계없는 것은?

25.㉮

㉮ 경도 감소   ㉯ 좌굴 변형

㉰ 부식   ㉱ 취성 파괴

✔해설 잔류 응력의 영향으로 변형, 부식 파괴 등이 생길 수 있다.

26 맞대기 용접 이음 홈의 종류가 아닌 것은?

㉮ 양면 J형 ㉯ C형
㉰ K형 ㉭ H형

☑ 해설 맞대기 용접의 홈의 형상은 I형, V형, 양면 V형(X), 베벨형, 양면 베벨형(K), U형, 양면 U형(H형)등이 있다.

26.㉯

27 아크용접에서 한쪽 끝에서 다른 쪽 끝을 향해 연속적으로 진행하는 용접 방법으로서 용접이음이 짧은 경우나 변형과 잔류응력이 그다지 문제가 되지 않을 때 이용되는 용착 방법은?

㉮ 전진법 ㉯ 전진블록법
㉰ 캐스케이드법 ㉭ 스킵법

☑ 해설 전진법 : 용접 시작 부분보다 끝나는 부분이 수축 및 잔류 응력이 커서 용접 이음이 짧고, 변형 및 잔류 응력이 그다지 문제가 되지 않을 때 사용

27.㉮

28 피닝(peening)에 대한 설명으로 맞는 것은?

㉮ 특수해머로 용착부를 1번 정도 때려 용착부의 균열을 점검한다.
㉯ 특수해머로 용착부를 1번 정도 때려 용착부의 굽힘 응력을 완화시킨다.
㉰ 특수해머로 용착부를 연속으로 때려 용착부의 기공을 점검한다.
㉭ 특수해머로 용착부를 연속으로 때려 용착부의 인장응력을 완화시킨다.

☑ 해설 피닝법 : 끝이 둥근 특수 해머로 용접부를 연속적으로 타격하며 용접 표면에 소성 변형을 주어 인장 응력을 완화한다. 첫층 용접의 균열 방지 목적으로 700℃정도에서 열간 피닝을 한다.

28.㉭

29 다음 중에서 플레어 용접은?

㉮ 강판

㉯ 강판

㉰ 강판 ──── 파이프

㉭ 강판

☑ 해설 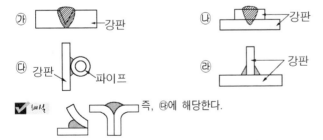 즉, ㉰에 해당한다.

29.㉰

30 용접 지그를 적절히 사용할 때의 이점이 아닌 것은?

㉮ 용접작업을 쉽게 한다. ㉯ 용접균열을 방지한다.
㉰ 제품의 정밀도를 높인다. ㉭ 대량 생산할 때 사용한다.

30.㉯

☑ **해설** **용접 지그 사용 효과**
① 용접을 하기 쉬운 자세를 취할 수 있다. 즉 아래보기 자세로 용접 할 수 있다.
② 제품의 정밀도 향상을 가져 올 수 있다.
③ 용접 조립 작업을 단순화 또는 자동화를 할 수 있게 하여 작업 능률이 향상 된다.

31 용접봉의 소요량 계산에 사용하는 용착효율이란?

㉓ $\dfrac{\text{용착금속의 중량}}{\text{용접봉의 사용중량}} \times 100$ ㉯ $\dfrac{\text{용접봉의 사용중량}}{\text{용착금속의 중량}} \times 100$

㉠ $\dfrac{\text{용착금속의 중량}}{\text{용접봉의 전중량}} \times 100$ ㉣ $\dfrac{\text{용접봉의 전중량}}{\text{용착금속의 중량}} \times 100$

☑ **해설** 용착 효율 즉 용착률은 용착 금속 중량을 사용 용접봉 총 중량으로 나누어 준 것을 말한다.

31.㉓

32 탱크나 용기의 용접부에 기밀·수밀을 검사하는데, 가장 적합한 검사 방법은?

㉓ 외관검사   ㉯ 누설검사   ㉠ 침투검사   ㉣ 초음파검사

☑ **해설** 누설 검사(LT) : 기밀, 수밀, 유밀 및 일정한 압력을 요하는 제품에 이용되는 검사로 주로 수압, 공기압을 쓰나 때에 따라서는 할로겐, 헬륨가스 및 화학적 지시약을 쓰기도 한다.

32.㉯

33 그림과 같은 용접부에 발생하는 인장응력 (σ_t)은 약 몇 kgf/mm²인가?

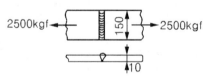

㉓ 1.46   ㉯ 1.67   ㉠ 2.16   ㉣ 2.66

☑ **해설** $\sigma_t = \dfrac{2500}{10 \times 150} = 1.67$

33.㉯

34 용접 결함의 종류 중 구조상 결함이 아닌 것은?

㉓ 기공, 슬래그 섞임   ㉯ 변형, 형상불량
㉠ 용입불량, 융합불량   ㉣ 표면결함, 언더컷

☑ **해설** **용접 결함의 종류**
① 치수상 결함 : 변형, 치수 및 형상 불량
② 성질상 결함 : 기계적, 화학적 성질 불량
③ 구조상 결함 : 언더컷, 오버랩, 기공, 용입 불량 등

34.㉯

35 용접시 잔류응력을 경감시키기 위한 시공법이 아닌 것은?　35.㉮

㉮ 용접부의 수축을 억제한다.　　㉯ 용착금속을 적게 한다.

㉰ 예열을 한다.　　㉱ 비석법에 의한 비드 배치를 한다.

☑ 해설　잔류 응력을 경감시키는 방법으로는 용착 금속을 줄여 열영향을 줄이거나 예열 등으로 급속한 온도변화를 주지 않거나 용접방법을 비석법등으로 하면 경감될 수 있다.

36 맞대기 용접부의 접합면에 홈(groove)을 만드는 가장 큰 이유는?　36.㉰

㉮ 용접 결함 발생을 적게 하기 위하여

㉯ 제품의 치수를 맞추기 위하여

㉰ 용접부의 완전한 용입을 위하여

㉱ 용접 변형을 줄이기 위하여

☑ 해설　용접부에 완전한 용입을 위하여 홈가공을 하나 용입이 허용하는 한 홈 각도는 작은 것이 좋다. 일반적으로 피복아크 용접에서 54 ~ 70°를 사용한다. (초보자일수록 원활한 용입을 위하여 홈각도를 넓게 사용한다.)

37 용접부 검사에서 초음파 탐상 시험법에 속하는 것은?　37.㉮

㉮ 펄스 반사법　　㉯ 코머렐 시험법

㉰ 킨젤 시험법　　㉱ 슈나트 시험법

☑ 해설　초음파 검사(UT) : 0.5 ~ 15MHz의 초음파를 내부에 침투시켜 내부의 결함, 불균일 층의 유무를 알아냄. 종류로는 투과법, 펄스 반사법(가장 일반적), 공진법이 있다.

38 용접구조물 작업시 고려하여야 할 사항으로 틀린 것은?　38.㉰

㉮ 변형 및 잔류응력을 경감시킬 수 있어야 한다.

㉯ 변형이 발생될 때 변형을 쉽게 제거할 수 있어야 한다.

㉰ 가능한 구속용접을 한다.

㉱ 구조물의 형상을 유지할 수 있어야 한다.

☑ 해설　구속 용접을 자칫 잘못하면 잔류 응력 등이 발생할 수 있다.

39 연강의 맞대기 용접이음에서 인장강도가 28kgf/mm²이고, 안전율이 5일 때 이음의 허용응력은 약 몇 kgf/mm²인가?　39.㉱

㉮ 0.18　　㉯ 1.80

㉰ 0.56　　㉱ 5.60

☑ 해설　안전율 $= \dfrac{(\text{인장강도})}{(\text{허용응력})}$ 에서 허용응력 $= \dfrac{28}{5} = 5.6$

40 용접구조물을 설계할 때 주의해야 할 사항 중 틀린 것은?

㉮ 구조상의 불연속부 및 노치부를 피한다.

㉯ 용접금속은 가능한 다듬질 부분에 포함되지 않게 한다.

㉰ 용접구조물은 가능한 균형을 고려한다.

㉱ 가능한 용접이음을 집중, 접근 및 교차하도록 한다.

☑ 해설 ① 용접전 용접이 불가능한 곳이 없도록 충분히 검토한다.
② 용접물 중심에 대하여 대칭으로 용접하여 변형이 생기지 않도록 한다.
③ 동일 평면 내에 많은 이음이 있을 때에는 수축은 가능한 자유단으로 보낸다.
④ 수축이 큰 이음을 먼저하고 작은 이음은 나중에 한다.
⑤ 중립축에 대하여 모멘트 합이 0이 되도록 한다.

40.㉱

제3과목 : 용접일반 및 안전관리

41 미세한 알루미늄과 산화철 분말을 혼합한 테르밋제에 과산화바륨과 마그네슘 분말을 혼합한 점화제를 넣고, 이것을 점화하면 점화제의 화학 반응에 의해 그 발열로 용접하는 것은?

㉮ 가스 용접
㉯ 전자 빔 용접
㉰ 플라즈마 용접
㉱ 테르밋 용접

41.㉱

☑ 해설 테르밋 용접은 알루미늄 분말과 산화철 분말(FeO, Fe_2O_3, Fe_3O_4)을 1 : 3 ~ 4로 혼합한 것으로 테르밋 반응(화학 반응), 즉 산화철의 산소를 알루미늄이 빼앗아갈 때 일어나는 반응과 함께 발생된 열(2,800℃)을 이용하여 용접한다. 테르밋 반응을 위해 1,000℃의 고온이 필요하므로 점화제로는 마그네슘과 과산화바륨이 사용되고 있다.

42 KS 안전색에서 "황적"색이 표시하는 사항은?

㉮ 위생
㉯ 방사능
㉰ 위험
㉱ 구호

42.㉰

☑ 해설 ① 적색 : 방화 금지, 고도의 위험
② 황적 : 위험, 항해, 항공의 보안 시설
③ 노랑 : 충돌, 추락, 전도 등의 주의
④ 녹색 : 안전 지도, 피난, 위생 및 구호 표시, 진행
⑤ 청색 : 주의 수리 중, 송전 중 표시
⑥ 진한 보라색 : 방사능 위험 표시

43 보통 절단시 판두께가 12.7mm일 때 표준 드래그(drag)의 길이는 몇 mm인가?

㉮ 2.4
㉯ 5.2
㉰ 5.6
㉱ 6.4

43.㉮

☑ 해설 표준 드랙의 길이는 판 두께의 20% 즉, $\frac{1}{5}$ 이다. 그러므로 $\frac{12.7}{5} = 2.4$

44 독일식 가스용접 토치의 팁 번호가 7번일 때 용접할 수 있는 가장 적당한 강판의 두께는 몇 mm인가?

㉮ 4 ~ 5　　　㉯ 6 ~ 8　　　㉰ 9 ~ 12　　　㉱ 13 ~ 15

✅ 해석 독일식 팁은 A형으로 7번은 KS규격에서는 A1호 산소압력은 2.3kg/cm² 으로 판 두께 6 ~ 8mm에 사용할 수 있다.

44.㉱

45 피복아크 용접홀더로 틀린 것은?

㉮ 무게가 무겁고 전기 절연이 잘 되어 있지 않는 것이 좋다.
㉯ 용접봉 잡는 기구이다.
㉰ 케이블을 용접봉 홀더에 접촉할 때에는 완전하게 연결하여야 한다.
㉱ 케이블의 접촉불량에 의한 저항열이 발생하지 않도록 주의해야 한다.

✅ 해석 A형 안전 홀더로 전체가 절연되어 있고 B형은 손잡이 부분만 절연되어 있다.

45.㉮

46 가스용접에서 산소용기에 각인되어 있는 것의 설명이 틀린 것은?

㉮ V – 내용적　　　㉯ W – 순수가스의 중량
㉰ TP – 내압시험 압력　　　㉱ FP – 최고충전 압력

✅ 해석 그림에서 W는 용기 중량을 의미한다.

46.㉯

47 연강용 피복아크 용접봉 심선의 철(Fe) 이외의 화학 성분에 대하여 KS에서 규정하고 있는 것은?

㉮ C, Si, Mo, P, S, Cu　　　㉯ C, Si, Cr, P, S, Cu
㉰ C, Si, Mn, P, S, Cu　　　㉱ C, Si, Mn, Mo, P, S

✅ 해석 심선은 저탄소림드강이 사용되고 있으며 탄소강에 5대 원소는 탄소, 규소, 인, 황, 망간과 더불어 구리에 화학 성분을 규정하고 있다.

47.㉰

48 TIG용접을 직류 정극성으로 하면 비드는 어떻게 되는가?

㉮ 비드 폭이 역극성보다 넓어진다.　㉯ 비드 폭이 역극성보다 좁아진다.
㉰ 비드 폭이 역극성과 같아진다.　　㉱ 비드와는 관계없다.

48.㉯

해설 ① 직류 정극성(폭이 좁고 깊은 용입을 얻음) → 높은 전류, 용접봉은 정극성일 때는 끝을 뾰족하게 가공, 용입이 깊고, 비드폭은 좁아지며, 용접 속도가 빨라 주로 스테인레스 용접시 많이 사용된다.
② 직류 역극성(폭이 넓고 얕은 용입을 얻음) → 청정작용이 있다. 특수한 경우 Al, Mg등의 박판 용접에만 쓰이고 있다. 용입이 얕고, 비드폭은 넓어진다. 정극성에 비해 전극이 가열되어 소모되기 쉬워 전극 지름이 4배정도 큰 사이즈를 사용한다.

49 다음 용접법 중 가장 두꺼운 판을 용접할 때 능률적인 것은?

㉮ 불활성 가스 텅스텐 아크 용접 ㉯ 서브머지드 아크 용접
㉰ 점 용접 ㉱ 산소 – 아세틸렌가스 용접

49.㉯

해설 서브머지드 아크 용접(잠호 용접)은 용제 속에서 아크를 발생시켜 용접하며, 상품명으로는 유니언 멜트 용접, 링컨 용접법이라고도 한다. 1회에 75mm까지 용접이 가능하다.

50 가스용접에서 전진법과 후진법을 비교할 때 각각의 설명으로 옳은 것은?

㉮ 후진법에서 용접변형이 작다 ㉯ 후진법에서 용착금속이 급랭한다
㉰ 전진법에서 열 이용률이 좋다. ㉱ 전진법에서 용접속도는 빠르다.

50.㉮

해설 후진법은 왼쪽 → 오른쪽으로 진행한다. 일반적으로 전진법에 비하여 비드 모양만 나쁘고 모든 것이 전진법에 비하여 좋다.

51 브레이징(Brazing)은 저온 용가재를 사용하여 모재를 녹이지 않고 용가재만 녹여 용접을 이행하는 방식인데, 섭씨 몇 ℃ 이상에서 이행하는 방식인가?

㉮ 350℃ ㉯ 400℃ ㉰ 450℃ ㉱ 600℃

51.㉰

해설 브레이징은 경납땜이라고도 하며 450℃를 기준으로 그 이상을 경납, 그 이하를 연납이라고 부른다.

52 불활성 가스 용접법 중 TIG 용접의 상품명으로 불려 지는 것은?

㉮ 에어 코우메틱 용접법(air comatic welding)
㉯ 헬륨 아크 용접법(helium arc welding)
㉰ 필러 아크 용접법(filler arc welding)
㉱ 아르곤 노트 용접법(argon naut welding)

52.㉯

해설 보호 가스로는 모재와 텅스텐 용접봉의 산화를 방지하기 위하여 불활성 가스인 아르곤(Ar), 헬륨(He) 등을 사용하므로 TIG(Tungsten inert Gas)용접으로 부르기도 한다. 상품명으로는 헬륨 – 아크 용접, 아르곤 용접 등으로 불린다.

53 산소병 취급방법에서 틀린 것은?

㉮ 밸브는 기름을 칠하여 항상 유연해야 한다.

㉯ 산소병을 뉘어 두지 않는다.

㉰ 사용 전에 비눗물로 가스 누설검사를 한다.

㉱ 산소병은 화기로부터 멀리한다.

✓ 해설 밸브 등에 기름을 칠하면 화재의 위험이 있다.

53.㉮

54 아크 빛으로 인해 혈안이 되고 눈이 부었을 때 우선 조치해야 할 사항으로 가장 옳은 것은?

㉮ 온수로 씻은 후 작업한다.

㉯ 소금물로 씻은 후 작업한다.

㉰ 심각한 사안이 아니므로 계속 작업한다.

㉱ 냉습포를 눈 위에 얹고 안정을 취한다.

✓ 해설 아크 광선에는 자외선, 적외선, 가시광선을 포함하고 있다. 초기 작업 중 아크 광선에 노출되면 자외선으로 인하여 눈에 결막염 등을 일으킬 수 있다. 그러므로 광선에 노출되었을 때 우선 조치 사항으로는 냉습포를 눈 위에 얹고 안전을 취하는 것이다.

54.㉱

55 피복금속 아크 용접에서 운봉 속도가 너무 느리면 나타나는 결함은?

㉮ 언더컷   ㉯ 용입불량   ㉰ 고운 비드   ㉱ 오버랩

✓ 해설 오버랩은 전류가 낮거나 속도가 느릴 때 생기는 구조상의 결함이다.

55.㉱

56 다음 중 융접에 속하지 않는 용접은?

㉮ 아크용접   ㉯ 가스용접   ㉰ 초음파용접   ㉱ 스터드용접

✓ 해설 전기저항 용접, 초음파 용접 등은 압접이다.

56.㉰

57 불활성 가스 금속 아크 용접의 특징 설명으로 틀린 것은?

㉮ TIG 용접에 비해 용융속도가 느리고 박판 용접에 적합하다.

㉯ 각종 금속 용접에 다양하게 적용할 수 있어 응용 범위가 넓다.

㉰ 보호 가스의 가격이 비싸 연강 용접의 경우에는 부적당하다.

㉱ 비교적 깨끗한 비드를 얻을 수 있고 CO_2용접에 비해 스패터 발생이 적다.

✓ 해설 **불활성 가스 금속 아크 용접의 특징**

① 전극 자체가 용접봉이어서 녹으므로 용극식, 소모식이라 한다.

② 전류 밀도가 티그 용접의 2배, 일반 용접의 4 ~ 6배로 매우 크고 용적이행은 스프레이형이다.

③ 전 자세 용접이 가능하고 판 두께가 3 ~ 4mm 이상의 Al·Cu합금, 스테인리스강, 연강 용접에 이용된다.

57.㉮

58 잠호용접의 장점에 속하지 않는 것은?

58.㉣

㉮ 대전류를 사용하므로 용입이 깊다.

㉯ 비드 외관이 아름답다.

㉰ 작업능률이 피복금속 아크용접에 비하여 판두께 12mm에서 2～3배 높다.

㉣ 용접시 아크가 잘 보여 확인할 수 있다.

✔ 해설 서브머지드 아크 용접은 용접 아크가 플럭스 내부에서 발생하여 외부로 노출되지 않기 때문에 잠호용접이라고도 부른다.

59 용접봉 홀더 200호로 접속할 수 있는 최대 홀더용 케이블의 도체공칭 단면적은 몇 mm²인가?

59.㉰

㉮ 22 ㉯ 30
㉰ 38 ㉣ 50

✔ 해설 홀더 200호는 용접전류를 200A를 의미하므로 케이블 2차측은 38mm²을 1차측은 5.5mm이다.

60 연강용 피복아크 용접봉의 종류 중 철분산화철계는 어느 것인가?

60.㉯

㉮ E4311 ㉯ E4327
㉰ E4340 ㉣ E4303

✔ 해설 ㉮ 고셀롤오스계, ㉯ 철분산화철계, ㉰ 특수계, ㉣ 라임티탄계

국가기술자격검정 필기시험문제

2008년 산업기사 제3회 필기시험

자격종목 및 등급(선택분야)	종목코드	시험시간	문제지형별	수검번호	성 명
용접산업기사	2026	1시간 30분	A		

※ 답안카드 작성시 시험문제지 형별누락, 마킹착오로 인한 불이익은 전적으로 수검자의 귀책사유임을 알려드립니다.

제1과목 : 용접야금 및 용접설비제도

01 면심입방격자의 슬립(slip) 면은?

㉮ (111)면　　　　　㉯ (101)면
㉰ (001)면　　　　　㉱ (010)면

✔해석　FCC구조에서의 슬립면은 [111]을 들 수 있다.

01.㉮

02 강의 담금질(quenching)조직 중 경도가 가장 큰 것은?

㉮ 솔바이트　　　　　㉯ 페라이트
㉰ 오스테나이트　　　　㉱ 마텐자이트

✔해석　담금질 조직의 경도 순서는 마텐자이트 > 트루스타이트 > 솔바이트의 순이다.

02.㉱

03 철(Fe)의 비중은 약 얼마인가?

㉮ 6.9　　　　　㉯ 7.8
㉰ 8.9　　　　　㉱ 10.4

✔해석　철의 비중은 7.8, 구리의 비중은 8.9이다.

03.㉯

04 용접균열은 고온 균열과 저온균열로 구분된다. 크레이터 균열과 비드 밑 균열에 대하여 옳게 나타낸 것은?

㉮ 크레이터 균열 - 고온균열. 비드 밑 균열-고온균열
㉯ 크레이터 균열 - 저온균열. 비드 밑 균열-저온균열
㉰ 크레이터 균열 - 저온균열. 비드 밑 균열-고온균열
㉱ 크레이터 균열 - 고온균열. 비드 밑 균열-저온균열

✔해석　용접을 끝낸 직후의 크레이터 부분의 생기는 크레이터 균열, 외부에서는 볼 수 없는 비드 밑 균열, 열영향부 균열, 비드 표면과 모재와의 경계부에 발생하는 토 균열, 비틀림이 주원이 되어 발생하는 힐 균열, 저온 균열에서 가장 주의하여야 할 균열인 첫층 용접의 루트 근방에서 발생하는 루트 균열, 모재의 재질 결함으로서의 균열인 래미네이션 균열 등이 있다.

04.㉱

05 용접작업에서 예열의 목적이 아닌 것은?

㉮ 용접부의 냉각속도를 빠르게 한다.

㉯ 용접부의 기계적 성질을 향상시킨다.

㉰ 용접부의 변형과 잔류응력 발생을 적게 한다.

㉱ 용접부의 열영향부와 용착금속의 경화를 방지한다.

✔해석 **예열의 목적**

① 용접부와 인접된 모재의 수축응력을 감소하여 균열 발생을 억제한다.

② 냉각속도를 느리게 하여 모재의 취성을 방지한다.

③ 용착금속의 수소 성분이 나갈 수 있는 여유를 주어 비드 밑 균열을 방지한다.

05.㉮

06 용접결함 중 언더컷의 발생 원인이 아닌 것은?

㉮ 전류가 너무 높을 때   ㉯ 용접속도가 느릴 때

㉰ 아크 길이가 길 때   ㉱ 부적당한 용접봉을 사용할 때

✔해석 언더컷은 전류가 높을 때, 아크 길이가 길거나 부적당한 용접봉 사용 시 용접부가 파이는 결함을 말한다.

06.㉯

07 주철 보수 용접시 균열의 연장을 방지하기 위하여 용접 전에 균열의 끝에 하는 조치로 다음 중 가장 적합한 것은?

㉮ 정지 구멍을 뚫는다.   ㉯ 가접을 한다.

㉰ 직선 비드를 쌓는다.   ㉱ 리베팅을 한다.

✔해석 균열일 때는 균열 끝에 정지 구멍을 뚫고 균열부를 깎아 낸 후 홈을 만들어 재 용접

07.㉮

08 용접금속의 결함이 아닌 것은?

㉮ 기공   ㉯ 은점

㉰ 선상조직   ㉱ 라미네이션

✔해석 라미네이션은 얇은 판과 판상의 조직이 소정의 방향으로 층을 이루어 겹쳐져 만나는 것으로 용접 결함은 아니다.

08.㉱

09 입방정계에 해당하지 않는 결정격자의 종류는?

㉮ 단순입방격자   ㉯ 체심입방격자

㉰ 조밀입방격자   ㉱ 면심입방격자

✔해석 입방정계(혹은 등축정계라고도 한다)는 결정학에서 3개의 벡터로 묘사되는 7 결정계 중의 하나로 정육면체 모양이며, 7 결정계 중 가장 많은 대칭성을 가지고 있다. 입방정계에는 단순 입방정계, 체심 입방정계, 면심 입방정계의 3가지 브라베이 격자가 있다.

09.㉰

10 오스테나이트계 스테인리스강의 용접시 고온균열의 원인이 아닌 것은?

㉮ 아크 길이가 짧을 때

㉯ 크레이터처리를 하지 않을 때

㉰ 모재가 오염되어있을 때

㉱ 구속력을 가해해진 상태에서 용접할 때

☑ 해설 오스테나이트계 스테인리스강을 용접할 때 고온균열(Hot crack)의 원인
① 모재가 오염되어 있을 때
② 아크 길이가 길 때
③ 크레이터 처리를 하지 않았을 때
④ 구속력이 가해진 상태에서 용접할 때

10.㉮

11 용접 기호 중에서 스폿 용접을 표시하는 기호는?

㉮ ⊖   ㉯ ⌐   ㉰ ○   ㉱ ══

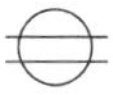

☑ 해설 ㉮는 시임 용접, ㉯는 플러그 용접, ㉰는 점용접 즉 스폿 용접을 말한다.

11.㉰

12 주문하는 사람이 주문하는 물건의 크기, 형태, 정밀도, 정보 등의 주문 내용을 나타낸 도면은?

㉮ 계획도   ㉯ 제작도   ㉰ 견적도   ㉱ 주문도

☑ 해설 도면을 목적에 따라 분류할 때 주문자의 요구 조건을 나타내는 도면을 주문도라고 한다.

12.㉱

13 도형의 치수기입에 사용되는 기본적인 요소와 관계없는 것은?

㉮ 외형선   ㉯ 치수보조선

㉰ 지시선   ㉱ 치수 수치

☑ 해설 외형선의 물체의 외형을 나타내는 선이다.

13.㉮

14 그림과 같은 용접기호의 설명으로 올바른 것은?

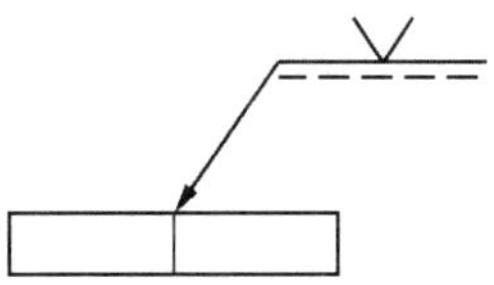

㉮ 이음의 화살표 쪽에 용접을 한다. ㉯ 양쪽에 용접을 한다.

㉰ 화살표 반대쪽에 용접을 한다.   ㉱ 어느 쪽에 용접을 해도 무방하다.

☑ 해설 실선에 기호가 붙으면 화살표 쪽을 의미한다.

14.㉮

15 핸들이나 바퀴 등의 암 및 리브, 훅, 축, 구조물의 부재 등의 절단면을
표시하는데 가장 적합한 단면도는?

㉮ 부분 단면도   ㉯ 회전도시 단면도
㉰ 조합에 의한 단면도   ㉭ 한쪽 단면도

✔해석 회전단면도는 핸들, 축, 형강 등과 같은 물체의 절단한 단면의 모양을 90° 회
전하여 내부 또는 외부에 그리는 것
내부에 표시할 때는 가는 실선을 외부에 표시할 때는 굵은 실선을 사용한다.

16 다음 그림과 같은 용접 보조기호를 바르게 설명한 것은?

㉮ 오목하게 처리한 필릿 용접
㉯ 용접한 그대로 처리한 필릿 용접
㉰ 볼록하게 처리한 필릿 용접
㉭ 매끄럽게 처리한 필릿 용접

✔해석

용접부 및 용접부 표면의 형상	기 호
평면(동일 평면으로 다듬질)	——
볼록(凸)형	⌒
오목(凹)형	⌣
끝단부를 매끄럽게 함	⏝
영구적인 덮개 판을 사용	M
제거 가능한 덮개 판을 사용	MR

17 투상법 중 등각투상도법에 대한 설명으로 가장 적합한 것은?

㉮ 한 평면 위에 물체의 실제모양을 정확히 표현하는 방법이다.
㉯ 정면, 측면, 평면을 하나의 투상면 위에서 동시에 볼 수 있도록 입체도
로 그려진 투상도이다.
㉰ 물체의 주요면을 투상면에 평행하게 놓고, 투상면에 대하여 수직보다
다소 옆면에서 보고 나타낸 투상도이다.
㉭ 도면에 물체의 앞면과 뒷면을 동시에 표시하는 방법이다.

✔해석 등각 투상도
① 물체의 정면, 평면, 측면을 하나의 투상도에서 볼 수 있도록 그린 도법
② 물체의 모양과 특징을 가장 잘 나타냄
③ 물체 3개의 세 모서리는 각각 120°
④ 용도 : 구상도나 설명도 등

18 선을 긋는 방법에 대한 설명 중 틀린 것은?

㉮ 평행선은 선 간격을 선 굵기의 3배 이상으로 하여 긋는다.

15.㉭

16.㉭

17.㉯

18.㉭

ⓝ 1점쇄선은 긴쪽 선으로 시작하고 끝나도록 긋는다.
ⓓ 파선이 서로 평행할 때에는 서로 엇갈리게 그린다.
ⓡ 실선과 파선이 서로 만나는 부분은 띄워지도록 그린다.

✔️ 해설 실선과 파선이 만나는 부분은 파선의 끝이 실선에 닿아야 한다.

19 선의 용도가 특수한 가공을 하는 부분 등 특별한 요구사항을 적용할 수 있는 범위를 표시하는데 사용하는 선의 종류는?

19.ⓝ

ⓐ 가는 2점 쇄선　　　　　ⓝ 굵은 1점 쇄선
ⓓ 가는 1점 쇄선　　　　　ⓡ 굵은 실선

✔️ 해설 그림에서와 같이 특수한 가공을 표시하는 선은 굵은 1점 쇄선을 쓴다.

20 그림과 같이 판재를 90°로 중립면의 변화 없이 구부리려고 한다. 판재의 총 길이는 몇 mm인가?(단, π는 3. 14로 하고, 단위는 mm임)

20.ⓓ

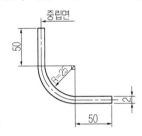

ⓐ 135.42　　　ⓝ 137.68　　　ⓓ 140.82　　　ⓡ 142.39

✔️ 해설 $\ell = L1 + L2 + \dfrac{90 \times 2 \times \pi \times r}{360} = 50 + 50 + \dfrac{2 \times 3.14 \times 26}{4} = 140.82$

제2과목 : 용접구조설계

21 그림과 같은 필릿 용접에서 목 두께를 나타내는 것은?

21.ⓝ

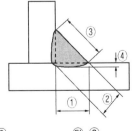

ⓐ ①　　　　　ⓝ ②　　　　　ⓓ ③　　　　　ⓡ ④

✔️ 해설 ①은 각장 즉 다리길이, ②는 목두께를 의미한다.

22 설계단계에서의 일반적인 용접변형 방지법으로 틀린 것은?

㉮ 용접 길이가 감소될 수 있는 설계를 한다.

㉯ 용착금속을 증가시킬 수 있는 설계를 한다.

㉰ 보강재 등 구속이 커지도록 구조 설계를 한다.

㉱ 변형이 적어질 수 있는 이음 부분을 배치한다.

✔ **해설** 용착금속을 증가시키면 용접 열영향부 등이 커져 용접변형은 오히려 커질 수 있다.

22.㉯

23 용접변형 방지법 중 냉각법에 속하지 않는 것은?

㉮ 살수법   ㉯ 수냉동판 사용법

㉰ 비석법   ㉱ 석면포 사용법

✔ **해설** 비석법은 용전 진행 방향에 따른 순서를 나타내는 것으로 짧은 용접 길이로 나누어 놓고 간격을 두면서 용접하는 방법이다. 특히 잔류 응력을 적게 할 경우 사용한다.

23.㉰

24 일반적인 각변형의 방지 대책으로 틀린 것은?

㉮ 역변형의 시공법을 사용한다.

㉯ 용접속도가 빠른 용접법을 이용한다.

㉰ 판 두께가 얇을수록 첫 패스 측의 개선 깊이를 크게 한다.

㉱ 개선각도는 작업에 지장이 없는 한도 내에서 크게 하는 것이 좋다.

✔ **해설** 각변형이란 용접에 의해 부재 또는 구조물에 생기는 가로(횡) 방향의 굽힘 변형을 말한다. 맞대기 용접의 경우는 상부쪽의 수축량이 크기 때문에 위쪽으로 오므라들게 되며, 필릿 용접의 경도 수평판의 상부쪽이 오므라드는 것을 말한다. 용접 개선 각도는 작업에 지장이 없는 한 작게 한다.

24.㉱

25 점 용접의 3대 요소 중의 하나에 해당되는 것은?

㉮ 용접전극의 모양   ㉯ 용접전압의 세기

㉰ 용착량의 크기   ㉱ 용접전류의 세기

✔ **해설** 점 용접은 전기 저항용접의 한 방법으로 저항 용접의 3대 요소는 가압력, 용접 전류의 세기, 시간이다. 여기서는 3대 요소는 ㉱이다.

25.㉱

26 용접할 때 발생하는 변형을 고정하는 방법으로서 틀린 것은?

㉮ 두꺼운 판에 대한 점 수축법

㉯ 절단에 의하여 성형하고 재용접하는 방법

㉰ 가열 후 해머링 하는 방법

㉱ 두꺼운 판에 대하여 가열 후 압력을 가하고 수냉하는 방법

26.㉮

✔ 해설 ① 박판에 대한 점 수축법
② 형재는 대한 직선 수축법을 사용한다.
③ 가열 후 해머질 하여 변형을 교정한다.
④ 후판에 대해 가열 후 압력을 가하고 수냉하는 방법으로 변형을 교정한다.
⑤ 롤러에 걸어 변형을 교정한다.
⑥ 절단하여 정형 후 재 용접하여 변형을 교정한다.
⑦ 피닝법을 사용하여 변형을 교정한다.

27 용접선의 양측을 일정속도로 이동하는 가스 불꽃에 따라 나비 약 150mm를 150 ~ 200℃로 가열한 후 바로 수냉하는 응력 제거방법은?

㉮ 기계적 응력 완화법   ㉯ 피닝법

㉰ 저온 응력 완화법   ㉭ 국부 풀림법

27.㉰

✔ 해설 저온 응력 완화법은 용접선 좌우 양측을 정속도로 이동하는 가스 불꽃으로 약 150mm의 나비를 약 150 ~ 200℃로 가열 후 수냉하는 방법으로 용접선 방향의 인장 응력을 완화시키는 방법

28 모재의 인장강도가 50kgf/mm²이고 용접 시편의 인장강도가 25kgf/mm²으로 나타났을 때 이음효율은?

㉮ 40%   ㉯ 50%   ㉰ 60%   ㉭ 70%

28.㉯

✔ 해설 $\eta = \dfrac{(용착금속강도)}{(모재인장강도)} \times 100 = \dfrac{25}{50} \times 100 = 50[\%]$

29 용접 지그의 사용 목적이 아닌 것은?

㉮ 용접작업을 쉽게 하여 작업능률을 높인다.

㉯ 용접공의 기능 수준을 높이고 숙련기간을 단축한다.

㉰ 대량생산을 하기 위하여 사용한다.

㉭ 제품의 정밀도와 용접부의 신뢰성을 높인다.

29.㉯

✔ 해설 **용접 지그 사용 효과**
① 용접을 하기 쉬운 자세를 취할 수 있다. 즉 아래보기 자세로 용접 할 수 있다.
② 제품의 정밀도 향상을 가져 올 수 있다.
③ 용접 조립 작업을 단순화 또는 자동화를 할 수 있게 하여 작업 능률이 향상된다.

30 그림과 같이 강판의 두께가 9mm이고 용접 길이가 200mm이며, 최대 인장하중이 72000kgf이 작용하고 있을 때 용접부에 발생하는 인장응력은 약 kgf/mm²인가?

㉮ 20   ㉯ 30

㉰ 40   ㉭ 80

30㉰

✔ 해설 $\sigma = \dfrac{p}{tl} = \dfrac{72000}{200 \times 9} = 40$

31 B스케일과 C스케일 두 가지가 있는 경도시험법은?

㉮ 브리넬 경도　　　　　　　㉯ 로크웰 경도
㉰ 비커스 경도　　　　　　　㉱ 쇼어 경도

✔해설 로크웰 경도 : B스케일(하중이 100kg), C스케일(꼭지각이 120° 하중은 150kg)이 있다.

31.㉯

32 용접부의 부식에 대한 설명으로 틀린 것은?

㉮ 입계부식은 용접 열영향부의 오스테나이트입계에 cr이 석출될 때 발생한다.
㉯ 용접부의 부식은 전면부식과 곡부부식으로 분류 한다.
㉰ 틈새부식은 오버랩이나 언더컷들의 틈 사이의 부식을 말한다.
㉱ 용접부의 잔류응력은 부식과 관계없다.

✔해설 잔류 응력의 영향으로 변형, 부식 파괴 등이 생길 수 있다.

32.㉱

33 단위 시간당 소비되는 용접봉의 길이 또는 중량으로 표시되는 것은?

㉮ 용접 길이　　　　　　　㉯ 용융 속도
㉰ 용접 입열　　　　　　　㉱ 용접 효율

✔해설 **용접봉의 용융 속도**
용접봉의 용융 속도는 단위 시간당 소비되는 용접봉의 길이 또는 무게로 나타낸다.
① 용융속도 = 아크전류 × 용접봉 쪽 전압강하
② 용융속도는 아크 전압 및 심선의 지름과 관계없이 용접 전류에만 비례한다.

33.㉯

34 용접작업에서 가접 시 주의하여야 할 사항으로 틀린 것은?

㉮ 용접봉은 본 용접 작업 시에 사용하는 것 보다 약간 굵은 것을 사용한다.
㉯ 본 용접과 동일한 기량을 갖는 용접자로 하여금 가접하게 한다.
㉰ 본 용접과 같은 온도에서 예열을 한다.
㉱ 가접의 위치는 부품의 끝, 모서리, 각 등과 같이 단면이 급변하여 응력이 집중되는 곳은 가능한 피한다.

✔해설 **가접**
① 홈안에 가접은 피하고 불가피한 경우 본 용접 전에 갈아낸다.
② 응력이 집중하는 곳은 피한다.
③ 전류는 본 용접보다 높게 하며, 용접봉의 지름은 가는 것을 사용하여 본 용접이 용이하게 하며, 너무 짧게 하지 않는다.
④ 시·종단에 엔드탭을 설치하기도 한다.
⑤ 가접사도 본 용접사에 비하여 기량이 떨어지면 안 된다.

34.㉮

35 용접의 여러 결함 중 내부결함에 해당되지 않는 것은?

㉮ 크레이터 처리 불량　　　　㉯ 슬래그 혼입
㉰ 선상조직　　　　　　　　　㉱ 기공

✔해설 크레이터는 용접이 끝나는 점에서 움푹 패이는 것을 말한다.

35.㉮

36 응력제거 풀림의 효과에 대한 설명으로 틀린 것은?

㉮ 치수틀림의 방지　　　　　㉯ 열영향부의 템퍼링 연화
㉰ 충격저항의 감소　　　　　㉱ 크리이프 강도의 향상

✔해설 응력 제거 풀림 : 주조, 단조, 압연, 용접 및 열처리에 의해 생긴 열응력과 기
계가공에 의해 생긴 내부 응력을 제거할 목적으로 150 ~ 600℃ 정도의 비교
적 낮은 온도에서 실시하는 풀림으로 충격저항의 감소효과는 없다.

36.㉰

37 용접부의 연성 결함을 조사하기 위하여 주로 사용되는 시험법은?

㉮ 인장시험　　　　　　　　㉯ 굽힘시험
㉰ 피로시험　　　　　　　　㉱ 충격시험

✔해설 굽힘 시험은 모재 및 용접부의 연성, 결함의 유무를 시험하는 방법으로 종류
로는 표면 굽힘, 이면 굽힘, 측면 굽힘 시험이 있다. 국가기술자격 검정에서
사용하는 방법이다.

37.㉯

38 일반적으로 용접이음을 설계하는데 충격 하중을 받는 연강의 안전율
은 얼마로 해야 하는가?

㉮ 12　　　　㉯ 8　　　　㉰ 5　　　　㉱ 3

✔해설 안전율 $= \dfrac{\text{인장강도}}{\text{허용응력}}$

① 정하중 : 3　　　　② 동하중(단진 응력) : 5
③ 동하중(교번 응력) : 8　　④ 충격 하중 : 12

38.㉮

39 용접이음의 충격강도에서 취성파괴의 일반적인 특징이 아닌 것은?

㉮ 온도가 높을수록 발생하기 쉽다.
㉯ 거시적 파면 상황은 판 표면에 거의 수직이고 평탄하게 연성이 작은 상
태에서 파괴된다.
㉰ 파괴의 기점은 각종 용접결함, 가스절단부 등에서 발생된 예가 많다.
㉱ 항복점이하의 평균응력에서도 발생한다.

✔해설 취성파괴란 재료의 연성이 부족하여 소성변형이 되지 않고 파괴되는 것으로
저온 취성 파괴에 미치는 요인은 온도의 저하, 잔류 응력, 노치 등의 원인이
있다.

39.㉮

40 다음 그림과 같은 완전 용입된 연강판 맞대기 이음부에 굽힘모멘트 MB
－10000kgf·cm가 작용할 때 용접부에 발생하는 최대 굽힘응력은 약
kgf/cm² 인가?(단, 용접길이 300mm이고, 판두께는 10mm이다.)

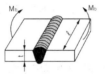

㉮ 0.2   ㉯ 20

㉰ 200   ㉭ 2000

✔️해설 $\sigma_b = \dfrac{6M}{lt^2} = \dfrac{(6 \times 10000)}{(30 \times 1^2)} = 2000$

40.㉭

제3과목 : 용접일반 및 안전관리

41 주로 상하부재의 접합을 위하여 한편의 부재에 구멍을 뚫어 이 구멍 부
분을 채우는 형태의 용접방법은?

㉮ 필릿용접   ㉯ 맞대기용접   ㉰ 플러그용접   ㉭ 플래시용접

✔️해설

(a) 플러그 용접   (b) 슬롯 용접   (c) 비드 용접

41.㉰

42 피복금속 아크 용접법에서 탈산제는 용융금속 중의 무엇을 제거하는
작용을 하는가?

㉮ 질소를 제거하는 작용   ㉯ 산소를 제거하는 작용

㉰ 탄산가스를 제거하는 작용   ㉭ 규소를 제거하는 작용

✔️해설 탈산제는 용융 금속 중에 있는 산소를 제거하여 작용을 한다.

42.㉯

43 교류용접기와 비교한 직류용접기 특징 설명으로 맞는 것은?

㉮ 아크안정이 우수하다.   ㉯ 전격의 위험이 많다.

㉰ 용접기의 고장이 적다.   ㉭ 용접기의 가격이 저렴하다.

✔️해설 직류 아크 용접기는 무부하 전압이 교류에 비하여 낮고 시간에 변화에 따라
위상 변화가 없어 아크가 안정된다. 하지만 가격이 고가이며, 구조가 복잡하
여 교류보다 고장이 많다.

43.㉮

44 가스 압접의 특징 설명으로 틀린 것은?

㉮ 이음부의 탈탄층이 전혀 없다.

㉯ 장치가 간단하여 설비비, 보수비가 싸다.

㉰ 용가재 및 용제가 불필요하다.

㉭ 작업이 거의 수동이어서 숙련공만 할 수 있다.

44.㉭

✔️ 해설   가스 압접 : 산소 – 아세틸렌 불꽃으로 접합하고자 하는 부분을 가열하고 적
당한 온도가 되었을 때 가압하여 용접하는 것으로 용접봉이 필요 없고 반자
동 자동으로 압접한다.

45 교류 아크 용접기에 해당되지 않는 것은?

㉮ 탭 전환형 아크 용접기   ㉯ 가동 철심형 아크 용접기
㉰ 가동 코일형 아크 용접기   ㉱ 정류기형 아크 용접기

✔️ 해설   정류기형은 직류 용접기의 한 종류이다. 그 밖에 발전기형도 직류 용접기이
며, 교류 아크 용접기중 가포화리액터형은 원격조정이 가능하다.

45.㉱

46 정격 2차 전류 300A의 용접기에서 실제로 200A의 전류로 용접하면
허용 사용률은 얼마인가?(단, 정격 사용률은 60%이다.)

㉮ 43%   ㉯ 90%
㉰ 135%   ㉱ 300%

✔️ 해설   허용사용률(%) × (실제용접전류)^2 = 정격 사용률(%) × (정격2차전류)^2

$$허용사용률(\%) = \frac{(정격2차전류)^2}{(실제용접전류)^2} \times 정격사용률$$

허용사용률(%) × $(200)^2$ = 60 × $(300)^2$
허용사용률(%) = 135%

46.㉰

47 용접기에 대한 구비 조건에 대한 설명으로 옳은 것은?

㉮ 역률 및 효율이 좋아야 한다.
㉯ 사용중에 온도 상승이 커야 한다.
㉰ 전류 조정이 용이하고 전류 변동이 커야 한다.
㉱ 아크 발생이 잘 되도록 직류일 경우 무부하 전압이 90V 이상이어야 한
다.

✔️ 해설   용접기는 사용 중에 온도 상승이 크면 소손될 수 있다. 전류 조정이 용이하고
전류 변동은 작아야 하며, 직류의 경우 일반적으로 무부하 전압은 40~60V이
다.

47.㉮

48 가스용접의 연료가스 중 불꽃 온도가 가장 높은 것은?

㉮ 아세틸렌   ㉯ 수소
㉰ 프로판   ㉱ 천연가스

✔️ 해설   발열량은 프로판 가스가 가장 높으나 산소와 만났을 때 불꽃 온도는 아세틸렌
과 산소의 혼합불꽃이 가장 높다.

48.㉮

49 초음파 용접법으로 금속을 용접하고자 할 때 이 용접법에 알맞은 금속 모재의 두께는 일반적으로 몇 mm 정도가 가장 좋은가?

㉮ 0.01 ~ 2 ㉯ 2 ~ 5
㉰ 8 ~ 9 ㉱ 10 ~ 20

✔ 해석 초음파(18kHz 이상)를 진동 에너지로 변환하여 접합 재료에 전달, 가압(압축 공기 이용) 및 마찰에 의한 열로 접합하는 방법(압접임을 기억할 것)으로 이종 재료나 판재 두께가 0.01 ~ 2mm, 플라스틱류는 1 ~ 5mm 정도로 주로 얇은 판 용접에 이용된다.

49.㉮

50 산소 – 아세틸렌 토치로 3.2mm 이하의 모재를 용접 할 때 차광유리의 차광번호로서 가장 적당한 것은?

㉮ 4 ~ 5 ㉯ 6 ~ 7
㉰ 8 ~ 9 ㉱ 10 ~ 20

✔ 해석 산소 – 아세틸렌 즉, 가스 용접의 사용되는 차광도 번호 4 ~ 8번 정도의 것이 사용되며, 3.2mm 모재의 경우는 4 ~ 5번이 적당하다.

50.㉮

51 다음 중에서 용접기의 수하특성과 가장 관련이 깊은 것은?

㉮ 저항 – 열의 특성 ㉯ 전류 – 전력의 특성
㉰ 전압 – 전류의 특성 ㉱ 전력 – 저항의 특성

✔ 해석 부하 전류가 증가하면 단자 전압이 저하하는 특성을 수하 특성(垂下 特性)이라 한다. 즉 전류 전압의 특성이라 할 수 있다.

51.㉰

52 플래시 용접의 특징 설명으로 틀린 것은?

㉮ 가열범위가 좁고 열영향부가 좁다.
㉯ 용접면을 아주 정확하게 가공할 필요가 없다.
㉰ 서로 다른 금속의 용접은 불가능하다.
㉱ 용접시간이 짧고 전력 소비가 적다.

✔ 해석 플래시 용접은 맞대기 전기 저항용접의 하나로 이종 재료의 접합이 가능하다.

52.㉰

53 산소 호스는 몇 kgf/cm² 정도의 압력으로 실시하는 내압 시험에서 이상이 없어야 하는가?

㉮ 90 ㉯ 70
㉰ 50 ㉱ 10

✔ 해석 산소호스는 90kgf/cm², 아세틸렌 호스는 10kgf/cm²의 내압시험을 한다.

53.㉮

54 이산화탄소가스 아크 용접에서 솔리드 와이어 혼합 가스법에 속하지 않는 것은?

㉮ $CO_2 + O + N$　　　　㉯ $CO_2 + O_2$

㉰ $CO_2 + Ar$　　　　　　㉭ $CO_2 + CO$

✔️ 해설 솔리드 와이어 혼합 가스법 : $CO_2 + O_2$법, $CO_2 + Ar$법, $CO_2 - Ar - O_2$법 등이 있다. 질소는 질화의 우려로 혼합가스로 섞어 사용하지 않는다.

55 다음 금속 중 냉각 속도가 가장 빠른 것은?

㉮ 구리　　　　　　　　㉯ 알루미늄

㉰ 스테인리스강　　　　㉭ 연강

✔️ 해설 구리가 알루미늄, 스테인리스강, 연강보다 열전도율 및 전기전도율이 우수하여 냉각 속도가 빠르다.

56 일렉트로 슬래그 용접의 특징 설명으로 틀린 것은?

㉮ 후판 용접에 적당하다.

㉯ 용접 능률과 용접 품질이 우수하다.

㉰ 용접진행 중 직접 아크를 눈으로 관찰할 수 없다.

㉭ 높은 입열로 인하여 용접부의 기계적 성질이 좋다.

✔️ 해설 용접부에 주어지는 열인 입열이 너무 높으면 열영향부가 커져 기계적 성질이 나빠질 수 있다.

57 가스용접에서 수소가스 충전용기의 도색 표시로 맞는 것은?

㉮ 회색　　　　　　　　㉯ 백색

㉰ 청색　　　　　　　　㉭ 주황색

✔️ 해설 아세틸렌 용기의 색은 황색이다. 산소 공업용은 녹색, 의료용은 백색, 수소는 주황색, 이산화탄소는 청색, 아르곤은 회색이다.

58 용접 작업이 다음과 같은 과정으로 진행되는 경우 (　)속에 가장 적합한 것은?

"용접재료준비 → 절단 및 가공 → 용접부청소 → (　　　) → 본용접 → 검사 및 판정 → 완성"

㉮ 가접　　　　　　　　㉯ 용접자세

㉰ 도장　　　　　　　　㉭ 전개도

✔️ 해설 용접부의 청소가 끝나고 본 용접을 하기 전 가접을 하여야 한다.

54.㉮

55.㉮

56.㉭

57.㉭

58.㉮

59 교류 아크 용접기에서 용접전류의 조정범위는 정격 2차 전류의 몇 %
정도인가?

㉮ 20 ~ 110%   ㉯ 40 ~ 170%

㉰ 60 ~ 190   ㉱ 80 ~ 210%

✔️ 해설 AW는 정격2차 전류로 그 조절범위는 20 ~ 110%이다. 즉 AW 200이라고 할
때 40 ~ 220까지 조절가능하다.

59.㉮

60 납땜에 사용되는 용제가 갖춰야 할 조건으로 틀린 것은?

㉮ 용제의 유효 온도 범위와 납땜 온도가 일치할 것

㉯ 전기 저항 납땜에 사용되는 용제는 부도체일 것

㉰ 모재나 땜납에 대한 부식 작용이 최소한 일 것

㉱ 납땜 후 슬래그의 제거가 용이할 것

✔️ 해설 전기 저항 납땜에 사용되는 용제는 도체이어야 한다.

60.㉯

2o07

국가기술자격검정 필기시험문제

2007년 산업기사 제1회 필기시험

자격종목 및 등급(선택분야)	종목코드	시험시간	문제지형별	수검번호	성 명
용접산업기사	**2026**	**1시간 30분**	**A**		

※ 답안카드 작성시 시험문제지 형별누락, 마킹착오로 인한 불이익은 전적으로 수검자의 귀책사유임을 알려드립니다.

제1과목 : 용접야금 및 용접설비제도

01 용접부 고온 균열 원인으로 가장 적합한 것은?

㉮ 낮은 탄소 함유량
㉯ 응고 조직의 미세화
㉰ 모재에 유황성분이 과다 함유
㉱ 결정 입내의 금속간 화합물

✔ 해설 고온 균열은 탄소가 많은 강이나 황, 인 등의 성분이 과다한 경우에 발생한다.

01.㉰

02 용융 슬래그 중에 FeO 와 CaO이 존재하는 경우에 용융강의 반응이 일어난다. 어떤 반응이 일어나는가?

㉮ 탈인 반응   ㉯ 탈산 반응   ㉰ 탈황 반응   ㉱ 단정 반응

✔ 해설 용융 슬래그중에 산화철 및 산화 칼슘이 존재하는 경우 탈인 반응이 일어난다.

02.㉮

03 탄소공구강의 구비 조건으로 틀린 것은?

㉮ 가격이 저렴할 것
㉯ 강인성 및 내충격성이 우수할 것
㉰ 내마모성이 작을 것
㉱ 상온 및 고온경도가 클 것

✔ 해설 공구강은 고온 경도, 내마모성, 강인성이 크며, 열처리가 쉬운 강

03.㉰

04 강의 연화 및 내부응력 제거를 목적으로 하는 열처리는?

㉮ 침탄법   ㉯ 불림   ㉰ 풀림   ㉱ 질화법

✔ 해설 강의 일반적인 열처리에는 담금질, 뜨임, 풀림, 불림이 있는데 이중 내부 응력 제거 및 연화를 목적으로 하는 열처리는 풀림이다.

04.㉰

05 강(steel)중의 유황에 의한 해를 줄이기 위해 가장 필요한 원소는?

㉮ 규소   ㉯ 망간   ㉰ 인   ㉱ 탄소

✔ 해설 망간은 MnS나 MnO를 형성하여 황화철(FeS)의 생성을 막아 황의 해(적열취성)를 제거하며, 일반적으로 탈산제로도 쓰인다.

05.㉯

06 황동의 종류에서 문쯔메탈(muntz metal)이라고하며 복수기용 판, 열간 단조품, 볼트, 너트 등 제조에 쓰이는 것은?

㉮ 35 ~ 45% Zn황동　　　　㉯ 25 ~ 35% Zn황동

㉰ 5 ~ 20% Zn황동　　　　㉱ 5 ~ 10% Zn황동

✔ 해설　황동은 Zn의 함유량이 30%에서 연신율 최대이며, 40%에서는 인장 강도가 최대이다. 이중 인장강도가 최대인 6:4 황동을 문쯔메탈이라고 한다.

06.㉮

07 용접시 발생하는 결함 중 선상조직(ice - flower structure)이란?

㉮ 용접비드의 표면에 발생하는 은점(fish eye)의 일종이다.

㉯ 용접비드 토우부에 발생하는 균열(crack)의 일종이다.

㉰ 용접금속의 파면에 극히 미세한 주상정이 서리 모양으로 나타난 것으로 수소가 원인이다.

㉱ 용접금속부의 파단시 파단면에 물고기의 눈모양으로 나타난 것으로 수소가 원인이다.

✔ 해설　용접부에 생기는 특이한 조직으로 미세한 주상정 사이에 미세한 기공 또는 비금속 개재물이 있어 결정 사이의 결합력이 약해져서 생긴다.

07.㉰

08 레데뷰라이트(Ledeburite)를 옳게 설명한 것은?

㉮ δ고용체와 석출을 끝내는 고상선

㉯ cementite의 용해 및 응고점

㉰ γ고용체로부터 α고용체와 cementite가 동시에 석출되는 점

㉱ γ고용체와의 Fe_3C와의 공정주철

✔ 해설　4.3% 탄소의 용융철이 1,148℃이하로 냉각될 때 2.11% 탄소의 오스테나이트(γ)와 6.67% 탄소의 시멘타이트(Fe_3C)로 정출되어 생긴 공정 주철이며, A_1점 이상에서는 안정적으로 존재하는 조직으로 경도가 크고 메지는 성질을 가진다.(γ + Fe_3C)

08.㉱

09 다음 중 체심입방격자가 아닌 것은?

㉮ W　　　　㉯ Mo　　　　㉰ Al　　　　㉱ V

✔ 해설　면심입방격자(F·C·C)는 전·연성이 풍부하여 가공성이 우수하다. Ag, Al, Au, Cu, Ni 등이 있다.

09.㉰

10 금속의 조직 중에서 가장 경도가 높은 것은?

㉮ 페라이트(ferrite)　　　　㉯ 투루 사이트(troosite)

㉰ 펄라이트(pearlite)　　　　㉱ 시멘타이트(cementite)

10.㉱

✔해설 시멘타이트는 철에 탄소가 6.67% 화합된 철의 금속간 화합물로 현미경으로 보면 흰색의 침상으로 나타나는 조직으로, 고온의 강중에서 생성하는 탄화철을 말하며 경도가 높고 취성이 많으며 상온에선 강자성체이다. 또한 1,153℃에서 빠른 속도로 흑연을 분리시키는 특성을 가진다.

11 도면의 일부분을 잘라내고 필요한 내부모양을 도시하는 단면도는?

⑦ 계단단면도　　⑭ 전단면도　　⑮ 회전단면도　　㉔ 부분단면도

✔해설 부분 단면도는 일부분을 잘라내고 필요한 내부 모양을 그리기 위한 방법으로 파단선을 그어서 단면 부분의 경계를 표시한다.

12 대상물을 구성하는 면을 평면으로 펼쳐서 그린 그림은?

⑦ 외관도　　⑭ 전개도　　⑮ 곡면선도　　㉔ 선도

✔해설 전개도
① 입체의 표면을 평면 위에 펼쳐 그린 그림
② 전개도를 다시 접거나 감으면 그 물체의 모양이 됨
③ 용도 : 철판을 굽히거나 접어서 만드는 상자, 철제 책꽂이, 캐비닛, 물통, 쓰레받기, 자동차 부품, 항공기 부품, 덕트 등

굴린 자국

원통의 전개원리

13 구의 반지름을 나타내는 기호는?

⑦ SE　　⑭ SW　　⑮ ST　　㉔ SR

✔해설 SR : 구(Sphere)의 반지름을 뜻하는 치수 보조기호로 치수의 치수 수치 앞에 붙인다.
S∅ : 구(Sphere)의 지름을 뜻하는 치수 보조기호로, 치수의 치수 수치 앞에 붙인다.

14 용접설비도면에 있는 가는 2점 쇄선의 용도로 가장 적합한 것은?

⑦ 치수선　　⑭ 가상선　　⑮ 지시선　　㉔ 치수 보조선

✔해설 가상선(이점 쇄선)
① 도시된 물체의 앞면을 표시하는 선
② 인접 부분을 참고로 표시하는 선
③ 가공 전 또는 가공 후의 모양을 표시하는 선
④ 이동하는 부분의 이동 위치를 표시하는 선
⑤ 공구, 지그 등의 위치를 참고로 표시하는 선
⑥ 반복을 표시하는 선

11.㉔

12.⑭

13.㉔

14.⑭

15 하나의 그림으로 물체의 정면, 우(좌)측면, 평(저)면의 3면의 실제모양 과 크기를 나타낼 수 있어 기계의 조립, 분해를 설명하는 정비 지침서 나, 제품의 디자인도 등을 그릴 때 사용되는 3축이 120°의 등각이 되 도록 한 입체도는?

㉮ 사 투상도   ㉯ 분해 투상도   ㉰ 등각 투상도   ㉱ 정투상도

✔️ 해설 등각 투상도
① 물체의 정면, 평면, 측면을 하나의 투상도에서 볼 수 있도록 그린 도법
② 물체의 모양과 특징을 가장 잘 나타냄
③ 물체 3개의 세 모서리는 각각 120°
④ 용도 : 구상도나 설명도 등

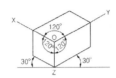

16 보기와 같이 용접부 및 용접부 표면의 형상을 나타내는 기호의 설명으 로 올바른 것은?

(보기)

MR

㉮ 영구적인 덮개 판을 사용한다.   ㉯ 제거 가능한 덮개 판을 사용한다.
㉰ 끝단부를 매끄럽게 한다.   ㉱ 동일한 평면으로 다듬질한다.

✔️ 해설 M은 영구적인 덮개 판, MR은 제거 가능한 덮개 판을 의미한다.

17 보기와 같은 KS 용접 보조기호의 명칭으로 가장 적합한 것은?

(보기)

㉮ 필렛 용접 끝단부를 2번 오목하게 다듬질
㉯ K형 맞대기 용접 끝단부를 2번 오목하게 다듬질
㉰ K형 맞대기 용접 끝단부를 매끄럽게 다듬질
㉱ 필렛 용접 끝단부를 매끄럽게 다듬질

✔️ 해설 기호는 끝단부를 매끄럽게 다듬질하라는 보조기호이다.

18 KS규격 기계제도에서 얇은 부분의 단면 도시를 명시하는데 사용하는 선은?

㉮ 아주 가는 실선   ㉯ 아주 굵은 실선
㉰ 아주 가는 파선   ㉱ 아주 굵은 파선

✔️ 해설 얇은 물체인 개스킷, 박판, 형강의 경우는 한 줄의 굵은 실선으로 단면 도시

15.㉰

16.㉯

17.㉱

18.㉯

19 선의 종류에 의한 용도에서 가는 실선으로 사용하지 않는 것은?

㉮ 치수를 기입하기 위하여 도형으로부터 끌어내는데 쓰인다.

㉯ 기술·기호 등을 표시하기 위하여 도형으로부터 끌어내는 데 쓰인다.

㉰ 물체의 보이는 부분을 표시하는데 쓰인다.

㉱ 치수를 기입하기 위하여 쓰인다.

☑ 해설 외형선은 물체의 보이는 겉모양을 표시하는 선으로 굵은 실선을 사용한다.

19.㉰

20 용접의 명칭에 따른 KS용접기호 표시가 틀린 것은?

㉮ 뒷면 용접 : $\underline{\vee}$

㉯ 가장자리 용접 : |||

㉰ 서페이싱 : $\frown\frown$

㉱ 서페이싱 이음 : ═══

☑ 해설 ㉮는 뒷면 용접 공정이 없는 경우의 보조 기호 표시이다.

20.㉮

제2과목 : 용접구조설계

21 보기 그림과 같이 빗금친 부분의 이음으로 2개 이상이 거의 평행하게 겹친 부재의 끝면 사이의 이음으로 정의 되는 용접용어는?

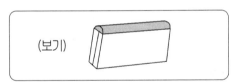

(보기)

㉮ 변두리 이음   ㉯ T형 이음   ㉰ 겹치기 이음   ㉱ I형 이음

☑ 해설

맞대기 이음   모서리 이음   변두리 이음   겹치기 이음

T이음   십자 이음   전면 필릿 이음   측면 필릿 이음   양면 덮개판 이음

21.㉮

22 용접부의 이음효율 공식으로 옳은 것은?

㉮ 이음효율 = 모재의 인장강도/용접시험편의 인장강도

㉯ 이음효율 = 용접시험편의 충격강도/모재의 인장강도

㉰ 이음효율 = 모재의 인장강도/용접시험편의 충격강도

㉱ 이음효율 = 용접시험편의 인장강도/모재의 인장강도

☑ 해설 $\eta(이음효율) = \dfrac{용접시편인장강도}{모재인장강도} \times 100$

22.㉱

23 용착부의 파단면의 나타나며 아주 미세한 기둥 모양 결정이 서리모양 으로 나란히 있고 그 사이에 현미경적인 비금속 개재물과 기공이 있는 것은?

㉮ 융합불량 ㉯ 비금속 개재물

㉰ 은점 ㉭ 선상 조직

✔ 해설 7번 해설 참조

23.㉭

24 필릿 용접 이음의 수축 변형에서 모재가 용접선에 각을 이루는 경우를 각변형이라고 하는 데 이와 똑같은 용어는?

㉮ 횡굴곡 ㉯ 종굴곡 ㉰ 회전수축 ㉭ 종수축

✔ 해설 각변형이란 용접에 의해 부재 또는 구조물에 생기는 가로(횡) 방향의 굽힘 변형을 말한다. 맞대기 용접의 경우는 상부쪽의 수축량이 크기 때문에 위쪽으로 오므라들게 되며, 필릿 용접의 경도 수평판의 상부쪽이 오므라드는 것을 말한다.

24.㉮

25 연강을 용접 이음할 때 인장강도가 21kgf/mm², 허용응력이 7kgf/mm² 이다. 정하중에서 구조물을 설계할 경우 안전율은 얼마인가?

㉮ 1 ㉯ 2 ㉰ 3 ㉭ 4

✔ 해설 $안전율 = \dfrac{인장강도}{허용응력} = \dfrac{21}{7} = 3$

25.㉰

26 레이져 용접의 특징 설명으로 틀린 것은?

㉮ 좁고 깊은 용접부를 얻을 수 있다.

㉯ 대입열 용접이 가능하다.

㉰ 고속 용접과 용접 공정의 융통성을 부여할 수 있다.

㉭ 접합하여야 할 부품의 조건에 따라서 한 방향의 용접으로 접합이 가능하다.

✔ 해설 레이저 빔 용접의 특징

① 용접 장치는 고체 금속형, 가스 방전형, 반도체형이 있다.

② 아르곤, 질소, 헬륨으로 냉각하여 레이저 효율을 높일 수 있다.

③ 원격 조작이 가능하고 육안으로 확인하면서 용접이 가능하다.

④ 에너지 밀도가 크고, 고융점을 가진 금속에 이용된다.

⑤ 정밀 용접도 가능하다.

⑥ 불량 도체 및 접근하기 곤란한 물체도 용접이 가능하다.

26.㉯

27 잔류응력 경감법 중 용접선의 양측을 가스불꽃에 의해 약 150mm에 걸쳐 150 ~ 200℃로 가열한 후에 측시 수냉함으로써 용접선 방향의 인장응력을 환화시키는 방법은?

27.㉯

㉮ 국부응력 제거법　　㉯ 저온응력 완화법
㉰ 기계적 응력 완화법　　㉱ 노내응력 제거법

✔해설 저온 응력 완화법 : 용접선 좌우 양측을 정속도로 이동하는 가스 불꽃으로 약 150mm의 나비를 약 150~200℃로 가열 후 수냉하는 방법으로 용접선 방향의 인장 응력을 완화시키는 방법

28 다음 그림과 같은 용접부에 인장하중이 P = 5,000kgf 작용 할 때 인장 응력(kgf/mm²)은?

㉮ 20　　㉯ 25
㉰ 30　　㉱ 35

✔해설 $\sigma = \dfrac{P}{A} = \dfrac{5000}{5\times40} = 25$

28.㉯

29 용접이음을 설계할 때 주의사항으로 틀린 것은?

㉮ 용접작업에 지장을 주지 않도록 공간을 남긴다.
㉯ 맞대기 용접은 될 수 있는 대로 피하고, 필렛 용접을 하도록 한다.
㉰ 가능한 경우 아래보기 용접을 많이 하도록 한다.
㉱ 용접이음을 한 쪽으로 집중되게 접근하여 설계하지 않도록 한다.

✔해설 ① 용접전 용접이 불가능한 곳이 없도록 충분히 검토한다.
② 용접물 중심에 대하여 대칭으로 용접하여 변형이 생기지 않도록 한다.
③ 동일 평면내에 많은 이음이 있을 때에는 수축은 가능한 자유단으로 보낸다.
④ 수축이 큰 이음을 먼저하고 작은 이음은 나중에 한다.
⑤ 중립축에 대하여 모멘트 합이 0이 되도록 한다.
⑥ 가능한 아래보기 용접을 할 수 있도록 한다.

29.㉯

30 피닝(peening)법의 설명으로 옳은 것은?

㉮ 잔류 응력이 있는 제품의 용접부에 탄성 변형을 일으킨 다음 하중을 제거하는 방법
㉯ 특수 해머로 용접부를 두드려 표면상에 소성 변형을 주는 방법
㉰ 용접선의 양측을 가스불꽃에 의해 가열한 다음 곧 수냉하는 방법
㉱ 용접부 근방만을 국부 풀림하는 방법

✔해설 피닝법은 끝이 둥근 특수 해머로 용접부를 연속적으로 타격하며 용접 표면에 소성 변형을 주어 인장 응력을 완화한다. 첫층 용접의 균열 방지 목적으로 700℃정도에서 열간 피닝을 한다.

30.㉯

31 비파괴 검사중 자기 검사법을 적용할 수 없는 것은?

㉮ 오스테나이트계 스테인리스강　　㉯ 연강
㉰ 고속도강　　㉱ 주철

31.㉮

✔해설 자기 검사(MT)는 자성이 있는 재료만을 검사할 수 있다. 오스테나이트 스테인레스강은 18:8 (Cr:Ni)의 조성으로 비자성체로 검사가 곤란하다.

32 용접의 특성을 설명한 것 중 틀린 것은?

㉮ 공정이 절감된다.   ㉯ 재료가 절약된다.

㉰ 기밀, 수밀성을 얻을 수 있다.   ㉱ 용접부는 응력집중에 둔감하다.

32.㉱

✔해설 **용접의 장·단점**
① 장점
  ㉠ 작업 공정을 줄일 수 있다.
  ㉡ 형상의 자유화를 추구 할 수 있다.
  ㉢ 이음 효율을 향상(기밀 수밀 유지)시킬 수 있다.
  ㉣ 중량 경감, 재료 및 시간이 절약된다.
  ㉤ 이종 재료의 접합이 가능하다.
  ㉥ 보수와 수리가 용이하다.(주물의 파손부 등)
② 단점
  ㉠ 품질 검사가 곤란하다.
  ㉡ 제품의 변형을 가져 올 수 있다(잔류 응력 및 변형에 민감).
  ㉢ 유해 광선 및 가스 폭발 위험이 있다.
  ㉣ 용접사의 기능과 양심에 따라 이음부 강도가 좌우한다.

33 용접 후 처리에서 일반 구조용 압연강재의 노내 및 국부 풀림의 유지온도와 시간으로 가장 적당한 것은?

33.㉰

㉮ 유지온도 : 625 ± 25℃, 판두께 25mm에 대해 유지시간 2시간 동안 행한다.

㉯ 유지온도 : 725 ± 25℃, 판두께 25mm에 대해 유지시간 2시간 동안 행한다.

㉰ 유지온도 : 625 ± 25℃, 판두께 25mm에 대해 유지시간 1시간 동안 행한다.

㉱ 유지온도 : 725 ± 25℃, 판두께 25mm에 대해 유지시간 1시간 동안 행한다.

✔해설 일반적인 유지 온도는 625 ± 25℃ 이다. 판 두께 25mm 1시간이 적당하며, 고온 배관용 탄소강관, 고압 배관용 탄소강관, 보일러 및 열교환기용 탄소강 강관 (6, 7, 8종) 등은 유지온도 725 ± 25℃ 판 두께 25mm 2시간이 적당하다.

34 이음의 한쪽 끝에서 다른 쪽 끝으로 용접을 진행하는 것으로 용접 이음이 짧거나 변형 및 잔류 응력이 별로 문제가 되지 않는 1층 자동용접의 경우에 가장 적합한 용착법은?

34.㉯

㉮ 대칭법   ㉯ 전진법   ㉰ 후진법   ㉱ 비석법

✔해설 전진법은 용접 시작 부분보다 끝나는 부분이 수축 및 잔류 응력이 커서 용접 이음이 짧고, 변형 및 잔류 응력이 그다지 문제가 되지 않을 때 사용

35 두께 30mm이상의 연강판이라도 기온이 0℃이하로 떨어지면 저온 균열을 일으키기 쉬우므로 용접이음의 양쪽 약 100mm 폭을 가열하는데 다음 중 약 몇 ℃로 가열하는 것이 좋은가?

35.㉮

㉮ 약 40 ~ 70℃ ㉯ 약 70 ~ 100℃
㉰ 약 100 ~ 130℃ ㉱ 약 130 ~ 170℃

✔ 해석 기온이 0℃이하에서도 저온 균열이 생기기 쉬우므로 홈 양끝 100mm 나비를 40 ~ 70℃로 예열한 후 용접한다.

36 용접부의 내부결함 중 용착금속의 파단면에 고기눈 모양의 은백색 파단면을 나타내는 것은?

36.㉯

㉮ 피트(pit) ㉯ 은점(fish eye)
㉰ 슬랙 섞임(slag inclusion) ㉱ 선상조직(ice flower structure)

✔ 해석 수소는 머리카락 모양처럼 생기는 헤어 크랙과 고기 눈 처럼 빛나는 은점의 원인이 된다.

37 용접부에 구리로 된 덮개판을 두든지, 뒷면에서 용접부를 수냉 또는 용접부 근처에 물끼가 있는 석면, 천등을 두어 모재에 용접입열을 막음으로서 변형을 방지하는 방법은?

37.㉱

㉮ 역변형법 ㉯ 억제법 ㉰ 피닝법 ㉱ 도열법

✔ 해석 도열법이란 용접부 주위에 물을 적신 석면, 동판을 대어 열을 흡수시켜 변형을 방지하는 방법이다.

38 용접 결함의 종류 중 구조상 결함에 속하지 않는 것은?

38.㉱

㉮ 슬랙 섞임 ㉯ 기공 ㉰ 융합 불량 ㉱ 변형

✔ 해석 용접 결함의 종류
① 치수상 결함 : 변형, 치수 및 형상 불량
② 성질상 결함 : 기계적, 화학적 성질 불량
③ 구조상 결함 : 언더컷, 오버랩, 기공, 용입 불량 등

39 자기검사(MT)에서 피검사물의 자화방법이 아닌 것은?

39.㉱

㉮ 코일법 ㉯ 극간법
㉰ 직각 통전법 ㉱ 펄스 반사법

✔ 해석 자기 검사는 철강 재료 등 강자성체를 자기장에 놓았을 때 시험편 표면이나 표면 근처에 균열, 편석, 기공, 용입불량 등의 결함이 있으면 결함 부분에는 자속이 통하기 어려워 누설자속이 생긴다. 비자성체는 사용이 곤란하다. 그 종류로는 축 통전법, 직각 통전법, 관통법, 코일법, 극간법이 있다. 펄스 반사법은 초음파 검사 방법이다.

40 주로 용접에 의한 변형을 적게 하기 위하여 띄엄띄엄 용접을 한 다음 냉각된 용접부 사이를 용접하는 방법은?

㉮ 후진법(Back Step)
㉯ 전진법(Forward)
㉰ 스킵법(skip)
㉱ 블록법(Block)

40.㉰

☑ 해설 스킵법은 짧은 용접 길이로 나누어 놓고 간격을 두면서 용접하는 방법으로 특히 잔류 응력을 적게 할 경우 사용한다.

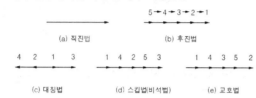

| (a) 직진법 | (b) 후진법 |
| (c) 대칭법 | (d) 스킵법(비석법) | (e) 교호법 |

제3과목 : 용접일반 및 안전관리

41 저항용접에 의한 압접은 전기 저항열로써 모재를 용융상태로 만들고, 외력을 가하여 접합하는 용접법이다. 이때 발생하는 저항열을 구하는 식은?

㉮ $Q = 0.24IR^2t$
㉯ $Q = 0.24I^2R^2t$
㉰ $Q = 0.24I^2Rt$
㉱ $Q = 0.24I^3Rt$

41.㉰

☑ 해설 주울의 법칙에 따라 전기 저항 열은 $Q = 0.24I^2Rt$

42 납땜부를 용해된 땜납 중에 담가 납땜하는 방법과 이음부분에 납재를 고정시켜 납땜 온도로 가열 용융시켜 화학약품에 담가 침투시키는 방법은?

㉮ 가스 납땜
㉯ 담금 납땜
㉰ 노내 납땜
㉱ 저항 납땜

42.㉯

☑ 해설 담금 납땜은 납을 장입한 이음을 미리 가열한 염욕에 침적하여 가열하거나 용제가 들어 있는 용융납액 중에 담그어 가열하여 납땜하는 방법으로 강재의 황동 납땜에 사용되고 대량생산에 적합하다.

43 정격 2차 전류 300[A], 정격 사용율 50%인 아크 용접기로 실제 200 [A]의 전류로 용접할 경우 허용 사용율은 몇 %인가?

㉮ 200
㉯ 156
㉰ 112.5
㉱ 98.7

43.㉰

☑ 해설 허용사용율(%) × (실제용접전류)² = 정격 사용율(%) × (정격2차전류)²

허용사용율(%) = $\frac{(정격2차전류)^2}{(실제용접전류)^2}$ ×정격사용율

허용사용율(%) × (200)² = 50 × (300)²

허용사용율(%) = 112.5%

44 아크용접과 비교한 가스용접법의 특징으로 틀린 것은?

㉮ 열원의 온도가 아크 용접에 비하여 낮다.

㉯ 열에너지의 집중이 나쁘다.

㉰ 설비비가 비싸고, 운반이 불편하다.

㉱ 가열 범위가 커서 용접응력이 크고 가열시간이 오래 걸린다.

☑ 해설 **가스 용접의 장점**
- ㉠ 전기가 필요 없다.   ㉡ 용접기의 운반이 비교적 자유롭다.
- ㉢ 용접 장치의 설비비가 전기 용접에 비하여 싸다.
- ㉣ 불꽃을 조절하여 용접부의 가열 범위를 조정하기 쉽다.
- ㉤ 박판 용접에 적당하다.   ㉥ 용접되는 금속의 응용 범위가 넓다.
- ㉦ 유해 광선의 발생이 적다.   ㉧ 용접 기술이 쉬운 편이다.

44.㉰

45 아크열이 아닌 와이어와 용융 슬랙사이에 통전된 전류의 전기 저항 열을 주로 이용하여 모재와 전극 와이어를 용융시켜 연속 주조방식에 의한 단층 상진 용접을 하는 것은?

㉮ 플라즈마 용접   ㉯ 전자빔 용접

㉰ 레이저 용접   ㉱ 일렉트로 슬래그 용접

☑ 해설 일렉트로 슬랙 용접은 서브머지드 아크 용접에서와 같이 처음에는 플럭스 안에서 모재와 용접봉 사이에 아크가 발생하여 플럭스가 녹아서 액상의 슬랙이 되면 전류를 통하기 쉬운 도체의 성질을 갖게 되면서 아크는 꺼지고 와이어와 용융 슬랙 사이에 흐르는 전류의 저항 발열을 이용하는 자동 용접법이다.

45.㉱

46 알루미늄 용접에 가장 적합한 용접법은?

㉮ 피복 아크용접   ㉯ 불활성 가스 텅스텐 아크 용접

㉰ 일렉트로 슬랙 용접   ㉱ 산소 아세틸렌 용접

☑ 해설 **알루미늄의 용접**
① 열전도가 커서 단시간에 용접 온도를 높이는 데 높은 온도의 열원이 필요하다.
② 팽창 계수가 매우 크다.
③ 가스용접, 불활성 가스 아크 용접, 전기 저항 용접이 쓰임
④ 용접 후 2%의 질산 또 10%의 더운 황산으로 세척한 후 물로 씻어 냄(또는 찬물이나 끓인물을 사용하여 세척한다.)

46.㉯

47 아크 용접기의 수하특성이란?

㉮ 부하전압 감소시 단자전압이 감소하는 것이다.

㉯ 부하전류 증가시 단자전압이 저하하는 것이다.

㉰ 부하전압 증가시 단자전압이 증가하는 것이다.

㉱ 부하전류 감소시 단자전압이 증가하는 것이다.

47.㉯

✔해설 수하 특성(垂下 特性)이란 부하 전류가 증가하면 단자 전압이 저하하는 특성을 말한다.

$V = E - IR(V : $단자 전압$, E : $전원 전압$)$

48 용접자세에 사용되는 기호 중 "F"가 나타내는 것은?

㉮ 아래보기 자세   ㉯ 수직자세

㉰ 위보기 자세   ㉱ 수평자세

✔해설 아래보기(F), 수평(H), 수직(V), 위보기(O)

48.㉮

49 연료가스 중 실제발열량(kcal/m³)이 가장 많은 것은?

㉮ 아세틸렌   ㉯ 프로판   ㉰ 메탄   ㉱ 수소

✔해설

가스의 종류	완전 연소 반응식	비중	발열량 (kcal/m²)
아세틸렌	$C_2H_2 + 2\frac{1}{2}O_2 = 2CO_2 + H_2O$	0.906	12,753.7
수소	$H_2 + \frac{1}{2}O_2 = H_2O$	0.070	2,446.4
프로판	$C_3H_8 + 5O_2 = 3CO_2 + 4H_2O$	1.522	20,550.1
메탄	$CH_4 + 2O_2 = CO_2 + 2H_2O$	0.555	8,132.8

49.㉯

50 미세한 알루미늄 분말, 산화철 분말 등을 이용하여 주로 기차의 레일, 차축 등의 용접에 사용되는 것은?

㉮ 테르밋 용접   ㉯ 넌 실드 아크용접

㉰ 레이져 용접   ㉱ 플라즈마 용접

✔해설 테르밋 용접은 알루미늄 분말과 산화철 분말(FeO, Fe_2O_3, Fe_3O_4)을 1 : 3 ~ 4로 혼합한 것으로 테르밋 반응(화학 반응), 즉 산화철의 산소를 알루미늄이 빼앗아갈 때 일어나는 반응과 함께 발생된 열(2,800℃)을 이용하여 용접한다. 테르밋 반응을 위해 1,000℃의 고온이 필요하므로 점화제로는 마그네슘과 과산화바륨이 사용되고 있다.

50.㉮

51 일반적으로 모재의 용융점보다 낮은 온도에서 용접할 수 있고 용접봉을 모재와 같은 계통의 공정합금을 사용하는 것은?

㉮ 플라즈마 용접   ㉯ 접착 용접

㉰ 레이져 용접   ㉱ 공정 저온 용접

✔해설 공정 저온 용접은 모재의 용융점보다 낮은 온도에서 용접할 수 있다.

51.㉱

52 교류 아크용접기와 비교한 직류 아크용접기에 관한 설명 중 틀린 것은?

52.㉯

㉮ 아크가 안정되어 있다.

㉯ 전격의 위험이 많다.

㉰ 아크 블로우가 발생한다.

㉱ 보수 관리 등 손질을 자주해야 한다.

✔️ 해설 교류는 무부하 전압이 70~80인 반면 직류는 무부하 전압이 40~60이므로 전격(전기적인 충격)에 위험이 교류에 비하여 적다.

53 연강용 가스 용접봉에 GA46 이라고 표시 되어 있을 경우, 46이 나타내고 있는 의미는?

㉮ 용착금속의 최대 인장강도　　㉯ 용착금속의 최저 인장강도

㉰ 용착금속의 최대 중량　　　　㉱ 용착금속의 최소 두께

✔️ 해설 GA다음에 나오는 숫자는 최소 인장강도를 의미한다.

53.㉯

54 용접 흄(fume)에 대해서 서술한 것 중 올바른 것은?

㉮ 용접흄은 인체에 영향이 없으므로 아무리 마셔도 괜찮다.

㉯ 실내 용접 작업에서는 환기설비가 필요하다.

㉰ 용접봉의 종류와 무관하며 전혀 위험은 없다.

㉱ 용접흄은 입자상 물질이며, 가제마스크로 충분히 차단할 수 있음으로 인체에 해가 없다.

✔️ 해설 용점 흄에는 인체에 해를 줄 수 있는 각종 물질이 있어 실내 용접 작업시에는 환기설비를 필요로 한다.

54.㉯

55 아세틸렌 용기에 화염이 쌓였을 때 가장 먼저 조치를 해야 할 사항은?

㉮ 젖은 거적으로 용기를 덮는다.　　㉯ 소화기로 소화한다.

㉰ 용기를 실외로 내 놓는다.　　　　㉱ 아세틸렌 밸브를 열어버린다.

✔️ 해설 아세틸렌 용기 출구 등에 처음에 불이 붙었을 경우에는 ㉮와 같은 질식 소화 방법이 적당할 수 있으나, 이문제의 경우는 용기가 화염에 쌓여있으므로 소화기로 소화하는 것이 가장 적당하다.

55.㉯

56 TIG 용접시 교류용접기에 고주파 전류를 사용할 때의 특징이 아닌 것은?

㉮ 아크는 전극을 모재에 접촉시키지 않아도 발생된다.

㉯ 전극의 수명이 길다.

㉰ 일전 지름의 전극에 대해 광범위한 전류의 사용이 가능하다.

㉱ 아크가 길어지면 끊어진다.

56.㉱

✔ᴴᴱˢˢᵘ 용접 전류에 고주파 전류를 중첩시켰을 때의 이점
① 전극을 모재에 접촉시키지 않아도 아크가 발생한다.
② 아크가 대단히 안정하며, 아크 길이가 길어져도 끊어지지 않는다.
③ 전극을 접촉시키지 않아도 되므로 전극의 수명이 길어진다.
④ 일정 지름의 전극에 대하여 광범위한 전류의 사용이 가능하다.

57 산소용기의 취급상 주의사항 설명으로 틀린 것은?

㉮ 용기는 항상 70℃이하를 유지해야 한다.

㉯ 충격을 주지 않아야 한다.

㉰ 밸브, 기타 등에 기름이 묻어서는 안된다.

㉱ 직사광선에 노출시키지 않아야 한다.

57.㉮

✔ᴴᴱˢˢᵘ 산소 용기 취급상 주의사항
① 타격, 충격을 주지 않는다.
② 직사광선, 화기가 있는 고온의 장소를 피한다.
③ 용기 내의 압력이 너무 상승($170kgf/cm^2$)되지 않도록 한다.
④ 밸브가 동결되었을 때 더운물 또는 증기를 사용하여 녹여야 한다.
⑤ 누설 검사는 비눗물을 사용한다.
⑥ 용기 내의 온도는 항상 40℃ 이하로 유지하여야 한다.
⑦ 용기 및 밸브 조정기 등에 기름이 부착되지 않도록 한다.
⑧ 저장실에 가스를 보관시 다른 가연성 가스와 함께 보관하지 않는다.

58 아크 용접기의 규격 표시 중 AW300은?

㉮ 1차 전압이 300[V]임을 나타낸다.

㉯ 2차 전압이 300[V]임을 나타낸다.

㉰ 정격 1차 전류가 300[A]임을 나타낸다.

㉱ 정격 2차 전류가 300[A]임을 나타낸다.

58.㉱

✔ᴴᴱˢˢᵘ AW 300이란 정격 2차 전류가 300A임을 의미하며, 여기서 AW란 Arc Welder에 준말이며 정격 2차 전류의 조정 범위는 20 ~ 110%이다.

59 비드 층을 쌓아 올리는 법으로 다층 살 올림법에서 가장 많이 사용되는 법은?

㉮ 대칭법   ㉯ 스킵법
㉰ 빌드업법   ㉱ 캐스케이드법

59.㉰

✔ᴴᴱˢˢᵘ 덧살 올림법(빌드업법) 열 영향이 크고 슬랙섞임의 우려가 있다. 한냉시, 구속이 클 때 후판에서 첫층에 균열 발생우려가 있다. 하지만 가장 일반적으로 사용되는 방법이다.

60 점(spot) 용접시의 안전사항 중 틀린 것은?

㉮ 장갑을 착용 하여야 한다.

㉯ 점 용접기에 반드시 어스(earth)를 하여야 한다.

㉰ 판재의 기름을 제거한 후 용접한다.

㉱ 작업시 보호안경은 착용하지 않는다.

60.㉱

✔ 해설 **점 용접의 특징**

① 열 영향부가 좁으며 돌기가 없다.

② 박판 용접 및 대량 생산에 적합하다.

③ 바둑알 모양처럼 생긴 것을 너깃이라 한다.

④ 용융점이 높은 재료, 열전도가 큰 재료 및 전기적 저항이 작은 재료는 용접이 곤란하다.

⑤ 구멍을 가공할 필요가 없고 숙련을 요하지 않는다.

⑥ 과정 : 접촉 저항에 의한 온도 상승 → 접촉부의 변화, 변형 및 저항 감소 → 용융 → 용접부의 가압력에 의해서 용접부 생성

⑦ 종류로는 단극식, 직렬식, 다전극식, 맥동, 인터랙 점 용접이 있다.

⑧ 전극의 종류로는 R형, P형, F형, C형, E형이 있다.

국가기술자격검정 필기시험문제

2007년 산업기사 제2회 필기시험

수검번호	성 명

자격종목 및 등급(선택분야)	종목코드	시험시간	문제지형별
용접산업기사	2026	1시간 30분	A

※ 답안카드 작성시 시험문제지 형별누락, 마킹착오로 인한 불이익은 전적으로 수검자의 귀책사유임을 알려드립니다.

제1과목 : 용접야금 및 용접설비제도

01 강괴내의 응고는 상당히 빠르고 비평형 상태이므로 최초에 응고하는 부분과 나중에 응고하는 중심부에서는 그 화학성분이 상당히 달라지며 이와 같이 화학성분이 달라지는 것을 무엇이라 하는가?

㉮ 포정　　　　㉯ 포석　　　　㉰ 편석　　　　㉱ 편정

✔️해석 편석 : 금속의 처음 응고부와 나중 응고부의 농도차가 있는 것으로 불순물이 주원인이다.

01.㉰

02 체심 입방격자구조에서 단위격자와 체심을 포함하면 전체 원자수는 몇 개인가?

㉮ 2개　　　　㉯ 4개　　　　㉰ 6개　　　　㉱ 8개

✔️해석 ① 체심입방격자의 원자수 = (꼭지점에 있는 원자의 수 = 8) × ⅛ + (중앙에 있는 원자의 수 = 1)에서 2개
② 면심입방격자의 원자수 = (꼭지점에 있는 원자의 수 = 8) × ⅛ + (면 중심에 있는 원자의 수 = 6) × ½ = 4개

02.㉮

03 다음 스테인리스강 중 비자성인 것은?

㉮ 페라이트형 스테인리스강　　㉯ 마텐자이트형 스테인리스강
㉰ 오스테나이트형 스테인리스강　　㉱ 석출경화형 스테인리스강

✔️해석

분류	종류(성분 원소)	특　　징
스테인레스강 S U S	페라이트계 (Cr 13%)	• 강인성 및 내식성이 있다. • 열처리에 의해 경화가 가능하다. • 용접은 가능하다. 자성체이다.
	마텐자이트계	• 13Cr을 담금질하여 얻는다. • 18Cr 보다 강도가 좋다. • 자경성이 있으며 자성체이다. • 용접성이 불량하다.
	오스테나이트계 (Cr(18)-Ni(8))	• 내식, 내산성이 13Cr 보다 우수 • 용접성이 SUS중 가장 우수 • 담금질로 경화되지 않는다. 비자성체

03.㉰

04 재결정 온도가 영하인 금속은?

㉮ Ni ㉯ Ag ㉰ Pb ㉱ Mg

✔해석 Fe(350~450℃), Cu(150~240℃), Au(200℃), Pb(-3℃), Sn(상온), Al(150℃)

04.㉰

05 담금질한 강에 인성을 주기 위하여 A₁점 이하의 온도로 가열한 후 서냉 또는 공냉하는 것을 무엇이라 하는가?

㉮ 불림(normalizing) ㉯ 뜨임(tempering)
㉰ 마템퀜칭(marquenching) ㉱ 마템퍼링(martempering)

✔해석 담금질된 강을 A₁변태점 이하로 가열 후 냉각시켜 담금질로 인한 취성을 제거하고 경도를 떨어뜨려 강인성을 증가시키기 위한 열처리를 뜨임이라 한다.

05.㉯

06 구리에 40~50% 니켈이 첨가된 합금으로 전기저항 특성이 있어 전기저항 재료나 저온용 열전대로 사용되는 것은?

㉮ 모넬 메탈 ㉯ 인코넬
㉰ 큐프로 니켈 ㉱ 콘스탄탄

✔해석 **니켈 구리계 합금의 종류**

큐프로 니켈	70% Cu, 30% Ni
콘스탄탄	40~50% Ni
모넬메탈	65~70% Ni

06.㉱

07 2개의 성분 금속이 용해된 상태에서는 균일한 용액으로 되나 응고 후에는 성분 금속이 각각 결정이 되어 분리되며 2개의 성분 금속이 고용체를 만들지 않고 기계적으로 혼합된 조직은?

㉮ 공정 조직 ㉯ 공석 조직
㉰ 포정 조직 ㉱ 포석 조직

✔해석 공정 : 두 개의 성분 금속이 용융 상태에서 균일한 액체를 형성하나 응고 후에는 성분 금속이 각각 결정으로 분리, 기계적으로 혼합된 것을 말한다.(액체 ⇔ 고체A + 고체B)

07.㉮

08 은점(fish eye) 생성에 가장 큰 영향을 미치는 것은?

㉮ 질소 ㉯ 수소
㉰ 산소 ㉱ 유황

✔해석 수소는 머리카락 모양처럼 생기는 헤어 크랙과 고기 눈 처럼 빛나는 은점의 원인이 된다.

08.㉯

09 금속이 응고할 때 핵에서 성장하는 결정이 나뭇가지와 같은 모양을 하는 것은?

㉮ 입상정　　　㉯ 수지상정　　　㉰ 침상정　　　㉱ 중상정

✔해석　수지상 결정 : 용융 금속이 냉각할 때 금속 각부에 핵이 생겨 나뭇가지와 같은 모양을 이루는 결정

수지상 결정

09.㉯

10 열처리에서 TTT 곡선과 가장 관계가 있는 것은?

㉮ 인장곡선　　　　　　　㉯ 항온변태곡선

㉰ Fe_{3C} 곡선　　　　　　㉱ 탄성곡선

✔해석　TTT 곡선은 time temperature transformation curve의 약자로 항온 변태 곡선을 의미한다.

10.㉯

11 제 3각법 투상에서 "하면도"라고도 하며 물체의 아래쪽에서 바라본 모양을 나타내는 것은?

㉮ 평면도　　　㉯ 저면도　　　㉰ 배면도　　　㉱ 측면도

✔해석　3각법의 도형의 배치 방법은 정면도를 기준으로 위에는 평면도(상면도), 아래에는 저면도(하면도), 좌측에는 좌측면도, 우측에는 우측면도, 우측면도 옆에는 정면도에 뒤쪽인 배면도를 배치한다.(해설 16 참조)

11.㉯

12 경사면부가 있는 물체에서 그 경사면의 실제 모양을 전체 또는 일부분으로 표시하는 투상도는?

㉮ 회전 투상도　㉯ 보조 투상도　㉰ 부 투상도　㉱ 정 투상도

✔해석　보조 투상도(부 투상도) : 물체가 경사면이 있어 투상을 시키면 실제 길이와 모양이 틀려져 경사면에 별도의 투상면을 설정하고 이 면에 투상하면 실제 모양이 그려짐

12.㉯

13 KS규격(3각법)에서 용접 기호의 해석으로 옳은 것은?

㉮ 화살표 반대쪽 맞대기 용접이다.

㉯ 화살표 쪽 맞대기 용접이다.

㉰ 화살표 쪽 필릿 용접이다.

㉱ 화살표 반대쪽 필릿 용접이다.

✔해석　실선에 기호가 붙으면 화살표쪽, 파선에 기호가 붙으면 화살표 반대쪽에 용접을 하여야 한다. 제시된 용접기호는 실선에 붙어 있고 필릿 용접을 뜻하는 기호이다.

13.㉰

14 도면 크기의 종류에서 A2의 치수는 얼마인가?

    ㉮ 420 × 594   ㉯ 594 × 841

    ㉰ 297 × 420   ㉱ 841 × 1189

    ☑ 해설 A2는 4절지로 420 × 594이다. ㉯는 2절지로 A1, ㉰는 8절지로 A3, ㉱는 전
         지로 A0이다.

14.㉮

15 도면의 윤곽선은 규정된 간격으로 그려야 한다. KS규격에서 도면을 철
하는 부분의 경우 A3용지의 가장자리에서부터의 최소 간격은?

    ㉮ 10mm   ㉯ 20mm   ㉰ 25mm   ㉱ 30mm

    ☑ 해설 철하는 경우에는 용지 규격에 관계없이 도면 가장자리부터 25mm를 띄어야
         한다.

15.㉰

16 다음 그림과 같은 제 3각법 투상도에서 A가 정면도일 때 배면도는?

    ㉮ E   ㉯ C   ㉰ D   ㉱ F

    ☑ 해설 A정면도, B평면도, C좌측면도, D우측면도, F배면도, E저면도

16.㉱

17 KS 규격에서 대상물의 보이지 않는 부분의 모양을 표시하는 데 쓰이는
선은?

    ㉮ 아주 굵은선   ㉯ 지그재그선

    ㉰ 가는 파선   ㉱ 굵은 1점 쇄선

    ☑ 해설 은선은 물체의 보이지 않는 부분의 모양을 표시하는 선으로 파선을 사용한다.

17.㉰

18 다음 용접 보조기호 중 끝단부를 매끄럽게 하는 것을 의미하는 것은?

    ㉮ ⌒   ㉯ ⌄   ㉰ MR   ㉱ M

    ☑ 해설 ㉮ 는 비드형상이 볼록, ㉯는 끝단부를 매끄럽게 함, ㉰ 는 제거 가능한 덮개
         판, ㉱는 영구적인 덮개판을 뜻하는 보조기호이다.

18.㉯

19 판금, 제관의 전개 방식에서 그 종류가 아닌 것은?

    ㉮ 방사선법   ㉯ 삼각형법   ㉰ 평행선법   ㉱ 사각형법

19.㉱

✔️ **해설** ① 평행선 전개법 특징 : 물체의 모서리가 직각으로 만나는 물체나 원통형 물체를 전개할 때 사용
② 방사선 전개법 특징 : 각뿔이나 원뿔처럼 꼭짓점을 중심으로 부채꼴 모양으로 전개하는 방법
③ 삼각형 전개법 특징 : 꼭지점이 먼 각뿔이나 원뿔을 전개할 때 입체의 표면을 여러 개의 삼각형으로 나누어 전개하는 방법

20 도면에서 "비례척이 아님"을 뜻하는 영문자는?

㉮ NS   ㉯ SN   ㉰ TS   ㉱ ST

✔️ **해설** 비례척에 따르지 않을 때의 치수 기입은 치수 숫자 밑에 굵은선을 그어 표시해야 한다. 또는 NS(Not to Scale)로 표기한다.

20.㉮

제2과목 : 용접구조설계

21 그림과 같은 V형 맞대기 용접에서 굽힘 모멘트가(Mb)가 10,000kgf·cm 작용하고 있을 때, 최대 굽힘 응력은?(다만, ℓ = 150mm, t = 20mm 이고 완전 용입일 때이다.)

㉮ 10[kgf/cm²]
㉯ 100[kgf/cm²]
㉰ 1,000[kgf/cm²]
㉱ 10,000[kgf/cm²]

✔️ **해설** 단위에 주의한다. 즉 150mm는 15cm, 20mm는 2cm로 놓고 계산하여야 한다.

$$\sigma_b = \frac{6M}{lt^2} = \frac{(6 \times 10000)}{(15 \times 2^2)} = 1000$$

21.㉰

22 맞대기 용접에서 변형이 가장 적은 홈의 형상은 어느 것인가?

㉮ V형 홈   ㉯ U형 홈
㉰ X형 홈   ㉱ 한쪽 J형 홈

✔️ **해설** 대칭적인 즉 양면 V형 홈인 X형이 변형이 가장 적다.

22.㉰

23 용접선에 따라 응력을 제거할 목적으로서 압축응력 부분을 가스불꽃 가열한 직후에 수냉하여 그 부위를 소성변형시켜 잔류 응력을 감소시키는 것은?

㉮ 억제법   ㉯ 역 변형법
㉰ 도열법   ㉱ 저온응력 제거법

✔️ **해설** 저온 응력 완화법 : 용접선 좌우 양측을 정속도로 이동하는 가스 불꽃으로 약 150mm의 나비를 약 150~200℃로 가열 후 수냉하는 방법으로 용접선 방향의 인장 응력을 완화시키는 방법

23.㉱

24 용접 후 잔류 응력을 완화하는 방법은?   24.㉮

   ㉮ 피닝(peening)   ㉯ 치핑(chipping)
   ㉰ 담금질(quenching)   ㉱ 노멀라이징(normalizing)

   ✔해석 잔류 응력 경감법의 종류로는 노내 풀림법, 국부 풀림법, 저온 응력 완화법,
       기계적 응력 완화법, 피닝법 등이 있다. 풀림을 어닐링이라 한다.

25 용접 길이가 짧아서 변형 및 잔류 응력이 그다지 문제가 되지 않을 때   25.㉱
   이용 되며 수축과 잔류 응력이 용접의 시작 부분보다 끝 부분에 더 크
   게 되는 것은?

   ㉮ 대칭법   ㉯ 후진법   ㉰ 스킵법   ㉱ 전진법

   ✔해석 전진법은 용접 시작 부분보다 끝나는 부분이 수축 및 잔류 응력이 커서 용접
       이음이 짧고, 변형 및 잔류 응력이 그다지 문제가 되지 않을 때 사용

26 KS 용접용어에서 그림과 같은 용접 이음의 명칭은?   26.㉯

   ㉮ H형 이음
   ㉯ 변두리이음
   ㉰ Y형 이음
   ㉱ 맞대기이음

   ✔해석

   맞대기 이음   모서리 이음   변두리 이음   겹치기 이음

   T이음   십자 이음   전면 필릿 이음   측면 필릿 이음   양면 덮개판 이음

27 형틀 굽힘 시험은 다음과 같은 시험 방법으로 용접부의 연성과 안전성   27.㉰
   을 조사하는 것인데, 형틀 굽힘 시험의 내용에 해당되지 않는 것은?

   ㉮ 표면 굽힘 시험   ㉯ 이면 굽힘 시험
   ㉰ 롤러 굽힘 시험   ㉱ 측면 굽힘 시험

   ✔해석 굽힘 시험은 이면(루트) 굽힘 시험, 표면 굽힘 시험, 측면 굽힘 시험을 할 수 있다.

28 용접시공시 용접순서에 관한 설명으로 가장 옳은 것은?   28.㉰

   ㉮ 용접물 중립축에 대하여 수축력 모멘트의 합이 최대가 되도록 한다.
   ㉯ 같은 평면안에 많은 이음이 있을 때에는 수축은 가능한 한 중앙으로 보
      낸다.

ⓓ 용접물의 중심에 대하여 항상 대칭으로 용접을 진행시킨다.

ⓡ 수축이 작은 이음을 가능한 한 먼저 용접하고, 수축이 큰 이음(맞대기 등)을 뒤에 용접한다.

✔ 해설 ① 용접전 용접이 불가능한 곳이 없도록 충분히 검토한다.
② 용접물 중심에 대하여 대칭으로 용접하여 변형이 생기지 않도록 한다.
③ 동일 평면내에 많은 이음이 있을 때에는 수축은 가능한 자유단으로 보낸다.
④ 수축이 큰 이음을 먼저하고 작은 이음은 나중에 한다.
⑤ 중립축에 대하여 모멘트 합이 0이 되도록 한다.

29 용접에서 역변형법의 설명에 해당되는 것은?   29.ⓑ

ⓐ 공작물을 가접 또는 지그로 고정하여 변형의 발생을 방지하는 법

ⓑ 용접 금속 및 모재의 수축에 대하여 용접 전에 반대 방향으로 굽혀 놓고 용접 작업하는 법

ⓒ 비드를 좌우대칭으로 놓아 변형을 방지하는 법

ⓓ 용접 진행 방향으로 뜀 용접을 하여 변형을 방지하는 법

✔ 해설 역변형법 : 용접전에 변형의 크기 및 방향을 예측하여 미리 반대로 변형시키는 방법

30 용접지그(welding jig)에 대한 설명 중 틀린 것은?   30.ⓡ

ⓐ 용접물을 용접하기 쉬운 상태로 놓기 위한 것이다.

ⓑ 용접제품의 치수를 정확하게 하기 위해 변형을 억제하는 것이다.

ⓒ 작업을 용이하게 하고 용접능률을 높이기 위한 것이다.

ⓡ 잔류 응력을 제거하기 위한 것이다.

✔ 해설 용접 지그 사용 효과
① 용접을 하기 쉬운 자세를 취할 수 있다. 즉 아래보기 자세로 용접 할 수 있다.
② 제품의 정밀도 향상을 가져 올 수 있다.
③ 용접 조립 작업을 단순화 또는 자동화를 할 수 있게 하여 작업 능률이 향상된다.

31 측면 필릿 용접 이음에서 필릿 용접의 크기와 h와 이론 목두께 h_t와의 관계식으로 옳은 것은?   31.ⓐ

ⓐ $h = \dfrac{h_t}{\cos 45°}$ ⓑ $h = h_t \cdot \cos 45°$

ⓒ $h = \dfrac{\cos 45°}{h_t}$ ⓡ $h = h_t \cdot \sin 30°$

✔ 해설 측면 필릿 용접의 경우는 ⓐ, 일반적인 필릿 용접의 경우는 ⓑ이다.

32 그림과 같은 용착시공 방법은?

(용접 중심선 단면도)

㉮ 띄움법   ㉯ 캐스케이드법
㉰ 살붙이법   ㉭ 전진블록법

✔해설 그림은 캐스케이드법의 설명으로 한 부분의 몇 층을 용접하다가 이것을 다음 부분의 층으로 연속시켜 용접하는 방법으로 후진법과 같이 사용하며, 용접결함 발생이 적으나 잘 사용되지 않는다.

32.㉯

33 맞대기 용접의 홈의 형상이 아닌 것은?

㉮ K형   ㉯ X형   ㉰ I형   ㉭ B형

✔해설 맞대기 용접의 홈의 형상은 I형, V형, 양면 V형(X), 베벨형, 양면 베벨형(K), U형, 양면 U형(H형)등이 있다.

33.㉭

34 파괴 시험에 해당되는 것은?

㉮ 음향시험   ㉯ 누설시험
㉰ 형광 침투시험   ㉭ 함유수소시험

✔해설 수소 시험 : 45℃ 글리세린 치환법, 진공 가열법, 확산성 수소량 측정법, 수은에 의한 방법
즉 수소시험은 파괴 시험이라 할 수 있다.

34.㉭

35 용접작업시 발생한 변형을 교정할 때 가열하여 열응력을 이용하고 소성변형을 일으키는 방법은?

㉮ 박판에 대한 점 수축법   ㉯ 숏 피닝법
㉰ 롤러에 거는 방법   ㉭ 절단 성형 후 재용접법

✔해설 용접할 때 발생한 변형을 교정하는 방법들 중 가열할 때 발생되는 열응력을 이용하여 소성변형을 일으켜 변형을 교정하는 방법은 박판에 대한 점 수축법이다.

35.㉮

36 용접 결함 중 구조상 결함에 해당되지 않는 것은?

㉮ 융합불량   ㉯ 언더컷   ㉰ 오버랩   ㉭ 연성부족

✔해설 **용접 결함의 종류**
① 치수상 결함 : 변형, 치수 및 형상 불량
② 성질상 결함 : 기계적, 화학적 성질 불량
③ 구조상 결함 : 언더컷, 오버랩, 기공, 용입 불량 등

36.㉭

37 용접사에 의해 발생될 수 있는 결함이 아닌 것은?   37.㉣

㉮ 용입불량   ㉯ 스패터

㉰ 라미네이션   ㉣ 언더필

✔ 해석 라미네이션(lamination)은 모재 재질의 결함이다.

38 용접부의 인장시험에서 모재의 인장강도가 45kgf/mm²이고 용접부   38.㉯
의 인장강도가 31.5kgf/mm²로 나타났다면 이 재료의 이음 효율은 얼
마 정도인가?

㉮ 62%   ㉯ 70%   ㉰ 78%   ㉣ 90%

✔ 해석 $\eta(이음효율) = \dfrac{용접시편인장강도}{모재인장강도} \times 100$에서 $\dfrac{31.5}{45} \times 100 = 70\%$

39 다음 중 자분탐상 시험을 의미하는 것은?   39.㉰

㉮ UT   ㉯ PT   ㉰ MT   ㉣ RT

✔ 해석 ㉮ UT는 초음파, ㉯ PT는 침투, ㉰ MT는 자분, ㉣ RT는 방사선 검사

40 주조품에 비교한 용접 이음의 장점 설명으로 틀린 것은?   40.㉯

㉮ 이종재료의 접합이 가능하다.

㉯ 용접변형을 교정할 때에는 시간과 비용이 필요치 않다.

㉰ 목형이나 주형이 불필요하고 설비의 소규모가 가능하여 생산비가 적게
된다.

㉣ 제품의 중량을 경감시킬 수 있다.

✔ 해석 용접의 단점
① 품질 검사가 곤란하다.
② 제품의 변형을 가져 올 수 있다.(잔류 응력 및 변형에 민감)
③ 유해 광선 및 가스 폭발 위험이 있다.
④ 용접사의 기능과 양심에 따라 이음부 강도가 좌우한다.

제3과목 : 용접일반 및 안전관리

41 전기저항 용접법의 특징 설명으로 틀린 것은?   41.㉣

㉮ 용제가 필요치 않으며 작업속도가 빠르다.

㉯ 가압효과로 조직이 치밀해진다.

㉰ 산화 및 변질 부분이 적다.

㉣ 열손실이 많고 용접부의 집중 열을 가할 수 있다.

✔️ 해설 **전기 저항 용접의 특징**
① 용접사의 기능에 무관하다.　② 용접 시간이 짧고 대량 생산에 적합하다.
③ 용접부가 깨끗하다.　　　　④ 산화 작용 및 용접 변형이 적다.
⑤ 가압 효과로 조직이 치밀하다.⑥ 설비가 복잡하고 가격이 비싸다.
⑦ 후열 처리가 필요하다.

42 아크 용접기의 사용률 공식으로 옳은 것은?

㉮ 사용률(%) = $\dfrac{아크시간 + 휴지시간}{아크시간} \times 100$

㉯ 사용률(%) = $\dfrac{아크시간}{아크시간 + 휴지시간} \times 100$

㉰ 사용률(%) = $\dfrac{휴지시간}{아크시간} \times 100$

㉱ 사용률(%) = $\dfrac{아크시간}{휴지시간} \times 100$

✔️ 해설 ① 용접 작업시간에는 휴식 시간과 용접기를 사용하여 아크를 발생한 시간을 포함하고 있다.
② 용접기에 사용율이 40%라고 하면 용접기가 가동되는 시간 즉 용접 작업시간 중 아크를 발생시킨 시간을 의미한다.
③ 사용율은 다음과 같은 식으로 계산할 수 있다.

사용율(%) = $\dfrac{(아크시간)}{(아크시간 + 휴식시간)} \times 100$

43 피복 아크 용접에서 피복제의 역할로 옳은 것은?

㉮ 스패터링(spattering)을 많게 한다.
㉯ 용적(globule)을 조대화 한다.
㉰ 아크를 불안정하게 한다.
㉱ 용착 금속의 탈산 정련 작용을 한다.

✔️ 해설 **피복제의 역할**
① 아크 안정　　　　　② 산·질화 방지
③ 용적을 미세화 하여 용착 효율 향상
④ 서냉으로 취성 방지　⑤ 용착 금속의 탈산 정련 작용
⑥ 합금 원소 첨가　　　⑦ 슬랙의 박리성 증대
⑧ 유동성 증가　　　　⑨ 전기 절연 작용 등이 있다.

44 내균열성이 가장 좋은 피복 아크 용접봉은?

㉮ 일미나이트계　　　㉯ 저수소계
㉰ 고셀룰로오스계　　㉱ 고산화티탄계

✔️ 해설 **저수소계(E4316)**
① 석회석($CaCO_3$)이나 형석(CaF_2)을 주성분으로 용착 금속 중의 수소량이 다른 용접봉에 비해서 1/10 정도로 현저하게 적은 우수한 특성이 있다.

42.㉯

43.㉱

44.㉯

② 피복제는 습기를 흡수하기 쉽기 때문에 사용하기 전에 300~350℃ 정도로 1~2시간 정도 건조시켜 사용한다.

③ 기계적 성질은 다른 연강봉보다 우수하기 때문에 중요 강도 부재, 고압 용기, 후판 중 구조물, 탄소 당량이 높은 기계 구조용 강, 균열의 감수성이 좋고 구속도가 큰 구조물, 유황 함유량이 높은 강 등의 용접에 결함 없이 양호한 용접부가 얻어진다.

또한 피복제의 염기성이 높을수록 내 균열성이 좋다. 특히 저수소계의 염기성이 높아 내 균열성이 우수하다

45 프로판 가스 절단과 비교한 아세틸렌가스 절단의 장점이 아닌 것은?

㉮ 점화하기 쉽다.　　　　　　　㉯ 중성불꽃을 만들기 쉽다.
㉰ 슬래그 제거가 쉽다.　　　　　㉱ 박판 절단시 절단속도가 빠르다.

45.㉰

✔해설

아세틸렌	프로판
• 혼합비 1 : 1 • 점화 및 불꽃 조절이 쉽다. • 예열 시간이 짧다. • 표면의 녹 및 이물질 등에 영향을 덜 받는다. • 박판의 경우 절단 속도가 빠르다.	• 혼합비 1 : 4.5 • 절단면이 곱고 슬랙이 잘 떨어진다. • 중첩 절단 및 후판에서 속도가 빠르다. • 분출 공이 크고 많다. • 산소 소비량이 많아 전체적인 경비는 비슷하다.

46 플래시 버트(flash butt) 용접에서 3단계 과정만으로 조합된 것은?

㉮ 예열, 플래시, 업셋　　　　　㉯ 업셋, 플래시, 후열
㉰ 예열, 플래시, 검사　　　　　㉱ 업셋, 예열, 후열

46.㉮

✔해설 플래시 용접의 특징

① 용접물에 간격을 두어 설치하고 전류를 통하여 발열 및 불꽃 비산을 지속시켜 접합면이 골고루 가열되었을 때 가압하여 접합
② 예열 → 플래시 → 업셋 순으로 진행된다.
③ 열 영향부 및 가열 범위가 좁다.
④ 이음의 신뢰도가 높고 강도가 좋다.

47 아크 용접기의 특성 중 아크 길이에 따라 전압이 변동하여도 전류값은 거의 변하지 않는다는 특성은?

㉮ 정전압특성　　㉯ 부하특성　　㉰ 정전류특성　　㉱ 상승특성

47.㉰

✔해설 아크 길이가 변해도 전류값이 변하지 않는 특성은 정전류 특성으로 수동 용접기에 필요한 특성이다.

48 경납 땜(soldering)의 구분온도는?

㉮ 땜납의 용융점 450℃정도　　　㉯ 모재의 용융점 500℃정도

48.㉮

㉓ 피복제의 용융점 350℃정도　　㉔ 고상과 액상의 1,000℃정도

✔해설　온도 450℃를 기준으로 그 이하를 연납, 그 이상을 경납이라 한다.

49 산소 용기의 취급에서 잘못된 사항은?

㉮ 운반이나 취급에서 충격을 주지 않는다.

㉯ 가연성 가스와 함께 저장하여 누설되어도 인화되지 않게 한다.

㉰ 기름이 묻은 손이나 장갑을 끼고 취급하지 않는다.

㉱ 운반시 가능한 한 운반기구를 이용한다.

✔해설　산소 용기 취급상 주의사항
① 타격, 충격을 주지 않는다.
② 직사광선, 화기가 있는 고온의 장소를 피한다.
③ 용기 내의 압력이 너무 상승(170kgf/cm²)되지 않도록 한다.
④ 밸브가 동결되었을 때 더운물 또는 증기를 사용하여 녹여야 한다.
⑤ 누설 검사는 비눗물을 사용한다.
⑥ 용기 내의 온도는 항상 40℃ 이하로 유지하여야 한다.
⑦ 용기 및 밸브 조정기 등에 기름이 부착되지 않도록 한다.
⑧ 저장실에 가스를 보관시 다른 가연성 가스와 함께 보관하지 않는다.

50 전기저항용접과 가장 관계가 깊은 법칙은?

㉮ 줄의 법칙　　　　　　㉯ 플레밍의 법칙

㉰ 암페어의 법칙　　　　㉱ 뉴턴의 법칙

✔해설　줄열은 전류세기의 제곱과 도체 저항 및 전류가 흐르는 시간에 비례한다는 법칙으로 저항 용접에 사용된다. 즉 $Q = 0.24I^2Rt$

51 피복 아크 용접에서 자기 쏠림을 방지하는 대책은?

㉮ 접지점은 용접부에서 가까이 한다.

㉯ 용접봉 끝을 아크 쏠림 방향으로 기울인다.

㉰ 교류를 사용한다.

㉱ 긴 아크를 사용한다.

✔해설　쏠림 방지책
① 직류 용접기 대신 교류 용접기를 사용한다.
② 아크 길이를 짧게 유지한다.
③ 접지를 용접부로 멀리한다.
④ 긴 용접선에는 후퇴법을 사용한다.
⑤ 용접부의 시·종단에는 엔드탭을 설치한다.

52 핸드 실드 차광유리의 규격에서 100 ~ 300A 미만의 아크 용접 시 다음 중 가장 적합한 차광도 번호는?

㉮ 1 ~ 2　　　　㉯ 5 ~ 6　　　　㉰ 7 ~ 9　　　　㉱ 10 ~ 12

49.㉯
50.㉮
51.㉰
52.㉱

차광도 번호	용접 전류(A)	용접봉 지름(mm)
8	45 ~ 75	1.2 ~ 2.0
9	75 ~ 130	1.6 ~ 2.6
10	100 ~ 200	2.6 ~ 3.2
11	150 ~ 250	3.2 ~ 4.0
12	200 ~ 300	4.8 ~ 6.4
13	300 ~ 400	4.4 ~ 9.0
14	400 이상	9.0 ~ 9.6

53 교류 용접기의 아크 출력이 9.0kW 이고, 내부 손실이 4.0kW 일 때 용접기의 효율은?

㉮ 약 54.1%   ㉯ 약 69.2%   ㉰ 약 74.3%   ㉱ 약 89.5%

☑ 해석 **역률과 효율(단위에 주의한다.)**

$$역률 = \frac{소비전력(kW)}{전원입력(KVA)} \times 100 \qquad 효율 = \frac{아크출력(kW)}{소비전력(kW)} \times 100$$

소비 전력 = 아크 출력 + 내부 손실
전원 입력 = 무부하 전압 × 정격 2차 전류
아크 출력 = 아크 전압 × 정격 2차 전류
여기서 아크 출력 9kW, 소비전력은 9 + 4 = 13kW

그러므로 $효율 = \frac{9}{13} \times 100 = 69.2\%$

54 탄소아크 절단에 압축공기를 병용하여 전극 홀더의 구멍에서 탄소 전극봉에 나란히 분출하는 고속의 공기를 분출시켜 용융금속을 불어 내어 홈을 파는 방법은?

㉮ 아크 에어 가우징   ㉯ 불꽃 가우징
㉰ 기계적 가우징   ㉱ 산소·수소 가우징

☑ 해석 **아크 에어 가우징**

① 탄소 아크 절단에 압축 공기를 병용하여 결함을 제거(흑연으로 된 탄소봉에 구리 도금을 한 전극 사용)
② 가스 가우징보다 작업 능률이 2 ~ 3배 좋다.
③ 균열의 발견이 특히 쉽다.
④ 철, 비철금속 어느 경우도 사용된다.
⑤ 전원으로는 직류 역극성이 사용된다.
⑥ 아크 전압 35V, 전류 200 ~ 500A, 압축 공기는 6 ~ 7kg/cm²(4kg/cm²이하로 떨어지면 용융 금속이 잘 불려 나가지 않는다.

55 가스절단에서 판 두께가 12.7mm일 때, 표준 드래그의 길이는 다음 중 얼마인가?

㉮ 2.4mm   ㉯ 5.2mm   ㉰ 5.6mm   ㉱ 6.4mm

53.㉯

54.㉮

55.㉮

✔️해설 드랙은 판 두께의 20% 즉 ⅕가 표준 드랙의 길이이다. 그러므로 12.7/5에서 2.54가 나온다.

56 아크 용접에서 전격 및 감전방지를 위한 주의사항으로 틀린 것은?   56.㉯

㉮ 협소한 장소에서의 작업시 신체를 노출하지 않는다.
㉯ 무부하 전압이 높은 교류 아크용접기를 사용한다.
㉰ 작업을 중지할 때는 반드시 스위치를 끈다.
㉱ 홀더는 반드시 정해진 장소에 놓는다.

✔️해설 무부하 전압이 높을 수록 전격의 위험은 크다. 그러므로 교류가 직류보다 무부하 전압이 높아 전격 즉 감전의 위험이 더 크다.

57 화재에 대한 설명으로 잘못 연결된 것은?   57.㉱

㉮ A급 화재 – 일반 가연물화재   ㉯ B급 화재 – 유류화재
㉰ C급 화재 – 전기화재   ㉱ D급 화재 – 종합화재

✔️해설

등급별 소화 방법				
분 류	A급 화재	B급 화재	C급 화재	D급 화재
명 칭	보통 화재	기름 화재	전기 화재	금속 화재
가 연 물	목재, 종이, 섬유	유류, 가스	전기	Mg, Al 분말
주된 소화 효과	냉각	질식	냉각, 질식	질식
적용 소화기	물, 분말	포말, 분말, CO_2	분말, CO_2	모래, 질식

58 납땜에서 주로 경납용 용제로 사용되는 것은?   58.㉯

㉮ 수지   ㉯ 붕산
㉰ 염화암모니아   ㉱ 염화아연

✔️해설 ① 연납용 용제
  • 부식성 용제인 염화아연, 염화암모늄, 염산 등
  • 비부식성 용제로는 송진, 수지, 올리브유 등
② 경납용 용제는 붕사, 붕산, 염화리튬, 빙정석, 산화제1동이 사용된다.

59 점용접에서 사용하는 전극형상의 종류가 아닌 것은?   59.㉱

㉮ R형   ㉯ P형   ㉰ C형   ㉱ T형

✔️해설 점용접의 전극의 종류로는 R형, P형, F형, C형, E형이 있다.

60 열원이 광선이며 진공 중에서 용접이 가능하고 원격 조작이 가능하며 열의 영향범위가 좁은 용접법은?

㉮ 레이저 용접　　　　　　　㉯ 원자수소 용접

㉰ 플라스마 용접　　　　　　㉱ 테르밋 용접

✔ 해설　레이저 빔 용접의 특징

① 용접 장치는 고체 금속형, 가스 방전형, 반도체형이 있다.

② 아르곤, 질소, 헬륨으로 냉각하여 레이저 효율을 높일 수 있다.

③ 원격 조작이 가능하고 육안으로 확인하면서 용접이 가능하다.

④ 에너지 밀도가 크고, 고융점을 가진 금속에 이용된다.

⑤ 정밀 용접도 가능하다.

⑥ 불량 도체 및 접근하기 곤란한 물체도 용접이 가능하다.

60.㉮

국가기술자격검정 필기시험문제

2007년 산업기사 제3회 필기시험

	수검번호	성 명
자격종목 및 등급(선택분야)	종목코드	시험시간	문제지형별		
용접산업기사	2026	1시간 30분	A		

※ 답안카드 작성시 시험문제지 형별누락, 마킹착오로 인한 불이익은 전적으로 수검자의 귀책사유임을 알려드립니다.

제1과목 : 용접야금 및 용접설비제도

01 용착금속이 응고할 때 불순물이 한곳으로 모이는 현상을 무엇이라고 하는가?

㉮ 공석   ㉯ 편석   ㉰ 석출   ㉴ 고용체

01.㉯

☑ 해석 편석 : 금속의 처음 응고부와 나중 응고부의 농도차가 있는 것으로 불순물이 주원인이다.

02 실온 20℃에서 열전도율이 가장 큰 것은?

㉮ Ag   ㉯ Fe   ㉰ Sn   ㉴ Ni

02.㉮

☑ 해석 전기전도율
● 순서 : Ag > Cu > Au > Al > Mg > Ni > Fe > Pb의 순이다.
● 열전도율도 전기 전도율과 순서가 비슷하다.

03 용접균열은 고온균열과 저온균열로 구분된다. 저온균열(cold cracking)은 다음 중 몇 ℃이하에서 생기는가?

㉮ 약 300℃   ㉯ 약 400℃   ㉰ 약 500℃   ㉴ 약 600℃

03.㉮

☑ 해석 저온 균열은 약 300℃이하에서 발생하는 균열을 말한다.

04 침탄부품을 기밀의 가열로 속에 넣고 적당한 침탄가스를 보내면서 900 ~ 950℃에서 침탄하는 방법은?

㉮ 가스침탄법   ㉯ 화염침탄법   ㉰ 고체침탄법   ㉴ 액체침탄법

04.㉮

☑ 해석 가스 침탄법 : 메탄 가스, 프로판 가스 등에 탄화 수소계 가스로 가득 찬 노 안에 놓고 일정 시간 가열하여 소재 표면으로 탄소의 확산이 이루어지게 하는 침탄법이다. 가스 침탄법은 침탄 온도, 기체 공급량, 기체 혼합비 등의 조절로 균일한 침탄층을 얻을 수 있고, 작업이 간편하며, 열효율이 높고, 연속적으로 침탄 온도에서의 직접 담금질이 가능하다는 장점이 있어 공업적으로 다량 침탄을 할 때 이용된다. 침탄 조작, 즉 고온 가열이 완료된 후에는 일단 서냉시킨 다음 1차·2차 담금질, 뜨임을 한다.

05 탄소강에서 탄소(C)의 함유량이 증가할 경우에 해당하는 것은?

㉮ 경도증가, 연성감소　　　　㉯ 경도감소, 연성감소
㉰ 경도증가, 연성증가　　　　㉱ 경도감소, 연성증가

✔ 해설 탄소량이 증가하면 강도 및 경도가 증가한다. 또한 연성 및 전성은 저하한다.

05.㉮

06 면심입방격자(FCC)에서 단위 격자 중에 포함되어 있는 원자수는 몇 개인가?

㉮ 2개　　　　㉯ 4개　　　　㉰ 6개　　　　㉱ 8개

✔ 해설 ① 체심입방격자의 원자수 = (꼭지점에 있는 원자의 수 = 8) × $\frac{1}{8}$ + (중앙에 있는 원자의 수 = 1)에서 2개
② 면심입방격자의 원자수 = (꼭지점에 있는 원자의 수 = 8) × $\frac{1}{8}$ + (면 중심에 있는 원자의 수 = 6) × $\frac{1}{2}$ = 4개

06.㉯

07 다음 중 경금속으로 보기 어려운 것은?

㉮ 알루미늄　　㉯ 백금　　㉰ 마그네슘　　㉱ 티타늄

✔ 해설 비중이 4.5이하를 경금속이라 한다. 알루미늄은 2.7, 마그네슘 1.7, 티탄 4.5이다. 백금은 21.45이다.

07.㉯

08 용접 후 열처리의 목적이 아닌 것은?

㉮ 경화촉진　　㉯ 급랭방지　　㉰ 균열방지　　㉱ 수소량 감소

✔ 해설 용접 후 열처리를 하는 가장 큰 목적은 균열 및 잔류 응력을 줄이기 위하여 실시한다. 경화가 촉진되면 오히려 취성이 생겨 깨질 수 있다.

08.㉮

09 퀜칭한 강의 잔류 응력을 제거하고 인성의 개선과 함께 경도를 다소 낮추기 위하여 A1점 이하의 온도로 가열하여 냉각하는 열처리는?

㉮ 고용화 열처리　　　　㉯ 응력제거
㉰ 뜨임　　　　　　　　㉱ 불림

✔ 해설 담금질된 강을 A_1변태점 이하로 가열 후 냉각시켜 담금질로 인한 취성을 제거하고 경도를 떨어뜨려 강인성을 증가시키기 위한 열처리를 뜨임이라 한다.

09.㉰

10 내열합금 용접 후 냉각 중이나 열처리 등에서 발생하는 용접구속 균열은?

㉮ 내열균열　　　　㉯ 냉각균열
㉰ 변형시효균열　　㉱ 결정입계균열

✔ 해설 내열합금 등 용접 후 시효에 의해 발생하는 균열을 변형 시효 균열이라 한다.

10.㉰

11 용접부 보조기호 중 제거 가능한 덮개판을 사용하는 기호는?

㉮ ⌢⌢   ㉯ ⌢   ㉰ [M]   ㉱ [MR]

✔해설 M은 영구적인 덮개 판, MR은 제거 가능한 덮개 판을 의미한다.

11.㉱

12 용접 기본기호 중 맞대기 이음 용접기호가 아닌 것은?

㉮ I   ㉯ V   ㉰ Y   ㉱ L

✔해설 ㉮는 I형, ㉯는 V형, ㉰는 루트면 있는 양면 K형, L형 맞대기 이음은 없다.

12.㉱

13 보기와 같은 용접도시기호의 설명으로 올바른 것은?

(보기)   a6 ◣ 300

㉮ 필릿 용접부의 용입 깊이는 6mm이다.
㉯ 필릿 용접을 화살표 반대쪽에서 한다.
㉰ 필릿 용접부의 목 두께는 6mm이다.
㉱ 필릿 용접부의 길이는 200mm이다.

✔해설 a5 에서 a5는 필릿 용접에서 목 두께가 5mm임을 뜻한다.

13.㉰

14 일반적인 도면을 보관하는 방법 설명으로 틀린 것은?

㉮ 트레이싱도는 접어서는 안 되므로 펼친 그대로 수평, 수직 또는 말아서 원통으로 보관한다.
㉯ 복사도는 접어서 보관하므로 접을 때에는 도면의 중앙부가 표면에 오도록 한다.
㉰ 복사도를 접을 때에는 A4 크기로 접는다.
㉱ 마이크로 필름은 영구 보존의 정확성을 기한다.

✔해설 큰 도면을 접을 때는 A4 크기로 접으며, 표제란이 겉으로 나오도록 한다.

14.㉯

15 KS 용접 기호 중 뒷면 용접 기본기호는?

㉮ ⋁   ㉯ ⋁   ㉰ ⌣   ㉱ ⌐

✔해설 ㉮는 부분 용입 한쪽 면 K형 맞대기 이음 용접, ㉯는 반대쪽 즉 뒷면 용접 공정이 없는 기호, ㉱는 끝단부를 매끄럽게 하는 보조 기호이다.

15.㉰

16 금속재료의 SF340A 규격에서 340은 무엇을 나타내는가?

㉮ 최저인장강도를 340kgf/cm²로 나타냄

㉯ 최저인장강도를 340kgf/mm²로 나타냄

㉰ 최저인장강도를 340N/mm²로 나타냄

㉱ 최저인장강도를 340N/cm²로 나타냄

☑ **해설** 최저 인장 강도를 말하며 단위는 N/mm²로 나타낸다.

16.㉰

17 다음 용접부 비파괴 시험기호 중에서 아코스틱 에밋션 시험을 의미하는 것은?

㉮ ST   ㉯ ET   ㉰ VT   ㉱ AET

☑ **해설** 음향방출법(AET : acoustic emission test) : 재료의 내부에서 파괴가 발생하여 새로운 파단면이 발생하는 순간에 방출하는 음향파를 말한다.

17.㉱

18 도형의 표시방법 중 보조 투상도의 설명으로 맞는 것은?

㉮ 그림의 일부를 도시하는 것으로 충분한 경우에 그 필요 부분만을 그리는 투상도

㉯ 대상물의 구멍, 홈 등 한 국부만의 모양을 도시하는 것으로 충분한 경우에 그 필요부분만을 그리는 투상도

㉰ 대상물의 일부가 어느 각도를 가지고 있기 때문에 투상면에 그 실형이 나타나지 않을 때에 그 부분을 회전해서 그리는 투상도

㉱ 경사면부가 있는 대상물에서 그 경사면의 실형을 나타낼 필요가 있는 경우에 그리는 투상도

☑ **해설** 보조 투상도(부 투상도) : 물체가 경사면이 있어 투상을 시키면 실제 길이와 모양이 틀려져 경사면에 별도의 투상면을 설정하고 이 면에 투상하면 실제 모양이 그려짐

18.㉱

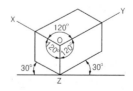

19 서로 120도를 이루는 3개의 기본 축에 정면, 평면, 측면을 하나의 투상면 위에서 동시에 볼 수 있도록 나타낸 입체도는?

㉮ 부 투상도   ㉯ 등각 투상도

㉰ 사 투상도   ㉱ 투시도

☑ **해설** 등각 투상도

① 물체의 정면, 평면, 측면을 하나의 투상도에서 볼 수 있도록 그린 도법

② 물체의 모양과 특징을 가장 잘 나타냄

③ 물체 3개의 세 모서리는 각각 120°

④ 용도 : 구상도나 설명도 등

19.㉯

20 KS 스폿용접 기호 중 3이 의미하는 것은?

(보기)　　3 ○ 5(20)

㉗ 스폿 길이　　　　㉯ 스폿 개수
㉲ 스폿부의 지름　　㉴ 간격

✔ 해석 용접부의 지름 3mm, 용접수 5, 간격(20)의 표시 예이다.

제2과목 : 용접구조설계

21 용접선과 응력의 방향에 수직인 필릿용접은?

㉗ 전면 필릿용접　　㉯ 밑면 필릿용접
㉲ 후면 필릿용접　　㉴ 병용 필릿용접

✔ 해석 용접선의 방향이 전달하는 응력의 방향에 거의 직각인 필릿 용접은 전면 필릿 용접이다.

(a) 전면 필릿 용접　　(b) 측면 필릿 용접　　(c) 경사 필릿 용접

22 용접이음을 설계할 때 옳은 사항은?

㉗ 맞대기 용접을 될 수 있는 대로 피하고, 필릿용접을 하도록 한다.
㉯ 용접길이는 될 수 있는 대로 길게 하고 용착 금속량도 되도록 최대로 한다.
㉲ 용접이음이 한 곳으로 집중되거나, 접근되도록 한다.
㉴ 결함이 생기기 쉬운 용접 방법은 피한다.

✔ 해석 ① 용접전 용접이 불가능한 곳이 없도록 충분히 검토한다.
② 용접물 중심에 대하여 대칭으로 용접하여 변형이 생기지 않도록 한다.
③ 동일 평면내에 많은 이음이 있을 때에는 수축은 가능한 자유단으로 보낸다.
④ 수축이 큰 이음을 먼저하고 작은 이음은 나중에 한다.
⑤ 중립축에 대하여 모멘트 합이 0이 되도록 한다.
⑥ 가능한 아래보기 용접을 할 수 있도록 한다.

23 용접부에 인장, 압축의 반복하중 30ton 이 작용하는 폭이 600mm 인 두 장의 강판을 I형 맞대기 용접 하였을 때, 두 강판의 두께가 몇 mm이면 견딜 수 있겠는가?(단, 허용응력 $\sigma_a = 63kgf/mm^2$로 한다.)

23

㉗ 약 1mm　　　　㉯ 약 2mm
㉲ 약 6mm　　　　㉴ 약 8mm

✅ 해설 허용응력 $= \dfrac{하중}{단면적}$ 에서 하중 30ton을 kgf로 환산하면 30000 × 9.8 = 294000이 된다. 또한 단면적은 폭과 두께를 이용하여 구할 수 있는데 여기서 두 께를 구하려면 주어진 허용응력과 폭을 곱한 값 64 × 600 = 37800을 이용한다. 즉 294000 ÷ 37800 ≒ 7.78에서 약 8mm가 답이 된다.

24 다음 용접결함 중 용접사의 기량과 가장 관계가 없는 것은?   24.㉰

⑦ 슬래그 잠입   ㉯ 용입 불량
㉰ 비드 밑 터짐   ㉴ 언더 컷

✅ 해설 비드 밑 터짐은 중·고탄소강 용접, 저합금강등에서 잘 발생하는 것으로 주로 수소가 외부로 방출되지 못하면 생긴다.

25 다음 그림과 같은 각종 용접이음의 형상 및 열의 확산(화살표)을 나타 낸 것 중 냉각이 가장 빠른 것은?   25.㉰

✅ 해설 ① 냉각 속도는 얇은 판보다는 두꺼운 판에서 크다.
② 냉각 속도는 맞대기 이음보다는 T형 이음의 경우가 크다. 즉 열의 확산 방 향이 많을수록 크다.
③ 열전도율이 클수록 냉각속도는 크다.

26 용접부의 기공검사는 어느 시험법으로 가장 많이 하는가?   26.㉰

⑦ 경도 시험   ㉯ 인장 시험
㉰ X선 시험   ㉴ 침투탐상 시험

✅ 해설 X선 투과 검사 : 균열, 융합불량, 기공, 슬랙 섞임 등의 내부 결함 검출에 사 용된다. X선 발생장치로는 관구식과 베타트론 식이 있다. 단점으로는 미소 균열이나 모재면에 평행한 라미네이션 등의 검출은 곤란하다.

27 탄소강 조직 중에서 경도가 가장 낮은 것은?   27.㉴

⑦ 펄라이트   ㉯ 시멘타이트
㉰ 마텐자이트   ㉴ 페라이트

✅ 해설 페라이트(α, δ) : 일명 지철이라고도 하며 순철에 가까운 조직으로 극히 연 하고 상온에서 강자성체인 체심 입방 격자 조직이다.

28 용접설계에서 인장강도의 계산식은?   28.㉮

㉮ $\dfrac{하중}{단면적}$ ㉯ $\dfrac{단면적}{하중}$ ㉰ $\dfrac{무게}{판두께}$ ㉱ $\dfrac{판두께}{무게}$

✔해석 인장력은 단위 면적당 작용하는 힘으로 다음과 같은 식으로 구한다.

$$인장력 = \dfrac{하중}{단면적} = \dfrac{P}{A}$$

29 연강 맞대기 용접의 완전용입 이음에서 모재 인장강도에 대한 용접 시
험편 인장강도의 이음 효율은 보통 얼마인가?

㉮ 100%   ㉯ 80%   ㉰ 60%   ㉱ 40%

29.㉮

✔해석 이음효율 = $\dfrac{용접시험편의인장강도}{모재의인장강도} \times 100$ 완전 용입이므로 100%이다.

30 용접 이음의 안전율은?

30.㉮

㉮ 안전율 = $\dfrac{인장강도}{허용응력}$ ㉯ 안전율 = $\dfrac{허용응력}{인장강도}$

㉰ 안전율 = $\dfrac{이음효율}{허용응력}$ ㉱ 안전율 = $\dfrac{허용응력}{이음효율}$

✔해석 안전율 = $\dfrac{인장강도}{허용응력}$
(정하중 : 3, 동하중(단진 응력) : 5, 동하중(교번 응력) : 8, 충격 하중 : 12)

31 다음 중 용접변형 방지법이 아닌 것은?

31.㉰

㉮ 역변형법   ㉯ 피닝법   ㉰ 휘핑법   ㉱ 도열법

✔해석 **변형 방지법**
① 억제법 : 모재를 가접 또는 구속 지그를 사용하여 변형억제
② 역변형법 : 용접전에 변형의 크기 및 방향을 예측하여 미리 반대로 변형시
키는 방법
③ 도열법 : 용접부 주위에 물을 적신 석면, 동판을 대어 열을 흡수시키는 방법
④ 용착법 : 대칭법, 후퇴법, 스킵법 등을 사용한다.

32 용접부의 잔류응력을 경감시키기 위한 방법이 아닌 것은?

32.㉱

㉮ 저온 응력 완화법   ㉯ 응력제거 풀림
㉰ 피닝법   ㉱ 냉각법

✔해석 잔류 응력 경감법의 종류로는 노내 풀림법, 국부 풀림법, 저온 응력 완화법,
기계적 응력 완화법, 피닝법 등이 있다.

33 다음 중 균열이 가장 많이 발생할 수 있는 용접이음은?

33.㉮

㉮ 십자이음   ㉯ 경사이음   ㉰ 맞대기이음   ㉱ 모서리이음

✔해석 균열의 관점에서는 십자 이음이 가장 많이 발생할 수 있다.

34 가접시 주의할 사항으로 틀린 것은?

㉮ 본 용접시와 동등한 기량을 가져야 한다.

㉯ 본 용접 보다 훨씬 낮은 온도에서 예열한다.

㉰ 본 용접 보다 약간 가는 용접봉을 사용한다.

㉱ 응력이 집중하는 곳은 피한다.

✓ 해설 가접

① 홈안에 가접은 피하고 불가피한 경우 본 용접 전에 갈아낸다.

② 응력이 집중하는 곳은 피한다.

③ 전류는 본 용접보다 높게 하며, 용접봉의 지름은 가는 것을 사용하여 본 용접이 용이하게 하며, 너무 짧게 하지 않는다.

④ 시·종단에 엔드탭을 설치하기도 한다.

⑤ 가접사도 본 용접사에 비하여 기량이 떨어지면 안 된다.

34.㉯

35 용접시 발생하는 각변형의 방지 대책을 잘못 설명한 것은?

㉮ 용접 개선 각도는 작업에 지장이 없는 한 작게 한다.

㉯ 구속지그를 활용하고 속도가 빠른 용접법을 이용한다.

㉰ 판두께와 개선현상이 일정할 때 용접봉 지름이 작은 것을 이용하여 패스의 수를 많게 한다.

㉱ 역변형의 시공법을 사용하도록 한다.

✓ 해설 각변형이란 용접에 의해 부재 또는 구조물에 생기는 가로 방향의 굽힘 변형을 말한다. 맞대기 용접의 경우는 상부쪽의 수축량이 크기 때문에 위쪽으로 오므라들게 되며, 필릿 용접의 경도 수평판의 상부쪽이 오므라드는 것을 말한다. 즉 이와 같은 각변형을 줄이려면 용접 층수는 가능한 적게 하는 것이 좋다.

35.㉰

36 용접구조물에서 잔류응력의 영향을 설명한 것 중 잘못된 것은?

㉮ 구속하여 용접을 하면 잔류응력이 감소한다.

㉯ 용접구조물에서 취성파괴의 원인이 된다.

㉰ 용접구조물에서 응력 부식의 원인이 된다.

㉱ 기계부품에서는 사용 중에 변형이 발생한다.

✓ 해설 변형을 방지하기 위하여 재료를 고정하여 용접하면 재료에 오히려 잔류 응력을 증가시킬 수 있다.

36.㉮

37 저온 취성 파괴에 미치는 요인과 가장 관계가 먼 것은?

㉮ 온도의 저하　　　㉯ 인장 잔류 응력

㉰ 예리한 노치　　　㉱ 강재의 고온 특성

✓ 해설 취성파괴란 재료의 연성이 부족하여 소성변형이 되지 않고 파괴되는 것으로 저온 취성 파괴에 미치는 요인은 온도의 저하, 잔류 응력, 노치 등의 원인이 있다.

37.㉱

38 맞대기 이음에서 초층의 용입 불충분 등의 결함 방지 및 제거를 위해 사용하는 방법이 아닌 것은?

㉮ 밑면 따내기(back chipping) ㉯ 백 가우징(back gouging)
㉰ 뒷받침(back plate) ㉱ 버터링(buttering)

☑ 해설 버터링은 맞대기 용접을 하는 경우 모재의 영향을 방지하기 위하여 홈 한쪽 또는 양쪽을 모재와 다른 용접금속으로 오버레이 용접하는 것을 말한다.

38.㉱

39 용접지그를 선택하는 기준 설명 중 틀린 것은?

㉮ 청소하기 쉬워야 한다.
㉯ 용접변형을 억제할 수 있는 구조이어야 한다.
㉰ 피용접물의 고정과 분해가 어려운 구조라야 한다.
㉱ 작업능률이 향상되어야 한다.

☑ 해설 용접 지그 사용 효과
① 용접을 하기 쉬운 자세를 취할 수 있다. 즉 아래보기 자세로 용접 할 수 있다.
② 제품의 정밀도 향상을 가져 올 수 있다.
③ 용접 조립 작업을 단순화 또는 자동화를 할 수 있게 하여 작업 능률이 향상 된다.
그러므로 피용접물의 즉 모재의 고정과 분해가 쉬워야 한다.

39.㉰

40 아크용접시 아크 열효율을 바르게 설명한 것은?

㉮ 용접저항발열양 몇 %가 모재에 흡수되는가 하는 비율
㉯ 용접입열 몇 %가 모재에 흡수되는가 하는 비율
㉰ 용접금속 열전도율 몇 %가 모재에 흡수되는가 하는 비율
㉱ 용접금속량 몇 %가 모재에 흡수되는가 하는 비율

☑ 해설 용접입열은 외부에서 용접 모재에 주어지는 열량으로 일반적으로 모재에 흡수되는 열량은 입열의 75 ~ 85%이다. 즉 아크 열효율이란 이 입열이 모재에 몇 %가 흡수되는가를 의미한다.

40.㉯

제3과목 : 용접일반 및 안전관리

41 두께 3.2mm 의 연강판을 가스용접하려고 한다. 모재 두께가 1mm 이 상일 때 용접봉의 지름을 결정하는 방법에 의한 가스 용접봉의 지름은?

㉮ 1.0mm ㉯ 2.6mm ㉰ 3.2mm ㉱ 4.0mm

☑ 해설 $D = \frac{T}{2} + 1$ (D : 지름, T : 판 두께)

그러므로 판 두께의 반에 1을 더하면 된다. 즉 3.2에 반이 1.6에 1을 더한 2.6mm가 된다.

41.㉯

42 TIG 용접으로 알루미늄 용접시 가장 옳은 방법은?

㉮ 직류정극성(DCSP) 사용   ㉯ 직류역극성(DCRP) 사용

㉰ 교류(AC) 사용   ㉱ 고주파수 교류(ACHF) 사용

✔ 해설   티그 용접에서 고주파전류 병용(ACHF)을 사용하는 경우는 알루미늄인데, 고주파 장치가 붙어 있어 초기 아크 발생이 쉽고 텅스텐 전극의 오손 등이 적다.

43 CO_2 가스 아크 용접에서, CO_2 가스가 인체에 미치는 영향으로 극히 위험상태에 해당하는 CO_2 가스의 농도는 몇 %인가?

㉮ 0.4% 이상   ㉯ 30% 이상   ㉰ 20% 이상   ㉱ 10% 이상

✔ 해설 CO_2 농도에 따른 인체의 영향
- 3 ~ 4% : 두통   • 15%이상 : 위험   • 30%이상 : 치명적

44 납땜 작업에서 연납땜과 경납땜을 구분하는 온도는 몇 ℃인가?

㉮ 500   ㉯ 350   ㉰ 400   ㉱ 450

✔ 해설   연납과 경납의 구분 온도는 450℃를 기준으로 그 이상을 경납, 그이하를 연납이라고 한다.

45 불활성 가스 아크 용접시 주로 사용되는 가스는?

㉮ 아르곤가스   ㉯ 수소가스

㉰ 산소와 질소의 혼합가스   ㉱ 질소가스

✔ 해설   불활성 가스는 18족의 가스로 다른 기체와 반응하지 않아 비활성 가스라고도 한다. 그 가스의 종류로는 헬륨(He), 네온(Ne), 아르곤(Ar), 크립톤(Kr), 크세논(Xe), 라돈(Rn) 등이 있다.

46 아세틸렌가스의 도관 및 압력 게이지에 사용되는 구리합금 중 구리의 함유량으로 가장 적당한 것은?

㉮ 82% 이하   ㉯ 72% 이하   ㉰ 62% 이하   ㉱ 92% 이하

✔ 해설   ① 공기 또는 산소가 혼합한 경우 불꽃 또는 불티 등으로 착화, 폭발의 위험성이 있다.
② 아세틸렌 15%, 산소 85%에서 가장 위험하다.
③ 인화수소를 포함한 경우 : 0.02%이상 폭발성, 0.06%이상 자연 폭발한다.
④ 구리, 구리합금(구리 62% 이상), 은, 수은 등과 접촉하여 120℃ 부근에서 폭발성 화합물이 생성된다.

47 전자빔 용접의 장점에 해당되지 않는 것은?

㉮ 예열이 필요한 재료를 예열 없이 국부적으로 용접할 수 있다.

㉯ 잔류 응력이 적다.

㉰ 용접 입열이 적으므로 열 영향부가 적어 용접변형이 적다.

㉱ 시설비가 적게 든다.

☑ 해석 **전자빔 용접의 특징**

① 용접부가 좁고 용입이 깊다.

② 얇은 판에서 두꺼운 판까지 광범위한 용접이 가능하다.(정밀제품에 자동화에 좋다.)

③ 고 용융점 재료 또는 열전도율이 다른 이종 금속과의 용접이 용이하다.

④ 용접부가 대기의 유해한 원소와 차단되어 양호한 용접부를 얻을 수 있다.

⑤ 고속 용접이 가능하므로 열 영향부가 적고, 완성치수에 정밀도가 높다.

⑥ 고 진공형, 저 진공형, 대기압형이 있다.

⑦ 저전압 대 전류형, 고 전압 소 전류형이 있다.

⑧ 피 용접물의 크기에 제한을 받으며 장치가 고가이다.

⑨ 용접부의 경화 현상이 일어나기 쉽다.

⑩ 배기 장치 및 X선 방호가 필요하다.

48 플라즈마 아크 용접 장치의 구성 요소가 아닌 것은?

㉮ 제어장치   ㉯ 토치

㉰ 공기 압축기   ㉱ 가스 송급 장치

☑ 해석 플라즈마 아크 용접의 구성요소는 제어장치, 플라즈마토치, 가스 공급 장치 등이 있다.

49 압접에 해당되지 않는 것은?

㉮ 저항 용접   ㉯ 마찰 용접   ㉰ 초음파 용접   ㉱ 전자빔 용접

☑ 해석 압접 (Pressure Welding) : 접합 부분을 열간 또는 냉간 상태에서 압력을 주어 접합하는 방법으로 그 종류는 전기 저항 용접(점용접, 심 용접, 프로젝션 용접, 업셋 용접, 플래시 용접, 퍼커션 용접), 초음파 용접, 마찰 용접, 유도 가열 용접, 가스 압접 등이 있다.

50 아크 용접시 작업자에게 가장 위험한 부분은?

㉮ 배전판   ㉯ 용접봉 홀더 노출부

㉰ 용접기   ㉱ 케이블

☑ 해석 용접 작업 중 홀더 노출부가 있으면 용접사는 감전될 수 있다.

51 산소 절단법에 관한 설명으로 틀린 것은?

㉮ 예열 불꽃의 세기는 절단이 가능한 한 최대한의 세기로 하는 것이 좋다.

㉯ 수동 절단법에서 토치를 너무 세게 잡지 말고 전후좌우로 자유롭게 움직일 수 있도록 해야 한다.

48.㉰

49.㉱

50.㉯

51.㉮

ⓓ 예열 불꽃이 강할 때는 슬래그 중의 철 성분의 박리가 어려워진다.
ⓡ 자동 절단법에서 절단에 앞서 먼저 레일(rail)을 강판의 절단선에 따라
평행하게 놓고, 팁이 똑바로 절단선 위로 주행할 수 있도록 한다.

✔해석 예열 불꽃의 세기가 세면 절단면 모서리가 용융되어 둥글게 되고, 절단면이
거칠게 된다. 또한 슬랙의 박리성이 떨어진다. 반대로 약해지면 드래그의 길이
가 증가하고, 절단 속도가 늦어진다.

52 피복아크 용접용 기구 및 부속장치에 대한 설명 중 옳지 않은 것은?

52.ⓓ

ⓐ 원격제어 장치는 용접기에서 멀리 떨어진 곳에서도 전류를 용이하게
조정하는 장치이다.
ⓑ 전격방지기는 작업중에 감전의 위험을 방지한다.
ⓒ 전격 방지기는 용접기의 무부하 전압을 높게 한다.
ⓓ 홀더는 가볍고 전기 전열이 잘된 안전 홀더를 사용해야 한다.

✔해석 전격방지기 : 감전의 위험으로부터 작업자를 보호하기 위하여 2차 무부하 전
압을 20~30[V]로 유지하는 장치

53 가스용접 토치의 팁(Tip) 재료로 가장 적합한 것은?

53.ⓐ

ⓐ 동 합금   ⓑ 알루미늄 합금
ⓒ 경강   ⓓ 연강

✔해석 가스 용접의 팁은 불변압식(독일식)은 1개의 팁에 1개의 인젝터가 있는 형식
이며, 가변압식(프랑스식)은 인젝터에 니들 밸브가 있어 유량과 압력을 조절
할 수 있다. 재질로는 동합금(동의 함유량 62%이하)를 사용한다.

54 용접법 중 가장 두꺼운 판을 용접할 수 있는 것은?

54.ⓐ

ⓐ 일렉트로 슬래그 용접   ⓑ 전자빔 용접
ⓒ 서브머지드 아크 용접   ⓓ 불활성 가스 아크 용접

✔해석 일렉트로 슬랙 용접 특징
① 전기 저항 열($Q = 0.24I^2Rt$)을 이용하여 용접(주울의 법칙 적용)한다.
② 두꺼운 판의 용접법으로 적합하다.(단층으로 용접이 가능)
③ 매우 능률적이고 변형이 적다.
④ 홈 모양은 I형이기 때문에 홈 가공이 간단하다.
⑤ 변형이 적고, 능률적이고 경제적이다.
⑥ 아크가 보이지 않고 아크 불꽃이 없다.
⑦ 기계적 성질이 나쁘다.
⑧ 노치 취성이 크다.(냉각 속도가 늦기 때문에)
⑨ 가격이 고가이다.
⑩ 용접 시간에 비하여 준비 시간이 길다.
⑪ 용도로는 보일러 드럼, 압력 용기의 수직 또는 원주이음, 대형 부품 로울
등에 후판 용접에 쓰인다.

55 아크 발생열에 의하여 피복제가 분해되어 일산화탄소, 이산화탄소, 수증기 등의 가스 발생제가 되는 가스 실드식 피복제의 성분은?

㉮ 규산나트륨

㉯ 셀룰로스

㉰ 규사

㉱ 일미나이트

✔ 해석 가스 발생제로는 녹말, 톱밥, 석회석, 셀룰로스, 탄산바륨 등이 있다.

55.㉯

56 용접 접합면에 경사홈을 만드는 이유는?

㉮ 재료 절약과 무게 경감을 위하여

㉯ 용입을 충분하게 하고 강도를 높이기 위하여

㉰ 용접금속의 냉각속도를 빠르게 하기 위하여

㉱ 용접변형이 적게 일어나도록 하기 위하여

✔ 해석 홈가공은 용입을 충분하게 하여 강도를 높이고자 하는 가공으로 용입이 허용하는 한 홈 각도는 작은 것이 좋다. (일반적으로 피복아크 용접에서 54~70°) 또한 용접 균열에 관점에서는 루트 간격은 좁을수록 좋으며 루트 반지름은 되도록 크게 한다.

56.㉯

57 텅스텐 전극봉을 사용하는 용접은?

㉮ 산소 – 아세틸렌용접

㉯ 아크용접

㉰ MIG 용접

㉱ TIG 용접

✔ 해석 TIG 용접은 Tungsten inert Gas의 약자로 텅스텐 전극을 사용하고, MIG용접은 Metal inert Gas의 약자로 금속 전극을 사용한다.

57.㉱

58 피복아크용접에서 사용되는 피복제의 성분을 작용면에서 분류한 것이다. 그 설명으로 틀린 것은?

㉮ 가스발생제 : 가스를 발생시켜 냉각속도를 빠르게 한다.

㉯ 아크안정제 : 아크발생은 쉽게 하고, 아크를 안정시킨다.

㉰ 합금첨가제 : 용강 중에 합금원소를 첨가하여 그 화학성분을 조성한다.

㉱ 고착제 : 피복제를 단단하게 심선에 고착시킨다.

✔ 해석 ① 가스발생제 : 용융 금속을 대기로부터 보호하기 위하여 중성 또는 환원성 가스를 발생하여 용융 금속의 산화 및 질화를 방지한다. 가스 발생제로는 녹말, 톱밥, 석회석, 셀룰로스, 탄산바륨 등이 있다.

② 아크 안정제 : 이온화 하기 쉬운 물질을 만들어 재점호 전압을 낮추어 아크를 안정시킨다. 아크 안정제로는 규산나트륨, 규산칼륨, 산화티탄, 석회석 등이 있다.

③ 합금 첨가제 : 용접 금속의 여러 가지 성질을 개선하기 위하여 피복제에 첨가한다. 합금 첨가재로는 크롬, 니켈, 실리콘, 망간, 몰리브덴, 구리 등이 있다.

④ 고착제 : 심선에 피복제를 달라붙게 하는 역할을 한다. 고착제로는 규산나트륨, 규산칼륨, 아교, 소맥분, 해초 등이 있다.

58㉮

59 정격 2차 전류가 300A, 정격사용율이 40%인 아크용접기로 200A 의 용접전류를 사용하여 용접하는 경우의 허용사용률(%)은?

⑦ 60　　　　　　　　　　④ 70
⑤ 80　　　　　　　　　　④ 90

✔해설　허용사용율(%) × (실제용접전류)² ＝ 정격 사용율(%) × (정격2차전류)²

$$허용사용율(\%) = \frac{(정격2차전류)^2}{(실제용접전류)^2} \times 정격사용율$$

허용사용율 × (200)² ＝ 40 × (300)²
허용사용율(%) ＝ 90%

59.④

60 가스용접시 사용되는 불변압식(A형) 토치의 종류가 아닌 것은?

⑦ A1호　　　　　　　　　④ A2호
⑤ A3호　　　　　　　　　④ A4호

✔해설　KS 규격 A형(불변압식)은 A1, A2, A3, B형(가변압식)은 B00, B0, B1,B2로 규정되어 있다.

60④

2006

국가기술자격검정 필기시험문제

2006년 산업기사 제1회 필기시험

	수검번호	성 명

자격종목 및 등급(선택분야)	종목코드	시험시간	문제지형별
용접산업기사	2026	1시간 30분	B

※ 답안카드 작성시 시험문제지 형별누락, 마킹착오로 인한 불이익은 전적으로 수검자의 귀책사유임을 알려드립니다.

제1과목 : 용접야금 및 용접설비제도

01 용접부에 수소가 미치는 영향에 대하여 설명한 것 중 틀린 것은?

㉮ 저온 균열원인
㉯ 언더 비드 크랙(Under - bead crack)발생
㉰ 은점 발생
㉱ 슬래그 발생

✔해설 슬래그는 용접부를 보호하기 위하여 생기는 것으로 여러 가지 성분이 섞여 있다.

01.㉱

02 스테인리스강은 900 - 1,100℃의 고온에서 급냉 할 때의 현미경 조직에 따라서 3종류로 크게 나눌 수가 있는데, 다음 중 해당 되지 않는 것은?

㉮ 마텐자이트계 스테인리스강
㉯ 페라이트계 스테인리스강
㉰ 오스테나이트계 스테인리스강
㉱ 투루스타이트계 스테인리스강

02.㉱

✔해설

분류	종류(성분 원소)	특 징
스테인레스강 S U S	페라이트계 (Cr 13%)	• 강인성 및 내식성이 있다. • 열처리에 의해 경화가 가능하다. • 용접은 가능하다. 자성체이다.
	마텐자이트계	• 13Cr을 담금질하여 얻는다. • 18Cr 보다 강도가 좋다. • 자경성이 있으며 자성체이다. • 용접성이 불량하다.
	오스테나이트계 (Cr(18)-Ni(8))	• 내식, 내산성이 13Cr 보다 우수 • 용접성이 SUS중 가장 우수 • 담금질로 경화되지 않는다. 비자성체

03 용접 열영향부의 경도 증가에 가장 큰 영향을 미치는 원소는?

㉮ 탄소　　㉯ 규소　　㉰ 망간　　㉱ 인

03.㉮

✔해설 용접 열영향부에 경도 및 강도 증가에 가장 큰 영향을 주는 것은 탄소로 탄소강의 5대 성분(탄소, 규소, 황, 인, 망간)에 속한다.

04 일반 탄소강에서 탄소 함량의 증가가 기계적 성질에 미치는 영향이 아닌 것은?

㉮ 경도를 높인다.　　　　　　㉯ 인장 강도를 높인다.
㉰ 인성을 낮춘다.　　　　　　㉱ 용접성을 향상시킨다.

☑ 해설 탄소량이 많아지면 균열 발생의 우려로 용접성이 떨어진다.

04.㉱

05 아세틸렌가스를 가장 잘 녹일 수 있는 용제는?

㉮ 휘발유　　㉯ 벤젠　　㉰ 아세톤　　㉱ 석유

☑ 해설 아세틸렌은 물에는 같은 양, 아세톤에는 25배 녹는다.(해설 22번 참조)

05.㉰

06 탄화물의 입계 석출로 인하여 입계 부식을 가장 잘 일으키는 스테인리스강은?

㉮ 펄라이트계　　　　　　㉯ 페라이트계
㉰ 마텐자이트계　　　　　㉱ 오스테아니트계

☑ 해설 오스테나이트(18 - 8) 스테인리스강의 용접시 주의 사항
① 예열을 하지 않는다.
② 층간 온도가 320℃ 이상을 넘어서는 안 된다.
③ 용접봉은 모재와 같은 것을 사용하며, 될수록 가는 것을 사용한다.
④ 낮은 전류치로 용접하여 용접 입열을 억제한다.
⑤ 짧은 아크 길이를 유지한다.(길면 카바이드 석출)
⑥ 크레이터를 처리한다.
⑦ 용접 후 급냉하여 입계 부식을 방지한다.

06.㉱

07 물질을 구성하고 있는 원자가 규칙적으로 배열을 이루고 있는 것을 무엇이라 하는가?

㉮ 결정　　　　　　㉯ 공간 배열
㉰ 면심입방체　　　㉱ 체심입방체

☑ 해설 물질을 구성하고 있는 원자가, 규칙적으로 배열을 이루고 있는 것을 결정이라고 한다.

07.㉮

08 강의 충격시험시의 천이온도에 대해 가장 올바르게 설명한 것은?

㉮ 재료가 연성 파괴에서 취성 파괴로 변화하는 온도 범위를 말한다.
㉯ 충격 시험한 시편의 평균 온도를 말한다.
㉰ 시험 시편 중 충격치가 가장 크게 나타난 시편의 온도를 말한다.
㉱ 재료의 저온 사용한계 온도나 각 기계장치 및 재료 규격집에서는 이 온도의 적용을 불허하고 있다.

08.㉮

☑ 해설 천이온도란 재료가 연성 파괴에서 취성 파괴로 변하는 온도범위를 말한다. 철강 용접의 천이 온도의 최고가열 온도는 400~600℃ 이다.

09 용접부의 풀림 처리의 효과는?

㉮ 잔류 응력의 감소를 가져온다. ㉯ 잔류 응력이 증가 된다.
㉰ 조직이 조대화 된다. ㉱ 취성화가 증대 된다.

☑ 해설 용접 후 풀림 처리의 목적의 잔류 응력을 경감하기 위해서이다.

09.㉮

10 공석강의 항온 변태 중 723℃ 이상에서의 조직은?

㉮ 오스테나이트 ㉯ 페라이트
㉰ 세미킬드강 ㉱ 베이나이트

☑ 해설 오스테나이트(γ) : γ철에 탄소를 고용한 것으로 탄소가 최대 2.11% 고용된 것으로 723℃에서 안정된 조직으로 실온에서는 존재하기 어렵고 인성이 크며 상자성체이다.

10.㉮

11 도면에서 표제란의 척도 표시에 표시된 NS는 무엇을 나타내는가?

㉮ 축척과 무관함을 나타낸다. ㉯ 척도가 생략됨을 나타낸다.
㉰ 비례척이 아님을 나타낸다. ㉱ 현척이 아님을 나타낸다.

☑ 해설 비례척에 따르지 않을 때의 치수 기입은 치수 숫자 밑에 굵은선을 그어 표시해야 한다. 또는 NS(Not to Scale)로 표기한다.

11.㉰

12 다음 중 배척을 표시하는 것은?

㉮ 1 : 1 ㉯ 1 : 2 ㉰ 1 : 25 ㉱ 100 : 1

☑ 해설 척도의 종류는 현척, 축척, 배척이 있는데 항상 분수로 생각하여 구분하면 된다. 즉 1 : 2는 ½로 생각하면 줄여 그리는 축척, 2 : 1은 2/1이 2이므로 2배 확대하여 그리는 배척으로 생각하면 된다.

12.㉱

13 용접 기호 중에서 스폿 접을 표시하는 기호는?

㉮ ⊖ ㉯ ⊓ ㉰ ◯ ㉱ ──

☑ 해설 ㉮는 시임 용접, ㉯는 플러그 용접, ㉰는 점(spot) 용접

13.㉰

14 ks규격에서 용접부 및 용접부의 표면 형상 설명으로 옳지 않은 것은?

㉮ ── : 동일 평면으로 다듬질함

14.㉯

㉯ ⌣ : 끝단부를 오목하게 함

㉰ M : 영구적인 덮개판을 사용함

㉱ MR : 제거 가증한 덮개판을 사용함

✔ 해석 ㉯는 끝단부를 매끄럽게 함

15 다음 중에서 일반 구조용 압연강재를 나타내는 ks기호는?

㉮ SS400   ㉯ SM45C

㉰ SWS400   ㉱ SPC

✔ 해석 ① 냉간 압연 강판(SCP) : 1종, 2종, 3종이 있다.
② 열간 압연 강판(SHP) : SHP1, SHP2, SHP3이 있다.
③ 일반 구조용 압연강(SS) : SS330, SS400, SS490, SS540이 있다.

15.㉮

16 제도에서 제1각법과 제3각법의 설명으로 옳지 않은 것은?

㉮ 제3각법은 대상물을 제3상한에 두고 투상면에 정투상하여 그리는 방법이다.

㉯ 제1각법은 대상물을 제1상한에 두고 투상면에 정투상하여 그리는 방법이다.

㉰ 제3각법은 대상물을 투상면의 앞쪽에 놓고 투상하게 된다.

㉱ 제1각법에서 대상물 투상 순서는 눈 → 물체 → 투상면으로 된다.

✔ 해석 3각법 눈 → 투상면 → 물체, 1각법 눈 → 물체 → 투상면의 순서로 물체를 놓고 투상

16.㉰

17 KS규격에서 플러그 용접을 의미하는 기호는?

㉮ ⊓   ㉯ ⌣   ㉰ ◯   ㉱ ⋁

17.㉮

✔ 해석

	실제 모양	기호 모양
플러그 용접 : 플러그 또는 슬롯 용접		⊓
스폿 용접		◯
심 용접		⊖

18 대상물의 보이는 부분의 모양을 표시하는 데 쓰이는 선은?   18.㉮

㉮ 굵은실선   ㉯ 가는실선   ㉰ 쇄선   ㉱ 은선

✓ 해석 대상물의 보이는 부분의 모양을 나타내는 외형선은 굵은 실선을 사용한다.

19 투상도의 명칭에 대한 설명으로 옳지 않은 것은?   19.㉯

㉮ 정면도는 물체를 정면에서 바라본 모양을 도면에 나타낸 것이다.

㉯ 배면도는 물체를 아래에서 바라본 모양을 도면에 나타낸 것이다.

㉰ 평면도는 물체를 위에서 내려다 본 모양을 도면에 나타낸 것이다.

㉱ 좌측면도는 물체의 좌측에서 바라본 모양을 도면에 나타낸 것이다.

✓ 해석 3각법의 도형의 배치 방법은 정면도를 기준으로 위에는 평면도(상면도), 아래에는 저면도(하면도), 좌측에는 좌측면, 우측에는 우측면, 우측면도 옆에는 정면도에 뒤쪽인 배면도를 배치한다.

20 KS규격(3각법)에서 용접 기호의 해석으로 옳은 것은?   20.㉰

㉮ 화살표 반대쪽 맞대기 용접이다.   ㉯ 화살표 쪽 맞대기 용접이다.

㉰ 화살표 쪽 필렛 용접이다.   ㉱ 화살표 반대쪽 필렛 용접이다.

✓ 해석 실선에 기호가 붙으면 화살표 쪽 파선에 기호가 붙은면 화살표 반대쪽으로 삼각형 기호는 필렛 용접을 뜻한다.

제2과목 : 용접구조 설계

21 필릿 용접의 이음강도를 계산할 때, 각장이 10mm라면 목두께는?   21.㉯

㉮ 약 3mm   ㉯ 약 7mm   ㉰ 약 11mm   ㉱ 약 15mm

✓ 해석 $0.707 \times 10 = 7.07$

22 동일 체적의 아세틸렌을 용해시키는 것은?   22.㉱

㉮ 아세톤(Acetone)   ㉯ 석유

㉰ 알콜   ㉱ 물(H_2O)

✓ 해석 여러 가지 액체에 잘 용해되며 물에는 같은 양, 석유에는 2배, 벤젠에는 4배, 알코올에서는 6배, 아세톤에는 25배 용해되며, 그 용해량은 압력에 따라 증가한다. 단 소금물에는 용해되지 않는다.

23 일반 구조용 압연 강재의 응력제거방법 중 노내의 국부풀림(annealing) 유지 온도는?

23.㉲

㉮ 350 ± 25표시

㉯ 550 ± 25표시

㉰ 625 ± 25표시

㉱ 725 ± 25표시

✔ 해석 일반적인 유지 온도는 625 ± 25℃ 이다. 판 두께 25mm 1시간이 적당하며, 고온 배관용 탄소강관, 고압 배관용 탄소강관, 보일러 및 열교환기용 탄소강 강관 (6, 7, 8종) 등은 유지온도 725 ± 25℃ 판 두께 25mm 2시간이 적당하다.

24 용접 이음설계에 관한 설명 중 옳지 않은 것은?

24.㉲

㉮ 이음부의 홈 모양은 응력 및 변형을 억제하기 위하여 될 수 있는 한 용착량이 적게 할 수 있는 모양을 선택하여야 한다.

㉯ 용접 이음의 형식과 응력 집중의 관계를 항상 고려하여 될 수 있는 한 이음을 대칭으로 하여야 한다.

㉰ 용접물의 중립축을 생각하고, 그 중립축에 대하여 용접으로 인한 수축 모멘트의 합이 1이 되게 한다.

㉱ 국부적으로 열이 집중하는 것을 방지하고 재질의 변화를 적게한다.

✔ 해석 ① 용접전 용접이 불가능한 곳이 없도록 충분히 검토한다.
② 용접물 중심에 대하여 대칭으로 용접하여 변형이 생기지 않도록 한다.
③ 동일 평면내에 많은 이음이 있을 때에는 수축은 가능한 자유단으로 보낸다.
④ 수축이 큰 이음을 먼저하고 작은 이음은 나중에 한다.
⑤ 중립축에 대하여 모멘트 합이 0이 되도록 한다.
⑥ 가능한 아래보기 용접을 할 수 있도록 한다.

25 맞대기 이음 용접부의 굽힘 변형 방지법 중 부적당한 것은?

25.㉱

㉮ 스트롱 백(Strong back)에 의한 구속

㉯ 주변 고착

㉰ 이음부에 역각도를 주는 방법

㉱ 수냉각법

✔ 해석 수냉각 즉 급냉을 하면 용접부의 변형이 증대될 수 있다.

26 겹쳐진 2부재의 한쪽에 둥근 구멍 대신에 좁고 긴 홈을 만들어 그 곳을 용접하는 것을 어떤 용접 이라고 하는가?

26.㉱

㉮ 겹치기용접 ㉯ 플랜지용접 ㉰ T형 용접 ㉱ 슬롯용접

✔ 해석 플러그 : 길이가 넓고 깊은 홈, 슬롯 : 길이가 가늘고 얕은 홈

(a) 플러그 용접   (b) 슬롯 용접   (c) 비드 용접

27 용접부의 냉각속도에 관한 설명 중 맞지 않는 것은?

㉠ 예열은 냉각속도를 완만하게 한다.

㉯ 동일 입열에서 판두께가 두꺼울수록 냉각속도가 느리다.

㉰ 동일 입열에서 열전도율이 클수록 냉각속도가 빠르다.

㉱ 맞대기 이음보다 T형 이음용접이 냉각속도가 빠르다.

✔ 해설 ① 냉각 속도는 얇은 판보다는 두꺼운 판에서 크다.
② 냉각 속도는 맞대기 이음보다는 T형 이음의 경우가 크다. 즉 열의 확산 방향이 많을수록 크다.
③ 열전도율이 클수록 냉각속도는 크다.

27.㉯

28 용접전류가 120A, 용접전압이 12V, 용접속도가 분당 18cm일 경우에 용접부의 입열량(Joules/cm)은?

㉠ 3,500 ㉯ 4,000 ㉰ 4,800 ㉱ 5,100

✔ 해설 $H = \dfrac{60EI}{V}$ [Joule/cm] (H : 용접 입열, E : 아크 전압[V], I : 아크 전류[A], V : 용접 속도[cm/min])

그러므로 $\dfrac{60 \times 120 \times 12}{18} = 4800$

28.㉰

29 엔드탭(end tab)의 설명 중 틀린 것은?

㉠ 모재를 구속 시킨다.

㉯ 엔드탭은 모재와 다른 재질을 사용해야 한다.

㉰ 용접이 불량하게 되는 것을 방지한다.

㉱ 용접 끝단부에서의 자기쏠림 방지 등에도 효과가 있다.

✔ 해설 엔드탭이란 용접선의 시작부와 끝 부분에 설치하는 보조판으로 모재와 같은 재질 및 홈의 형상도 같아야 한다.

29.㉯

30 용접부의 시험 및 검사법의 분류에서 전기, 자기 특성시험은 무슨 시험에 속하는가?

㉠ 기계적 시험 ㉯ 물리적 시험

㉰ 야금학적 시험 ㉱ 용접성 시험

✔ 해설 ① 기계적 시험 : 인장, 경도, 응력 등
② 화학적 시험 : 부식 시험 등
③ 물리적 시험 : 전자기적 시험 등

30.㉯

31 가용접에 대한 설명으로 잘못된 것은?

㉠ 가용접은 2층 용접을 말한다.

㉯ 본 용접봉보다 가는 용접봉을 사용한다.

31.㉠

ⓒ 루트 간격을 소정의 치수가 되도록 유의 한다.

ⓓ 본 용접과 비등한 기량을 가진 용접공이 작업한다.

✔ 해석 **가접**

① 홈안에 가접은 피하고 불가피한 경우 본 용접 전에 갈아낸다.

② 응력이 집중하는 곳은 피한다.

③ 전류는 본 용접보다 높게 하며, 용접봉의 지름은 가는 것을 사용한다. 또한 너무 짧게 하지 않는다.

④ 시·종단에 엔드탭을 설치하기도 한다.

⑤ 가접사도 본 용접사에 비하여 기량이 떨어지면 안 된다.

⑥ 가접용 지그 등을 사용하여 부재의 형상을 유지한다.

---

32 단명이 가로7mm, 세로12mm인 직사각형의 용접부를 인장하여 파단시켰을 때 최대하중이 3,444kgf 이었다면 용접부의 인장강도는 몇 kgf/mm²인가?   32.ⓒ

ⓐ 31   ⓑ 35

ⓒ 41   ⓓ 46

✔ 해석 $용접부의인장강도 = \dfrac{최대하중}{단면적} = \dfrac{3444}{7 \times 12} = 41$

---

33 서브머지드 아크용접에서 와이어 돌출 길이는 와이어 지름의 몇 배 전후가 적당한가?   33.ⓓ

ⓐ 2배   ⓑ 4배

ⓒ 6배   ⓓ 8배

✔ 해석 서브머지드 아크 용접의 와이어 돌출길이는 와이어 지름의 일반적으로 8배정도로 한다.

---

34 용접변형 교정법의 종류가 아닌 것은?   34.ⓑ

ⓐ 형제에 대한 직선 수축법   ⓑ 얇은판에 대한 곡선 수축법

ⓒ 가열 후 헤머질 하는 법   ⓓ 롤러에 의한 법

✔ 해석 용접 변형 교정 방법 중 박판의 경우는 점 수축법이 사용된다.

---

35 용접물을 용접하기 쉬운 상태로 위치를 자유자재로 변경하기 위해 만든 지그는?   35.ⓒ

ⓐ 스트롱 백(strong back)   ⓑ 워크 픽스쳐(work fixture)

ⓒ 포지셔너(positioner)   ⓓ 클램핑 지그(clamping jig)

✔ 해석 포지셔너는 용접 지그의 일종으로 일반적으로 아래보기 자세로 용접하기 편리하도록 제작된 것이다.

36 용접 이음의 피로 강도는 다음의 어느 것을 넘으면 파괴되는가?   36.㉰

㉮ 연신율   ㉯ 최대하중

㉰ 응력의 최대 값   ㉭ 최소하중

✔ 해석 응력의 최대 값을 넘으면 용접 이음은 파괴된다.

37 용접부의검사법 중 비파괴 검사(시험)법에 해당되지 않는 것은?   37.㉰

㉮ 외관검사   ㉯ 침투검사

㉰ 화학시험   ㉭ 방사선 투과시험

✔ 해석 화학시험은 부식 시험 등을 말하며 파괴 시험이다.

38 용접비드 부근이 특히 부식이 잘 되는 이유는 무엇인가?   38.㉭

㉮ 과다한 탄소함량 때문에   ㉯ 담금질 효과의 발생 때문에

㉰ 소려효과의 발생 때문에   ㉭ 잔류응력의 증가 때문에

✔ 해석 잔류 응력에 의해 용접 변형 및 부식이 생긴다.

39 다음 그림과 같은 두께12[mm]의 연강판을 겹치기 용접이음을 하고, 인장하중8000[kgf]를 작용시키고자 할 경우 용접선의 길이 ℓ[mm]는?(단 용접부의 허용 응력은 4.5kgf/mm²)   39.㉰

㉮ 224.7

㉯ 184.7

㉰ 104.7

㉭ 204.7

✔ 해석 허용응력 $= \dfrac{\text{하중}}{\text{단면적}}$ 여기서 하중은 8000, 응력은 4.5, 단면적은 12 × L

그러므로 용접선의 길이(L)은 $\dfrac{0.707 \times 8000}{4.5 \times 12} = 104.74$

40 접합하는 부재 한쪽에 둥근 구멍을 뚫고 다른 쪽 부재와 겹쳐서 구멍을 완전히 용접하는 것을 무엇이라고 하는가?   40.㉯

㉮ 심 용접(seam weld)   ㉯ 플러그 용접(plug weld)

㉰ 가 용접(tack weld)   ㉭ 플레어 용접(flare weld)

✔ 해석 플러그 : 길이가 넓고 깊은 홈, 슬롯 : 길이가 가늘고 얕은 홈

(a) 플러그 용접   (b) 슬롯 용접   (c) 비드 용접

제3과목 : 용접일반 및 안전관리

41 피복 아크 용접에 필요한 특성으로 아크를 안정시키는 데 필요한 특성은?(단, 부하 전류 증가로 단자 전압 저하함)

㉮ 자기제어 특성　　　　　　㉯ 수하 특성
㉰ 정전압 특성　　　　　　　㉱ 회로 특성

✔해설　수하 특성(垂下 特性)이란 부하 전류가 증가하면 단자 전압이 저하하는 특성을 말한다.
V = E - IR(V : 단자 전압, E : 전원 전압)

42 KS안전색체에서 "주황"색이 표시하는 사항은?

㉮ 위생　　　　㉯ 방사능　　　　㉰ 위험　　　　㉱ 구호

✔해설　① 적색 : 방화 금지, 고도의 위험
② 황적 : 위험, 항해, 항공의 보안 시설
③ 노랑 : 충돌, 추락, 전도 등의 주의
④ 녹색 : 안전 지도, 피난, 위생 및 구호 표시, 진행
⑤ 청색 : 주의 수리 중, 송전 중 표시
⑥ 진한 보라색 : 방사능 위험 표시

43 저수소계 용접봉을 원래의 하드보드 박스에서 꺼낸 후 저장하는 방법으로 가장 옳은 것은?

㉮ 재 포장하여 저장한다.
㉯ 공구 창고 내에 사이즈별로 저장한다.
㉰ 건조로에 넣어 저장한다.
㉱ 아무렇게나 저장해도 상관없다.

✔해설　저수소계 용접봉은 흡습에 유의하여야 하며, 사용전 건조로에서 건조 후 사용하여야 한다.

44 TIG용접으로 Al을 용접할 때, 가장 적합한 용접전원은?

㉮ DC SP　　　㉯ CD RP　　　㉰ AC HF　　　㉱ AC

✔해설　티그 용접에서 고주파전류 병용(ACHF)을 사용하는 경우는 알루미늄인데, 고주파 장치가 붙어 있어 초기 아크 발생이 쉽고 텅스텐 전극의 오손 등이 적다.

45 아크 용접에서 전류의 세기와 무관한 것은?

㉮ 용입불량　　　㉯ 선상조직　　　㉰ 오버랩　　　㉱ 언더 컷

✔해설　선상 조직은 용접부에 생기는 특이한 조직으로 미세한 주상정 사이에 미세한 기공 또는 비금속 개재물이 있어 결정 사이의 결합력이 약해져서 생긴다.

41.㉯

42.㉰

43.㉰

44.㉰

45.㉯

46 모재를 녹이지 않고 접합하는 것은 어느 것인가?

㉮ 가스용접   ㉯ 아크용접

㉰ 액상용접   ㉱ 납땜

✔ 해석 납땜은 모재는 녹지 않고 용접봉만 녹는 방법이다.

46.㉱

47 CO_2 아크용접에 대한 설명 중 틀린 것은?

㉮ CO_2 아크용접은 차례가스로서 탄산가스를 사용하는 소모 전극식 용접법이다.

㉯ 용접장치, 용접전원 등 장치로서는 MIG용접과 같은 점이 많다.

㉰ CO_2 아크용접에서는 탈산제로서 Mn 및 Si를 포함한 용접와이어를 사용한다.

㉱ CO_2 아크용접에서는 차폐가스로 CO_2에 소량의 수소를 혼합한 것을 사용한다.

✔ 해석 솔리드 와이어 혼합 가스법 : $CO_2 + O_2$법, $CO_2 + Ar$법, $CO_2 - Ar - O_2$법

47.㉱

48 일렉트로 슬랙 용접(electro = slag welding)에서 사용되는 수냉식 판의 재료는?

㉮ 알루미늄   ㉯ 니켈

㉰ 구리   ㉱ 연강

✔ 해석 수냉식판은 주로 열전도가 좋은 동(Cu)판을 사용한다.

48.㉰

49 용접기의 통전시간을 6분, 휴식시간을 4분이라 할 때 이 용접기의 사용율은 몇 %나 되겠는가?

㉮ 20%   ㉯ 40%

㉰ 60%   ㉱ 80%

✔ 해석 사용율 = $\dfrac{\text{아크발생시간}}{\text{전체작업시간}} \times 100 = \dfrac{6}{10} \times 100 = 60\%$

49.㉰

50 모재 표면위에 전극와이어 보다 앞에 미세한 입상의 용제를 살포하면서 이 용제속에 용접봉을 연속적으로 공급하여 용접하는 방법은?

㉮ 서브머지드 아크 용접   ㉯ 불활성 가스 아크 용접

㉰ 탄산가스 아크 용접   ㉱ 플러그 용접

✔ 해석 서브머지드 아크 용접(잠호 용접)은 용제 속에서 아크를 발생시켜 용접하며, 상품명으로는 유니언 멜트 용접, 링컨 용접법이라고도 한다. 전원으로는 직류(400A이하에 역극성을 사용하여 박판에 사용), 교류(설비비가 싸고 쏠림이 없다)가 모두 쓰인다.

50.㉮

51 가스 용접용 가스가 갖추어야 할 성질에 해당 되지 않는 것은?

㉮ 불꽃의 온도가 높을 것
㉯ 연소속도가 빠를 것
㉰ 발열량이 적을 것
㉱ 용융금속과 화학반응을 일으키지 않을 것

✔해설 **가연성 가스의 구비조건**
① 불꽃 온도가 높을 것
② 연소 속도가 빠를 것
③ 발열량이 클 것
④ 용융 금속과 화학 반응을 일으키지 않을 것

51.㉰

52 D급 화재에 해당하는 것은?

㉮ 목재, 종이 등에 의한 화재   ㉯ 유류에 의한 화재
㉰ 전기 화제   ㉱ 금속 화재

✔해설 A급 일반화재, B급 유류화재, C급 전기화재, D급 금속화재

52.㉱

53 용해 아세틸렌을 안전하게 취급하는 방법이다. 잘못된 것은?

㉮ 아세틸렌병은 반드시 세워서 사용한다.
㉯ 아세틸렌가스의 누설은 폭발을 초래하기 쉬우므로 반드시 성냥불로 검사해야 한다.
㉰ 아세틸렌밸브가 얼었을 때는 더운물로 데워야 하면 불꽃을 사용해서는 안 된다
㉱ 밸브고장으로 아세틸렌 누출시는 통풍이 잘되는 곳으로 병을 옮겨 놓아야 한다.

✔해설 아세틸렌가스 등의 누설검사는 비눗물을 사용하여야 한다.

53.㉯

54 가스 절단면에서 절단면에 생기는 드래그 라인(drag line)에 관한 설명 중 틀린 것은?

㉮ 절단면에 일정간격의 평행 곡선 모양으로 나타난다.
㉯ 가스 절단의 양부를 판정하는 기준이 된다.
㉰ 산소 소비량을 증가시키면 드래그는 길어진다.
㉱ 강판 두께의 약 20%를 표준으로 하고 있다.

✔해설 **가스 절단의 양부 판정**
① 드랙은 가능한 작을 것
② 드랙은 일정할 것
③ 절단면 표면의 윗면각이 예리할 것
④ 슬랙의 이탈성이 우수할 것

54.㉰

55 아크 절단법이 아닌 것은?

　㉮ 금속아크 절단　　　　　　㉯ 미그아크 절단
　㉰ 플라즈마 제트절단　　　　㉱ 서브머지드 아크 절단

　✔해설　아크 절단의 종류로는 금속아크 절단, 탄소 아크 절단, 티그 아크 절단, 미그 아크 절단, 플라즈마 제트 절단 등이 있다.

56 교류아크 용접기로서 용접전류의 원격조정이 가능한 용접기는?

　㉮ 탭전환형　　　　　　　　㉯ 가포화 리액터형
　㉰ 가동철심형　　　　　　　㉱ 가동코일형

　✔해설　가포화 리액터형은 전류 조절을 가변 저항으로 하는 것으로 원격 조정이 가능하다.

57 아크 에어 가우징(arc air gouging)작업에서 탄소봉의 노출 길이가 길어지고, 외관이 거칠어지는 가장 큰 원인의 경우는?

　㉮ 전류가 높은 경우　　　　㉯ 전류가 낮은 경우
　㉰ 가우징 속도가 빠른 경우　㉱ 가우징 속도가 느린 경우

　✔해설　전류가 높은 경우 탄소봉의 노출길이가 길어져 외관이 거칠어진다.

58 직류 정극성에 대한 설명으로 올바르지 못한 것은?

　㉮ 모재를 (+)극에, 용접봉을(-)극에 연결한다.
　㉯ 용접봉의 용융이 느리다.
　㉰ 모재의 용입이 깊다.
　㉱ 용접 비드의 폭이 넓다.

　✔해설　① 정극성일 때 모재에 양극(+)을 연결하므로 모재측에서 열 발생이 많아 용입이 깊게 되고, 음극(-)을 연결하는 용접봉은 천천히 녹는다.
　② 역극성일 때 모재에 음극(-)을 연결하므로 모재측의 열량 발생이 적어 용입이 얕고 넓게 된다. 하지만 용접봉은 양극(+)에 연결하므로 빨리 녹게 된다.

59 점(spot)용접의 3대 요소로 옳지 않은 것은?

　㉮ 용접전압　　㉯ 용접전류　　㉰ 통전시간　　㉱ 가압력

　✔해설　전기 저항 용접으로 3대 요소는 용접전류, 통전시간, 가압력이며, 점용접은 전기 저항 용접의 한 방법이다.

60 경납땜의 융점은 몇 도(℃) 이상인가?

　㉮ 300　　　　㉯ 312　　　　㉰ 450　　　　㉱ 120

　✔해설　온도 450℃를 기준으로 그 이하를 연납, 그 이상을 경납이라고 한다.

55.㉱
56.㉯
57.㉮
58.㉱
59.㉮
60.㉰

국가기술자격검정 필기시험문제

2006년 산업기사 제2회 필기시험

자격종목 및 등급(선택분야)	종목코드	시험시간	문제지형별	수검번호	성 명
용접산업기사	2026	1시간 30분	A		

※ 답안카드 작성시 시험문제지 형별누락, 마킹착오로 인한 불이익은 전적으로 수검자의 귀책사유임을 알려드립니다.

제1과목 : 용접야금 및 용접설비제도

01 유황은 강철에 어떤 영향을 주는가?

㉮ 저온인성 ㉯ 적열취성
㉰ 저온취성 ㉱ 적열인성

✔ 해설 취성이나 메짐은 같은 말이며 황은 고온 취성(적열 취성), 인은 청열 취성(상온 취성, 냉간 취성)의 원인이 된다.

01.㉯

02 2성분계의 평형 상태도에서 액체, 고체의 어느 상태에서도 일부분 밖에 녹지 않는 형은?

㉮ 공정형 ㉯ 포정형
㉰ 편정형 ㉱ 전율 고정형

✔ 해설 편정 반응 : 액체A + 고체 ⇔ 액체B

02.㉰

03 강의 표면 경화 열처리 방법에 포함되지 않는 것은?

㉮ 화염경화법 ㉯ 고주파경화법
㉰ 시안화법 ㉱ 오스템퍼링법

✔ 해설 표면 경화법
① 침탄법(고체, 액체, 가스) ② 질화법
③ 화염경화법 ④ 금속 침탄법

03.㉱

04 용융 슬래그의 염기도를 나타내는 식은?

㉮ 염기도 = {Σ염기성 성분/Σ산성 성분}
㉯ 염기도 = {Σ산성 성분/Σ염기성 성분}
㉰ 염기도 = {Σ용융금속 성분/Σ용융슬래그 성분}
㉱ 염기도 = {Σ용융슬래그 성분/Σ용융금속 성분}

✔ 해설 용융 슬랙의 산성 및 염기도는 용접할 때 화학 반응과 관계있어 중요하며 염기도(basicity)는 염기성 성분의 합을 산성 성분의 합으로 나눈 것을 말한다.

04.㉮

05 용접부를 어떤 온도 이상으로 가열하면 재질이 연화되어 연성이 증가하고 내부 응력을 제거하며 정상적인 재료의 성질로 회복되는 열처리법은?

㉮ 화염경화법   ㉯ 노멀라이징
㉰ 고주파경화법   ㉱ 어닐링

✔️ 해설 풀림(annealing) : 재질의 연화 및 응력제거를 목적으로 노내에서 서냉한다.

05.㉱

06 스테인리스강의 종류에서 용접성이 가장 우수한 것은?

㉮ 마텐자이트계 스테인리스 강   ㉯ 페라이트계 스테인리스 강
㉰ 오스테나이트계 스테인리스 강   ㉱ 펄라이트계 스테인리스 강

✔️ 해설

분류	종류(성분 원소)	특 징
스테인레스강 S U S	페라이트계 (Cr 13%)	• 강인성 및 내식성이 있다. • 열처리에 의해 경화가 가능하다. • 용접은 가능하다. 자성체이다.
	마텐자이트계	• 13Cr을 담금질하여 얻는다. • 18Cr 보다 강도가 좋다. • 자경성이 있으며 자성체이다. • 용접성이 불량하다.
	오스테나이트계 (Cr(18)-Ni(8))	• 내식, 내산성이 13Cr 보다 우수 • 용접성이 SUS중 가장 우수 • 담금질로 경화되지 않는다. 비자성체

06.㉰

07 저용융점 합금이란 어떤 원소보다 용융점이 낮은 것을 말하는가?

㉮ Zn   ㉯ Cu   ㉰ Sn   ㉱ Pb

✔️ 해설 저용융점 합금이란 Sn 보다 융점이 낮은 합금으로 퓨즈 활자 정밀 모형에 사용

07.㉰

08 철의 자기 변태 온도는 다음 중 대략 어느 정도인가?

㉮ 262℃   ㉯ 358℃   ㉰ 768℃   ㉱ 1,160℃

✔️ 해설 자기 변태 : 원자 배열은 변화가 없고 자성만 변하는 것으로 자기 변태 금속으로는 Fe(768℃), Ni(358℃), Co(1,160℃)가 있다.

08.㉰

09 용융금속의 결정을 미세화시키는 방법이 아닌 것은?

㉮ 자기교반에 의한 방법
㉯ 초음파 진동에 의한 방법
㉰ 실드 가스로 알곤을 사용하는 방법
㉱ 합금원소를 첨가하는 방법

✔️ 해설 실드가스로 알곤을 사용하는 이유는 용착부를 보호하기 위함이다.

09.㉰

10 체심입방격자에 속하는 원자수는 모두 몇 개인가?

㉮ 1개   ㉯ 2개   ㉰ 4개   ㉱ 6개

✔ 해설 ① 체심입방격자의 원자수 = (꼭지점에 있는 원자의 수 = 8) × 1/8 + (중앙에 있는 원자의 수 = 1)에서 2개
② 면심입방격자의 원자수 = (꼭지점에 있는 원자의 수 = 8) × 1/8 + (면 중심에 있는 원자의 수 = 6) × 1/2 = 4개

10.㉯

11 서로 120°를 이루는 3개의 기본 축에 물체의 정면, 평면, 측면을 볼 수 있도록 두 개의 옆면 모서리가 수평선과 30°되게 투상한 것은?

㉮ 제 1각법   ㉯ 등각 투상법   ㉰ 사 투상법   ㉱ 제 3각법

✔ 해설 **등각 투상도**
① 물체의 정면, 평면, 측면을 하나의 투상도에서 볼 수 있도록 그린 도법
② 물체의 모양과 특징을 가장 잘 나타냄
③ 물체 3개의 세 모서리는 각각 120°
④ 용도 : 구상도나 설명도 등

11.㉯

12 가상선을 이용한 도시에서 대상물의 가공 전의 모양이나 가공 후의 모양 또는 조립 후의 모양을 표시하는 경우에 사용하는 선은?

㉮ 실선   ㉯ 은선
㉰ 가는 2점 쇄선   ㉱ 가는 1점 쇄선

✔ 해설 **가상선은 가는 이점 쇄선을 사용**
① 도시된 물체의 앞면을 표시하는 선
② 인접 부분을 참고로 표시하는 선
③ 가공 전 또는 가공 후의 모양을 표시하는 선
④ 이동하는 부분의 이동 위치를 표시하는 선
⑤ 공구, 지그 등의 위치를 참고로 표시하는 선
⑥ 반복을 표시하는 선 등으로 사용된다.

12.㉰

13 도면에서 해칭(hatching)을 하는 경우는?

㉮ 움직이는 부분을 나타내고자 할 때
㉯ 회전하는 물체를 나타내고자 할 때
㉰ 절단 단면 부분을 나타내고자 할 때
㉱ 이웃하는 부품과의 경계를 나타낼 때

✔ 해설 절단면 표시 : 해칭, 스머징을 사용한다.

13.㉰

14 KS규격에서 회주철을 의미하는 기호는?

㉮ GC100   ㉯ SC360   ㉰ BMC27   ㉱ C1020BE

✔ 해설 회주철의 기호는 GC(Gray Cast)

14.㉮

15 KS 규격에서 용접부 비파괴시험기호의 설명으로 틀린 것은?

㉮ RT – 방사선 투과 시험   ㉯ PT – 침투 탐상 시험

㉰ LT – 누설 시험   ㉱ PRT – 변형도 측정 시험

✅ 해설 변형률 측정 시험은 시험체에 하중을 가하여 그 변형의 정도에 의해 응력 분포의 상태 및 세기를 조사하는 파괴 시험 방법이다.

15.㉱

16 기계재료 표시방법에서 SF340A에서 340의 표시는 무엇을 나타내는가?

㉮ 강   ㉯ 단조품

㉰ 최저인장강도   ㉱ 최고인장강도

✅ 해설 340은 최저 인장 강도를 뜻한다.

16.㉰

17 치수보조 기호에 대한 용어의 연결이 틀린 것은?

㉮ R – 반지름   ㉯ ∅ – 지름

㉰ SR – 구의 반지름   ㉱ C – 치핑

✅ 해설 C는 모따기(chamfer)기호이다.

17.㉱

18 다음 그림 중에서 용접 기호(이음용접)를 나타내는 부분은?

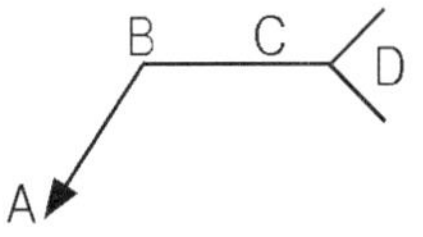

㉮ A   ㉯ B

㉰ C   ㉱ D

✅ 해설 A화살로 용접 방향을 결정하는 곳이며, B부분에는 현장 또는 공장 용접의 기호를 표시하는 곳이며, C부분에는 용접 기호를 D부분 즉 꼬리 부분은 특수한 상황 등을 기입한다.

18.㉰

19 표준규격(제도규격)을 제정하는 목적을 설명한 것 중에서 틀린 것은?

㉮ 설계자의 의도를 오해 없이 정확하게 전달하기 위하여

㉯ 생산능률을 향상시키고 제품의 호환성 확보를 위하여

㉰ 품질향상에 기여하고 원가를 절감할 수 있도록하기 위하여

㉱ 국제 표준화기구와 다른 나라와의 차이를 두기 위하여

✅ 해설 국제 규격은 국제적인 공동의 이익을 추구하기 위하여 여러 나라가 협의, 심의, 규정하여 국제적으로 적용하는 규격, 한국은 1963년 가입하였다.

19.㉱

20 재료 기호 SM400A에서 재질의 설명으로 옳은 것은?

⑦ 일반 구조용 압연 강재　　　④ 연강 선재

④ 용접 구조용 압연 강재　　　㉠ 열간 압연 연강판

☑ 해설 기계 구조용 탄소강(SM) : SM0C, SM12C, SM15C, SM17C, SM20C, SM22C, SM25C, SM28C, SM30C, SM33C, SM35C, SM38C, SM40C, SM43C, SM45C
용접 구조용 압연강재 : SM 400A · B · C, SM 490A · B · C, SM 490YA · YB, SM 520B · C, SM 570, SM 490TMC, SM 520TMC, SM 570TMC

20.④

제2과목 : 용접구조 설계

21 가용접(tack welding)에 대한 사항 중 틀린 것은?

⑦ 부재 강도상 중요한 장소는 가용접을 피한다.

④ 가용접용의 용접봉은 본용접보다 지름이 약간 굵은 것을 사용한다.

④ 본 용접 전에 좌우의 홈부분을 잠정적으로 고정하기 위한 짧은 용접이다.

㉠ 가용접은 본용접 못지않게 중요하다.

☑ 해설 **가접**
① 홈안에 가접은 피하고 불가피한 경우 본 용접 전에 갈아낸다.
② 응력이 집중하는 곳은 피한다.
③ 전류는 본 용접보다 높게 하며, 용접봉의 지름은 가는 것을 사용한다. 또한 너무 짧게 하지 않는다.
④ 시 · 종단에 엔드탭을 설치하기도 한다.
⑤ 가접사도 본 용접사에 비하여 기량이 떨어지면 안 된다.
⑥ 가접용 지그 등을 사용하여 부재의 형상을 유지한다.

21.④

---

22 맞대기 용접 이음 홈의 종류가 아닌 것은?

⑦ 양면 J형　　　④ C형　　　④ K형　　　㉠ H형

☑ 해설 맞대기 용접의 홈의 형상은 I형, V형, 양면 V형(X), 베벨형, 양면 베벨형(K), U형, 양면 U형(H형)등이 있다.

22.④

---

23 그림과 같이 완전용입 T형 맞대기용접 이음에 굽힘 모멘트 Mb = 9,000 kgf · cm가 작용할 때 최대 굽힘 응력(kgf/cm²)은?(단, L = 400mm, ℓ = 300mm, t = 20mm, P(kgf)는 하중이다.)

⑦ 30

④ 300

④ 45

㉠ 450

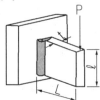

☑ 해설 $\sigma_b = \dfrac{6M}{t\ell^2} = \dfrac{(6 \times 9000)}{(2 \times 30^2)} = 30$

23.⑦

24 재료의 내부에 남아 있는 응력은?

㉮ 좌굴응력   ㉯ 변동응력

㉰ 잔류응력   ㉱ 공칭응력

✔해설 국부적인 가열 또는 불균일한 가공에서 나타나는 잔류 응력은 용접, 주조, 단조 또는 압연 등의 결과 재료 내부에 응력이 있는 것을 말한다.

24.㉰

25 용접에 의한 잔류응력을 가장 적게 받는 것은?

㉮ 정적강도   ㉯ 취성파괴

㉰ 피로강도   ㉱ 횡 굴곡

✔해설 정적 강도의 경우에는 재료에 연성이 있어 파괴되기까지 소성변형이 약간 있어 잔류 응력이 존재하여도 강도에는 영향이 적다.

25.㉮

26 필릿 용접에서 모재가 용접선에 각을 이루는 경우의 변형은?

㉮ 종수축   ㉯ 좌굴변형

㉰ 회전변형   ㉱ 횡굴곡

✔해설 각변형이란 용접에 의해 부재 또는 구조물에 생기는 가로 방향의 굽힘 변형을 말한다. 맞대기 용접의 경우는 상부쪽의 수축량이 크기 때문에 위쪽으로 오므라들게 되며, 필릿 용접의 경도 수평판의 상부쪽이 오므라드는 것을 말한다. 즉 이와 같은 각변형을 줄이려면 용접 층수는 가능한 적게 하는 것이 좋다.

26.㉱

27 용접에서 수축변형의 종류에 해당 되지 않는 것은?

㉮ 횡굴곡   ㉯ 역변형   ㉰ 종굴곡   ㉱ 좌굴변형

✔해설 역변형법 : 용접전에 변형의 크기 및 방향을 예측하여 미리 반대로 변형시키는 방법으로 변형방지법이다.

27.㉯

28 용착 금속의 인장강도를 구하는 옳은 식은?

㉮ 인장강도 $= \dfrac{\text{인장하중}}{\text{시험편의단면적}}$ ㉯ 인장강도 $= \dfrac{\text{시험편의단면적}}{\text{인장하중}}$

㉰ 인장강도 $= \dfrac{\text{표점거리}}{\text{연신율}}$ ㉱ 인장강도 $= \dfrac{\text{연신율}}{\text{표점거리}}$

✔해설 단위 면적당 작용하는 하중을 인장강도라 한다.

28.㉮

29 용접 전 변형량을 대략 예측할 수 있을 때 사용할 수 있는 변형 방지법은?

㉮ 역 변형법   ㉯ 피닝법   ㉰ 냉각법   ㉱ 국부 긴장법

✔해설 27번 해설 참고

29.㉮

30 용접 변형의 경감 및 교정방법에서 용접부에 구리로 된 덮개판을 두든지 뒷면에서 용접부를 수냉 또는 용접부 근처에 물기 있는, 석면, 천 등을 두고 모재에 용접 입열을 막음으로써 변형을 방지하는 방법은?

㉮ 롤링법　　㉯ 피닝법　　㉰ 도열법　　㉱ 억제법

✔ 해석　도열법이란 용접부 주위에 물을 적신 석면, 동판을 대어 열을 흡수시키는 방법으로 변형 경감 및 교정에 사용한다.

30. ㉰

31 용접부의 인장시험에서 최초로 표점 사이의 거리 L_0로 하고, 판단 후의 표점 사이의 거리 L_1로 하면, 파단까지의 변형율 δ를 구하는 식으로 옳은 것은?

㉮ $\delta = \frac{l_1 + l_0}{2l_0} \times 100(\%)$　　㉯ $\delta = \frac{l_1 - l_0}{2l_0} \times 100(\%)$

㉰ $\delta = \frac{l_1 + l_0}{l_0} \times 100(\%)$　　㉱ $\delta = \frac{l_1 - l_0}{l_0} \times 100(\%)$

✔ 해석　변형률 $= \frac{나중길이 - 처음길이}{처음길이} \times 100$

31. ㉱

32 V형 맞대기 용접(완전한 용입)에서 판 두께가 10mm 용접선의 유효길이가 200mm일 때, 여기에 5.0Kgf/mm²의 인장(압축)응력이 발생한다면 용접선에 직각방향으로 몇 Kgf의 인장(압축)하중이 작용하겠는가?

㉮ 2,000Kgf　㉯ 5,000Kgf　㉰ 10,000Kgf　㉱ 15,000Kgf

✔ 해석　$P = \sigma \times t \times l = 5 \times 10 \times 200 = 10,000$

32. ㉰

33 용접부의 시험법에서 시험편에 V형 또는 U형 등의 노치(notch)를 만들고, 하중을 주어 파단시키는 시험방법은?

㉮ 경도 시험　㉯ 인장 시험　㉰ 굽힘 시험　㉱ 충격 시험

✔ 해석　충격 시험 : (샤르피식, 아이조드식) 재료의 인성과 취성을 알아보는 시험으로 시험편의 파단에 필요한 흡수에너지가 크면 클수록 인성이 크다.

33. ㉱

34 두께가 6.4mm인 두 모재의 맞대기 이음에서 용접 이음부가 4,536kgf의 인장하중이 작용할 경우 필요한 용접부의 최소 허용길이(mm)는? (단, 용접부의 허용인장응력은 14.06Kg/mm²이다.)

㉮ 50.4　㉯ 40.3　㉰ 30.1　㉱ 20.7

✔ 해석　$\sigma = \frac{P}{tl}$ 에서 $l = \frac{p}{t\sigma} = \frac{4536}{6.4 \times 14.06} = 50.4$

34. ㉮

35 다음 그림과 같은 필릿이음의 용접부 인장응력(kgf/mm²)은 얼마 정도 인가?

㉮ 약 1.4

㉯ 약 3.5

㉰ 약 5.2

㉱ 약 7.6

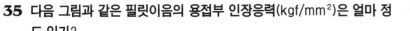

30,000kg

✔️ 해설 $\sigma = \dfrac{0.707 \times P}{hl} = \dfrac{0.707 \times 30000}{12 \times 500} = 3.53$

35.㉯

36 연강의 맞대기 용접 이음에서 용착금속의 인장강도가 40kgf/mm², 안전율이 8이면, 이음의 허용응력은?

㉮ 5kgf/mm²   ㉯ 8kgf/mm²   ㉰ 40kgf/mm²   ㉱ 48kgf/mm²

✔️ 해설 $\text{허용응력} = \dfrac{(\text{인장강도})}{(\text{안전율})} = \dfrac{40}{8} = 5$

36.㉮

37 연강용 피복 아크 용접봉의 종류가 E4340 이라고 할 때, 이 용접봉의 피복제의 계통은?

㉮ 철분 산화철계   ㉯ 철분 저수소계

㉰ 특수계   ㉱ 저수소계

✔️ 해설 E4340에서 뒤에 40은 피복제의 계통을 말하며, 특수계 계통의 피복제이다.

37.㉰

38 스테인리스 강(Stainless Steel)이나 고장력 강의 용접에서 잔류응력에 의해 결정 입계에 따라 발생되는 균열은?

㉮ 응력 부식 균열   ㉯ 재열 균열

㉰ 횡 균열   ㉱ 종 균열

✔️ 해설 응력이 집중되는 상태에서 부식이 현저하게 진행됨으로써 발생하는 균열을 말하며, 오스테나이계 강에서 많이 발생하는 균열이 응력 부식 균열이다.

38.㉮

39 용접 선의 양측을 정속으로 이동하는 가스 불꽃에 의하여 나비 약 150mm 에 걸쳐서 150 ~ 200℃로 가열한 다음 곧 수냉하여 주로 용접선 방향의 응력을 제거하는 방법은 무엇인가?

㉮ 피닝법   ㉯ 기계적 응력 완화법

㉰ 저온 응력 완화법   ㉱ 국부 풀림법

✔️ 해설 저온 응력 완화법 : 용접선 좌우 양측을 정속도로 이동하는 가스 불꽃으로 약 150mm의 나비를 약 150 ~ 200℃로 가열 후 수냉하는 방법으로 용접선 방향의 인장 응력을 완화시키는 방법

39.㉰

40 다음 그림 중 필릿(용접) 겹치기 이음은?　　　　　40.㉣

㉮ [그림]　　　　　　　㉯ [그림]

㉯ [그림]　　　　　　　㉣ [그림]

✔️해석　㉮는 맞대기 ㉯, ㉯는 T형, ㉣는 필릿 겹치기 이음

제3과목 : 용접일반 및 안전관리

41 가스절단 되기 위한 조건 중에서 틀린 것은?　　　41.㉮

㉮ 모재가 산화연소 하는 온도는 그 금속의 용융점보다 높을 것

㉯ 생성된 금속산화물의 용융온도는 모재의 용융온도보다 낮을 것

㉯ 생성된 산화물은 유동성이 좋을 것

㉣ 금속의 화합물 중에 연소되지 않는 물질이 적을 것

✔️해석　금속 산화물의 용융 온도가 높으면, 절단이 곤란하다.

42 일렉트로 슬래그(Electro slag) 용접은 다음 중 어떤 종류의 열원을 사용하는 것인가?　　　42.㉮

㉮ 전류의 전기 저항열

㉯ 용접봉과 모재 사이에서 발생하는 아크열

㉯ 원자의 분리 융합 과정에서 발생하는 열

㉣ 점화제의 화학반응에 의한 열

✔️해석　일렉트로 슬랙 용접 특징
① 전기 저항 열$(Q = 0.24I^2Rt)$을 이용하여 용접(주울의 법칙 적용)한다.
② 두꺼운 판의 용접법으로 적합하다.(단층으로 용접이 가능)
③ 매우 능률적이고 변형이 적다.

43 주로 상하부재의 접합을 위하여 한편의 부재에 구멍을 뚫어, 이 구멍 부분을 채우는 형태의 용접방법은?　　　43.㉯

㉮ 필릿 용접　　　　　　㉯ 맞대기 용접

㉯ 플러그 용접　　　　　㉣ 플래시 용접

✔️해석

(a) 플러그 용접　　　(b) 슬롯 용접　　　(c) 비드 용접

44 다음 중 가장 높은 열을 발생시킬 수 있는 용접 방법은?

㉮ 테르밋 용접　　　　　㉯ 엘렉트로 슬랙 용접

㉰ 플라즈마 용접　　　　㉱ 원자수소 용접

✔ 해석　가스 분자가 전기적 에너지에 의하여 양이온과 음이온(전자)으로 유리되어 전류를 통할 수 있는 상태를 플라즈마 상태라고 하는데 발생된 온도는 10,000 ~ 30,000℃정도이다.

44.㉰

45 아크 용접시, 감전 방지에 관한 내용 중 틀린 것은?

㉮ 비가 내리는 날이나 습도가 높은 날에는 특히 감전에 주의를 하여야 한다.

㉯ 전격방지 장치는 매일 점검하지 않으면 안 된다.

㉰ 홀더의 절연상태가 충분하면 전격방지 장치는 필요 없다.

㉱ 용접기의 내부에 함부로 손을 대지 않는다.

✔ 해석　홀더의 절연 상태는 일반적으로 A형 안전 홀더를 사용하여 홀더 전체가 절연되어 있다. 하지만 작업자의 안전을 위하여 전격 방지기는 홀더의 절연과 관계없이 필요한 장치이다.

45.㉰

46 보기와 같은 아크 용접봉이 있다. 용접봉의 지름은 얼마인가?

> (보기)　　E4316 – AC – 5 – 400

㉮ 5mm　　　㉯ 43mm　　　㉰ 400mm　　　㉱ 16mm

✔ 해석　저수소계 교류 용접기, 용접봉 직경 5mm, 용접봉 길이 400mm

46.㉮

47 다음 중 용접기를 설치해서는 안 되는 장소는?

㉮ 진동이나 충격이 없는 장소　　㉯ 휘발성 가스가 있는 장소

㉰ 기름이나 증기가 없는 장소　　㉱ 주위온도가 −5℃인 장소

✔ 해석　휘발성 가스가 있는 곳은 화재 및 폭발의 위험이 있다.

47.㉯

48 용접기의 보수 및 점검시 지켜야 할 사항으로 틀린 것은?

㉮ 2차측 단자의 한쪽과 용접기 케이스는 접지해서는 안 된다.

㉯ 가동부분 냉각팬을 점검하고 주유해야 한다.

㉰ 탭 전환의 전기적 접속부는 자주 샌드페이퍼 등으로 잘 닦아준다.

㉱ 용접 케이블 등의 파손된 부분은 절연 테이프로 감아야 한다.

✔ 해석　용접기 취급상 주의사항

① 정격 사용율 이상으로 사용할 때 과열되어 소손이 생긴다.

② 가동 부분, 냉각 팬을 점검하고 주유한다.

48.㉮

③ 탭 전환의 전기적 접속부는 전기적 접촉 원활을 위하여 자주 샌드페이퍼 등으로 닦아 준다.

④ 2차측 단자의 한쪽과 용접기 케이스는 반드시 접지 한다.

⑤ 옥외의 비바람이 부는 곳, 습한 장소, 직사광선이 드는 곳에서 용접기를 설치하지 않는다.

⑥ 휘발성 기름이나 가스가 있는 곳, 유해한 부식성 가스가 존재하는 장소는 용접기 설치를 피한다.

⑦ 용접 케이블 등이 파손된 부분은 절연 테이프로 보수한다.

49 용접 피복제의 성분 중 아크안정제의 역할을 하는 것은?

㉮ 알루미늄 ㉯ 마그네슘
㉰ 니켈 ㉱ 석회석

49.㉱

☑ 해설 아크 안정제 : 이온화 하기 쉬운 물질을 만들어 재점호 전압을 낮추어 아크를 안정시킨다. 아크 안정제로는 규산나트륨, 규산칼륨, 산화티탄, 석회석 등이 있다.

50 가스용접 작업에 필요한 보호구에 대한 설명 중 틀린 것은?

㉮ 보호안경은 적외선, 자외선, 강렬한 가시광선과 비산되는 불꽃에서 눈을 보호한다.

㉯ 보호 장갑은 화상방지를 위하여 꼭 착용한다.

㉰ 앞치마와 팔 덮개 등은 착용하면 작업하기에 힘이 들기 때문에 착용하지 않아도 된다.

㉱ 유해가스가 발생할 염려가 있을 때에는 방독면을 착용 한다.

50.㉰

☑ 해설 보호구는 불편하더라도 착용하여야 한다.

51 아크용접에서 피복제의 주요작용으로 가장 알맞은 설명은?

㉮ 용착금속의 합금 원소 제거
㉯ 용융점이 높은 적당한 점성의 무거운 슬랙생성
㉰ 용착금속의 탈산 정련작용
㉱ 용착금속의 응고와 냉각속도 증가

51.㉰

☑ 해설 **피복제의 역할**

① 아크 안정 ② 산·질화 방지
③ 용적을 미세화 하여 용착 효율 향상
④ 서냉으로 취성 방지 ⑤ 용착 금속의 탈산 정련 작용
⑥ 합금 원소 첨가 ⑦ 슬랙의 박리성 증대
⑧ 유동성 증가 ⑨ 전기 절연 작용 등이 있다.

52 직류아크 용접기의 장점이 아닌 것은?

52.㉮

㉯ 아크쏠림의 방지가 가능하다.　㉯ 감전의 위험이 적다.
㉱ 아크가 안정하다.　㉱ 극성의 변화가 가능하다.

✔해설　아크 쏠림은 직류에서 발생하는 것으로 쏠림을 방지하려면 교류를 사용하는 것이 가장 근본적이 대책이다.

53 피복 아크 용접에서 직류정극성의 설명으로 틀린 것은?　53.㉯

㉮ 모재를 +극에, 용접봉을 −극에 연결한다.
㉯ 모재의 용입이 얕아진다.
㉱ 두꺼운 판의 용접에 적합하다.
㉲ 용접봉의 용융이 늦다.

✔해설　① 정극성일 때 모재에 양극(+)을 연결하므로 모재측에서 열 발생이 많아 용입이 깊게 되고, 음극(−)을 연결하는 용접봉은 천천히 녹는다.
② 역극성일 때 모재에 음극(−)을 연결하므로 모재측의 열량 발생이 적어 용입이 얕고 넓게 된다. 하지만 용접봉은 양극(+)에 연결하므로 빨리 녹게 된다.

54 경납땜에서 갖추어야 할 조건으로 틀린 것은?　54.㉯

㉮ 기계적, 물리적, 화학적 성질이 좋아야 한다.
㉯ 접합이 튼튼하고 모재와 친화력이 없어야 한다.
㉱ 모재와 야금적 반응이 만족스러워야 한다.
㉲ 모재와의 전위차가 가능한 한 적어야 한다.

✔해설　땜납의 구비 조건
① 모재 보다 용융점이 낮을 것
② 표면 장력이 작아 모재 표면에 잘 퍼질 것
③ 유동성이 좋아 틈이 잘 메워질 수 있을 것
④ 모재와 친화력이 있어야 된다.

55 CO_2 가스로 충전된 CO_2 가스 용량은 무엇으로 나타내는가?　55.㉯

㉮ CO_2가스 조정기의 압력　㉯ 용기 내의 가스 중량
㉱ 충전 전의 용기 중량　㉲ 충전 후의 용기 중량

✔해설　용기 속의 가스량은 일반적으로 용기 내의 가스 중량으로 측정한다.

56 이음부의 겹침을 판 두께 정도로 하고 겹쳐진 폭 전체를 가압하여 심 용접을 하는 방법은?　56.㉮

㉮ 매시 심용접(mash seam welding)
㉯ 포일 심용접(foil seam welding)
㉱ 맞대기 심용접(butt seam welding)
㉲ 인터랙 심용접(interact seam welding)

✔해설 용접 방법에 따라 매시 심, 포일 심, 맞대기 심, 로울러 심이 있다.

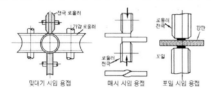

맞대기 시임 용접   매시 시임 용접   포일 시임 용접

심 용접의 종류

57 용접부에 외부에서 주어지는 열량을 용접입열이라고 한다. 피복아크 용접에서 아크가 용접의 단위 길이 1cm당 발생하는 전기적 에너지 H 는 아크전압 E(Volt), 아크 전류 I(ampere), 용접속도 V(cm/min)라 할 때, 어떤 관계식으로 주어지는가?

57.④

㉮ $H = \dfrac{EI}{60V} (J/cm)$ ㉯ $H = \dfrac{60EI}{V} (J/cm)$

㉰ $H = \dfrac{60V}{EI} (J/cm)$ ㉱ $H = \dfrac{V}{60EI} (J/cm)$

✔해설 외부에서 용접 모재에 주어지는 열량으로 일반적으로 모재에 흡수되는 열량 은 입열의 75~85%이다. 용접 입열이 충분하지 못하면 용입 불량 등의 용 접 결함을 수반할 수 있다.

$H = \dfrac{60EI}{V}$ [Joule/cm] (H : 용접 입열, E : 아크 전압[V], I : 아크 전류[A], V : 용접 속도[cm/min])

58 아크용접 중 방독마스크를 쓰지 않아도 되는 용접 재료는?

58.㉮

㉮ 주강   ㉯ 황동
㉰ 아연도금판   ㉱ 카드뮴합금

✔해설 주강은 주조한 강을 말하며 주로 산성 평로에서 제조한다. 용접시 방독 마스 크를 사용하지 않아도 된다.

59 가스용접 및 가스절단에 사용되는 가연성 가스의 요구되는 성질 중 틀 린 것은?

59.㉰

㉮ 불꽃의 온도가 높을 것
㉯ 발열량이 클 것
㉰ 연소속도가 느릴 것
㉱ 용융금속과 화학반응을 일으키지 않을 것

✔해설 가연성 가스의 조건
① 불꽃 온도가 높을 것
② 연소 속도가 빠를 것
③ 발열량이 클 것
④ 용융 금속과 화학 반응을 일으키지 않을 것

60 유니온멜트 용접 또는 케네디 용접이라고 부르기도 하며 용제(flux)를
사용하는 용접법은?

㉮ 서브머지드 용접   ㉯ 불활성가스 용접

㉰ 원자수소 용접   ㉱ CO_2가스 용접

✔ 해설 서브머지드 아크 용접(잠호 용접)은 용제 속에서 아크를 발생시켜 용접하며,
상품명으로는 유니언 멜트 용접, 링컨 용접법이라고도 한다.

60.㉮

국가기술자격검정 필기시험문제

2006년 산업기사 제3회 필기시험

자격종목 및 등급(선택분야)	종목코드	시험시간	문제지형별	수검번호	성 명
용접산업기사	2026	1시간 30분	B		

※ 답안카드 작성시 시험문제지 형별누락, 마킹착오로 인한 불이익은 전적으로 수검자의 귀책사유임을 알려드립니다.

제1과목 : 용접야금 및 용접설비제도

01 용접금속 조직의 특징에서 주상정(主狀)의 발달을 억제하는 방법으로 가장 적합하지 않은 것은?

㉠ 용접 중에 초음파 진동을 적용하는 방법
㉡ 용접 중에 공기 충격을 적용하는 방법
㉢ 용접 직후에 롤러가공을 적용하는 방법
㉣ 용접 금속 내의 온도 구배를 현저하게 하는 방법

✔해설 금속 주형에서 표면의 빠른 냉각으로 중심부를 향하여 방사상으로 이루어지는 결정을 주상정이라하며, 용접 금속 내의 온도 구배가 커지면 오히려 주상정이 커진다.

01.㉣

02 금속침투법 중 아연(Zn)을 침투시키는 것은?

㉠ 칼로라이징(Caloriging)
㉡ 실리코나이징(Siliconiging)
㉢ 세라다이징(Sheradizing)
㉣ 크로마이징(Chromizing)

✔해설 금속 침탄법 : 내식, 내산, 내마멸을 목적으로 금속을 침투시키는 열처리
① 세라 다이징 : Zn
② 크로마이징 : Cr
③ 칼로라이징 : Al
④ 실리코 나이징 : Si

02.㉢

03 내부 응력의 제거 또는 열처리 · 가공 등으로 인하여 경화된 재료의 연화 및 균일화를 위해 강재를 적당한 온도로 가열하여 일정 시간 유지 후, 노 안에서 서냉하는 열처리는?

㉠ 어닐링   ㉡ 플러링   ㉢ 퀜칭   ㉣ 스웨이징

✔해설 풀림(annealing) : 재질의 연화 및 응력제거를 목적으로 노내에서 서냉한다.

03.㉠

04 금속의 결정격자는 규칙적으로 배열되어 있는 것이 정상적이지만 불완전한 것 또는 결함이 있을 때 외력이 작용하면 불완전한 곳 및 결함이 있는 곳에서부터 이동이 생기는 현상은?

04.㉡

㉮ 쌍위　　　　　　　　㉯ 전위
㉰ 슬립　　　　　　　　㉭ 가공

✔️ 해설 ① 슬립 : 금속 결정형이 원자 간격이 가장 작은 방향으로 층상 이동하는 현상
　　　　(원자밀도가 최대인 격자면에서 발생)
　　② 트윈(쌍정) : 변형 전과 변형 후 위치가 어떤 면을 경계로 대칭되는 현상
　　　　(연강을 대단히 낮은 온도에서 변형시켰을 때 관찰된다.)
　　③ 전위 : 불안정하거나 결함이 있는 곳으로부터 원자 이동이 일어나는 현상

05 금속의 결정 구조에서 결정의 성장 중 수지상 결정에 해당하는 것은?　　05.㉮
㉮ 덴드라이트　　　　　㉯ 공석강
㉰ 면심 입방 격자　　　　㉭ 치환형 고용체

✔️ 해설 수지상결정 [樹枝狀結晶, dendrite] : 녹은 금속이 응고될 때 형성되는 나뭇
　　가지 모양의 결정으로 덴드라이트라고도 한다.

06 연납 땜에 주로 사용되는 연납의 성분은?　　06.㉯
㉮ 아연 + 납　　　　　㉯ 주석 + 납
㉰ 구리 + 납　　　　　㉭ 알루미늄 + 납

✔️ 해설 주석 - 납
　• 대표적 연납이다.
　• 흡착 작용은 주석의 함유량이 많아지면 커진다.

07 금속에 고온으로 장시간동안 일정한 인장하중을 가하면 시간과 더불어 변형도가 증가되는 현상은?　　07.㉭
㉮ 석출　　　　　　　㉯ 공석
㉰ 공정　　　　　　　㉭ 크리프

✔️ 해설 크리프 시험은 재료의 인장강도보다 적은 일정한 하중을 가했을 때 시간의
　　경과와 더불어 변화하는 현상인 크리프 현상을 이용하여 변형을 검사하는 방
　　법이다.

08 오스테나이트계 스테인리스강을 용접할 때 고온균열(Hot crack)이 발생하기 쉬운 원인이 아닌 것은?　　08.㉭
㉮ 아크 길이가 너무 길 때　　㉯ 크레이터 처리를 하지 않았을 때
㉰ 모재가 오염되어 있을 때　　㉭ 자유로운 상태에서 용접할 때

✔️ 해설 오스테나이트계 스테인리스강을 용접할 때 고온균열(Hot crack)의 원인
　① 모재가 오염되어 있을 때
　② 아크 길이가 길 때
　③ 크레이터 처리를 하지 않았을 때
　④ 구속력이 가해진 상태에서 용접할 때

09 용접분위기 중에서 발생하는 수소의 원이 될 수 없는 것은?

㉮ 플럭스 중의 무기물
㉯ 고착제(물유리 등)가 포함한 수분
㉰ 플럭스에 흡수된 수분
㉱ 대기중의 수분

☑ 해설 수분이 수소의 근원이다.

09.㉮

10 특수한 구면상의 선단을 같는 해머(hammer)로서 용접부를 연속적으로 타격해 줌으로서 용접 표면에 소성 변형을 생기게 하는 것은?

㉮ 노내 풀림법
㉯ 국부 풀림법
㉰ 저온응력 완화법
㉱ 피닝 법

☑ 해설 피닝법 : 끝이 둥근 특수 해머로 용접부를 연속적으로 타격하며 용접 표면에 소성 변형을 주어 인장 응력을 완화한다. 첫층 용접의 균열 방지 목적으로 700℃정도에서 열간 피닝을 한다.

10.㉱

11 그림과 같은 용접도시기호에 의하여 용접할 경우 설명으로 틀린 것은?

a9 △ 2×100(200)

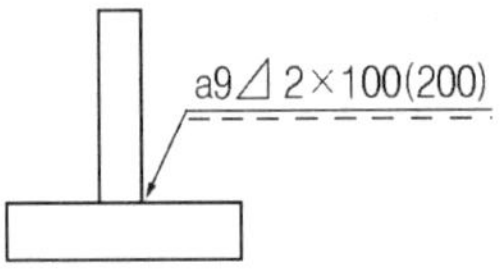

㉮ 화살표쪽에 필릿용접한다.
㉯ 목두께는 9[mm]이다.
㉰ 용접부의 개수는 2개이다.
㉱ 용접부의 길이는 200[mm]이다.

☑ 해설 용접도시기호에서 용접부의 길이는 100mm, 간격이 200mm이다.

11.㉱

12 기계재료의 재질을 표시하는 기호 중 기계 구조용강을 나타내는 기호는?

㉮ Al
㉯ SM
㉰ Bs
㉱ Br

☑ 해설 기계 구조용 탄소강(SM) : SM0C, SM12C, SM15C, SM17C, SM20C, SM22C, SM25C, SM28C, SM30C, SM33C, SM35C, SM38C, SM40C, SM43C, SM45C
용접 구조용 압연강재 : SM 400A · B · C, SM 490A · B · C, SM 490YA · YB, SM 520B · C, SM 570, SM 490TMC, SM 520TMC, SM 570TMC

12.㉯

13 도면을 마이크로필름에 촬영하거나 복사할 때에 편의를 위하여 윤곽선 중앙으로부터 용지의 가장자리에 이르는 굵기 0.5[mm]의 수직선으로 그은 선은?

㉮ 중심 마크
㉯ 비교 눈금
㉰ 도면의 구역
㉱ 재단 마크

13.㉮

☑ 해설 중심 마크 : 도면의 사진 촬영 및 복사할 때 편의를 위해 사용, 상하 좌우 중앙의 4개소에 표시한다.

14 일반적인 판금전개도를 그릴때 전개 방법이 아닌 것은?

㉮ 사각형 전개법 ㉯ 평행선 전개법
㉰ 방사선 전개법 ㉱ 삼각형 전개법

☑ 해설 ① 평행선 전개법 특징 : 물체의 모서리가 직각으로 만나는 물체나 원통형 물체를 전개할 때 사용
② 방사선 전개법 특징 : 각뿔이나 원뿔처럼 꼭짓점을 중심으로 부채꼴 모양으로 전개하는 방법
③ 삼각형 전개법 특징 : 꼭지점이 먼 각뿔이나 원뿔을 전개할 때 입체의 표면을 여러 개의 삼각형으로 나누어 전개하는 방법

15 평면이면서 복잡한 윤곽을 갖는 부품일 경우 물체의 표면에 기름이나 광명단을 얇게 칠하고 그 위에 종이를 대고 눌러서 실제의 모양을 뜨는 방법은?

㉮ 프린트법 ㉯ 모양뜨기법
㉰ 프리핸드법 ㉱ 사진법

☑ 해설 스케치 방법
① 프린트법 : 부품 표면에 광명단 또는 스탬프 잉크를 칠한 후 용지에 찍어 실제 형상으로 모양을 뜨는 방법
② 본뜨기법 : 실제 부품을 용지 위에 올려놓고 본을 뜨는 방법과 부품 표면을 납선으로 본을 떠서 이를 용지에 옮기는 방법
③ 사진 촬영법 : 사진기로 실물을 직접 찍어서 도면을 그리는 방법(크거나 복잡한 경우)
④ 프리핸드법 : 손으로 직접 그리는 방법

16 3각법에서 물체의 위에서 내려다 본 모양을 도면에 표현한 투상도는?

㉮ 정면도 ㉯ 평면도
㉰ 우측면도 ㉱ 좌측면도

☑ 해설 3각법의 도형의 배치 방법은 정면도를 기준으로 위에는 평면도(상면도), 아래에는 저면도(하면도), 좌측에는 좌측면도, 우측에는 우측면도, 우측면도 옆에는 정면도에 뒤쪽인 배면도를 배치한다.

17 기계제도에서 물체의 보이지 않는 부분을 나타내는 선의 종류는?

㉮ 가는 실선 ㉯ 일점 쇄선
㉰ 이점 쇄선 ㉱ 가는 파선

☑ 해설 은선은 물체의 보이지 않는 부분의 모양을 표시하는 선으로 파선을 사용한다.

14.㉮

15.㉮

16.㉯

17.㉱

18 대상물의 구멍, 홈 등과 같이 한 부분의 모양을 도시하는 것으로 충분한 경우에 그 부분만을 그리는 투상도는?

㉮ 정투상도
㉯ 회전 투상도
㉰ 사투상도
㉱ 국부 투상도

18.㉱

✔해설 국부 투상도 : 대상물의 구멍, 홈 등 한 국부만의 모양을 도시하는 것으로 충분한 경우에는 그 필요 부분만을 국부 투상도로 나타냄

19 용접부의 비파괴검사(NDT) 기본기호중에서 잘못 표기된 것은?

㉮ RT : 방사선 투과 시험
㉯ UT : 초음파 탐상 시험
㉰ MT : 침투탐상 시험
㉱ ET : 와류탐상 시험

19.㉰

✔해설 UT는 초음파, PT는 침투, MT는 자분, RT는 방사선 검사

20 대상물의 일부를 파단한 경계 또는 일부를 떼어낸 경계를 표시하는데 사용하는 선은?

㉮ 해칭선
㉯ 절단선
㉰ 가상선
㉱ 파단선

20.㉱

✔해설 파단선은 물체의 일부를 파단한 곳을 표시하는 선으로 불규칙한 파형의 가는 실선 또는 지그재그 선으로 그린다.

제2과목 : 용접구조 설계

21 V형 맞대기 용접(완전용입)에서 용접선의 유효길이가 300mm이고, 용접선의 수직하게 인장하중 13,500kgf이 작용하면 연강판의 두께는 몇 mm인가?(단, 인장 응력은 5kgf/mm²임)

㉮ 25
㉯ 16
㉰ 12
㉱ 9

21.㉱

✔해설 $\sigma = \dfrac{P}{tl}$ 에서 $t = \dfrac{p}{l\sigma} = \dfrac{13500}{300 \times 5} = 9$

22 각변형(變形)이 가장 적게 일어나는 용접 홈의 형태는?

㉮ V형
㉯ X형
㉰ J형
㉱ I형

22.㉯

✔해설 대칭적인 즉 양면 V형 홈인 X형이 변형이 가장 적다.

23 용접을 기계적 이음과 비교할 때 그 특징에 대한 설명으로 틀린 것은?

㉮ 이음효율이 대단히 높다.
㉯ 수밀, 기밀을 얻기 쉽다.
㉰ 응력집중이 생기지 않는다.
㉱ 재료의 중량을 절약할 수 있다.

23.㉰

✔️ 해설 **단점**
① 품질 검사가 곤란하다.
② 제품의 변형을 가져 올 수 있다(잔류 응력 및 변형에 민감).
③ 유해 광선 및 가스 폭발 위험이 있다.
④ 용접사의 기능과 양심에 따라 이음부 강도가 좌우한다.

24 용접부의 잔류응력 제거 방법에 해당되지 않는 것은?　　　24. 라

㉮ 노내 풀림법　　　　　　㉯ 국부 풀림법
㉰ 피닝　　　　　　　　　　㉱ 코킹

✔️ 해설 잔류 응력 경감법의 종류로는 노내 풀림법, 국부 풀림법, 저온 응력 완화법, 기계적 응력 완화법, 피닝법 등이 있다. 풀림을 어닐링이라 한다.

25 다음 중 용접입열에 미치는 중요 인자가 아닌 것은?　　　25. 라

㉮ 아크전압　　　　　　　　㉯ 용접전류
㉰ 용접속도　　　　　　　　㉱ 용접봉의 길이

✔️ 해설 외부에서 용접 모재에 주어지는 열량으로 일반적으로 모재에 흡수되는 열량은 입열의 75 ~ 85%이다. 용접 입열이 충분하지 못하면 용입 불량 등의 용접 결함을 수반할 수 있다.

$H = \dfrac{60EI}{V}$ [Joule/cm] (H : 용접 입열, E : 아크 전압[V], I : 아크 전류[A], V : 용접 속도[cm/min])

26 T이음 등에서 강의 내부에 강판 표면과 평행하게 층상으로 발생되는 균열로 주요 원인은 모재의 비금속 개재물인 것은?　　　26. 다

㉮ 재열균열
㉯ 루트균열(root crack)
㉰ 라멜라테어(lamellar tear)
㉱ 래미네이션균열(lamination crack)

✔️ 해설 라멜라테어란 십자형 맞대기 이음부 및 필릿 다층 용접 이음부와 같이 모재 표면에 직각방향으로 강한 인장 구속 응력이 형성되는 이음부의 경우 용접열 영향부 및 그 인접부에 모재 표면과 평행하게 계단형상으로 발생하는 균열을 말한다.

27 용접 후 처리에서 외력만으로 소성변형을 일으켜 변형을 교정하는 방법은?　　　27. 다

㉮ 박판에 대한 점 수축법　　㉯ 가열 후 해머로 두드리는 법
㉰ 롤러에 거는 법　　　　　　㉱ 형재에 대한 직선 수축법

✔️ 해설 ㉮, ㉯, ㉱는 가열 후 소성 변형을 주어 변형을 교정하는 방법이다.

28 그림과 같은 용접이음에서 굽힘 응력을 σ_b라 하고, 굽힘 단면계수를 W_b라 할 때, 굽힘 모멘트 M_b를 구하는 식은?

28.㉮

㉮ $M_b = \sigma_b \cdot W_b$

㉯ $M_b = \dfrac{\sigma_b}{W_b}$

㉰ $M_b = \dfrac{\sigma_b \cdot W_b}{l}$

㉱ $M_b = \dfrac{\sigma_b \cdot W_b}{t}$

✔ 해석 굽힘 응력을 σ_b와, 굽힘 단면계수를 W_b, 굽힘 모멘트 M_b의 관계는 $\sigma_b = \dfrac{M_b}{W_b}$로 구할 수 있다.

29 탄소당량에 대한 설명으로 틀린 것은?

29.㉰

㉮ 탄소당량에 미치는 영향은 탄소가 가장 크다.

㉯ 탄소당량이 커질수록 열영향부는 쉽게 강화된다.

㉰ 탄소당량이 커질수록 용접성이 좋아진다.

㉱ 탄소당량이 커지면 예열온도를 높일 필요가 있다.

✔ 해석 탄소 이외의 원소는 탄소 함유량으로 환산하는데 이를 탄소 당량이라 하며, 탄소 당량이 커질수록 용접성은 저하된다.

30 용접부에 대한 변형의 경감 및 교정에서, 도열법(盜熱法)의 설명은?

30.㉯

㉮ 용접 금속 및 모재의 수축에 대하여 용접전에 반대방향으로 굽혀 놓은 것이다.

㉯ 용접부에 구리로 된 덥개판을 두든지, 뒷면에서 용접부 근처에 물이 묻은 석면을 두고, 모재에 용접 입열을 막는 것이다.

㉰ 공작물을 가접 또는 지그 홀더 등으로 장착하고 변형의 발생을 억제하는 방법이다.

㉱ 용접직후 해머로 비드를 두드려서 용접금속의 변형을 방지하는 방법이다.

✔ 해석 도열법이란 용접부 주위에 물을 적신 석면, 동판을 대어 열을 흡수시키는 방법으로 변형 경감 및 교정에 사용한다.

31 본 용접을 시행하기 전에 좌우의 이름 부분을 일시적으로 고정하기 위한 짧은 용접은?

31.㉯

㉮ 후용접

㉯ 가용접

㉰ 점용접

㉱ 선용접

✔ 해석 **가접**

① 홈안에 가접은 피하고 불가피한 경우 본 용접 전에 갈아낸다.

② 응력이 집중하는 곳은 피한다.

③ 전류는 본 용접보다 높게 하며, 용접봉의 지름은 가는 것을 사용한다. 또한 너무 짧게 하지 않는다.

④ 시·종단에 엔드탭을 설치하기도 한다.
⑤ 가접사도 본 용접사에 비하여 기량이 떨어지면 안 된다.
⑥ 가접용 지그 등을 사용하여 부재의 형상을 유지한다.

32 오스테나이트계 스테인레스강을 용접할 때, 용접하여 가열한 후 급냉
시키는 이유로 가장 적합한 것은?

㉮ 고온크랙(crack)을 예방하기 위하여
㉯ 기공의 확산을 막기 위하여
㉰ 용접 표면에 부착한 피복제를 쉽게 털어내기 위하여
㉱ 입계부식을 방지하기 위하여

☑ 해설 오스테나이트(18 - 8) 스테인리스강의 용접시 주의 사항
① 예열을 하지 않는다.
② 층간 온도가 320℃ 이상을 넘어서는 안 된다.
③ 용접봉은 모재와 같은 것을 사용하며, 될수록 가는 것을 사용한다.
④ 낮은 전류치로 용접하여 용접 입열을 억제한다.
⑤ 짧은 아크 길이를 유지한다.(길면 카바이드 석출)
⑥ 크레이터를 처리한다.
⑦ 용접 후 급냉하여 입계 부식을 방지한다.

32.㉱

33 용접 설계에서 허용응력을 올바르게 나타낸 공식은?

㉮ 허용응력 = $\dfrac{\text{안전율}}{\text{이완력}}$ ㉯ 허용응력 = $\dfrac{\text{인장강도}}{\text{안전율}}$

㉰ 허용응력 = $\dfrac{\text{이완력}}{\text{안전율}}$ ㉱ 허용응력 = $\dfrac{\text{안전율}}{\text{인장강도}}$

☑ 해설 허용응력 = $\dfrac{(\text{인장강도})}{(\text{안전율})}$ 의 식으로 구한다.

33.㉯

34 한 개의 용접봉으로 살을 붙일만한 길이로 구분해서, 홈을 한 부분씩
여러 층으로 쌓아 올린 다음, 다른 부분으로 진행하는 용착법은?

㉮ 캐스케이드법   ㉯ 빌드업법
㉰ 전진블록법   ㉱ 스킵법

☑ 해설 전진 블록법 : 한 개의 용접봉으로 살을 붙일만한 길이로 구분해서 홈을 한
부분에 여러 층으로 완전히 쌓아 올린 다음, 다음 부분으로 진행하는 방법으
로 첫 층에 균열 발생 우려가 있는 곳에 사용된다.

34.㉰

35 금속의 응고 과정에서 방출된 기체가 빠져 나가지 못하여 생긴 결함을
무엇이라고 하는가?

㉮ 슬래그   ㉯ 설파 프린트
㉰ 홀인   ㉱ 기공

35.㉱

> ✔ 해설 용접 중 기공은 금속의 응고 과정에서 방출된 기체가 빠져 나가지 못하여 생긴 결함으로 수소 또는 일산화탄소 과잉, 용접부의 급속한 응고, 모재 가운데 유황함유량 과대, 기름 페인트 등이 모재에 묻어 있을 때, 아크 길이, 전류 조작의 부적당, 용접 속도가 너무 빠를 때 발생한다.

36 용접부의 시험에서 확산성 수소량을 측정하는 방법은?

㉮ 기름 치환법　　　　　　㉯ 글리세린 치환법
㉰ 수분 치환법　　　　　　㉱ 충격 치환법

> ✔ 해설 수소 시험 : 45℃ 글리세린 치환법, 진공 가열법, 확산성 수소량 측정법, 수은에 의한 방법 등이 있다.

36.㉯

37 용착금속의 충격시험에 대한 설명 중 옳은 것은?

㉮ 시험편의 파단에 필요한 흡수에너지가 크면 클수록 인성이 크다.
㉯ 시험편의 파단에 필요한 흡수에너지가 작으면 작을수록 인성이 크다.
㉰ 시험편의 파단에 필요한 흡수에너지가 크면 클수록 취성이 크다.
㉱ 시험편의 파단에 필요한 흡수에너지는 취성과 상관관계가 없다.

> ✔ 해설 충격 시험 : (샤르피식, 아이조드식) 재료의 인성과 취성을 알아보는 시험으로 시험편의 파단에 필요한 흡수에너지가 크면 클수록 인성이 크다.

37.㉮

38 필릿 용접 이음부의 강도를 계산할 때 기준으로 삼아야 하는 것은?

㉮ 루트 간격　　㉯ 각장 길이　　㉰ 목의 두께　　㉱ 용입 깊이

> ✔ 해설 필릿 용접의 가로 단면에 내접하는 이등변 삼각형의 루트부터 빗변까지의 수직거리를 이론 목두께라 하고, 용입을 고려한 루트부터 표면까지의 최단거리를 실제 목두께라 하여 이음부의 강도를 계산할 때 기준으로 삼는다.

38.㉰

39 동일한 탄소강판으로 두께가 서로 다른 V형 맞대기 용접이음에서 얇은 쪽의 강판 두께 T_1, 두꺼운 쪽의 강판 두께 T_2, 인장응력 σ_t이고, 용접 길이 L이라면 용접부의 인장하중 P를 구하는 식은?

㉮ $P = \sigma_t \cdot T_2 \cdot L$　　　　㉯ $P = 2\sigma_t \cdot T_2 \cdot L$
㉰ $P = \sigma_t \cdot T_1 \cdot L$　　　　㉱ $P = 2\sigma_t \cdot T_1 \cdot L$

> ✔ 해설 판두께가 다른 이음의 허용응력을 계산할 때는 일반적으로 얇은판을 기준으로 단면적을 구한다. 즉 $\sigma = \dfrac{P}{A(얇은판 \times 용접길이)}$
> 그러므로 인장하중(P) $= \sigma_t \cdot T_1 \cdot L$

39.㉰

40 용접봉의 용융속도는 무엇으로 나타내는가?

40.㉮

㉠ 단위 시간당 용융되는 용접봉의 길이 또는 무게

㉡ 단위시간당 용착된 용착금속의 량

㉢ 단위시간당 소비되는 용접기의 전력량

㉣ 단위시간당 이동하는 용접선의 길이

✔ 해설 용접봉의 용융 속도는 단위 시간당 소비되는 용접봉의 길이 또는 무게로 나타낸다.

제3과목 : 용접일반 및 안전관리

41 에어코우매틱(air comatic) 용접법, 시그마(sigma)용접법, 필러아크 용접법등의 상품명으로 불리는 것은?

㉠ TIG용접법   ㉡ 테르밋 용접법

㉢ MIG용접법   ㉣ 심(seam) 용접법

✔ 해설 TIG 용접의 상품명으로는 헬륨 – 아크 용접, 아르곤 용접 등으로 불린다. 또한 MIG용접의 상품명은 에어코우매틱(air comatic) 용접법, 시그마(sigma) 용접법, 필러아크 용접법, 아르고노오트 용접법 등으로 불린다.

41.㉢

42 용접 작업 중 정전이 되었을 때, 취해야 할 가장 적절한 조치는?

㉠ 전기가 오기만을 기다린다.

㉡ 홀더를 놓고 송전을 기다린다.

㉢ 홀더에서 용접봉을 빼고 송전을 기다린다.

㉣ 전원을 끊고 송전을 기다린다.

✔ 해설 작업 중 정전이 되었다면 모든 부하의 전원을 끊고 다시 전기가 송전될 때까지 기다린다.

42.㉣

43 저수소계 용접봉으로 용접작업하기 직전에 어떻게 하는 것이 가장 좋은가?

㉠ 구매할 때 들어온 포장박스(BOX) 그대로 뜯지 않고 보관한 후 바로 용접한다.

㉡ 용접봉 관리 창고에서 포장박스를 뜯어서 불출하기 쉽게 한곳에 모아 둔 후 바로 용접한다.

㉢ 습기를 제거하기 위하여 건조로 속에 넣어 일정시간 일정온도를 유지시킨 후 바로 용접한다.

㉣ 포장 박스를 뜯어서 용접봉을 끄집어 낸 후 비닐로 용접봉을 덮어 둔 후 바로 용접한다.

✔ 해설 피복제는 습기를 흡수하기 쉽기 때문에 사용하기 전에 300 ~ 350℃ 정도로 1 ~ 2시간 정도 건조시켜 사용한다.

43.㉢

44 일반적인 교류 아크 용접기의 2차측 무부하 전압은?   44.㉯

㉮ 50 ~ 60V   ㉯ 70 ~ 80V

㉰ 90 ~ 100V   ㉭ 100 ~ 110V

✔️ 해설 교류 아크 용접기 무부하 전압 70 ~ 80[V], 직류 아크 용접기 무부하 전압 40
~ 60[V]으로 교류가 직류보다 감전의 위험이 크다.

45 산소용기의 용량이 30리터이다. 최초의 압력 150kgf/cm²이고, 사용   45.㉯
후 100kgf/cm²으로 되면 몇 리터의 산소가 소비 되는가?

㉮ 1,020   ㉯ 1,500   ㉰ 3,000   ㉭ 4,500

✔️ 해설 ① 산소 용기의 총 가스량 = 내용적 × 기압
② 사용할 수 있는 시간 = 산소용기의 총 가스량 ÷ 시간당 소비량
그러므로 소비량은 = 내용적(30) × 기압(150 − 100) = 1500

46 유전, 습지대에서 분출되며 메탄을 주성분으로 하나, 그 조성은 산지   46.㉯
또는 분출시기에 따라 다른 용접용 가스는?

㉮ 수소가스   ㉯ 천연가스   ㉰ 도시가스   ㉭ LP가스

✔️ 해설 천연 가스의 주성분은 메탄(CH_4)으로, 유전 습지대 등에서 분출한다.

47. 업셋(up set)용접과 비슷한 것으로 용접할 2개의 금속단면을 가볍게   47.㉯
접촉시켜 대전류를 통하여 집중적으로 접촉점을 가열하여 용접면에
강한 압력을 주어 압접하는 것은?

㉮ 가스용접   ㉯ 플래시용접   ㉰ 레이저용접   ㉭ 스텃용접

✔️ 해설 **플래시 용접**
① 용접물에 간격을 두어 설치하고 전류를
통하여 발열 및 불꽃 비산을 지속시켜
접합면이 골고루 가열되었을 때 가압하
여 접합하는 방법이다.
② 예열 → 플래시 → 업셋 순으로 진행된다.
③ 열 영향부 및 가열 범위가 좁다.
④ 이음의 신뢰도가 높고 강도가 좋다.
⑤ 용접 시간, 소비 전력이 적다.
⑥ 용접면에 산화물의 개입이 적다.

48. 연납땜의 설명으로 다음 중 가장 적합한 것은?   48.㉮

㉮ 땜납의 융점이 450℃ 이하   ㉯ 땜납의 융점이 300℃ 이하

㉰ 땜납의 융점이 150℃ 이하   ㉭ 땜납의 융점이 100℃ 이하

✔️ 해설 온도 450℃를 기준으로 그 이하를 연납, 그 이상을 경납이라고 한다.

49 연강용 피복아크 용접봉으로 용접시 용착금속에 좋은 강인성, 기계적 성질, 내균열성을 주며 피복제 중에 석회석이나 형석이 주성분으로 사용되는 것은?

㉮ 일미나이트계 용접봉 ㉯ 고산화티탄계 용접봉
㉰ 저수소계 용접봉 ㉱ 고셀룰로스게 용접봉

49.㉰

☑ 해석　저수소계(E4316)
① 석회석($CaCO_3$)이나 형석(CaF_2)을 주성분으로 용착 금속 중의 수소량이 다른 용접봉에 비해서 1/10정도로 현저하게 적은 우수한 특성이 있다.
② 피복제는 습기를 흡수하기 쉽기 때문에 사용하기 전에 300~350℃ 정도로 1~2시간 정도 건조시켜 사용한다.
③ 기계적 성질은 다른 연강봉보다 우수하기 때문에 중요 강도 부재, 고압 용기, 후판 중 구조물, 탄소 당량이 높은 기계 구조용 강, 균열의 감수성이 좋고 구속도가 큰 구조물, 유황 함유량이 높은 강 등의 용접에 결함 없이 양호한 용접부가 얻어진다.

50 피복아크 용접에서 부하전류가 증가하면 단자전압이 낮아지는 특성은?

㉮ 정전압 특성 ㉯ 수하특성
㉰ 상승특성 ㉱ 동전류 특성

50.㉯

☑ 해석　수하 특성(垂下 特性)이란 부하 전류가 증가하면 단자 전압이 저하하는 특성을 말한다.
V = E - IR(V : 단자 전압, E : 전원 전압)

51 정격2차 전류가 600[A]인 용접기의 정격 사용률이 40%, 허용사용률이 57.6%였다면, 실제 용접 작업시의 용접전류는 몇 [A]인가?

㉮ 500 ㉯ 600
㉰ 700 ㉱ 800

51.㉮

☑ 해석　허용사용율(%) × (실제용접전류)² = 정격 사용율(%) × (정격2차전류)²

$$허용사용율(\%) = \frac{(정격2차전류)^2}{(실제용접전류)^2} \times 정격사용율$$

57.6 × (실제용접전류)² = 40 × (600)²
실제용접전류 = 500A

52 직류 역극성(reverse polarity) 용접에 대한 설명이 옳은 것은?

㉮ 용접봉을 음극(-), 모재를 양극(+)에 설치한다.
㉯ 용접봉의 용융 속도가 느려진다.
㉰ 모재의 용입 (penetration)이 깊다.
㉱ 얇은 판의 용접에서 용락을 피하기 위하여 사용한다.

52.㉱

✔ **해설** **극성의 설명**

① 극성은 직류(DC)에서만 존재하며 종류는 직류 정극성(DCSP : Direct Current Straight Polarity)과 직류 역극성(DCRP : Direct Current Reverse Polarity)이 있다.

② 일반적으로 양극(+)에서 발열량이 70%이상 나온다.

③ 정극성일 때 모재에 양극(+)을 연결하므로 모재측에서 열 발생이 많아 용입이 깊게 되고, 음극(−)을 연결하는 용접봉은 천천히 녹는다.

④ 역극성일 때 모재에 음극(−)을 연결하므로 모재측의 열량 발생이 적어 용입이 얕고 넓게 된다. 하지만 용접봉은 양극(+)에 연결하므로 빨리 녹게 된다.

⑤ 일반적으로 모재가 용접봉에 비하여 두꺼워 모재측에 양극(+)을 연결하는 것을 정극성이라 한다.

53 전기 저항용접에서 발생하는 열량 Q[cal]와 전류 I[A] 및 전류가 흐르는 시간 t[sec]일 때 다음 중 올바른 식은?(단, R은 저항[Ω]임)

㉮ $Q = 0.24IRt$

㉯ $Q = 0.24I^2Rt$

㉰ $Q = 0.24IR^2t$

㉲ $Q = 0.24I^2R^2t$

53.㉯

✔ **해설** 줄열은 전류세기의 제곱과 도체 저항 및 전류가 흐르는 시간에 비례한다는 법칙으로 저항 용접에 사용된다. 즉 $Q = 0.24I^2Rt$

54 2개의 물체를 충분히 접근시키면 그들 사이에 원자 사이의 인력이 작용하여 결합하는데 이 때 원자 사이의 거리는 어느 정도 접근해야 하는가?

㉮ $0.001(\mu m)$

㉯ $10^{-6}(cm)$

㉰ $10^{-8}(cm)$

㉲ $0.0001(mm)$

54.㉰

✔ **해설** 용접이란 두 금속간의 간격이 $10^{-8}cm(Å)$ 즉 1억분의 1cm정도 접근시키면 인력이 작용되어 결합된다.

55 핸드 실드나 헬밋의 차광 유리 앞에 보통유리를 끼우는 이유로 가장 적합한 것은?

㉮ 차광유리를 강하게 하기 위해

㉯ 차광유리를 보호하기 위해

㉰ 자외선을 방지하기 위해

㉲ 작업상황을 쉽게 보이기 위해

55.㉯

✔ **해설** 용접 헬멧 또는 핸드 실드를 사용하여 용접 작업을 하게되면 스팩터가 튄다. 그러므로 차광유리를 보호하기 위하여 맨유리를 차광유리 앞뒤로 일반적으로 끼워 작업한다. 스팩터가 많이 튀어 앞이 보이지 않게 되면 앞에 있는 맨유리만 갈아 끼우면 된다. 그 이유는 차광유리가 맨유리보다 고가이기 때문이며, 아울러 용접 작업 중 스팩터 등에 의해 깨지는 것을 방지하기 위함이다.

56 피복 아크 용접 작업에서 용접조건에 관한 설명으로 틀린 것은?

㉮ 아크 길이가 길면 아크가 불안정하게 되어 용융금속의 산화나 질화가 일어나기 쉽다.

56.㉯

㉯ 좋은 용접을 얻기 위해서 원칙적으로 긴 아크로 작업한다.
㉰ 아크 길이가 너무 짧으면 피복제나 불순물이 용융지에 섞여 들어가기 쉽다.
㉱ 용접속도를 운봉속도 또는 아크속도 라고도 한다.

☑ 해설 ① 전압 및 전류가 일정할 때 속도가 증가되면 비드의 나비는 감소하며 용입 또한 감소된다.
② 실제 작업에서는 비드의 겉모양을 손상시키지 않는 범위 내에서는 용접속도는 약간 빠른 편이 좋다.
③ 아크 길이가 길어지면 용접 결함 발생의 우려가 커진다.

57 가스 절단시 절단면에 나타나는 일정간격의 평행 곡선을 의미하는 것은?

㉮ 절단면의 아크 방향　　　　㉯ 가스궤적
㉰ 드래그 라인　　　　　　　㉱ 절단속도의 불일치에 따른 궤적

57.㉰

☑ 해설 드랙
① 가스 절단면에 있어서 절단기류의 입구점과 출구점 사이의 수평거리
② 드랙의 길이는 판 두께의 ⅕ 즉 20%정도가 좋다.
③ 드랙은 가능한 작고 일정할 것

58 잠호용접법에서 다전극 용접 중 두 개의 와이어(직류와 직류, 교류와 교류)를 똑같은 전원에 접속하여 비드 폭이 넓고 용입이 깊은 용접부를 얻기 위한 방식은?

㉮ 탠덤식　　　　　　　　　㉯ 횡병렬식
㉰ 횡직렬식　　　　　　　　㉱ 종직렬식

58.㉯

☑ 해설

종류	전극 배치	특징
텐덤식	2개의 전극을 독립 전원에 접속한다.	비드 폭이 좁고 용입이 깊다. 용접 속도가 빠르다.
횡 직렬식	2개의 용접봉 중심이 한 곳에 만나도록 배치	아크 복사열에 의해 용접. 용입이 매우 얕다. 자기 불림이 생길 수가 있다.
횡 병렬식	2개 이상의 용접봉을 나란히 옆으로 배열	용입은 중간 정도이며 비드 폭이 넓어진다.

59 탄산가스 아크 용접의 용접전류가 400[A] 이상일 때 다음 중 가장 적합한 차광도 번호는?

㉮ 8　　　　　　　　　　㉯ 10
㉰ 5　　　　　　　　　　㉱ 14

59.㉱

✔ 해석

차광도 번호	용접 전류(A)	용접봉 지름(mm)
8	45 ~ 75	1.2 ~ 2.0
9	75 ~ 130	1.6 ~ 2.6
10	100 ~ 200	2.6 ~ 3.2
11	150 ~ 250	3.2 ~ 4.0
12	200 ~ 300	4.8 ~ 6.4
13	300 ~ 400	4.4 ~ 9.0
14	400 이상	9.0 ~ 9.6

60 40[kVA]의 교류아크 용접기의 전원 전압은 200[V]일 때 전원스위치
에 넣을 퓨즈의 용량은 몇 [A]인가?

㉮ 50   ㉯ 100

㉰ 150   ㉱ 200

✔ 해석   퓨즈용량 $= \dfrac{40000}{200} = 200A$

60.㉱

◆송 득 중   (現)한국폴리텍 Ⅶ대학   E-mail : dgadin@deramwiz.com
◆임 기 정   (現)한국폴리텍 Ⅲ대학
◆임 정 운   (現)WPS직업전문학교 학교장
◆임 주 헌   (現)군장대학
◆이 종 건   (現)경기도 기술학교

◆ 과년도 용접산업기사   정가 17,000원

2008년 1월 22일 초판 발행 2014년 1월 5일 제3판5쇄발행	엮 은 이 : 송득중, 임기정, 임정운, 임주헌, 이종건 발 행 인 : 정 옥 자 발행처 : 도서출판 한 진 등 록 : 제 3-618호(95. 5. 11) ⓒ 2008 *Han Jin* ISBN : 978-89-86412-65-9

㉾ 140-100 서울특별시 용산구 문배동 40-21
TEL : 영업부 (02)713-4135 / 편집부 (02)713-7452 • FAX : (02)718-5510
E-mail : 7134135@naver.co.com • http : // www.gbbook.co.kr
※ 파본은 구입하신 서점에서 교환해 드립니다.